TUNNELS

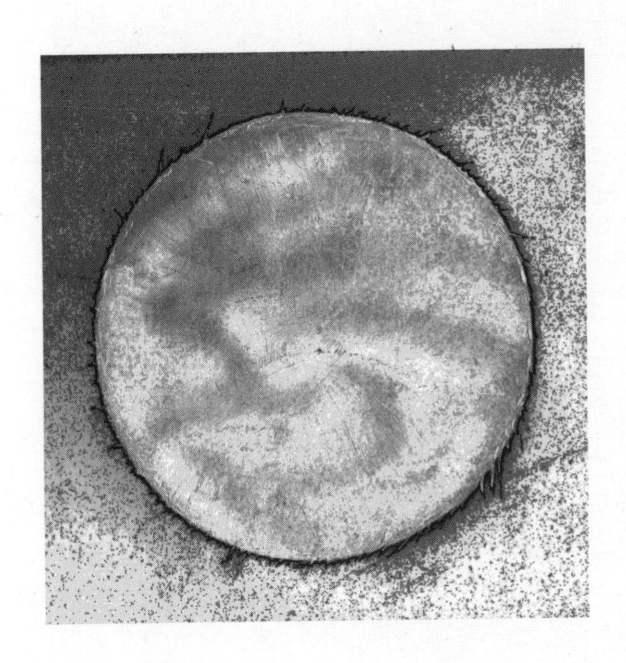

Tome IV : *Plus proche*

Roderick Gordon

Traduit de l'anglais par Arnaud Regnauld

Déjà parus

Tunnels, tome I
Tunnels, tome II : *Profondeurs*
Tunnels, tome III : *Chute libre*

À paraître
Tunnels, tome V

Titre original :
Closer

Première publication par Chicken House, en Grande-Bretagne, 2010

7-13, boulevard Paul-Émile-Victor – Île de la Jatte
92521 Neuilly-sur-Seine Cedex
www.michel-lafon.com

« Nous dansons en rond et nous supputons,
Mais le secret est assis au milieu et il sait. »

The Secret Sits, ROBERT FROST, 1942

« Tu ne m'as jamais vu
Tu ne m'as jamais esperé, trop bel à dire
Tu ne peux t'expliquer
Tu ne peux t'expliquer
Cette douleur, je ne peux l'expliquer… »

I Betray My Friends, ORCHESTRAL MANOEUVRES IN THE DARK, 2001

« Le jour de toutes les sommations,
portez votre corps en avant sur l'épave de vos jours.
Que ce ne soit pas pour ce que vous étiez mais pour ce à quoi vous aspiriez ! »

Livre des catastrophes allemand, AUTEUR INCONNU, XVIIe siècle

Première Partie

Révélations

Chapitre Premier

Des langues de feu, rouges, blanches. Les cheveux brûlent, la peau se rétracte… Le hurlement d'une bourrasque. L'oxygène est soudain happé, on entend un clapotis. Rebecca bis se jette dans le bassin, entraînant sa sœur avec elle. Sonnée et à peine consciente, Rebecca a le corps aussi mou qu'une poupée de chiffon. Elle ne réagit même pas au contact de l'eau glacée.

Les jumelles s'abîment sous la surface, à l'abri de l'intense vague de chaleur.

Rebecca bis plaque sa main sur la bouche et le nez de sa sœur. Elle s'efforce ensuite de réfléchir. *Encore soixante secondes au maximum*, se dit-elle alors qu'elle commence à avoir les poumons en feu. *Et après* ?

Elle relève les yeux vers l'enfer qui fait rage au-dessus de sa tête. Des vagues cramoisies se reflètent dans les déferlantes qui roulent en surface. Les charges explosives d'Elliott ont embrasé la végétation sèche qui alimente la fournaise et recouvre le bassin d'une épaisse couche de cendre noire. Comme si cela ne suffisait pas, Elliott est encore là-bas – cette ordure de sang-mêlé ! Elle guette encore, prête à les abattre dès qu'elles remonteront à la surface. Comment Rebecca bis peut-elle savoir cela ? Parce que c'est exactement ce qu'elle ferait en pareille situation.

Non, elles ne peuvent pas revenir en arrière. Pas si elles veulent s'en sortir vivantes.

Rebecca bis fouille dans la poche de son chemisier et en extirpe un globe lumineux. Elle vient de perdre quelques secondes supplémentaires, mais elle a besoin de savoir où elle va.

Il faut se décider vite... maintenant... tant que j'en suis encore capable.

Faute de mieux, elle décide de s'enfoncer plus bas dans la pénombre trouble, tirant sa sœur derrière elle. Rebecca est blessée à l'estomac et laisse un ruban sanguinolent dans son sillage.

Cinquante secondes.

Des vertiges. Les premiers signes de l'asphyxie.

Rebecca bis perçoit les cris de sa sœur malgré le tumulte des bulles et le bruit de l'eau dans ses oreilles. Le manque d'air l'a réveillée. Elle est prise de panique et ses paroles sont confuses. C'est alors qu'elle commence à se débattre faiblement, mais Rebecca bis plante ses ongles dans la chair de son bras. Elle semble comprendre et se relâche à nouveau, se laissant entraîner vers le fond.

Quarante secondes.

Malgré une irrésistible envie d'ouvrir la bouche pour respirer enfin, Rebecca bis poursuit sa plongée. À la lueur de son globe lumineux, elle détecte une surface verticale couverte d'algues. Un banc de minuscules poissons s'enfuit. Leurs écailles bleu acier s'irisent lorsqu'ils pénètrent dans le halo.

Trente secondes.

Rebecca bis repère alors une ouverture noyée dans l'ombre. Tandis qu'elle agite les jambes et se propulse à travers la brèche, les souvenirs de son ancienne vie affluent soudain dans sa mémoire – toutes ces leçons de natation prises à Highfield.

Vingt secondes.

Il s'agit d'un boyau. *Peut-être,* ose-t-elle espérer. *Peut-être.* Elle a les poumons en feu. Elle ne pourra guère tenir plus longtemps, mais elle s'avance malgré tout, regardant autour d'elle à mesure qu'elle progresse.

Dix secondes.

Elle est désorientée. Elle ne sait plus distinguer le haut du bas. C'est alors qu'elle remarque un reflet. Quelques mètres au-devant, une surface miroitante lui renvoie la lueur de son globe ; elle se propulse vers elle au prix d'un ultime effort.

Les jumelles fendent enfin la surface de l'eau pour se retrouver dans une poche d'air piégée sous la voûte du boyau.

Rebecca bis emplit ses poumons douloureux, soulagée de respirer autre chose que du méthane ou quelque nouvelle accumulation de gaz toxique. Une fois sa toux et ses éructations calmées, elle vérifie l'état de sa sœur. Rebecca a désormais la tête hors de l'eau, mais qui roule mollement sur sa poitrine.

– Allez ! Réveille-toi ! s'écrie Rebecca bis en la secouant.

Rien.

Puis elle l'enlace et lui comprime fortement la cage thoracique à plusieurs reprises.

Toujours rien.

Elle pince le nez de la jeune fille et lui fait du bouche-à-bouche.

Sa sœur émet un petit gargouillis et rejette un peu d'eau.

– C'est ça, respire ! crie Rebecca bis, dont la voix retentit dans l'espace confiné du boyau.

Rebecca prend alors une grande inspiration et recrache aussitôt, manquant de s'étouffer. Prise de panique, elle se met alors à se débattre en tous sens.

– Du calme, du calme, lui dit Rebecca bis. Tout va bien, maintenant.

Au bout d'un temps, Rebecca s'apaise et retrouve un souffle régulier, mais elle peine encore un peu à respirer. Elle se tient le ventre dans l'eau. Sa blessure la fait visiblement souffrir atrocement. Elle est pâle comme la mort.

– Tu ne vas pas t'évanouir de nouveau ? s'écrie Rebecca bis avec inquiétude.

Rebecca ne répond pas. Les deux filles échangent un regard. Elles sont en sécurité, pour le moment. Elles ont survécu.

– Je vais explorer le boyau plus avant, indique Rebecca bis.

Sa sœur lui adresse un regard vide. Au prix d'un incommensurable effort, elle tente de s'exprimer, mais ne parvient qu'à former un P.

– Pourquoi ? complète Rebecca bis. Regarde au-dessus de toi, dit-elle en invitant sa sœur à examiner ce à quoi elle s'est accrochée par réflexe.

Plusieurs câbles épais courent en effet sous la voûte du boyau. Il s'agit d'anciennes lignes électriques dont les gaines rompues laissent apparaître des fils incrustés d'une rouille brune et gluante.

Chapitre Deux

Après plus de deux jours passés à naviguer en chaloupe sur le fleuve souterrain, Chester s'approchait enfin du long quai.

– Servez-vous de votre lampe ! Regardez ce qu'il y a là-bas ! cria-t-il à Martha pour couvrir le vrombissement du moteur hors-bord.

Martha leva son globe lumineux pour en orienter le faisceau vers les bâtiments plongés dans l'ombre à l'arrière du quai. Alors qu'il réduisait l'allure pour accoster, Chester avait vu la grue et les bâtiments des docks. Ce port était certainement bien plus vaste que tous ceux où ils s'étaient arrêtés jusqu'à présent, pour refaire le plein de carburant et prendre une ou deux heures de repos. Chester avait le cœur qui battait la chamade à l'idée qu'ils atteignaient peut-être enfin le bout du voyage.

La chaloupe vint cogner contre le bord du quai. Chester coupa les gaz. Martha attrapa l'un des bollards pour y attacher les amarres, puis elle éclaira à nouveau le quai. C'est alors que Chester aperçut une grande arche piquée d'écailles de peinture blanche. Il se souvint de l'entrée murée dont lui avait parlé Will, laquelle conduisait au port. Elle était assez large pour laisser passer un camion. C'était donc forcément la même.

Chester avait beau être frigorifié et trempé jusqu'aux os, il ne ressentait plus que de la joie. *J'y suis arrivé ! Bon sang, j'y suis arrivé !* songeait-il en silence tandis qu'ils débarquaient enfin sur le quai.

Je suis de nouveau en Surface !

Il était certes de retour chez lui, mais la situation n'avait rien d'idyllique.

Chester regarda Martha, qui déambulait maladroitement sur le quai. Cette femme ronde enveloppée dans de multiples couches de vêtements poussait des grognements semblables à ceux d'un sanglier prêt à charger. Cela n'avait rien de nouveau. Elle avait toujours eu un drôle de comportement, mais elle agitait désormais la tête en jurant dans la pénombre, comme si elle s'adressait à quelqu'un. Or, il n'y avait personne.

Chester aurait vraiment préféré que Will ou l'un des autres rentre avec lui. Mais le hasard avait voulu qu'il se retrouvât avec cette femme sur les bras. Martha poussa un nouveau grognement, cette fois plus sonore, puis se mit à bâiller si fort qu'il entrevit sa denture maculée de taches. Elle devait être épuisée par le voyage, et la gravité normale ne lui facilitait certainement pas la tâche. Chester sentait la force d'attraction lui alourdir le corps, mais ce devait être encore pire pour Martha, qui n'avait rien connu de tel depuis des années.

Cet instant devait être bien étrange pour elle. Élevée au sein de la Colonie, Martha ne s'était jamais rendue en Surface auparavant. Elle s'apprêtait à voir le soleil pour la toute première fois. Elle n'avait sans doute pas mené une vie des plus faciles. Les Styx les avaient bannis dans les Profondeurs, elle et son mari, à huit kilomètres en dessous de la Colonie. Ils avaient alors rejoint une brigade de renégats errants sans foi ni loi, tout aussi susceptibles de s'entretuer que de succomber aux dangers de ces territoires obscurs. Chose incroyable, elle avait donné naissance à un fils, Nathaniel, alors même qu'elle se trouvait dans les Profondeurs, mais son mari avait tenté de les précipiter dans le Pore pour mettre fin à leurs jours.

Mère et fils avaient survécu à leur chute, mais Nathaniel, devenu presque adulte, avait succombé aux suites d'une fièvre. Aussi Martha s'était-elle retrouvée seule à lutter pour survivre pendant plus de deux ans, complètement isolée du monde, barricadée dans une vieille cabane, à se nourrir des étranges créatures qu'elle prenait au piège et que l'on trouvait en quantité abondante à cet endroit.

Lorsque Will, Chester et Elliott, grièvement blessée pour sa part, étaient arrivés là, Martha s'était aussitôt prise d'affection pour les garçons, comme s'ils avaient pu se substituer au fils chéri qu'elle avait perdu. À dire vrai, elle avait formé des liens si forts avec eux qu'elle était prête à laisser mourir Elliott pour éviter qu'ils ne se mettent en danger. Elle leur avait caché qu'elle connaissait l'existence d'une réserve de médicaments récents, dans un sous-marin qui avait été happé par l'un des autres pores. Après que Will eut découvert la vérité, Martha s'était toutefois rachetée en les y conduisant, Chester et lui, ce qui avait permis de sauver la vie d'Elliott. C'est pourquoi les garçons lui avaient pardonné ce mensonge.

Mais ce temps était bien loin déjà.

À présent, Chester n'avait plus la moindre idée de ce qu'il allait faire par la suite. Il fallait qu'il s'occupe de Martha, tout en prenant garde aux Styx qui le poursuivraient où qu'il aille en Surface. Il n'avait nulle part où aller et personne vers qui se tourner, si ce n'était Drake. Oui, Drake était son seul espoir de survie.

Drake, Drake, pourvu que tu sois là ! pensa Chester en scrutant les ténèbres du quai. Il aurait voulu que Drake se matérialise comme par magie. Chester réprima l'envie de hurler son nom, car si Martha apprenait qu'il avait tenté d'établir un contact avec lui, elle le prendrait certainement très mal. Chester savait combien elle était possessive et surprotectrice. Le moment aurait été bien mal choisi pour qu'elle se replonge dans l'une de ses bouderies sans fin. En outre, il n'avait aucun moyen de savoir si Drake avait reçu le message qu'il avait laissé sur son serveur, ni même s'il était encore en vie.

Toujours sans rien dire, Chester et Martha suivirent les instructions de Will et hissèrent la chaloupe hors de l'eau. Ils avaient si peu l'habitude de subir la gravité terrestre qu'ils se trouvèrent bien vite à bout de souffle. Ils finirent néanmoins par traîner leur embarcation jusqu'à l'un des bâtiments vides, au prix de multiples grognements et de jurons de la part de Martha, et l'adossèrent enfin contre une paroi.

Chester reprenait son souffle, les mains sur les cuisses. Et c'est alors qu'il prit conscience qu'il n'avait qu'une seule envie, rentrer à Londres pour revoir ses parents, et ce, quel que soit le risque encouru. Ses parents pourraient peut-être le sortir de cette terrible ornière. Peut-être pourraient-ils le cacher quelque part. Il se fichait pas mal du danger. Il devait les voir à tout prix. Il fallait qu'ils sachent qu'il allait bien.

Rebecca bis refit surface, et quel ne fut pas son soulagement de voir sa sœur encore accrochée aux câbles électriques ! La jeune Styx avait réussi à se maintenir hors de l'eau, mais ses forces déclinaient rapidement. Elle avait la tête appuyée sur le bras et les paupières totalement closes. Il fallut plusieurs secondes à Rebecca bis pour parvenir à la ranimer. Il devenait impératif de la mettre au sec et au chaud avant qu'elle n'entre en état de choc.

– Inspire aussi fort que tu peux. Je vais nous sortir de là, dit Rebecca bis. J'ai trouvé un endroit un peu plus loin là-devant.

– Où ça ? marmonna mollement Rebecca.

– J'ai suivi l'étroite voie ferrée qui court au centre de la galerie, lui répondit sa sœur en indiquant le fond de l'eau. Je suis ressortie dans une section qui n'était pas inondée, plus large qu'une simple poche…

– Allons-y, trancha Rebecca, qui prit aussitôt une grande goulée d'air et lâcha les câbles situés au-dessus d'elle.

Rebecca bis entraîna sa sœur jusqu'à ce qu'elles aient enfin atteint l'endroit qu'elle venait de lui décrire. Rebecca se laissait flotter sur le dos, tandis que sa sœur la tirait derrière elle à la manière d'un maître-nageur.

Elles eurent bientôt pied et pataugèrent dans l'eau jusqu'à la terre ferme, manquant de trébucher avec force éclaboussures, Rebecca bis épaulant Rebecca, trop faible pour avancer sans son aide.

Rebecca bis mourait d'envie de savoir où menait cette voie ferrée, dont les rails filaient droit devant dans la galerie, mais il fallait d'abord qu'elle s'occupe de sa sœur. Elle l'allongea sur le sol, puis lui souleva très doucement le chemisier pour inspecter sa blessure. Elle avait un petit trou béant au flanc, juste au-dessus de la hanche. La plaie ne semblait pas bien méchante à première vue, mais il en jaillissait une inquiétante quantité de sang, répandant une flaque rouge et translucide sur le ventre humide de la jeune fille.

– Alors, qu'est-ce que t'en dis ? demanda Rebecca.

– Je vais te rouler sur le côté, l'avertit sa sœur avant de la soulever avec précaution pour lui examiner le dos. C'est ce que je pensais, dit-elle à mi-voix en découvrant l'endroit par où était sortie la balle.

– Alors ? répéta Rebecca en serrant les dents. Dis-moi.

– Ça pourrait être pire. La mauvaise nouvelle, c'est que tu perds beaucoup de sang. La bonne, c'est que tu as été touchée au flanc, dans la partie charnue…

– Ça veut dire quoi au juste, « partie charnue » ? Tu veux dire que je suis grosse ? rugit d'indignation Rebecca, malgré sa faiblesse.

– Tu as toujours été la plus vaniteuse, non ? Laisse-moi terminer, rétorqua Rebecca bis en la reposant sur le dos. La balle a traversé ton corps. Au moins, on n'aura pas besoin de l'extraire. Mais il faut que j'arrête l'hémorragie. Et tu sais ce que ça signifie…

– Oui, murmura Rebecca en serrant les poings, prise d'une colère aussi subite qu'insensée. Je n'arrive pas à croire que cet avorton m'ait fait ça. Il m'a tiré dessus ! Will m'a tiré dessus, fulminait-elle. Comment a-t-il osé ?

– Du calme, lui dit Rebecca en lui ôtant sa chemise.

Elle mordilla l'ourlet jusqu'à pouvoir en arracher un premier lambeau d'un coup de dents, puis répéta la même opération à plusieurs reprises.

Rebecca n'avait pas cessé de pester pour autant.

– La plus grave erreur qu'il ait commise, c'est de ne pas m'avoir achevée. Il aurait dû terminer le travail tant qu'il en avait encore la possibilité, car je vais repartir le chercher. Je peux t'assurer qu'il va connaître la même douleur, mais qu'elle sera un bon million de fois plus intense.

– T'as bien raison, acquiesça Rebecca bis en nouant deux lambeaux entre eux, puis elle replia les autres pour en faire des compresses.

– Je veux découper et saigner ce porc, mais lentement… très lentement… que ça dure des jours entiers… *non*, des semaines, bouillonnait Rebecca dans un semi-délire. *Pire encore*, il nous a volé le virus du Dominion. Il faut qu'il paie…

– On récupérera le Dominion. Tu peux te taire, maintenant ? Merci. Il faut garder tes forces. Je vais appliquer ces compresses sur tes plaies, puis je poserai un bandage très serré.

Le corps de la jeune fille se raidit au contact des compresses de tissu, puis Rebecca bis lui enroula la bande de tissu autour de la taille avant de tirer bien fort dessus. Les cris de douleur de Rebecca se réverbérèrent tout au long de la galerie noyée dans la pénombre.

– Dépêche-toi un peu, mon chéri, dit Martha à Chester qui se demandait ce qu'il allait emporter avec lui.

Chester était prêt à exploser, mais il ne réagit pas.

Oh, fiche-moi la paix, à la fin ! songea-t-il.

Martha se comportait vraiment comme une vieille tante agaçante et fouineuse, à toujours se préoccuper de son sort et à le regarder avec des yeux de crapaud mort d'amour. En outre, elle n'avait cessé de jurer depuis qu'ils avaient tiré la chaloupe hors de l'eau, et Chester était certain que son corps dégageait une odeur aigrelette.

– Inutile de traîner par ici, mon chéri, dit-elle d'une voix mielleuse.

C'en était trop. Il ne pouvait plus supporter de la voir rôder ainsi derrière lui. Elle était toujours un peu trop près, ce qui le mettait particulièrement mal à l'aise. Il attrapa plusieurs éléments au hasard et les fourra dans son sac à dos, par-dessus le sac de couchage, puis il referma le tout.

– Prêt, annonça-t-il en jetant le sac sur son épaule pour forcer Martha à reculer d'un pas pour éviter le coup, puis il s'éloigna sur le quai d'un pas vif.

Mais en l'espace de quelques secondes, voilà qu'elle était à nouveau derrière lui, le suivant tel un chien errant.

– Alors, où est-ce donc ? demanda-t-elle sèchement tandis que Chester essayait de se souvenir des indications de Will.

Martha avait le souffle court, comme si elle était énervée contre lui, ou peut-être était-ce à cause de la situation.

En général, son comportement agaçait Chester, mais il arrivait qu'une autre facette de sa personnalité se fasse jour. Sans crier gare, elle perdait patience et devenait particulièrement méchante, ce qui le glaçait d'effroi.

– Je ne sais pas, répondit-il aussi poliment que possible, mais si Will dit que c'est ici, alors ça doit bien être quelque part dans le coin.

Ils regardaient les bâtiments d'un seul étage en béton mal dégrossi dont les vitres étaient toutes cassées. Rien ne permettait de savoir à quoi ils avaient pu servir. Ils ne comportaient aucune inscription, à l'exception de chiffres peints en blanc. Ils avaient quelque chose d'effrayant et Chester se demandait si on y avait cantonné des soldats à une époque et s'ils avaient vécu là, isolés et plongés dans le noir. Mais ces bâtiments étaient vides à présent. Il ne restait que des gravats et quelques bouts de métal tordu.

Alors même que Martha se remettait à respirer plus lourdement, prélude à un autre grommellement, Chester découvrit enfin l'ouverture qu'il cherchait à la lumière de sa lampe.

– Ha ha ! On y est ! annonça-t-il, tout en espérant qu'elle se tairait.

Ils contemplèrent tous deux le passage que Will avait dégagé en ôtant plusieurs parpaings.

– Oui, dit Martha d'un ton neutre.

Chester avait l'impression qu'elle était déçue. Martha leva son arbalète comme si elle s'apprêtait à combattre, et s'engagea la première dans la brèche. Chester secoua la tête avant de lui emboîter le pas. Une fois de l'autre côté, ils se retrouvèrent les pieds noyés dans une eau putride dont la puanteur s'intensifiait à mesure qu'ils avançaient.

– Bah ! lança-t-il.

Cela masquerait au moins l'odeur de Martha. Il aperçut un plancher en bois à demi submergé et plusieurs barils de pétrole rouillés. L'un d'eux était vide et flottait à la surface, couché sur le côté et cognant contre la paroi au rythme du courant. Il rendait un son métallique semblable à celui d'une cloche qu'on aurait sonnée dans le lointain.

Mais il y avait un autre bruit. Un tapotement continu. Chester vit alors une canette de Coca light qui tapait contre le baril. Il la regarda fixement, fasciné par son graphisme rouge et argenté, si propre, si net, si moderne. Il reprit soudain espoir. Cette canette de Coca provenait forcément de la Surface. Elle symbolisait son monde à lui. Chester se demandait si Will l'avait jetée là lorsqu'il était revenu dans ce port souterrain avec le Dr Burrows, juste avant de repartir pour l'abri antiatomique. Peut-être était-ce là un lien avec son ami ? En tout cas, cette idée lui plaisait bien.

À peine Chester s'était-il désintéressé de la canette que Martha poussa encore l'un de ses grognements. Cet objet ne signifiait rien pour elle et elle voulait avancer. Ils franchirent une porte et débouchèrent dans une pièce aux parois tapissées de casiers. Ils découvrirent une échelle dans une petite pièce adjacente, exactement là où Will le leur avait indiqué. Elle devait leur permettre de rejoindre la Surface qui n'était plus très loin. Martha vérifia la solidité de quelques-uns des échelons accrochés à la paroi en béton avant d'amorcer mollement son ascension.

Suis-je vraiment arrivé ? Je n'en reviens pas ! songea Chester tandis que Martha ouvrait la voie qui les conduirait à la lumière. Lorsqu'il émergea de la trappe, il se laissa choir à quatre pattes, tâtonnant à l'aveuglette avant de ramper derrière un buisson de ronces derrière lequel Martha s'était déjà installée. Il avait beau se couvrir les yeux, la luminosité du ciel était trop forte pour lui. Ils restèrent cachés là pendant que sa vue s'accommodait à l'intensité du jour. Il ne faisait pourtant pas vraiment beau en cette fin d'après-midi sinistre, et le ciel était même couvert.

– Nous y voilà, mon chéri, déclara Martha d'un ton détaché.

Si tel était le moment de vérité, celui où Chester se retrouvait enfin chez lui après des mois interminables passés à des kilomètres sous terre, et après tout ce qu'il avait enduré, quelle douche froide ! Et encore, ce n'était rien de le dire.

– Le territoire des Surfaciens maléfiques, ajouta Martha d'un ton dédaigneux.

Chester l'observa tandis qu'elle s'enveloppait la tête dans un foulard crasseux, ne laissant qu'une fente pour les yeux. Il lui faudrait un bon bout de temps pour s'habituer à la lumière ambiante.

Une idée lui traversa soudain l'esprit.

Je pourrais m'en débarrasser ! songea-t-il.

Devait-il s'enfuir ? Elle ne pourrait sans doute pas le rattraper tant qu'elle avait la vue trouble. *C'est maintenant ou jamais*, se dit-il, en l'entendant renifler bruyamment. La morve vibrait dans ses sinus. C'est alors que, saisissant un pan de son foulard, elle se mit à presser une narine, puis l'autre, comme si elle tentait d'extraire le fond d'un tube de dentifrice.

Chester se souvint du moment où ils étaient arrivés à la gare des mineurs dans les Profondeurs : il avait fait quelque chose de tout aussi répugnant devant Will et Cal. En tout cas, Will avait trouvé ça écœurant. Tout cela lui rappelait son ami, et toutes les choses qu'ils avaient vécues ensemble, bonnes ou mauvaises. C'est alors que Chester comprit que non, il ne pouvait plus lui en vouloir. Il ne savait pas si Will avait survécu à son saut dans le Pore nommé Jeanne la fumeuse, à la suite de son père. Ni même si Elliott était encore en vie après sa chute.

Chester frémit d'horreur à cette pensée.

Ils étaient tous partis, et peut-être étaient-ils déjà morts. Il ne les reverrait plus jamais.

Mais peut-être poursuivaient-ils la grande aventure dans laquelle il s'était embarqué avec Will, ce fameux jour où ils s'étaient engagés dans une galerie creusée dans la cave des Burrows. Il eut un pincement au cœur en pensant à tous les épisodes qu'il était sans doute en train de manquer…

À toutes ces choses extraordinaires qu'ils auraient pu accomplir tous les trois… Will, le Dr Burrows et Elliott… Elliott… *Elliott*… Il revoyait son image, si nette que la jeune fille aurait pu tout aussi bien se tenir là, devant lui, comme lorsqu'elle avait gobé le globe oculaire du loup et qu'elle l'avait invité à faire de même, un sourire polisson aux lèvres. Il éprouvait une admiration sans bornes pour Elliott. Elle était parvenue à assurer leur survie grâce à ses talents incroyables. Mais c'était surtout son sourire qui persistait dans sa mémoire, alors qu'il se sentait perdu et abandonné.

Chester poussa un soupir. Il savait pourquoi il valait mieux qu'il se trouve à la Surface. Il avait bien trop souvent frôlé la mort, il serait forcément plus en sécurité ici.

Du moins, il s'efforçait de s'en convaincre.

Martha parvint enfin à extraire un écheveau grisâtre de sa narine qu'elle essuya sur son manteau déjà fort crasseux.

Au secours, pensa Chester.

Voilà ce à quoi il était rendu, à présent ! Comment avait-il pu opter pour ça, alors qu'il avait eu le choix entre Elliott et cette vieille femme répugnante ?

– Oui, on est arrivés, répondit-il enfin à Martha en détournant vivement le regard. On est bien en Surface.

La lumière déclinait rapidement à la nuit tombante, et Martha y voyait nettement mieux. Depuis leur cachette, ils pouvaient distinguer plusieurs bâtiments rectangulaires et fonctionnels.

Au bout de plusieurs heures, ils décidèrent de sortir de derrière les ronces à la faveur de l'obscurité. Ils avancèrent prudemment entre les bâtiments désaffectés de l'ancien terrain d'aviation qui se trouvait dans le Norfolk, à cent soixante kilomètres de Londres au bas mot, selon les dires de Will.

Ils traversèrent l'ancien terrain de manœuvres. C'était un endroit insolite et peuplé d'échos, dont l'asphalte craquelé était parsemé de mauvaises herbes. Chester le contourna par l'arrière, et inspecta au passage un camion ouvert qui devait appartenir à des constructeurs ou à quelque ouvrier du bâtiment. Hypothèse que vinrent confirmer les échafaudages qui entouraient l'un des édifices. Les choses avaient manifestement changé depuis la dernière visite de Will et du Dr Burrows. Chester repéra au loin un préfabriqué aux fenêtres illuminées. Il y avait une Land Rover garée juste à côté. Will l'avait prévenu qu'il y aurait des gardiens patrouillant sur le terrain d'aviation. Il s'agissait sans doute de leur QG. Chester entendait leurs éclats de rire et le son de leurs voix fortes porté par le vent.

– On pourrait leur demander de l'aide, suggéra-t-il.

– Non, rétorqua Martha.

Chester ne prit même pas la peine de discuter.

– On ne sollicite pas l'assistance des mécréants ! Jamais ! hurla-t-elle en le secouant par les épaules, dès qu'ils se furent quelque peu éloignés du préfabriqué. Les Surfaciens sont maléfiques.

– D'accord… oui… oui… souffla-t-il, complètement abasourdi par la violence de sa réaction.

Mais sa fureur sembla s'apaiser aussitôt. Un sourire plein d'affection se dessinait déjà sur son visage joufflu. À devoir choisir, Chester ne savait pas ce qu'il détestait le plus, mais à l'avenir il se garderait bien de parler sans réfléchir.

Rebecca bis gravissait le plan incliné de la galerie, sa sœur juchée sur son dos, louant la faible gravité qui régnait ici-bas. La jeune blessée avait de nouveau perdu conscience, mais sa sœur poursuivait son monologue.

– On trouvera quelque chose, tu sais. Tout va bien se passer.

En vérité, l'état de sa sœur l'inquiétait terriblement. Son pansement de fortune semblait avoir rempli sa fonction, ralentissant l'hémorragie, mais Rebecca avait perdu beaucoup trop de sang, ce qui ne laissait rien présager de bon.

Cependant, Rebecca bis refusait de se laisser gagner par le désespoir. Chargée de son fardeau humain, elle foulait la poussière accumulée entre les rails rouillés de la voie ferrée, parcourant kilomètre après kilomètre. Elle croisait parfois d'autres passages, mais ne quittait pas la galerie principale, persuadée que cette dernière finirait par la conduire à la sortie de la mine.

Les restes de vieilles machines qu'elle découvrait au fur et à mesure la confortaient dans cette idée. C'étaient autant de preuves qu'une civilisation était à l'origine de ce réseau souterrain. Elle ne s'arrêta toutefois pas pour inspecter ce qui ressemblait à une série de pompes et de générateurs, variantes datées de la technologie qu'utilisaient les Surfaciens pour l'extraction minière. De temps à autre, elle apercevait aussi des pioches, des pelles et des casques éparpillés le long de la voie.

Ressortir à l'air libre, telle était sa priorité absolue, d'autant que le manque d'eau et de nourriture commençait à lui donner le tournis. Elle voulait aussi substituer quelque chose de plus efficace au pansement temporaire de sa sœur, et le plus tôt serait le mieux. Rebecca bis lâcha soudain un juron. Elle venait de se souvenir des pansements militaires, dans la veste qu'elle avait été obligée d'abandonner lorsque Elliott et Will les avaient prises en embuscade.

Après plusieurs autres kilomètres de marche accompagnés seulement du crissement régulier de ses bottes, Rebecca bis remarqua un autre bruit.

– Tu entends ça ? demanda-t-elle, sans attendre de réponse de sa sœur.

Elle s'arrêta pour écouter. Ce bruit intermittent ressemblait à un gémissement lointain. Elle se remit en route le long des rails qui amorçaient un long virage quand, tout à coup, une bourrasque de vent lui cingla le visage. De l'air frais. Rasséréné, elle accéléra le pas.

Le mugissement se fit plus sonore et la brise, plus forte, jusqu'à ce qu'elle voie enfin une lueur au-dessus de sa tête.

– La lumière du jour… Ça pourrait bien être ça, dit-elle.

Elle gravit une pente encore plus inclinée en continuant à suivre les rails, quand la source lumineuse lui apparut enfin.

La voie ferrée filait au loin, mais au lieu de roches concassées, Rebecca bis vit une lumière aveuglante. Pour autant qu'elle pût en juger, elle n'était pas artificielle. Mais après tant d'heures passées dans le noir avec pour seul éclairage la lueur verdâtre de son globe, il lui était difficile de regarder cette lumière en face.

– Je t'abandonne un instant, dit-elle, puis elle déposa délicatement sa sœur à terre.

Elle s'avança vers la source lumineuse en se protégeant les yeux, mais les bourrasques étaient si intenses qu'elles l'obligeaient à reculer.

Il fallait désormais faire preuve de patience, le temps que ses yeux s'accommodent à cet éclat. Lorsqu'elle put enfin baisser le bras, elle contempla un ciel blanc dans l'embrasure d'une brèche déchiquetée. Compte tenu du vent et de la luminosité, elle devait se trouver à très haute altitude, non loin des nuages. Mais elle n'en voyait aucun.

– Ce qui veut dire que pendant tout ce temps… j'ai gravi l'intérieur d'une *montagne* ?

Elle haussa les épaules, puis s'approcha de la brèche.

– Il faut que tu voies ça ! Tu vas adorer ! s'exclama Rebecca bis, émerveillée.

Loin en contrebas s'étendait une ville, traversée en son milieu par un fleuve. Elle en suivit le cours du regard et vit qu'il se jetait dans une étendue d'eau qui s'étirait à l'infini.

Un océan ? s'interrogea-t-elle.

En vérité, c'était la ville qui la fascinait. Elle était immense, et les bâtiments semblaient avoir été construits à la même échelle. Même à cette distance, on apercevait à l'œil nu une arche gigantesque à partir de laquelle rayonnaient de larges avenues, assez semblable à l'Arc de triomphe de Paris. C'était le bâtiment le plus imposant, mais il y en avait bien d'autres encore. De proportions classiques, ils suivaient un alignement régulier. Balayant les environs du regard, Rebecca bis vit alors de vastes zones où s'élevaient des bâtiments plus petits. Sans doute s'agissait-il de maisons.

Ce n'était pas du tout une ville fantôme.

Au prix d'un ultime effort, Rebecca bis parvint à distinguer les véhicules qui circulaient le long des rues et des avenues, plus petits encore que des fourmis.

Elle entendit le vrombissement régulier d'un moteur, et aperçut alors un hélicoptère qui survolait la ville. Avec ses pales fixées de part et d'autre du fuselage, et non au-dessus de l'engin, il ne ressemblait à aucun hélicoptère surfacien.

– Qu'est-ce que c'est que ça ? s'exclama-t-elle.

Elle tourna la tête vers l'océan qui s'étendait au-delà la ville. En mettant sa main en visière, elle aperçut alors toutes sortes de navires et de bateaux qui naviguaient à l'endroit où le soleil se reflétait à la surface de l'eau.

Mais plus fascinant encore était le sentiment d'ordre et de puissance qui se dégageait de cette ville.

– Pile mon genre d'endroit, dit-elle en acquiesçant.

Chapitre Trois

Aussi fatigués fussent-ils, Chester et Martha voyagèrent toute la nuit et traversèrent d'un pas lourd d'innombrables champs, en prenant garde de passer au large des habitations et des routes. Martha tenait impérativement à ouvrir la marche, même si Chester savait qu'elle n'avait pas la moindre idée d'où elle allait. Lui non plus d'ailleurs, mais il s'était résolu à la suivre, pour le moment. De toute façon, il n'avait guère le choix, surtout avec un pareil boulet.

Chester songea à Drake. Il fallait qu'il lui laisse un autre message. S'il n'en ressortait rien, il prendrait son courage à deux mains et téléphonerait à ses parents. Mais dans l'un ou l'autre cas, il lui fallait un téléphone, et il était prêt à prendre son mal en patience jusqu'à ce qu'il en trouve un. Martha ferait tout son possible pour l'empêcher de parler aux « Surfaciens maléfiques ». Il ne le savait que trop bien, il faudrait donc qu'il s'éclipse d'une manière ou d'une autre. Cette perspective l'aidait à poursuivre sa route, car il voulait par-dessus tout se débarrasser de cette femme.

Lorsque les premiers rayons de l'aube pointèrent au firmament, ils s'arrêtèrent dans une clairière, au milieu d'une petite zone boisée entourée par des champs. Chester s'étonnait d'entendre le tapage de myriades d'oiseaux dont le concert matinal commençait à peine. Quel contraste avec les environnements souterrains auxquels il s'était habitué, et où toute rencontre avec un animal signifiait qu'à moins d'en faire votre pitance, c'est vous qui lui serviriez de repas.

Il n'avait certainement jamais vu autant d'oiseaux à Highfield. *Je suis un gars de la ville*, songea Chester, en écoutant la cacophonie des chants d'oiseaux avant de se raviser. Sa vie à Highfield lui semblait si lointaine, et il ne savait plus vraiment qui il était, à présent.

Martha s'affairait en bordure de la clairière et ramassait des branchages pour bâtir deux appentis, de part et d'autre d'un bosquet de frênes. Les abris étaient bien trop proches l'un de l'autre pour Chester, mais on ne lui avait pas demandé son avis. En outre, il était totalement épuisé. Ils avaient prélevé des sacs de couchage dans les magasins de l'intendance de l'abri antiatomique, et il n'avait qu'une envie, s'allonger et dormir. Alors que Chester extirpait son duvet du fond de son sac à dos, il entendit un sifflement.

– C'était vous ? demanda-t-il à voix basse, sans prendre la peine de relever la tête.

– Silence ! ordonna Martha d'une voix étouffée.

– Qu'est-ce que vous dites ?

Elle se rapprocha de lui en rampant tel un crabe, sans jamais décoller les fesses du sol. Il venait tout juste de se retourner pour voir de quoi elle parlait, lorsqu'elle le plaqua à terre.

– Silence, silence, silence, répétait-elle sans cesse en tentant de lui fermer la bouche.

Chester vit à la lueur de son globe que le visage de Martha n'était qu'à quelques centimètres du sien. Il bénéficiait donc d'une vue privilégiée sur les poils roux qu'elle avait au menton.

– Non ! hurla-t-il en se dégageant de son étreinte, surpris par la force de cette femme.

Ils étaient à présent côte à côte sur le sol, mais elle refusait toujours de le lâcher, tentant d'étouffer ses cris alors que Chester cherchait à l'éloigner de son visage. Essoufflés par l'effort, ils échangèrent néanmoins des jurons et la lutte finit par dégénérer en un échange de claques, tandis qu'ils tournaient en rond dans la clairière, soulevant brindilles et débris dans leur sillage.

– Arrêtez, à la fin ! cria-t-il.

Il avait armé son poing, prêt à frapper, quand sa panique s'estompa une fraction de seconde, cédant la place aux paroles sévères de son père.

On ne frappe jamais une dame.

Chester hésita un instant.

– Une dame ? marmonna-t-il en se demandant si Martha entrait vraiment dans cette catégorie.

Mais il fallait qu'il fasse quelque chose pour mettre un terme à cette lutte ridicule.

Il lui décocha un crochet au menton. Le coup lui fit basculer la tête de côté et Martha lâcha aussitôt son emprise. Chester s'empressa de se relever pour s'éloigner d'elle.

– Qu'est-ce qui vous prend ? Ça va pas, non ? hurla-t-il depuis la lisière du bois, craignant qu'elle ne s'en prenne encore à lui.

Il était hors d'haleine et avait du mal à former ses mots.

– Vous avez perdu la tête, ou quoi ?

Martha rampa vers lui, puis elle se mit à genoux. Elle ne semblait pas en colère. Au contraire, elle avait l'air terrorisé et se tenait la mâchoire en scrutant la cime des arbres qui cernaient la clairière.

– T'as entendu ? murmura-t-elle.

– Entendu quoi ? demanda Chester, prêt à détaler si jamais elle s'avançait vers lui.

– Ce bruit.

– Tout ce que j'entends, ce sont ces fichus oiseaux, c'est tout, finit-il par répondre au bout d'un temps.

– Ce n'était pas un oiseau, dit-elle en bégayant presque de terreur.

Martha scrutait encore les pans de ciel gris entre les arbres.

– C'était un Lumineux. J'ai entendu le froissement de ses ailes. L'un d'eux nous a pistés jusqu'ici. Je t'ai dit qu'il y en avait un à mes trousses dans les Profondeurs. Une fois qu'ils t'ont pris en chasse, ils ne te lâchent plus…

– Un Lumineux ? C'est parfaitement ridicule ! l'interrompit Chester. Vous aurez entendu un pigeon ou un moineau qui passait juste au-dessus de nous. Il n'y a pas de Lumineux ici, espèce d'idiote.

Chester en avait assez de ces imbécillités. Les Lumineux étaient des prédateurs semblables à d'énormes mites, carnivores insatiables, avec un goût très prononcé pour la chair humaine. C'était l'une des pires menaces qu'on pouvait encourir dans les niveaux inférieurs de la Terre où Martha avait vécu, mais Chester n'admettait pas l'idée que l'un d'eux ait pu les traquer jusqu'à la Surface.

– Vous avez perdu le fil de l'histoire ! lui cria-t-il.

– J'essayais juste de te sauver la vie, Chester, dit-elle d'une voix douce en se massant le menton. J'essayais de te protéger. Comme ça, si jamais il avait fondu sur nous, c'est moi qu'il aurait emportée... pas toi.

Chester ne savait que penser.

Il culpabilisait de l'avoir frappée. Si elle croyait vraiment qu'un Lumineux était sur le point d'attaquer, il comprenait pourquoi elle s'était comportée ainsi, et il aurait dû lui en être reconnaissant. Mais comment cela aurait-il été possible ? Martha était manifestement convaincue de l'avoir entendu, mais elle n'avait pas l'air très en forme. Elle avait les traits tirés et l'air hagard, et puis elle se comportait bizarrement. Elle regardait de droite à gauche, comme si elle voyait quelque chose dans les arbres.

Martha se releva et reprit la construction de leurs abris, puis elle leur prépara un peu à manger. Chester accepta la nourriture sans dire un mot. Il était trop affamé et trop fatigué pour discuter avec elle. Lumineux ou pas, il ne voulait pas s'éterniser en sa compagnie. Il fallait qu'il prenne la fuite au plus vite.

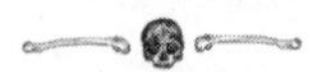

Rebecca bis pénétra dans la lumière en vacillant. Elle marqua une courte pause pour observer les environs, sans pour autant déposer sa sœur sur le sol. Un plateau étroit et rocailleux s'étendait à ses pieds, bordé sur la gauche par une série de pics irréguliers bien trop abrupts pour être escaladés, même si son sens de l'orientation lui indiquait que la ville se trouvait derrière cette barrière montagneuse.

Juste devant elle, les rails couraient encore sur plusieurs centaines de mètres, jusqu'à une sorte de bâtiment bas qui marquait le départ d'un chemin de terre. Peut-être conduisait-il à la ville ?

Le vent se leva, lui soufflant les cheveux dans le visage et l'obligeant à se tourner vers la droite.

– Bon, je viens d'escalader une montagne, marmonna-t-elle en scrutant la cime des arbres gigantesques qui s'étendaient jusque dans le lointain. On est sur une sorte de ligne de crête qui surplombe la jungle, dit-elle à sa sœur inconsciente qu'elle tenait toujours dans ses bras.

Rebecca bis n'était pas vraiment surprise. Elle n'avait cessé de grimper depuis qu'elle avait embrassé cette vue spectaculaire sur la métropole en contrebas. Elle se trouvait déjà à une hauteur considérable.

– Il faut suivre la route de briques jaunes, j'imagine, soupira-t-elle en sentant la chaleur infernale sur sa peau.

Elle longea donc la voie ferrée et descendit la pente douce qui menait à la construction. Le plateau était totalement exposé au soleil, sans la moindre végétation.

– Il faut que je te mette à l'ombre, dit-elle à sa sœur qui émit un faible gémissement.

Le bâtiment était sommaire, assemblage de poutres blanchies par le soleil et de plaques de métal piquetées. Mais il leur offrait au moins un abri. Après avoir déposé sa sœur à terre, Rebecca bis poursuivit son exploration. Il y avait plusieurs wagonnets dans un coin. Elle s'avança vers le plus proche et préleva une poignée du matériau dont il était rempli.

– Une mine, dit-elle en faisant sauter des morceaux de roche dans la paume de sa main. Ces wagonnets servaient manifestement à évacuer les rebuts du chantier d'exploitation à l'intérieur de la montagne.

Elle fouilla rapidement le reste du bâtiment, mais n'y dénicha rien d'utile. En s'avançant vers la porte située à l'arrière du hangar, elle renversa quelques bouteilles de bière vides posées à même le sol.

– De l'eau, ça m'irait très bien, murmura-t-elle tandis que les bouteilles finissaient de rouler sur le sol en béton.

Elle franchit la porte vers l'extérieur, où elle découvrit un vieux trois tonnes dont les pneus en caoutchouc n'étaient plus que de noirs agrégats enveloppant les moyeux. Elle tâta l'emblème qui ornait la grille cabossée du radiateur. Malgré les dégâts, l'insigne émaillé du constructeur restait entier et donnait au véhicule l'air d'une fusée spatiale démodée. Une inscription figurait juste en dessous.

– *Blit*... ? lut-elle à voix haute, mais le reste des lettres était illisible.

Quatre grosses citernes de carburant entouraient le camion, d'une contenance qu'elle estimait à plusieurs centaines de litres.

– De l'essence, conclut-elle en humant l'air.

Elle suivit le chemin de terre jusqu'à une courbe, un peu plus loin devant.

– Voilà comment nous allons redescendre…

Rebecca bis avait raison. Ce chemin était manifestement le seul moyen d'accès à la montagne, à pied ou en camion.

Elle entendit sa sœur qui l'appelait dans le mugissement du vent. Elles étaient toutes deux déshydratées, l'eau leur faisait cruellement défaut, mais il y avait plus urgent encore. Rebecca avait besoin de recevoir des soins rapidement. Rebecca bis ne se faisait aucune illusion, il était improbable, à défaut, qu'elle survive à ce calvaire.

Elle se retourna vers sa sœur et se figea d'un seul coup. Son regard s'était arrêté sur quelque chose : une fusée de détresse s'élevait verticalement dans le ciel, par-dessus la cime des arbres. Cette fine ligne cramoisie tranchait sur le blanc du ciel, comme la première incision d'un scalpel sur une peau encore jeune.

Ce n'était pas juste un signe de vie, et ce n'était pas n'importe quel signal lumineux non plus. Il était rouge. Voilà qui était fondamental pour la jeune Styx.

– Ouiii ! s'exclama-t-elle en esquissant un sourire sur ses lèvres desséchées. Trois… deux…

Rebecca bis comptait les secondes avec impatience. Elle était si excitée que c'est à peine si elle parvenait encore à respirer.

– Un ! hurla-t-elle.

Alors que la fusée poursuivait sa trajectoire, la traînée lumineuse vira soudain du rouge au noir. Un noir des plus purs et des plus intenses. Elle explosa peu après en silence, engendrant un nuage sphérique qui se dissipa presque aussitôt sans laisser la moindre trace de son passage.

– Le rouge et le noir ! s'exclama-t-elle en tapant dans ses mains. Bénies soient les POP !

Elle faisait référence aux Procédures opérationnelles permanentes des Limiteurs, car il s'agissait en effet de l'un de leurs signaux.

Rebecca bis était rayonnante.

Quelque part là-bas dans la jungle, il se trouvait au moins un de ces soldats ingénieux et surentraînés – les Limiteurs – qui répondait à ses ordres. Il essayait de communiquer avec d'autres Styx dans la zone. Les Limiteurs opéraient normalement en silence.

Pour rien au monde ils n'auraient révélé leur présence, si ce n'est dans des circonstances exceptionnelles. Or, c'était bien le cas, car Rebecca bis ne doutait pas que le signal leur fût destiné, à elle et à sa sœur.

Il fallait qu'elle y réponde d'une manière ou d'une autre pour leur indiquer leur situation. Elle regarda tout autour d'elle, au bord du désespoir, jusqu'à ce que son regard se pose sur les citernes d'essence.

– Voilà, dit-elle d'une voix rauque de détermination.

Cela valait la peine d'être tenté. Elle scruta l'horizon. Dans le lointain, deux colonnes de fumée blanche s'élevaient au-dessus de la jungle. Il s'agissait des habituels feux de brousse, et si elle parvenait à en allumer un à son tour, ce serait peut-être une réponse suffisante à leur signal.

Mais à part les vêtements qu'elle portait sur le dos, elle n'avait rien, hélas ! Même s'il restait encore assez de carburant dans les réservoirs, comment pourrait-elle l'embraser ?

– Réfléchis, réfléchis ! Réfléchis, bon sang ! s'écria-t-elle.

Une idée lui traversa soudain l'esprit, lorsqu'elle aperçut l'éclat du soleil dans le ciel.

– Le verre ! Les bouteilles !

Elle se précipita dans le hangar.

– Il faut te mettre à l'abri, dit-elle à sa sœur, puis elle remonta la pente en toute hâte, suivant les rails jusqu'à l'entrée de la mine.

Elle retourna seule au bâtiment, s'empara de l'une des bouteilles de bière qu'elle avait renversées et inspecta les citernes.

Pour accéder au carburant, il fallait qu'elle parvienne à atteindre les obturateurs qui se trouvaient sur le dessus. Munie d'un long morceau de bois, elle grimpa sur le premier réservoir, qui se mit à gémir dangereusement. C'est à peine s'il supportait son poids. La rouille avait réduit le métal en dentelle et le carburant s'était évaporé depuis longtemps. Voilà qui n'arrangeait pas ses affaires.

Rebecca bis lâcha un juron, puis bondit sur la citerne la plus proche, en bien meilleur état, qui rendit un son sourd. Elle essaya de dévisser le bouchon. En vain, il refusait de céder.

– Allez ! cria-t-elle.

Chaque minute comptait, il fallait qu'elle envoie son signal au plus vite.

Elle tapa sur le bouchon avec sa baguette et fit une nouvelle tentative. Il laissa échapper un sifflement quand, après de pénibles efforts, elle finit par le dévisser. Rebecca bis fronça le nez en sentant l'odeur de l'essence.

– Parfait, dit-elle, puis elle plongea sa jauge improvisée dans la citerne pour mesurer le niveau.

Le bâton ressortit couvert d'essence, ce qui signifiait que la citerne était quasi pleine. Quel soulagement ! Elle renouvela l'opération plusieurs fois pour laisser l'essence se répandre tout autour de l'ouverture, puis retomba sur le sol.

Elle brisa la bouteille contre une pierre pour en prélever le fond, l'essuya sur sa chemise, puis s'agenouilla, la baguette toujours à la main, pour orienter le tesson vers les rayons du soleil qui vinrent frapper directement le bois saturé d'essence.

L'intensité des rayons, amplifiée par le verre, était si forte qu'il fallut à peine quelques secondes pour embraser le bois. Rebecca bis se releva d'un bond, s'assura que sa torche de fortune était bien enflammée avant de la lancer sur la citerne. Il ne fallait surtout pas qu'elle manque sa cible. Elle visa avec soin, lança son projectile, fit volte-face et s'enfuit à toutes jambes.

Elle n'avait pas fait vingt mètres que l'essence remontait déjà, tel un bouchon de champagne. Une fraction de seconde plus tard retentit une déflagration assourdissante. Le souffle de l'explosion propulsa dans les airs le couvercle de la citerne décapitée, plaquant la jeune fille face contre terre. Rebecca bis se mit à ramper, la nuque chauffée par l'air brûlant. Deux autres citernes venaient en effet de s'embraser à proximité, dans une explosion presque simultanée drapant le camion et le bâtiment dans un rideau de feu.

Lorsqu'elle rejoignit sa sœur à l'entrée de la mine, tout était déjà noyé par les flammes. Une fumée commençait à s'élever dans le ciel, *noire* et dense, ce qui la distinguerait des feux de brousse.

Le bruit des explosions avait réveillé Rebecca.

– Qu'est-ce que c'est ? demanda-t-elle en essayant de voir la fournaise.

– Du renfort, répondit Rebecca bis.

– Hein ? marmonna-t-elle.

– Nos hommes savent que nous sommes ici, ils nous envoient des renforts, lui répondit Rebecca bis en riant. On a des Limiteurs !

Les Limiteurs étaient perchés tout au sommet des arbres gigantesques de la jungle pour faire le guet, et avaient vu la fumée s'élever d'une crête lointaine, telle une sombre ecchymose flétrissant la pâleur du ciel. Dans le viseur de leurs puissantes jumelles, ils ne pouvaient pas manquer ce signal. Mais au lieu de le crier à leurs camarades, les trois guetteurs restèrent concentrés sur l'endroit d'où provenait la fumée, scrutant la scène pendant plusieurs secondes pour bien s'assurer de ce qu'ils voyaient. Ils se trouvaient trop loin pour pouvoir distinguer l'auteur de l'incendie, mais la fumée semblait s'épaissir, comme si cela venait à peine de démarrer.

Les guetteurs échangèrent des signaux en silence et se laissèrent glisser à terre, là où les attendait le reste de l'escadron. Ils ne dirent pas un seul mot, tandis que les pisteurs détachaient leurs chiens d'attaque des arbres qui bordaient la clairière. Cinquante Limiteurs s'engagèrent alors dans la prairie et prirent la direction de la montagne.

Jusque-là, ils n'avaient trouvé aucun objectif précis. S'ils n'avaient pas réussi à localiser les jumelles dans la jungle, ils avaient désormais repéré le contre-feu qu'elles avaient allumé. Ils continueraient donc leurs recherches jusqu'au lieu d'où provenait cette fumée, et n'hésiteraient pas à poursuivre plus loin s'il le fallait.

Rien ne pourrait plus les arrêter.

Si quelqu'un avait pu voir la scène, il aurait sans doute confondu hommes et chiens qui filaient dans la prairie avec l'ombre d'un nuage de poussière épais et menaçant.

Chapitre Quatre

– Où est donc passée cette fichue ville ? grommela Rebecca bis.

D'après ses estimations, elle avait dû parcourir au moins cinq kilomètres. Le chemin de terre suivait le fond d'un goulet aux flancs particulièrement abrupts, et cela faisait un moment qu'elle ne voyait plus la jungle.

Plus ennuyeux encore, elle ne pouvait évaluer la longueur de la route qui la conduirait enfin à la ville. Ses dernières forces s'épuisaient sous l'effet conjugué de la chaleur constante et du poids de sa sœur.

Alors même qu'elle commençait à se dire qu'elles avaient besoin d'eau, elle s'aperçut que la piste redevenait plane, et pire encore, qu'elle remontait !

– Oh, c'est pas vrai ! hurla-t-elle.

Son cri sembla trouver un écho dans l'esprit de Rebecca, qui sombrait dans l'inconscience à intervalles réguliers.

– Will ! dit-elle d'une voix étranglée. Je vais lui rompre le cou. Lui faire la peau !

– C'est bien. Accroche-toi à ces pensées positives, l'encouragea Rebecca bis.

Les pansements de fortune avaient contribué à ralentir l'hémorragie, mais ne l'avaient pas stoppée pour autant.

– On n'est plus très loin à présent. Tu t'en sors très bien, mentit Rebecca bis qui sentait le sang humide et gluant traverser sa chemise.

Quel ne fut pas son soulagement lorsqu'elle vit que le chemin reprenait sa descente, enchaînant une série de virages en épingle.

Au bout de quelques instants, il finit par émerger du goulet et elle put embrasser les environs du regard.

– Regarde un peu ça ! s'exclama-t-elle en s'arrêtant net, clignant des paupières, les yeux embués de sueur.

Elle était parvenue jusqu'au pied de la montagne, et cette seule vision contribuait à lui redonner espoir.

Une route s'ouvrait devant elle, une vraie route, le long d'un mur immense surmonté de barbelés. Mieux encore, elle avait aperçu au-delà toute une rangée régulière de gigantesques cheminées industrielles carrées s'étendant sur une bonne distance.

– Il faut que tu voies ça, dit-elle à sa sœur. C'est la dernière ligne droite !

– La civilisation... murmura sa sœur en grognant.

Rebecca venait de relever péniblement la tête de la poitrine de sa sœur, et s'efforçait de faire le point sur la scène.

– Ouais, mais quelle civilisation ? rétorqua Rebecca bis, qui s'émerveillait encore de la taille des cheminées.

– M'en fiche... dépêche-toi, s'il te plaît ! supplia sa sœur. Me sens pas bien du tout.

– Désolée, répondit Rebecca bis, revenant sur la route.

Ce n'était pas du goudron, ce qui aurait ramolli comme de la pâte ou fondu sous ce soleil sans trêve, mais du béton, clair comme de la craie lisse. Le sol était parfaitement plat et fort bien façonné. S'il s'agissait d'une voie de desserte secondaire longeant un vaste domaine industriel, celui qui l'avait construite appréciait visiblement le travail bien fait. En outre, Rebecca bis se déplaçait plus rapidement sur cette surface solide.

Elle commença à distinguer d'autres cheminées dans le lointain puis, une vingtaine de minutes plus tard, un deuxième complexe industriel. Le soleil se reflétait sur des structures bulbeuses en inox séparées par des colonnes plus fines et un enchevêtrement de tuyaux brillants comme de l'acier. Des petites bouffées de vapeur – ou peut-être était-ce un gaz blanchâtre ? – s'échappaient de multiples valves tout autour de l'installation, qui émettaient des sifflements violents. Comme si elles se plaignaient de devoir travailler dans cette chaleur oppressante.

Au bout du mur qui se terminait juste avant ce nouveau complexe, Rebecca bis découvrit une route bien plus large sur sa gauche.

C'était une sorte de quatre voies partagée par un terre-plein médian planté de palmiers.

À la surface crayeuse de la route, l'air était si chaud qu'elle crut apercevoir un bassin de mercure miroitant. Rebecca bis avait beau scruter les environs, il n'y avait personne en vue, si ce n'était l'ombre d'un véhicule garé un peu plus loin en contrebas. Elle se précipita dans cette direction, remarquant au passage l'extrême propreté de la chaussée et l'allée médiane bien entretenue, ce qui signifiait qu'elle n'allait pas tarder à rencontrer des gens, et ce d'autant que l'usine semblait fonctionner. Elle pourrait alors leur demander de l'aide pour sa sœur.

– C'est une voiture, dit Rebecca bis. Mais de quelle marque, au juste ?

Elle déposa sa sœur délicatement sur le trottoir et commença son inspection.

Ça ressemble un peu à une Coccinelle, songea-t-elle, mais le véhicule était plus gros et plus trapu que n'importe quelle Volkswagen surfacienne.

Qui plus est, ses pneus étaient bien plus épais. Elle était couleur argent, et malgré l'absence de rouille sur la carrosserie, ne semblait pas très récente. Levant la main pour se protéger du soleil, elle scruta les vitres teintées en essayant de distinguer l'intérieur. L'habitacle était très rudimentaire. Le tableau de bord en métal peint était muni des cadrans habituels. Elle tenta d'ouvrir la portière du conducteur, mais en vain, elle était verrouillée. Elle contourna le véhicule par l'avant et s'arrêta devant le capot.

– C'est bien une Volkswagen, dit-elle en examinant l'insigne chromé. Mais je n'avais jamais vu ce modèle.

Comme le bruit d'un moteur se faisait entendre, elle poursuivit plus avant. Un gros véhicule, peut-être un camion, changeait de vitesse avant de traverser un carrefour.

– Allez, ma fille ! dit-elle en relevant sa sœur.

Rebecca murmura quelques paroles inintelligibles. À ce stade, elle ne se préoccupait plus guère de l'étrangeté des voitures. Son visage était blanc comme un linge, à l'exception des cernes noirs sous ses yeux.

– On n'est plus très loin. Attends-moi là, lui dit Rebecca bis en priant pour trouver de l'aide au bout de la route, et vite.

Chester s'extirpa lentement de son sac de couchage. Le soleil était levé, mais il n'avait aucune idée de l'heure. À travers les branchages qui formaient son abri, il crut apercevoir la silhouette de Martha assoupie dans son sac de couchage. Elle ressemblait à un tas de linge sale, ce qui n'était pas très loin de ce qu'il pensait d'elle. Pendant quelques minutes, il l'observa attentivement pour s'assurer qu'elle ne broncherait pas.

Cette grosse vache cinglée est encore dans les vapes. Il est temps de filer, se dit-il. Il ne se souvenait que trop bien de la façon dont elle s'était jetée sur lui la veille, sous prétexte qu'un Lumineux était sur le point d'attaquer. C'était la goutte d'eau qui avait fait déborder le vase, et il n'avait pas l'intention de traîner là à attendre une nouvelle crise de folie.

C'est pas comme si je lui devais quoi que ce soit, décida-t-il. Puis, s'efforçant de ne faire aucun bruit, il se dégagea enfin de son sac. *Elle n'a pas besoin de moi. Elle peut se débrouiller toute seule.*

Chester vérifia une dernière fois qu'elle était bien endormie. Son plan était simple. Il comptait essayer de rentrer chez lui à Londres, quitte à devoir marcher tout le long. Comme il n'avait pas du tout d'argent, il n'avait d'autre choix que de s'y rendre à pied ou en stop. À moins qu'il ne se livre à la police, mais il savait bien qu'il ne pouvait pas faire ça. Will l'avait averti, les Styx avaient des agents partout. L'avenir lui semblait morose et incertain, mais ce serait toujours mieux que de rester avec cette folle de Martha.

Il enfila son sac à dos sur ses épaules et s'éloigna à quatre pattes. Il avait les articulations rouillées et grimaçait chaque fois qu'il entendait crisser sous lui les feuilles sèches jonchant le sol de la forêt.

Il était déjà à plusieurs mètres des abris, lorsqu'il jeta un dernier coup d'œil en arrière pour s'assurer que Martha ne bronchait pas.

– Bien dormi ? lança-t-elle d'un ton enjoué.

Il fit volte-face, dérapa sur les feuilles et faillit se retrouver à plat ventre sur le sol.

Martha se tenait dans l'ombre des basses branches d'un sureau. Des plumes voletaient dans la brise légère, à côté des corps de trois oiseaux alignés sur le sol à ses pieds. Elle plumait un quatrième volatile, assise jambes écartées, tel un bébé géant jouant avec une poupée morbide. À en juger par sa taille, il s'agissait d'un pigeon sauvage.

– Euh… oui, souffla-t-il en la voyant arracher les dernières plumes encore accrochées au corps sans vie.

– Des proies faciles, ces stupides bêtes surfaciennes, dit-elle d'un ton détaché en déposant le pigeon à côté des autres. Et j'ai trouvé une véritable mine de champignons, ajouta-t-elle en indiquant un petit tas à côté des oiseaux.

Elle alluma un feu, puis commença à y faire rôtir les oiseaux. Elle n'avait aucun mal à s'adapter à son nouvel environnement, et Chester se demandait si elle avait compris qu'il s'apprêtait à lui fausser compagnie.

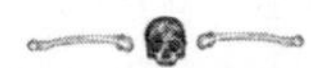

Rebecca bis traversa la zone industrielle jusqu'à un portail ouvert dans un autre mur. La route à quatre voies qu'elle avait suivie jusque-là ne s'arrêtait pas pour autant, mais semblait se dérouler encore sur des kilomètres et des kilomètres. Rebecca bis était certaine d'apercevoir l'arche gigantesque au loin, malgré l'atmosphère vitreuse et surchauffée qui lui brouillait la vue.

Elle franchit le portail.

Un grondement de tonnerre retentit, au moment même où la pluie s'abattit sur elle. Elle entendit grésiller les gouttes sur la chaussée brûlante. Sa sœur se mit à agiter la tête.

– C'est bon, murmura-t-elle en sentant l'eau lui éclabousser le visage.

Elle ouvrait et fermait alternativement la bouche, comme pour gober les gouttes de pluie.

Mais Rebecca bis ne prêtait guère attention à cette averse torrentielle. Elle restait plantée sur le seuil du portail, émerveillée par ce qu'elle voyait devant elle.

Des rangées de maisons.

Des voitures qui circulaient au loin.

Des gens.

– Mon Dieu, souffla-t-elle.

Il aurait pu s'agir de n'importe quelle ville européenne. L'architecture n'était pas vraiment moderne, mais les terrasses des maisons et des boutiques qui bordaient la route étaient propres et bien entretenues. Elle franchit alors le portail, sa sœur dans ses bras, et déambula au milieu de cette large avenue en observant tout autour d'elle. Un air d'opéra s'échappait d'une fenêtre ouverte, trop aigu et sans ampleur, comme une musique d'ambiance.

Pas de lumière, se dit-elle, songeant que les réverbères étaient inutiles dans ce monde où le soleil brillait toujours.

Rebecca bis s'approcha du bâtiment le plus proche, qui ressemblait à un bureau dont on aurait tiré les stores intérieurs. Près de la porte, une plaque de cuivre portait une inscription :

– *Schmidt Zahnärzte, Nach Verabredung*, lut-elle à voix haute.

– De l'allemand... un cabinet de dentiste, marmonna Rebecca en ouvrant à moitié l'œil. Pour réparer mes dents cassées.

Rebecca bis s'apprêtait à lui répondre, lorsqu'une femme sortit de la propriété voisine, suivie de deux jeunes garçons. Elle descendait un petit escalier à reculons en essayant d'abriter les enfants sous son parapluie. Sur une jupe grise à mi-mollets, elle portait un chemisier couleur crème et était coiffée d'un chapeau à larges bords. Elle semblait sortir des années soixante. Les deux garçons, vêtus à l'identique d'une veste et d'un pantalon court couleur fauve, devaient avoir entre six et sept ans.

– Hum... bonjour, lui dit poliment Rebecca bis. J'ai vraiment besoin de votre aide.

La femme pivota sur elle-même et regarda les deux sœurs bouche bée, l'air absolument horrifié. Puis elle se mit à hurler, laissant tomber son parapluie qu'une soudaine bourrasque de vent emporta jusqu'au bas de la rue. Elle entraîna les deux garçons dans sa fuite, et c'est à peine si leurs pieds touchaient le sol. Prise de panique, elle poussait des cris incessants, pendant que les deux garçons, fascinés, tentaient de se retourner, les yeux écarquillés, pour voir ce qui se passait.

– Je crois que nous n'avons pas la tenue appropriée, déclara Rebecca bis.

L'apparence des jumelles devait être assez déconcertante, avec leurs visages crasseux, leurs vêtements en lambeaux maculés de boue et de sang, brûlés par endroits.

– Qu'est-ce qui se passe ? Tu as trouvé de l'aide pour moi ? demanda faiblement Rebecca, alors que sa sœur l'asseyait sur la première marche du perron du cabinet dentaire.

– Patience.

Rebecca bis s'assura que sa sœur était bien calée contre la rampe de l'escalier, puis retourna sur le trottoir. Elle regarda l'eau de pluie qui s'accumulait dans le caniveau.

– Nous n'aurons pas à attendre bien longtemps avant qu'on ne nous remarque, ajouta-t-elle en balayant d'un geste de la main les cheveux de son visage.

Moins de trente secondes plus tard elles entendirent hurler des sirènes de police dans toute la métropole. Leur son grave se répercutait contre les murs des bâtiments, et une petite foule s'était attroupée au coin de la rue pour regarder les deux sœurs, se gardant bien de les approcher.

Un véhicule déboula sur la chaussée mouillée et s'arrêta en dérapage contrôlé. C'était un camion militaire. Les portes arrière s'ouvrirent avec fracas pour laisser passer un escadron de soldats – une bonne vingtaine –, fusils en joue. Un autre soldat sortit du camion et s'approcha d'elles, revolver au poing.

– *Wer sind Sie ?* aboya le jeune soldat à l'attention de Rebecca bis.

– Il veut savoir qui nous sommes, marmonna Rebecca. Il a l'air nerveux.

– Oui, je sais. Je parle allemand aussi bien que toi, rétorqua sa sœur.

– *Wer sind Sie ?* réitéra le jeune soldat en agitant son arme pour ponctuer chaque mot.

Rebecca bis se tourna vers le soldat qu'elle estima l'officier en chef, examinant son uniforme couleur sable qui s'assombrissait à mesure que l'averse tombait.

– *Meine Schwester braucht einen Arzt* ! énonca-t-elle sans la moindre faute.

– Oui, j'ai besoin… d'un médecin, murmura Rebecca.

La requête de Rebecca bis sembla surprendre le soldat, qui ne répondit pas. Il donna un ordre, et son escadron se rangea derrière lui, fusils pointés sur les jeunes filles. Puis ils se mirent à avancer lentement vers elles en formation.

Un éclair aveuglant zébra le ciel, suivi d'un soudain coup de tonnerre.

Les soldats s'arrêtèrent brusquement.

Rebecca bis n'entendait plus l'opéra en bas de la rue.

Le soldat avait l'air terrorisé. À dire vrai, ils avaient tous l'air terrorisés, en proie à une incommensurable angoisse.

– *Einen Arzt,* répéta-t-elle, se demandant ce qui pouvait bien leur faire un tel effet.

Elle entendit un grognement sourd et pivota sur elle-même.

Les hommes qui s'avançaient vers eux semblaient émerger de la pluie battante. Leurs camouflages gris-brun se fondaient si parfaitement avec les trombes d'eau qu'on aurait cru voir des ombres.

– Timing impeccable, déclara Rebecca bis au moment précis où la brigade de Limiteurs marqua l'arrêt.

Ils étaient quarante et barraient toute la largeur de la rue, tenant les soldats allemands en joue. Les maîtres-chiens s'efforçaient de contrôler leurs Limiers qui émettaient des sons gutturaux tout droit sortis de l'enfer. Sous leurs babines retroussées et frémissantes pointaient des crocs féroces.

Mais le jeune soldat et ses troupes ne regardaient pas les chiens, bien plus fascinés par le visage des Limiteurs. Les Styx avaient les yeux aussi noirs que les orbites vides d'une tête de mort.

Aucun des deux partis ne faisait le moindre mouvement. Sans la pluie battante, on aurait dit que la scène était soudain figée.

Rebecca bis s'avança au milieu de la rue et s'arrêta entre les deux lignes de front.

– *Offizier ?* dit-elle au soldat allemand.

Elle était aussi confiante et détendue que si elle avait demandé son chemin à un policier surfacien.

L'officier allemand détacha son regard des Limiteurs, et acquiesça sans dire un mot, fixant à son tour la mince jeune fille en haillons.

– *Ich*... commença-t-elle.

– Je parle parfaitement l'anglais, l'interrompit-il avec un soupçon d'accent.

– Bien, dans ce cas, j'ai besoin... poursuivit-elle.

– Dites à ces troupes de se retirer, dit-il en la coupant net.

Rebecca bis ne lui répondit pas et resta plantée face à lui, les bras croisés sur la poitrine.

– Inutile de rêver, dit-elle avec fermeté. Vous n'avez pas la moindre idée de ceux à qui vous avez affaire. Ces soldats sont des Limiteurs. Ils feront tout ce que je leur demanderai, et même si vous ne les voyez pas, il y a un détachement de tireurs embusqués sur les toits. Si jamais vous ou l'un de vos hommes aviez ne serait-ce que *l'idée* de tirer...

Elle ne prit pas la peine de terminer sa phrase, et remarqua un léger tremblement dans le bras qui tenait le revolver pointé sur elle.

– Je vais faire venir deux hommes. L'un d'eux est médecin. Il s'occupera de ma sœur, car elle est en train de mourir d'une blessure à l'estomac. Ce n'est pas un acte hostile, alors dites à votre escadron de ne pas tirer.

Il hésita et jeta un coup d'œil à Rebecca, effondrée contre la rampe de l'escalier, à l'endroit où l'avait laissée sa sœur. L'officier allemand était resplendissant de santé, avec ses cheveux blonds et ses yeux bleus. Sa chemise, dont les manches étaient roulées jusqu'aux coudes, laissait voir ses bras et son visage hâlés.

– D'accord, acquiesça-t-il.

Il se tourna vers ses hommes et leur donna l'ordre de ne pas tirer.

– Merci, répondit Rebecca bis avec grâce.

Elle leva la main et prononça quelques mots dans la langue des Styx.

Deux Limiteurs sortirent du rang. L'un d'eux se dirigea directement vers Rebecca, qu'il souleva pour pouvoir commencer son travail. L'autre s'arrêta quelques pas derrière Rebecca bis. C'était un général, le plus vieux et le plus gradé parmi les Limiteurs. Les tempes grisonnantes, il avait la joue marquée par une profonde cicatrice en forme de S.

Sans regarder celui-là, Rebecca bis s'adressa à nouveau à l'officier allemand.

– Dites-moi, comment cette ville se nomme-t-elle ?

– La Nouvelle-Germanie, répondit-il en scrutant le général des Limiteurs.

– Et en quelle année êtes-vous descendus ici ?

– Le dernier d'entre nous s'est installé ici en... répondit-il d'une voix traînante et en fronçant les sourcils. En... *neunzehn... hm... vierzig...*

Il cherchait les mots justes.

L'un des soldats de son escadron finit par l'aider.

– 1944, lança-t-il.

– Avant la fin de la guerre, c'est bien ce que j'imaginais. Nous savons tout des expéditions polaires du IIIe Reich pour enquêter sur la théorie de la Terre creuse, mais nous ne savions pas qu'elles avaient abouti.

– Nous ne sommes pas le IIIe Reich, corrigea l'officier allemand d'un ton catégorique, furieux en dépit de la situation.

– Eh bien, qui que vous soyez, poursuivit néanmoins Rebecca bis, j'imagine que vous disposez d'une radio ou d'un autre moyen de communication dans votre camion. Et si vous souhaitez sortir vivants de cette impasse, contactez votre supérieur. Demandez-lui s'il sait quoi que ce soit au sujet de…

Ce n'est qu'à cet instant qu'elle s'en remit au général des Limiteurs, qui se tenait au repos, la carabine à la main.

– Du supplément 66 à l'opération Seelöwe. C'était le plan d'invasion nazi de l'Angleterre, établi entre 1938 et 1940.

L'officier allemand ne répondit pas, mais s'attarda sur la longue carabine du Limiteur et sa lunette de visée infrarouge.

– Est-ce que le nom du grand amiral Erich Raeder vous dit quelque chose ? poursuivit le Limiteur.

– Oui, confirma l'officier allemand.

– Quelqu'un dans cette ville a-t-il appartenu à son équipe, ou a-t-il accès aux archives des opérations qu'il a menées à l'époque ?

L'officier allemand essuya la pluie qui lui coulait sur le visage, comme pour cacher un embarras croissant.

– Écoutez-moi bien, c'est important, ajouta le Limiteur d'un ton sec en s'adressant à l'officier allemand comme à un subordonné. Vous allez vous renseigner auprès de vos supérieurs sur le supplément 66 au plan d'invasion, dans lequel les références à Méphistophélès seront évidentes.

– Méphistophélès, c'est nous, les Styx. Il s'agissait du nom de code désignant mes hommes, ajouta Rebecca bis. Les sections Styx basées en Angleterre coopéraient avec l'Allemagne. Vous voyez, nous étions vos alliés à l'époque, et ça n'a pas changé depuis.

Le général des Limiteurs désigna le camion d'une main gantée.

– Allons, mon gars, du nerf ! Trouvez-moi donc quelqu'un qui connaisse l'opération Seelöwe et son supplément 66.

– Il faut régler cette situation avant que vous et vos hommes ne périssiez en vain, ajouta Rebecca bis, en lançant un coup d'œil en direction de sa sœur, que le médecin limiteur avait étendue sur une couverture.

La jeune blessée était déjà sous perfusion de plasma, mais Rebecca bis savait qu'il fallait la mener à l'hôpital.

– Il est vital que vous agissiez rapidement. Pour le salut de ma sœur.

L'officier allemand acquiesça d'un air compassé, puis s'adressa à ses hommes avant de remonter dans le camion.

– C'est toujours aussi bon de retrouver de vieux amis, n'est-ce pas ? dit-elle au général des Limiteurs.

Chester somnolait depuis peu, lorsqu'il fut réveillé par de violentes crampes à l'estomac. Il se dit qu'elles allaient passer, mais non. La douleur ne faisait qu'empirer. Il se rua hors de son abri puis, parvenu à la lisière de la forêt, se mit à vomir jusqu'à se vider complètement l'estomac, sans que cessent pour autant ses terribles hauts-le-cœur. Il en avait la gorge à vif.

Il finit par regagner son abri d'un pas chancelant, en sueur et le visage blême. Martha l'attendait là.

– Des maux de ventre ? Moi aussi. Tu veux quelque chose contre ça ? Je vais nous faire du thé, ça devrait aider, dit-elle sans attendre sa réponse.

Ils s'assirent autour du feu et Chester se força à siroter la boisson tiède qu'elle lui avait préparée, lorsque les crampes reprirent de plus belle. Il détala à nouveau, mais cette fois-ci, ses vomissements se doublèrent d'une diarrhée.

Martha était toujours assise près du feu lorsqu'il revint, à peine capable de marcher.

– Je me sens vraiment mal, lui dit-il.

– Va dormir un peu. Tu as probablement attrapé un germe. Il te faut beaucoup de repos et de liquide chaud, et ça passera.

Au bout du compte, Chester mit près de deux jours à récupérer. Il avait abandonné tous ses projets de fugue. Dans son état, il n'irait pas bien loin. Alors qu'il oscillait entre des périodes de sommeil fiévreux et de délire éveillé, il répugnait à dépendre ainsi de Martha, mais il n'avait guère le choix. Lorsqu'il put enfin manger sans vomir et qu'il sentit revenir ses forces, ils préparèrent leurs affaires avant de reprendre leur marche sans but.

– Martha, on ne peut pas continuer à errer comme ça. Qu'est-ce qu'on va faire ? demanda Chester. Et puis j'en ai vraiment marre de manger ces saletés d'oiseaux que vous piégez. En fait, je crois que c'est ça qui me rend malade à ce point-là.

– Nécessité fait loi, rétorqua-t-elle. Moi aussi, ils m'ont rendue malade.

Chester la regarda de travers. Contrairement à ce qu'elle prétendait, il n'avait pas le souvenir de l'avoir vue se précipiter vers les arbres, ni même de l'avoir entendue se plaindre de douleurs à l'estomac. Mais il n'avait pas remarqué grand-chose, ces derniers temps.

Ils remballèrent leurs affaires au crépuscule et reprirent leur route, mais Chester se sentait encore faible. Comme il était incapable de marcher toute une nuit, ils dressèrent leur campement, quelques heures avant l'aube, dans un autre bois. Moins d'une demi-heure après le repas, son estomac fut à nouveau assailli par les gargouillis et les crampes. Il n'en revenait pas. Cette fois, c'était encore pire, et Martha dut l'aider à rejoindre un bosquet d'arbres pour qu'il ait un peu d'intimité pendant une nouvelle crise violente.

Les jours suivants, elle fut même obligée de le nourrir à la cuiller, car il avait les mains si tremblantes qu'il n'y parvenait pas tout seul. Il perdit le fil du temps. Le manque de nourriture le rendait de plus en plus léthargique. Une nuit, Martha le réveilla abruptement. Elle était agitée et bredouillait des paroles confuses. Il fallait qu'ils avancent. Il essaya de lui demander pourquoi, mais elle ne put se justifier. Avait-elle encore entendu ce Lumineux imaginaire ?

Chester avait cependant suffisamment récupéré pour marcher deux heures. Ils longèrent d'innombrables champs sous la bruine, jusqu'à parvenir enfin à une grange délabrée. Le toit avait perdu des tuiles et l'intérieur était rempli de matériel agricole rouillé.

Martha leur aménagea un coin pour dormir. Ils seraient au moins à l'abri des éléments et pourraient se sécher.

Outre ces indispositions persistantes, Chester en avait assez d'être constamment trempé. Son pantalon lui irritait les jambes, et la peau entre ses orteils était devenue d'une blancheur préoccupante et se délitait dès qu'on la touchait. Ils avaient vraiment besoin de changer de vêtements et de prendre un bon bain. Chester avait remarqué que Martha sentait moins mauvais ces derniers temps, mais c'était sans doute parce que sa propre puanteur masquait la sienne.

– Je n'en peux plus, lui dit-il, le regard vide, resserrant le sac de couchage de ses mains crasseuses pour se protéger le cou. Jamais je ne me suis senti aussi mal, et je suis terrorisé à l'idée que ça puisse encore empirer. Martha, je ne tiendrai plus le coup très longtemps, dit-il en ravalant ses larmes.

Chester était au bout du rouleau, et ne mentait pas en disant qu'il ne pourrait pas continuer beaucoup plus longtemps.

– Et si j'avais vraiment un problème ? Si j'avais vraiment besoin d'un médecin, vous me laisseriez en consulter un ? Et puis, on ne va nulle part, n'est-ce pas ? On n'a même pas l'ombre d'un plan de bataille.

Chester avait en effet la conviction qu'ils tournaient en rond, mais n'aurait pas pu le prouver.

Martha se tut pendant un moment, puis acquiesça. Elle leva les yeux vers le plafond en ruine. Son tic oculaire reprenait de plus belle.

– Demain, dit-elle. On verra ça demain.

Chester n'avait pas la moindre idée de ce qu'elle voulait dire par là, mais après avoir passé la journée dans la grange, ils repartirent à la faveur d'une soirée clémente. Pour une fois, il ne pleuvait pas, ce qui lui redonna espoir. Ils devaient se rapprocher de la côte. Il sentait l'odeur de la marée, et parfois une mouette venait tournoyer au-dessus de leurs têtes. Cela lui rappelait tant ses vacances en famille au bord de la mer… Voilà pourquoi il devait se séparer de Martha et retrouver ses parents.

Le ciel nocturne était limpide. Chester scrutait les milliers d'étoiles accrochées juste au-dessus d'une colline, telle une magnifique tapisserie scintillante, et buta contre une haie. Il avait perdu

Martha de vue, lorsqu'une main surgit tout à coup des buissons et l'entraîna de l'autre côté.

Chester vacilla, puis retrouva l'équilibre. Le contraste entre les champs agricoles à l'infini, les prairies sauvages et cette pelouse manucurée était frappant. L'herbe lui semblait si parfaite sous ses pieds qu'on aurait dit un tapis de feutre sombre à la lueur de la lune. Il était entouré de parterres de fleurs cultivées. Martha siffla pour lui intimer l'ordre de la suivre, et ils se faufilèrent le long d'un jardin, dépassèrent une serre puis une grande cabane avec une table et deux chaises en bois. Martha se dirigea plus avant dans le jardin, entre deux haies de conifères débouchant sur un petit portail. Chester le franchit en se courbant, pour esquiver les branches d'un saule pleureur. Il vit alors la silhouette noire d'un bâtiment.

– Une maison… murmura-t-il en s'arrêtant de l'autre côté du saule.

Elle avait l'air bien entretenue, mais semblait vide. Pas de lumière à l'intérieur, les rideaux étaient tous tirés. Ils longèrent la maison par le côté. Au-dessus de la porte principale, un rosier grimpant poussait le long d'un petit portique. Aucun véhicule n'était garé sur le petit chemin de gravier.

Chester n'essaya pas de dissuader Martha d'y entrer par effraction. La maison était isolée et il n'y avait pas la moindre trace d'un quelconque système d'alarme. À l'arrière, Martha brisa la vitre d'une fenêtre à guillotine dont elle défit le loquet. Chester la suivit à l'intérieur, mais il n'était pas très fier de ce qu'ils étaient en train de faire. Cependant, il en avait largement assez de vivre dehors. Peut-être ne s'en rendaient-ils compte ni l'un ni l'autre, mais la gravité terrestre les affectait, surtout Martha. Il leur fallait un endroit où ils pourraient enfin se reposer correctement.

Lorsqu'il découvrit un garde-manger et un réfrigérateur bien garnis dans la cuisine, Chester déclina l'offre de Martha qui proposait de lui préparer quelque chose. Il prit plutôt une boîte de haricots blancs à la sauce tomate qu'il mangea froids. Après avoir contemplé les lits bien faits aux draps blancs et impeccables dans les chambres à l'étage, il prit une douche rapide une fois la chaudière mise en marche.

Le contact de l'eau était incroyablement douloureux, tandis qu'il se débarrassait de toute la crasse accumulée des mois durant.

Puis, alors que sa peau s'habituait à nouveau à la propreté, Chester se mit à se prélasser sous ce déluge d'eau chaude pendant un long moment. Il commençait à se détendre, comme s'il évacuait ses problèmes par la même occasion. Lorsqu'il fut sec, il se rua sur l'armoire de l'une des chambres où il prit un jean et un T-shirt qui ne lui allaient pas trop mal. Il se surprit ensuite à regarder fixement un tiroir à la base de l'armoire.

Des chaussettes, rien que des chaussettes, se dit-il en gloussant.

Chester en enfila une paire propre avant de remettre ses bottes, agitant ses orteils avec un large sourire. Il se sentait tellement mieux, prêt à affronter n'importe quoi...

– Oh oui ! Des chaussettes sèches ! s'exclama-t-il en se relevant.

Il redescendit pour dire à Martha qu'il s'apprêtait à piquer un somme dans l'un des lits. S'aventurant dans le salon, il s'arrêta net : il venait de remarquer un téléphone.

Enfin ! Voilà l'occasion qu'il attendait.

Il pourrait appeler Drake à nouveau, ou même ses parents. Il fallait qu'il leur dise qu'il était sain et sauf. Il ne leur avait pas parlé depuis des mois – depuis qu'il s'était engouffré dans la galerie sous la maison des Burrows, cette nuit fatidique, en compagnie de Will.

Le souffle court, Chester souleva le combiné pour écouter la tonalité. C'est tout juste s'il parvenait à contenir sa joie en composant le numéro de ses parents. Il mourait d'impatience de leur parler.

Salut papa, salut maman, répéta-t-il silencieusement tout en priant pour qu'ils soient chez eux, et qu'ils n'aient surtout pas déménagé.

Non ! se reprit-il.

Sois positif.

À peine venait-il de composer les premiers chiffres qu'il lâcha le téléphone. Quelqu'un venait de l'assommer.

Chapitre Cinq

Drake ouvrit les yeux d'un coup et bondit aussitôt hors de son lit. Il se trouvait dans une pièce sans lumière qui lui était totalement étrangère. Il avait beau avoir l'habitude de se réveiller dans un nouvel endroit chaque matin, il n'arrivait pas à se souvenir comment il avait atterri là. L'atmosphère de la pièce était fraîche et saine. Il entendait le bourdonnement de l'air conditionné.

Il avait le crâne en feu. Il se palpa le front et vacilla vers le lit. C'est à cet instant qu'il s'aperçut qu'il était certes encore vêtu, mais qu'il ne portait plus ni chaussettes ni chaussures. Il sentait sous la plante de ses pieds la texture d'un épais et luxueux tapis.

– Mon Dieu, où suis-je ?

Cet endroit n'avait rien à voir avec les propriétés vides ni les box où il avait pour habitude de dormir.

Il longea le lit en avançant à tâtons et percuta une table de nuit, renversant une lampe de chevet au passage. Il s'agenouilla dans le noir pour la localiser et poussa un grognement en clignant des yeux lorsque la lumière lui jaillit soudain au visage.

Will et Elliott auraient été surpris par son apparence et ne l'auraient sans doute pas reconnu. Il avait une barbe longue de plusieurs semaines, le visage enflé et les yeux fatigués, cernés par de sombres ecchymoses. Il avait désormais les cheveux longs, lui qui d'ordinaire les gardait courts, et ils étaient plaqués sur le côté sur lequel il avait dormi.

La lampe encore à la main, il palpa le bord du lit avant de s'affaler dessus.

– De la vodka ? s'étrangla-t-il en réprimant un haut-le-cœur, alors qu'il venait de goûter l'amertume d'un relent d'alcool sur sa langue. Qu'est-ce que j'ai fait ?

Il essayait de reconstituer les événements de la veille. Il avait le vague souvenir d'être entré dans un bar, peut-être à Soho, avec la ferme intention d'en siphonner la cave. Cela semblait logique, car il avait la tête prête à exploser.

Mais la douleur que lui causait sa gueule de bois n'était rien comparée à la sensation de vide qu'il éprouvait. Sa vie n'était qu'un vaste désert.

Pour la première fois depuis très longtemps, il était complètement perdu. Il n'avait aucun objectif, aucun projet sur lequel travailler. Il avait été recruté par une organisation clandestine des années plus tôt, pour combattre les Styx. Ces derniers vivaient tapis dans le sous-sol de Londres, dans une ville souterraine que l'on appelait « la Colonie ». Leurs noirs desseins contaminaient toute la société surfacienne, tel un champignon pernicieux dont les spores auraient émergé du sol. Pendant des siècles, les Styx avaient comploté afin de renverser l'ordre établi en Surface et de l'affaiblir suffisamment pour prendre un jour les rênes de la société.

La dernière initiative de Drake s'était soldée par un échec cuisant. Il avait cherché à attirer l'un des plus importants dirigeants styx hors de sa cachette en prétendant détenir l'unique fiole d'un virus mortel, le Dominion. Il devait lui remettre le virus dans le parc municipal de Highfield avec l'aide de la mère de Will, Mme Burrows, dont la présence était censée rendre la chose crédible. Cependant, loin de se laisser prendre au piège, les Styx avaient une longueur d'avance. Ils avaient mis hors d'état de nuire Drake et son bras droit, le Tanneur, ainsi que le reste de ses hommes de main, grâce à une sorte d'appareil subsonique.

Drake doutait sincèrement que le Tanneur ou les autres aient survécu. Les Styx se montraient brutaux et sans pitié avec ceux qui osaient les défier. Il avait également perdu Mme Burrows lors de cette opération. Elle était sans doute morte, elle aussi. Pour autant qu'il sache, il était le seul survivant. Mais il avait reçu une aide des plus inattendues.

– Boire… Quelque chose.

Il ne méritait pas d'être en vie. Il ne supportait pas la perte terrible de tous ces gens. Il se sentait coupable de leur mort. Il fit claquer ses lèvres, reposa la lampe sur le lit, et s'achemina d'un pas traînant jusqu'à la fenêtre de cette pièce inconnue.

– Bon sang ! s'exclama-t-il en ouvrant les stores.

Il plissa les yeux. La lumière du soleil qui inondait la pièce ne faisait qu'exacerber sa migraine. La vue l'avait soufflé : il se trouvait au troisième ou au quatrième étage d'un bâtiment qui surplombait la Tamise. Au loin, le soleil brillait sur Canary Wharf.

Il pivota pour inspecter la pièce. Elle était spacieuse. Les murs écarlates étaient décorés de vieilles affiches militaires dans des cadres dorés. Il s'agissait de soldats de la guerre de Crimée. En sus du lit double, il y avait un bureau et une armoire en bois sombre, peut-être de l'acajou. La pièce ressemblait à une chambre d'hôtel, et chère qui plus est.

– Je suis mort et je suis monté au paradis du Hilton, marmonna-t-il en se demandant s'il y avait un minibar caché quelque part dans un coin.

Il avait besoin de boire pour s'anesthésier et faire cesser les sempiternelles récriminations qu'il s'adressait à lui-même. Il avait laissé tomber tant de gens ! Il jeta un coup d'œil à la porte fermée, mais au lieu d'avancer, il se retourna vers la fenêtre et posa son front contre la vitre glacée. Il poussa un profond soupir puis, les yeux injectés de sang, suivit le parcours d'une vedette de police qui remontait le fleuve en direction de Tower Bridge.

Quelqu'un frappa à la porte.

Drake se redressa.

La porte s'ouvrit pour laisser entrer celui qui l'avait sauvé dans le parc municipal de Highfield. Il avait un verre à la main. Il avait dit à Drake qu'il avait été autrefois Limiteur, l'un des soldats du régiment d'élite styx réputé sans pitié.

C'était étrange de voir l'un de ces tueurs sauvages au corps sec et musculeux hors de son contexte, vêtu d'une veste de sport grise, d'un pantalon de flanelle et de souliers marron. En dépit de sa migraine, Drake réussit à esquisser un sourire.

– Ah, mon Styx à moi, dit-il en désignant la pièce d'un geste de la main. Sympa comme endroit.

– Oui, j'ai plusieurs maisons autour de Londres, mais je préfère séjourner ici, répondit le Limiteur d'une voix nasillarde dans une langue saccadée et vieillotte.

– Je parie que les autres n'ont pas une vue pareille, rétorqua Drake en se tournant à nouveau vers la fenêtre. C'est donc ainsi que je suis arrivé là, ajouta-t-il après un moment de silence en se tournant vers le Styx. Vous vous prenez pour mon ange gardien, ou quoi ?

Le Limiteur ne lui répondit pas et lui tendit le verre. Drake en renifla le contenu, laissant transparaître sa déception pendant une fraction de seconde.

– Du jus d'orange pur ? dit-il avant d'en avaler une gorgée. Mais c'est tout aussi bon comme ça, souffla-t-il en sentant la saveur acidulée réveiller ses papilles délavées.

– Je viens tout juste de les presser.

– Je sais que vous pensez m'être redevable car je me suis occupé d'Elliott, mais vraiment nous sommes quittes à présent, déclara Drake en se massant l'arête du nez pour essayer de mettre un peu d'ordre dans ses pensées. Vous m'avez sauvé la peau dans le parc. Vous avez rempli votre part du contrat, et tout le monde est content, maintenant.

– Oui, je vous suis reconnaissant d'avoir aidé ma fille, acquiesça le Limiteur. Elle n'aurait pas tenu très longtemps toute seule. Les Profondeurs sont un endroit dangereux, et j'en sais quelque chose pour y être descendu plusieurs fois moi-même, ajouta-t-il en s'asseyant au bord du lit. Mais…

– Mais quoi ? tonna Drake qui commençait à perdre patience sous l'effet de la migraine qui continuait à lui fendre le crâne.

– Si vous ne vous reprenez pas, Drake, mon peuple va finir par vous rattraper. Ils vous neutraliseront à coup sûr, dit-il d'un ton égal, en éteignant la lampe que Drake avait laissée sur le lit comme pour illustrer son propos.

– Je n'ai pas l'habitude de me soûler comme ça… comme la nuit dernière. C'était exceptionnel, rétorqua Drake en s'éclaircissant la voix, assez mal à l'aise.

– On dirait bien que vous avez fait quelques exceptions ces temps derniers, murmura le Limiteur. Vous savez que vous avez insulté le barman après qu'il a refusé de vous servir ? Vous lui avez hurlé dessus et l'avez traité de Styx. Tout le monde vous a entendu.

À ces mots, Drake se mit à grimacer, puis revint sur la défensive.

– Ce que je fais de ma vie ne regarde que moi. Si je veux…

Drake s'interrompit. Pourquoi se justifierait-il ainsi face à cet homme, après tout ?

– De toute façon, que vous importe ? Je ne comprends pas.

– C'est à cause d'Elliott. Vous avez dit qu'elle était quelque part dans le Pore. J'ai besoin de votre aide pour la ramener et m'assurer qu'elle est saine et sauve. Je vous aiderai en retour, et je crois bien que vous en avez grand besoin en ce moment.

Drake scruta le visage décharné du Styx et croisa ses pupilles noires au regard perçant, le visage de l'ennemi qu'il avait combattu bec et ongles pendant toutes ces années. À cet instant même, il se trouvait à quelques mètres de l'un d'eux, sirotant son jus d'oranges fraîchement pressées. Qui plus est, cet homme lui demandait son aide, à lui. C'était vraiment la meilleure !

– Et pourquoi vous ferais-je confiance ? s'esclaffa Drake d'un rire sec. Comment puis-je être sûr qu'il ne s'agit pas encore de l'un de vos doubles jeux styx particulièrement rusés ? Une fois que vous vous serez servi de moi, et que vous aurez obtenu tout ce que vous voulez, vous et votre peuple fourbe, vous ne ferez qu'une bouchée de moi, ajouta-t-il en secouant la tête. On ne me la refait pas !

– Je vous l'ai déjà dit, je ne participe plus à leurs agissements. Je me suis fait passer pour mort pour pouvoir m'enfuir, répondit le Limiteur.

– Eh bien, c'est trop cool pour vous. Paix à votre âme, rétorqua Drake avec sarcasme. Vous avez donc déserté une meute d'assassins mégalomanes. Je suis désolé, mais même si vous me dites la vérité, qu'est-ce que ça prouve ? Que vous êtes un traître à qui l'on ne saurait faire confiance ?

– Elliott prouve tout, répondit le Limiteur avec une froideur dans la voix qui trahissait sa colère. À partir du moment où j'ai conçu un enfant avec une humaine de la Colonie, je suis devenu un homme marqué. Je suis comme mort aux yeux de mon peuple.

– Comment ça ?

– Aussi loin que remontent les livres d'histoire, nous avons toujours formé une race à part. Même avant l'époque de l'Empire romain, nous infiltrions les classes dirigeantes pour infléchir le cours de l'Histoire en notre faveur, dit le Limiteur en glissant les mains dans les poches de sa veste.

Cet homme avait beau avoir été membre de l'élite des assassins styx, il y avait quelque chose de vaguement professoral dans son comportement. Il ressemblait à un universitaire exposant ses dernières recherches.

– Vous n'en avez peut-être pas conscience, mais nous ne nous sommes pas toujours cachés dans des endroits comme la Colonie. À différentes époques, nous avons été présents sur plusieurs continents, sans jamais nous rassembler en trop grand nombre, car cela aurait trahi notre présence ; sans jamais habiter dans des ghettos non plus, car on nous aurait repérés et persécutés. Or, si nous sommes restés cachés sous vos yeux, notre loi a toujours interdit les alliances interraciales. Nous n'avons *jamais* d'enfants avec des étrangers. Comme le déclare le *Livre des catastrophes* : « Pureté est mère de sainteté. »

– Et donc ? l'interrompit Drake.

– Les métissages entraînent ce que nous appelons la Dilution, ce qui veut dire que les lignes de partage se brouillent. Or, c'est très précisément ce que j'ai fait. J'ai transgressé l'une de nos lois les plus sacrées. Si Molly – la mère d'Elliott – et moi avions été démasqués, nous aurions probablement été lynchés par la foule des Colons ou tués par les Styx. Molly a dû feindre la maladie pour cacher sa grossesse, et sa famille a accueilli Elliott après sa naissance. Mais à mesure qu'elle grandissait, il devenait de plus en plus évident qu'elle n'était pas comme les autres.

Drake acquiesça et le Limiteur poursuivit son récit.

– Le fait est que si Elliott n'avait pas fui dans les Profondeurs, il n'aurait pas fallu très longtemps pour qu'on découvre sa véritable nature. Du sang styx coule dans ses veines.

Le Limiteur avait les yeux fixés sur un jet qui s'élevait dans le ciel.

– Il fallait qu'elle s'enfuie. Au cours des siècles, il y a eu quelques cas de métissage, mais guère plus. Ils les appellent les Souillures, vous savez.

– Souillures, répéta Drake. Non, je n'avais jamais entendu ça auparavant.

– Pourquoi l'auriez-vous su ? Cela n'arrive que très rarement. Alors, qu'en dites-vous ? Allons-nous coopérer… travailler ensemble ? demanda le Limiteur en regardant Drake dans l'attente d'une réponse.

– Il faut que je vous dise, monsieur le Limiteur, que j'en ai fini avec tout ça, rétorqua Drake d'une voix fatiguée, les épaules tombantes et l'air soudain épuisé. Votre engeance a systématiquement détruit tout ce que je me suis efforcé de bâtir. Vous perdez votre temps si vous essayez de m'entraîner dans l'un de vos petits jeux tordus de Col d'albâtre.

– Tout dépend de quel jeu vous voulez parler, lui répondit le Styx. Imaginez ce que vous pourriez faire avec un Limiteur à vos côtés. Quelqu'un qui connaît tous les secrets des Styx, un initié.

– Vous êtes en train de me dire que vous êtes prêt à combattre contre votre propre race ? répondit Drake avec un petit sourire en coin, comme s'il ne prenait rien de tout cela au sérieux. Vous m'aideriez à détruire les Styx ?

Le Limiteur se releva et décrivit un petit cercle sur l'épais tapis de la pointe du pied.

– Non. Ce n'est pas parce que je suis en désaccord avec la direction qu'ils ont choisie que je veux faire du mal à mon peuple. Je n'admettrai aucune action mortelle à l'encontre des Styx, et je ne permettrai pas qu'on fasse du mal aux Colons, y compris à Molly.

– Non, bien sûr que non, grommela Drake à mi-voix. Pour qui me prenez-vous ?

– Je ne vous apprends pas que ceux qui se trouvent au sommet de la hiérarchie styx, dont font partie les jumelles que vous nommez Rebecca, sont à l'origine de ce projet, mais nous estimons qu'il s'agit d'une approche peu subtile et inutile.

– Nous ?

– Je fais partie des Styx qui ne sont pas d'accord avec les initiatives extrêmes prises à l'encontre des Surfaciens, telle la diffusion d'un agent biologique comme le virus du Dominion. Nous pensons que les Surfaciens provoqueront eux-mêmes leur propre chute sans aucune intervention de notre part. Une fois la voie libre, nous entrerons alors en scène.

– Vous pensez donc que nous allons nous détruire sans votre aide ? Mais si vous êtes dans un tel désaccord avec les plus hauts gradés, pourquoi ne pas les critiquer ouvertement ? Non, mauvaise idée, marmonna Drake en voyant l'expression du Limiteur qui ne laissait planer aucun doute sur sa réponse.

– L'un comme l'autre, nous voulons mettre un terme à ces initiatives, dit le Limiteur en levant le poing. Aussi étrange cela soit-il, nous poursuivons le même objectif. Nous pourrions travailler ensemble pour faire échouer le plan des Styx.

Alors qu'il méditait sur la proposition du Limiteur, Drake retrouva un peu de lumière dans le regard. Il se passa la main dans les cheveux pour les aplatir, puis il acquiesça lentement en direction du Limiteur.

– D'accord, conclut-il. Je mentirais si je vous disais que ça ne m'intéresse pas. Dites-m'en un peu plus.

– Allez vous débarbouiller d'abord. Ce sera plus simple si je vous montre, dit le Limiteur en regagnant la porte.

À présent seul dans la pièce, Drake passa dans la salle de bains adjacente où il se lava, se rasa et engloutit plusieurs verres d'eau. Il aperçut son reflet en reposant le gobelet sur le lavabo et se fixa dans la glace pendant quelques secondes.

– Trop, c'est trop… Il est temps de se remettre en selle, dit-il avant de retourner dans la chambre pour enfiler ses bottes.

Dès qu'il fut prêt, il sortit de la pièce et traversa un petit vestibule qui menait à une pièce plus vaste. Les rayons du soleil, qui filtraient à travers une immense verrière au centre du plafond, éclairaient un meuble semblable à une table de billard, si ce n'est qu'à la place du tapis vert se déployait la maquette d'une vallée parsemée de bataillons de petits soldats en formation. Le Limiteur, qui venait d'ajuster la position d'un soldat à l'autre bout de la table, contemplait son travail.

Drake parcourut rapidement la scène, observant les différentes armées, leurs uniformes aux couleurs vives qui contrastaient avec le vert du paysage.

– Oui… Nous avons donc les Britanniques et les Hollandais ici, sur le mont Saint-Jean, dit-il en longeant la table. Et voici les Prussiens, ajouta-t-il en s'avançant encore. Et sur ces pentes-ci… ces fantassins en manteaux bleus doivent appartenir aux forces françaises. Nous sommes donc à la veille de la bataille de Waterloo, en mars 1815, n'est-ce pas ?

Si le Limiteur était impressionné par la vitesse à laquelle Drake avait identifié la campagne dont il s'agissait, il n'en laissait rien paraître.

– Correct, se contenta-t-il de répondre.

– Vous vous y connaissez vraiment, n'est-ce pas ? Mais pourquoi un Styx s'intéresse-t-il à un événement qui s'est déroulé ici, à la Surface, il y a près de deux cents ans ?

– Une partie de notre formation à la Citadelle consistait à nous familiariser avec les tactiques militaires surfaciennes à travers les âges, répondit le Limiteur. Et la bataille de Waterloo a toujours fait partie de mes préférées.

– Moi aussi, car l'issue des combats dépendait de tant de facteurs pour que Napoléon, le plus grand cerveau militaire de sa génération, tombe enfin sur quelqu'un qui soit à sa mesure… On aurait dit que la destinée s'était mise contre lui.

– La destinée ? répéta le Limiteur en secouant la tête. Je ne suis pas d'accord. Le coup de maître de Wellington fut d'obtenir le soutien des Hollandais et des Prussiens lors de son attaque. C'est ce qui fit la différence. La chance ou la destinée, comme vous dites, n'avait rien à voir là-dedans. Wellington était un génie militaire. Il avait réussi à déjouer les plans de Napoléon.

– Et la victoire de la septième coalition, alors ? C'était grâce aux talents de Wellington en tant que général… ou bien en tant qu'homme politique ? rétorqua Drake en le fixant.

– Qu'importe ! répondit le Limiteur.

– Je vois Napoléon là-bas, mais où est Wellington ? demanda Drake en indiquant la figurine accompagnée de ses généraux.

Il fronçait les sourcils. Quelque chose clochait dans cette scène de bataille. Il s'avança pour voir les forces britanniques de plus près.

– Je ne le vois nulle part.

– C'est parce que je suis en train de le retravailler. Je n'en suis pas tout à fait satisfait.

– Puis-je ? demanda Drake en tendant la main.

– Certainement, répondit le Limiteur en lui donnant la figurine.

– Le Duc de fer, dit Drake en étudiant la figurine qui le représentait notant quelque chose sur une carte.

Il souleva la figurine pour mieux la voir à la lumière du jour, détaillant le long manteau bleu et l'écharpe rouge qui lui ceignait la taille.

– Vous n'êtes pas très content de Wellington... Mais ce détail est époustouflant, complimenta Drake, puis il jeta un coup d'œil au bureau devant lequel trônait la figurine à l'origine.

Il y avait de nombreux petits pots de peinture, des pinceaux plongés dans une tasse, une grande loupe et tout un tas de petits soldats inachevés.

– Ne me dites pas que vous peignez ces figurines vous-même ? Vous avez fait *toutes* les figurines de la scène ?

– Ça passe le temps, répondit le Limiteur.

– Non, c'est bien plus que cela. Vous travaillez avec amour, déclara Drake. Puis-je ? demanda-t-il en se penchant sur la table où était située l'armée britannique.

– Je vous en prie.

– C'est mieux. Il est à sa place maintenant, dit Drake en posant Wellington devant une petite tente de campagne au côté des autres généraux britanniques.

Drake scruta le reste de la pièce. Il y avait des étagères garnies de livres et une rangée de vitrines où trônaient des casques militaires de l'armée anglaise datant de la guerre de Crimée et d'autres batailles du XVIIIe siècle, ainsi que des médailles en laiton et des plumets. Drake en détacha son regard et croisa les yeux impénétrables du Styx.

– Vous avez quelque chose en tête ? lui demanda le Styx.

Drake avait des milliers de questions à lui poser, mais il décida de ne pas l'assaillir d'un seul coup.

– Oui. Vous connaissez mon nom, mais comment dois-je vous appeler ? Je sais que les Styx n'ont pas de noms, du moins de ceux qu'un Surfacien pourrait prononcer, dit Drake un peu maladroitement.

– Le locataire officiel de cet entrepôt se nomme Edward James Green. J'ai aussi d'autres identités comme...

– Non, ça ira, l'interrompit Drake. Edward... James... Green. Il se frotta le front pour réfléchir. Dans ce cas, je vous appellerai... Eddie... Eddie le Styx.

L'idée de devoir s'adresser à l'un de ces féroces soldats, même à la retraite, en employant un surnom surfacien aussi commun était si absurde que Drake ne put réprimer un gloussement.

– Comme il vous plaira, répondit celui qu'il venait de baptiser Eddie, quelque peu déconcerté par l'attitude de Drake.

Ils se rendirent à l'autre extrémité de la pièce pour consulter une console de moniteurs reliés à un système de surveillance en circuit fermé. Ils diffusaient des scènes filmées dans la rue en contrebas et dans plusieurs autres endroits que Drake n'identifia pas immédiatement. On aurait dit des galeries aux parois de brique.

– Ce sont les conduits des égouts qui courent sous ce bâtiment. On n'est jamais trop prudents, expliqua Eddie qui avait remarqué l'intérêt de Drake.

– Non, c'est sûr. Surtout avec les Styx.

Ils franchirent une lourde porte en acier au bout d'un petit couloir et descendirent un escalier en colimaçon, quand Drake s'arrêta tout à coup.

– Qu'est-ce que c'est que cet endroit ? demanda-t-il.

Le contraste avec le luxueux appartement n'aurait pu être plus marqué.

De là où il était, il voyait ce qui ressemblait à un entrepôt de près d'une centaine de mètres de long sur cinquante de large. Les hautes fenêtres étaient si crasseuses que c'est à peine si la lumière filtrait. Le sol était occupé par des machines qui, à en juger par leur état, n'avaient pas servi depuis des décennies, comme put le constater Drake une fois en bas.

– C'était une usine de mise en bouteille. Elle date de l'époque victorienne. Une affaire de famille, dit Eddie. Lorsque leurs concurrents leur ont volé leur part de marché, ils ont tout simplement fermé boutique et abandonné l'usine après avoir scellé les portes. Ils l'ont laissée pourrir ainsi.

– Et vous l'avez reprise et avez construit des appartements sous le toit, dit Drake en frôlant la rampe de caoutchouc d'un tapis roulant qui s'effrita aussitôt.

Eddie les conduisit le long d'une allée bordée de machines couvertes de bâches en décomposition.

– Qu'est-ce que c'est que ces trucs là-bas ? demanda Drake en essayant de voir ce qui se trouvait dans la pénombre à côté du mur opposé. Des motos ?

– Oui, je m'en sers pour me déplacer. Mais ce n'est pas ce que je veux vous montrer.

Près du coin de l'entrepôt, il s'arrêta devant un vieux tour recouvert d'une poudre de rouille orangée.

– Première étape du désarmement, dit-il en appuyant sur un bouton rouge maculé de crasse sur le tableau de bord.

Puis il contourna le tour par l'arrière et se rendit au coin du bâtiment où s'élevait un petit échafaudage protégé par d'épaisses feuilles de plastique. Il en souleva une, révélant une trappe de métal dans le sol, cerclée de ciment.

Il était clair qu'on l'avait installée récemment, car elle ne comportait aucune trace de corrosion, et de plus le béton était parfaitement net. Eddie se baissa, souleva le couvercle qui protégeait un clavier situé juste à côté de la trappe et se mit à composer une suite de chiffres, avant de s'interrompre un instant pour s'adresser à Drake :

– Si vous ne suivez pas cette procédure à la lettre, c'est l'endroit tout entier qui explose.

– Voilà un homme comme je les aime, dit Drake tandis qu'Eddie tapait les derniers chiffres.

Eddie souleva la trappe, qui s'entrouvrit avec un bruit sourd, et descendit un petit escalier avec Drake à sa suite.

– Je crois que vous allez apprécier ça, lui dit l'homme maigre.

Chapitre Six

– Je vous dis que c'était un avion, insista le Dr Burrows.

– Et moi, que je n'ai rien entendu, rétorqua Will en s'éloignant de la canopée pour scruter le ciel blanc, au-dessus de lui. Et toi, Elliott ? demanda-t-il à la jeune fille qui s'était jointe à lui.

Elle secoua la tête.

– Eh bien, inutile de le chercher à présent, grommela le Dr Burrows. Il est parti vers l'est.

– Et tu crois que c'était quoi, papa ?

– Je te l'ai dit, un Stuka, un bombardier allemand de la Seconde Guerre mondiale.

– T'es sûr ? demanda Will en fronçant les sourcils.

– Bien sûr que oui.

– Papa, tu t'es peut-être assoupi à côté de la pyramide et tu auras tout rêvé ? Je veux dire, ça fait un moment que tu es au soleil…

– Ne me traite pas comme si j'étais un enfant, Will ! aboya le Dr Burrows. Je ne suis pas fatigué, et je ne souffre pas d'une insolation non plus. Je connais mes limites, et je sais ce que j'ai vu. J'ai très nettement vu un Stuka qui volait à un peu moins d'un kilomètre de nous.

Will haussa les épaules. Dans ce « monde à l'intérieur du monde », au cœur de la planète où brillait un soleil éternel, rien ne pouvait plus le surprendre.

Outre le fait qu'à la faveur de la faible gravité ils avaient tous, Elliott, son père et lui, des pouvoirs surhumains et qu'ils pouvaient franchir d'un bond des distances impossibles ou soulever des poids incroyables, il était prêt à admettre à peu près tout. La majeure partie de ce monde apparemment vierge était couverte soit de forêts tropicales dont les arbres montaient aussi haut que des gratte-ciel, soit de prairies où des troupeaux d'animaux paissaient en liberté. Will avait repéré des couaggas, drôles de créatures mi-cheval, mi-zèbre, éteintes depuis plus d'un siècle à la Surface. Quelques jours plus tôt, son père et lui étaient tombés sur le plus gros troupeau qu'il ait jamais vu. « Des aurochs ! » avait alors proclamé le Dr Burrows, avant de lui expliquer par le menu comment la dernière de ces magnifiques créatures s'était éteinte en Pologne au XVIIe siècle. Mais, plus étonnant encore, il y avait des tigres à dents de sabre, à en croire ce qu'avait vu Elliott.

Cependant, ces animaux préhistoriques n'avaient rien à voir avec ce que le Dr Burrows affirmait avoir vu sans vouloir en démordre. Will prit une inspiration et se gratta la tête.

– Mais, papa, un Stuka ? T'es sûr ? De quoi il avait l'air ? Avait-il des marques ? Un camouflage quelconque ?

– Il était trop loin pour que je puisse distinguer ce genre de détail, rétorqua le Dr Burrows. On ne peut que se demander comment il est entré dans ce monde, et ce qu'il y fait encore. En outre, il faut tenir compte de tout ce que cela implique. Cet avion n'est que la partie émergée d'un très curieux iceberg.

– Un iceberg ? demanda Elliott, pour qui ce mot n'avait aucun sens, puisqu'elle avait passé toute sa vie sous terre.

– Oui, un iceberg, répéta le Dr Burrows, sans s'interrompre pour le lui expliquer. Cela veut dire qu'il doit y avoir une piste pour qu'il puisse décoller et atterrir, du carburant pour le faire fonctionner et des ingénieurs pour l'entretenir et s'assurer qu'il puisse voler. Ce qui fait tout un tas de gens, en sus du pilote.

– Des ingénieurs ? marmonna Will.

– Bien sûr, Will. Le Stuka a plus de soixante ans ! Or, n'importe quel avion a besoin d'un entretien régulier, notamment s'il est aussi vieux que celui-là.

– Il date donc de la Seconde Guerre mondiale, dit Will, quelque peu abasourdi par ce qu'il entendait. De l'armée allemande ?

– Oui, la Luftwaffe s'en servait pour des bombardements à courte portée et…

Le Dr Burrows s'interrompit soudain. Il avait l'air préoccupé, alors que plusieurs explications s'offraient à lui.

– Ça ne me dit rien qui vaille, ajouta Will en frissonnant malgré la chaleur tropicale.

– Non, en effet, marmonna le Dr Burrows.

– Alors, qu'est-ce qu'on fait ? demanda Will. On va ailleurs ? On s'en va d'ici ?

– Pourquoi est-ce qu'on ferait ça ? demanda Elliott après s'être éclairci la voix. Je connais bien cette partie de la jungle maintenant, et puis c'est là que se trouve notre abri, ajouta-t-elle en jetant un coup d'œil en direction de la cabane qu'elle avait construite dans les branches basses de l'un des arbres géants.

Will s'apprêtait à protester, mais elle poursuivit.

– Nous savons déjà que nous ne sommes peut-être pas seuls ici. Et les trois crânes plantés sur des pieux près de la pyramide ? Ils étaient vieux, mais pas si vieux que ça non plus. Et puis, que faites-vous de cette cabane que nous avons fait sauter, Will et moi, lorsque nous nous sommes occupés des jumelles et du Limiteur ? Quelqu'un a bien dû la construire.

Will acquiesça lentement. Il revoyait la cabane en tôle ondulée, dont il ne restait plus rien après l'explosion des bombes d'Elliott et l'incendie qui avait dévasté la zone.

– S'il y a d'autres gens ici, ce n'est plus qu'une question de temps avant que nous ne tombions dessus, dit Elliott en lançant des regards mesurés à Will et au Dr Burrows.

– Certes, concéda le Dr Burrows.

– Et quel autre choix avons-nous ? Nous enfoncer plus loin dans la jungle ? demanda-t-elle.

– Non, il reste bien trop à faire ici, dit le Dr Burrows avec fermeté en se tournant vers la pyramide. J'ai à peine commencé à gratter la surface de ce mystère.

– Ou sinon, on peut aussi retraverser la ceinture de cristal, tenter de remonter jusqu'aux Profondeurs en escaladant les parois de Jeanne la fumeuse et retrouver ainsi le monde extérieur ? poursuivit Elliott. Quelles chances avons-nous de parvenir en Surface ? Qu'est-ce qui nous attendrait là-haut, si tant est que nous y arrivions ?

– Des Styx, murmura Will.

Le Dr Burrows croisa les bras et leva le menton d'un air agressif. Inutile de lui demander son avis. Il n'était pas prêt à partir.

– Donc, on reste tranquilles ici, ajouta Elliott en levant les sourcils, comme pour s'étonner d'un tel débat. Mais il faut que nous prenions des précautions. Personne ne part à l'aventure dans une partie inexplorée de la jungle, et on se tient tous sur nos gardes. Il va peut-être même falloir qu'on se relaie pour faire le guet, si jamais on repère quelqu'un qui s'approche. Il faut également faire attention aux feux que nous allumerons, dit-elle, soudain songeuse. Dans le pire des cas, si nous étions forcés de partir nous cacher, je pourrais toujours nous dénicher un endroit sûr et amasser des vivres…

– C'est une excellente idée, l'interrompit le Dr Burrows.

Au ton de sa voix, Will devinait que son père n'était que trop prêt à laisser le champ libre à Elliott, du moment qu'elle n'entravait pas la poursuite de ses travaux.

C'est alors que Bartleby parut. Il marchait d'un pas lourd, comme s'il venait de se réveiller. Il avait une oreille retroussée et des feuilles encore collées sur sa peau glabre. Il s'était visiblement trouvé un petit coin confortable sur le sol de la jungle et y avait fait un somme. Leurs éclats de voix avaient dû le réveiller. Il s'arrêta à la hauteur d'Elliott, secoua la tête pour déplier son oreille, puis huma l'air par deux fois, comme s'il essayait de deviner pourquoi les humains avaient l'air si sérieux. Étant donné la taille du chat, Elliott n'eut pas besoin de se baisser pour caresser son crâne chauve d'un air absent.

– Et je continuerai à patrouiller dans les environs en compagnie de Bartleby. Comme ça, si jamais des gens hostiles devaient s'approcher, nous aurions une longueur d'avance.

– Des gens hostiles ? répéta calmement Will. J'imagine que c'est la bonne solution. Je veux dire, si on est vraiment prudents, comment pourraient-ils nous trouver ?

Drake continua à avancer, pendant qu'Eddie refermait la trappe derrière lui. Au bas des marches, il y avait une grande cave qui s'étendait par-dessous toute la longueur de l'usine. Tout autour de lui s'élevaient des voûtes en briques jaunâtres. Il s'efforça d'apercevoir l'extrémité de la cave en plissant les yeux. À mesure qu'ils s'approchaient d'une zone illuminée, il distingua des casiers et des bancs, mais quelque chose d'autre avait déjà attiré son attention.

Dans l'une des alcôves latérales trônait une table. À chaque angle, il y avait des étoiles montées sur des colonnes de laiton qui projetaient une faible lumière verte, semblable à celle des globes lumineux qu'on trouvait partout dans la Colonie, mais bien plus subtile. Drake avait déjà vu de telles étoiles. Les Styx les utilisaient dans leurs églises et dans leurs temples. Sans rien dire à Eddie, Drake s'avança vers la table, curieux de voir ce qu'il y avait dessus.

La reliure en cuir du volume était rehaussée d'un titre en lettres d'or. Sans même lire l'inscription, Drake ne savait que trop bien de quoi il s'agissait :

– Le *Livre des catastrophes*, marmonna-t-il dans sa barbe en secouant la tête en signe de dédain.

Eddie se tut soudain.

Aux yeux de Drake, l'ouvrage symbolisait tout ce qu'il y avait de pourri chez les Styx, et leur régime démagogique. Il développait une doctrine qui avait réduit les Colons à des siècles d'emprisonnement et de servitude dans leur ville souterraine, avec la promesse qu'un jour futur la Surface leur appartiendrait à nouveau. L'immense majorité de ce peuple opprimé suivait les enseignements de ce livre sans se poser de questions, fermement persuadée que les Styx étaient leurs gardiens spirituels. En réalité, ce dogme religieux était simplement un moyen de soumettre les Colons, un mécanisme visant à s'assurer leur obéissance aveugle.

– Vous avez rejeté les coutumes des Styx, mais vous conservez encore ça ? Cette coupe de poison ? déclara Drake avec une telle véhémence qu'il était difficile de dire s'il s'agissait réellement d'une question.

– Je le garde, car il m'a été donné par la personne que vous, Surfaciens, désigneriez comme mon père. C'était un Limiteur, comme moi, mais je l'ai à peine connu, comme le veulent les usages de notre société. Il a passé toute sa vie à faire respecter la loi du Livre.

– Ce livre ment, cracha Drake.

– Tout dépend de votre interprétation, contra Eddie. Si vous croyez qu'un jour les Surfaciens précipiteront leur propre chute et que les Colons et nous-mêmes serons là pour ramasser les morceaux et repeupler la Terre, dans ce cas, nous serons les sauveurs de cette planète et de l'humanité.

– Les Styx... des sauveurs ? répéta Drake en secouant la tête.

– Je ne vous ai pas amené ici pour débattre de mes convictions. Avant de me juger, pourquoi ne regardez-vous pas ce que je vous offre ? soupira Eddie.

Drake le suivit au fond de la cave. Il vit tout d'abord une rangée d'uniformes accrochés à des patères. Il reconnut les motifs verts et gris typiques de la Division styx, et juste à côté, deux manteaux de Limiteurs à rayures marron.

– La galerie des vilains, commenta Drake, qui vit soudain des masques à gaz, et même une combinaison de Coprolithe. Qu'est-ce que ça fait là ? Un souvenir ? demanda-t-il.

Mais il venait d'apercevoir autre chose.

– Une lampe à Lumière noire ! s'exclama Drake, en se rapprochant du banc sur lequel elle était posée.

Elle ressemblait à une lampe de bureau archaïque dotée d'une ampoule violette, sous un abat-jour à l'extrémité d'un bras flexible. Il acquiesça en palpant le petit boîtier de commande relié à la base de la lampe. Les Styx se servaient de la Lumière noire pour interroger leurs détenus et leur laver le cerveau. Drake était impatient d'ouvrir l'une de ces machines, pour voir comment elle fonctionnait.

Puis, sur le sol à côté du banc, il remarqua un objet rectangulaire ressemblant à une machine à laver qui aurait comporté quatre roues.

– Qu'est-ce que c'est ?... demanda-t-il.

Drake avait vu juste. C'était une version plus imposante de l'appareil subsonique que les Styx avaient employé contre lui et ses hommes, dans le parc municipal de Highfield.

– Un ancien prototype, répondit Eddie. Comme vous avez pu en faire l'expérience, celui-ci est moins compact que le modèle actuel.

Drake s'accroupit juste à côté. Celui qu'il avait vu dans le parc était dissimulé par des panneaux de tissu gris-brun et il s'était trouvé de toute façon trop loin pour distinguer le moindre détail. Ce prototype n'était nullement camouflé de la sorte. Il comportait des zones concaves brillantes et argentées qui tranchaient avec les autres surfaces, mates.

– C'est donc un puissant générateur de son ?

Eddie acquiesça.

– Il émet à très basses fréquences pour perturber les ondes cérébrales ? risqua Drake.

– Oui, si l'on simplifie à l'extrême, confirma Eddie. C'est un dérivé de la Lumière noire qui n'exploite que la composante auditive. L'appareil émet toute une série de fréquences oscillatoires qui rendent inconscientes à peu près toutes les créatures vivantes.

– J'aimerais vraiment démonter cet équipement… et découvrir comment ça marche exactement, dit Drake en jetant un coup d'œil à la Lumière noire.

– Cette lampe vous appartient.

– Il faut d'abord que j'aille chercher une partie de mon matériel d'analyse…

Mais quelque chose d'autre encore venait d'attirer son regard. Drake se releva et s'approcha d'une crémaillère accrochée au mur. Il se mit à siffler pour marquer son appréciation lorsqu'il découvrit toute une palette d'armes surfaciennes modernes.

– Hé, c'est un peu déplacé, non ? Une carabine styx munie de l'une de mes lunettes de visée ! s'exclama-t-il en s'avançant. Vous savez que votre peuple m'a kidnappé pour…

– … travailler sur nos lunettes de vision nocturne, compléta Eddie.

– Oui, j'ai associé un globe lumineux avec des composants électroniques amplificateurs. Ce n'était pas vraiment de la haute technologie, répondit Drake en passant les doigts sur toute la longueur de la lunette. Vous savez que si je faisais breveter un globe lumineux ici à la Surface, comme source de lumière ou d'énergie, je me ferais une sacrée fortune !

– Et vous seriez mort à l'instant même où vous franchiriez la porte du bureau d'enregistrement des brevets. Mais c'est votre domaine, n'est-ce pas ? L'électronique ?

– Oui, c'est le champ dans lequel je me suis spécialisé, l'optoélectronique essentiellement, même si j'ai l'impression que c'était il y a des lustres, répondit Drake d'une voix distante. Un million d'années…

Eddie gardait un visage impassible, mais il inclina légèrement la tête, ce que Drake interpréta comme un signe d'amusement.

– C'est ce qui nous intéressait chez vous, votre expertise. Mais vous, vous vouliez également qu'on vous enlève, n'est-ce pas ?

– Oui, c'était le plan. Pendant ma détention à la Colonie, je pouvais collecter des renseignements sur la manière dont opéraient les Styx. Vous voyez, c'était ça le problème. Il est presque impossible d'infiltrer la Colonie, car c'est une société fermée. Le premier étranger venu est aussitôt repéré. Mais pendant que j'étais sous terre, votre équipe a décimé mon réseau, et je me suis retrouvé dans les Profondeurs, rétorqua Drake avant de reprendre son souffle. Mais assez parlé de moi, Eddie. Dites-moi comment tout ce matériel est arrivé là, poursuivit Drake qui n'était pas certain de pouvoir accorder sa confiance à cet homme.

Il ne voulait pas commencer à expliquer le fonctionnement de son ancien réseau.

Tout ce que lui offrait ce Limiteur semblait un peu trop beau pour être honnête, et Drake n'était pas du genre à commettre une imprudence.

– Ils n'en connaissent pas l'existence. Après des opérations en Surface, je ne l'ai pas détruit comme j'étais censé le faire. Au lieu de cela, je l'ai remisé ici.

– Pour un jour pluvieux, gloussa Drake en parcourant du regard l'impressionnante panoplie d'armes.

Il y avait des éléments qu'il n'avait jamais vus avant, et il était impatient d'inspecter toute cette technologie styx. Il se rapprocha d'un autre banc et se mit à feuilleter les plans étalés dessus. Il retint sa respiration en découvrant la légende de la première carte : « Schéma du système d'aération de la caverne Sud », lut-il en soulevant le coin de la feuille pour voir ce qu'il y avait en dessous.

– Et voilà le plan des laboratoires, étage par étage, murmura-t-il en essayant de contenir sa joie. Juste une question… demanda-t-il soudain en fronçant les sourcils. Comment financez-vous cet endroit ? Cet entrepôt ne doit pas être donné, et vous dites posséder d'autres propriétés ?

Eddie tourna les talons et se dirigea directement vers un grand classeur, dont il tira doucement le tiroir supérieur. Il souleva ensuite le carré de velours qui en masquait le contenu.

Drake se rapprocha et vit alors des centaines de petites pierres brillantes.

– Des diamants, dit-il.

– Un avantage en nature prélevé lors de mes expéditions dans les Profondeurs, l'informa Eddie.

– Mais ces brillants sont bien différents des cailloux bruts qu'on trouve là-bas.

– Je connais un homme à Hatton Garden qui les taille et les polit pour moi. Il les vend ensuite lorsque j'ai besoin de fonds, sans poser de questions. Servez-vous si vous voulez. J'en ai plus que je n'en aurai jamais besoin.

Eddie reposa le carré de velours sur les pierres précieuses, mais laissa le tiroir ouvert.

– Je vais vérifier les écrans là-haut, mais vous pouvez rester ici si vous voulez.

– Vous êtes prêt à faire ça ? À me laisser ici tout seul ?

Eddie ne lui répondit pas et se contenta d'extirper deux clés de sa poche qu'il laissa tomber sur le banc.

– Voici les clés de l'entrepôt et de l'appartement, dit-il avant de sortir un stylo. Vous aurez également besoin du code pour entrer et sortir d'ici.

Il se mit à griffonner la suite de chiffres sur le coin du plan qui avait retenu l'attention de Drake.

– Mais prenez garde, si vous vous trompez, le système détonera et…

– Ne vous donnez pas cette peine. J'ai mémorisé le code lorsque vous l'avez tapé.

– C'est bien ce que je pensais, répondit Eddie en s'éloignant sans tourner la tête.

Chapitre Sept

Will escaladait la face abrupte de la falaise en s'agrippant aux lianes, à la suite d'Elliott. Ils avaient déjà gravi une bonne distance et ne semblaient pas vraiment inquiets, même si les feuilles se détachaient parfois, les forçant à lâcher prise. Cet environnement à gravité réduite leur était devenu familier. Ils savaient bien que si jamais ils tombaient, leur chute ne serait pas aussi catastrophique qu'en Surface.

– Nous y voilà, annonça Elliott, qui sembla disparaître aussitôt entre les lianes.

Will écarta les tiges épaisses et lui emboîta le pas.

Il se retrouva dans un espace d'environ dix mètres de large et de plusieurs fois cette longueur. L'air y était frais.

– Comment diable as-tu déniché cet endroit, Elliott ? C'est une grotte !

– Et nous voilà repartis pour un tour. Tu recommences à débiter des évidences, dit-elle avec une lassitude feinte.

– À force de passer tout ce temps avec mon père, tu commences à lui ressembler, soupira Will.

Elle lui décocha un sourire qu'il lui rendit, puis Will s'en alla inspecter le tas de fruits qu'il avait remarqué au fond de la grotte. Elliott avait manifestement commencé à accumuler des vivres en cas d'urgence.

– Tu n'as pas chômé ! Et tu as même apporté de la viande, dit-il en regardant le jarret qu'elle avait suspendu au plafond.

– Oui, et j'espère bien que les fourmis ne la dénicheront pas ici.

– Tu peux toujours rêver. Elles s'insinuent partout, remarqua Will.

Son père les appelait *Dorylus*, ou fourmis légionnaires. C'était une nuisance constante. Une fois qu'elles avaient découvert l'endroit où l'on entreposait les vivres, elles formaient des convois rouges de plusieurs centimètres d'épaisseur, capables de dépouiller la carcasse d'une jeune gazelle ou d'un petit mammifère en l'espace d'une seule nuit.

– Il faut juste vérifier que nous avons assez d'eau, dit Elliott en voyant Will s'approcher du tas de peaux et de morceaux de bois qu'elle avait entreposés dans la caverne. Et puis il faut aussi fabriquer des lits de camp à partir de ces matériaux.

– N'hésite surtout pas à me demander de l'aide, lui dit Will, impressionné par tout le travail qu'elle avait accompli.

– Non, ne t'en fais pas. Je sais que tu as déjà pas mal de choses à faire pour le Doc, répondit-elle en secouant la tête, les yeux rivés au sol.

Même s'il était très difficile de déchiffrer les humeurs d'Elliott, Will perçut aussitôt une légère déception dans sa voix.

Il avait souvent dû faire un choix entre passer du temps en compagnie d'Elliott et travailler avec son père, mais le tyrannique Dr Burrows finissait toujours pas remporter la partie. Will regardait alors s'éloigner Elliott, les yeux rivés sur son dos alors qu'elle l'abandonnait à ses recherches et croquis. Il aurait tant voulu pouvoir la suivre, mais il devait continuer à recopier les inscriptions gravées sur la pyramide ou à nettoyer la terre accumulée sur quelque objet mineur. Toutes ces occasions, ces journées, ces instants ne se représenteraient jamais plus et il avait parfois l'impression d'imploser, tant il bouillait d'impatience et de frustration. Mais il ne disait jamais rien et s'attelait aux tâches que lui avait assignées le Dr Burrows, furieux contre lui-même et malheureux de son sort.

– Ton père a toujours tellement de choses à faire, ajouta-t-elle en lui lançant un rapide coup d'œil.

– Oui, acquiesça-t-il d'un ton désabusé.

Will s'efforça malgré tout de raviver l'ambiance. Il n'allait pas laisser son père gâcher le peu de temps qu'il pouvait passer avec Elliott.

– C'est une cachette parfaite en cas de besoin. Tu es tout simplement géniale.

Elliott ramassa un rouleau de peau tombé de la pile pour le remettre à sa place.

– Merci ! N'oublie pas de toujours suivre le même trajet pour venir ou partir d'ici, sans quoi tu laisseras une piste que les Limiers pourraient détecter.

– Je le savais ! C'est pour ça que tu nous as fait passer par le cours d'eau, dit Will en tapant du pied sur le sol rocheux, tandis que ses bottes rendaient un bruit de succion. Mais ne faudrait-il pas qu'on soit un peu plus loin du campement ? s'interrogea-t-il à voix haute en repartant vers l'entrée. On est un peu trop proches, ajouta-t-il en fronçant les sourcils après avoir écarté le rideau de lianes pour contempler la vue en contrebas. Et puis, tu ne m'avais pas dit qu'une longue marche nous attendait ? On a à peine parcouru quelques centaines de mètres.

– Il ne faut pas que notre cachette soit trop loin du camp, si jamais on avait besoin de venir de toute urgence. Et pour répondre à ton autre question, on n'a pas encore fini.

– Ah bon ? demanda-t-il avec un regard interrogateur.

– Non, répondit-elle. Il faut que je te demande quelque chose, Will.

– Quoi donc ? dit-il en se retournant face à elle.

– Ça ne t'a pas traversé l'esprit, tu sais, une fois qu'on s'est eu occupé des jumelles ?

– À dire vrai, j'essaie d'oublier tout ça. C'était tellement atroce, répondit-il après un moment de silence.

Will commença à jouer avec le Sten qu'il portait en bandoulière, le regard troublé.

– Tout va bien, dit-elle en posant sa main sur son bras pendant un instant pour le calmer. Je ne te parle pas de ce qu'on a fait. Inutile de penser à ça. Mais tu ne t'es jamais demandé comment ces trois Styx avaient atterri là ? Je veux dire, quelles sont les probabilités pour qu'ils aient sauté de ce sous-marin et se soient laissés flotter comme nous avant eux ? demanda-t-elle en tapotant le Sten. Et puis, comment se seraient-ils propulsés à travers la ceinture de cristal, où la gravité était quasi nulle ? Pour autant qu'on sache, ils n'avaient pas d'armes à feu sur eux.

– Bon sang, tu as totalement raison. Je n'y avais jamais songé. Comment sont-ils parvenus jusqu'ici ?

– En selle ! dit-elle en pivotant gracieusement sur elle-même, avant d'entamer sa descente en s'agrippant aux lianes.

On aurait cru entendre Drake.

Une fois parvenu en bas de la falaise, Will traversa le ruisseau en pataugeant pour rejoindre la berge, qu'il escalada. Il récupéra ensuite son sac à dos caché dans les taillis, quand Bartleby pointa soudain le museau entre les feuilles d'un proche buisson. Il avait les joues gonflées, comme celles d'un trompettiste s'apprêtant à jouer une note bien ronde.

– Oh non, il a une queue dans la gueule, bredouilla Will. Et elle bouge encore.

– Il a attrapé un rat de jungle, dit Elliott avec admiration. C'est un chasseur-né.

– Oui, c'est parfaitement exact. C'est en effet un *chasseur*. Et nous voilà repartis pour un tour...

– Oh, ça va, Will, répondit-elle en riant en lui donnant un petit coup d'épaule.

Will arborait un large sourire. Il savourait cet instant.

Ils marchèrent au milieu du ruisseau pendant plusieurs kilomètres, Elliott et le chat ouvrant la marche. Lorsqu'ils eurent de l'eau à hauteur de la taille, Bartleby parvenant à peine à garder le museau au-dessus de la surface, ils passèrent sur la berge. Une fois hors de l'eau, Elliott ne les entraîna pas tout de suite dans la jungle, et ils longèrent la rive couverte d'une épaisse végétation de gymnospermes. Le cours d'eau avait tellement grossi qu'il valait mieux parler d'une rivière à ce stade, songea Will.

Elliott leur fit signe de s'arrêter à plusieurs reprises en levant le poing. Accroupie au ras du sol, elle scrutait les environs à travers la lunette de sa carabine, en s'attardant plus précisément sur la berge opposée. C'est à l'une de ces occasions que Will rampa jusqu'à elle.

– Qu'est-ce qui cloche ? Pourquoi est-ce que tu t'arrêtes sans arrêt ?

– J'ai l'impression, murmura-t-elle sans détacher les yeux de l'autre rive, qu'il y a quelqu'un.

– Je ne vois personne.

– C'est comme si... les arbres nous regardaient, répondit-elle à voix basse.

– Les arbres ? répéta Will stupéfait.

– Je sais que ça a l'air dingue, mais j'ai déjà eu ce même sentiment… dans d'autres parties de la jungle.

Ils gardèrent le silence et continuèrent à scruter la berge opposée de la rivière où poussait une bande de gymnospermes de plusieurs mètres de haut, derrière lesquels s'élevaient les arbres géants de la jungle. Elliott guettait quelque chose entre les arbres. Will remarqua qu'elle lançait des coups d'œil à Bartleby pour voir s'il détectait quelque chose. Mais le chat semblait entièrement préoccupé par les essaims de libellules d'un vert iridescent. Il essayait de les attraper à l'aide de ses pattes massives alors qu'elles filaient à vive allure, ce qui rassura Will : il n'y avait pas de raison de s'inquiéter. Malgré tout, il avait appris par le passé qu'il valait mieux ne pas négliger les intuitions d'Elliott.

– C'est peut-être juste un animal qui nous regarde, risqua Will. Je ne pense pas qu'il y ait grand monde près de là où nous sommes, mis à part les vieux crânes qu'on a trouvés à côté de la pyramide, et puis il y a cet avion que papa prétend avoir vu. Je veux dire, on n'a pas repéré la moindre présence humaine dans cette partie de la jungle, n'est-ce pas ?

Elliott ne répondit pas. Elle avait le corps raide et les sens en alerte.

– Ce n'est rien, conclut-elle enfin avant de se remettre en route.

Un peu plus loin, Will entendit un grondement dans le lointain. Il regardait sans cesse le ciel pour voir si l'une de ces averses orageuses aussi soudaines que tumultueuses allait leur tomber dessus. Comme à l'ordinaire, le ciel était d'un blanc transparent et il n'y avait pas un seul nuage en vue, mais le grondement se fit plus sonore. C'était un bruit continu, ce qui signifiait qu'il ne pouvait s'agir de roulements de tonnerre, comme il l'avait d'abord cru. Ils franchirent un coude dans la rivière : des trombes d'eau écumantes se déversaient dans un lagon mousseux en contrebas d'un haut escarpement.

– Voilà ce que j'appelle une chute d'eau digne de ce nom, dit Will en levant les yeux vers le sommet de l'escarpement, situé à deux ou trois cents mètres de hauteur.

Will remarqua que deux rivières partaient du lagon, celle qui les avait conduits jusque-là, et une autre qui s'en allait dans le lointain.

Émergeant d'un épais bosquet de gymnospermes, Will et Elliott se retrouvèrent sur une bande de boue piétinée ; le lagon devait servir de point d'eau à toute la faune locale. Will se mit alors en quête d'empreintes dignes d'intérêt, mais Elliott ne ralentit pas l'allure pour autant et les entraîna directement en bordure de la chute. Will ne comprenait pas où elle allait, jusqu'à ce qu'elle grimpe sur une corniche qui semblait se prolonger derrière. Ils s'avancèrent prudemment entre le torrent et la falaise abrupte, et quelques secondes plus tard, ils pénétraient dans une vaste grotte dont l'entrée était complètement masquée par la chute, derrière une nuée d'embruns.

– C'est trop cool ! hurla Will, fasciné par la cascade infinie.

Le soleil perçait de temps à autre au travers du torrent, et la lumière dessinait des motifs changeants sur son corps. Si le bruit n'avait pas été aussi tonitruant, l'effet aurait été hypnotique.

– Comment est-ce que tu déniches des endroits pareils ? cria Will en s'épongeant le visage.

Il vit alors qu'Elliott se tenait sur la première marche d'un escalier taillé dans la pierre, tout au fond de la grotte.

Piqué par la curiosité, il la rejoignit. Une fois que ses yeux se furent accommodés à la pénombre, il distingua l'arche qui surplombait les marches, puis il aperçut, gravé sur la clé de voûte, le symbole du trident qui figurait sur le pendentif que lui avait donné l'oncle Tam. Celui-là même qu'il portait autour du cou. Ce symbole était la marque des Anciens, selon la formule de son père, ce peuple antique qui avait effectué un pèlerinage depuis les Profondeurs jusqu'à ce monde intérieur.

Transporté de joie, Will se débarrassa de son sac et en extirpa sa lanterne styx pour inspecter la roche qui avait été clairement taillée à la main. Ils gravirent les marches avant de s'engager dans un passage. Le bruit de l'eau diminuait à mesure qu'ils s'enfonçaient dans la grotte et ils purent enfin se parler sans avoir besoin de hurler.

– Les jumelles sont venues par là ? demanda Will.

Elliott acquiesça.

– Elles ont dû repérer l'entrée de cette galerie après avoir quitté le sous-marin, et elles sont arrivées ici sans tout ce…

Elle s'interrompit et se mit à agiter les bras.

– Sans passer par tout ce tralala flotté !

– *Ce tralala flotté* ? répéta Will, mais il songeait déjà aux implications d'une telle découverte. C'est donc le chemin du retour, dit-il. Mais comment l'as-tu trouvé ? On est à des kilomètres de la pyramide.

– J'ai suivi la piste des Styx jusqu'ici, après notre embuscade. Je n'aurais pas fait mon travail si je n'avais pas vérifié d'où ils étaient venus.

– Tu savais donc ça depuis des semaines, et tu ne m'as rien dit ? s'exclama Will en fronçant les sourcils.

– J'avais peur, dit-elle d'une voix à peine audible en pivotant sur elle-même avant de repartir vers l'arche.

– Qu'est-ce que t'as dit ? Tu avais *peur* ? Mais pourquoi ?

– J'ai pensé que si je vous le disais, à toi et à ton père, vous décideriez peut-être de rentrer chez vous. Moi, je n'ai pas envie de quitter ce monde. Je n'ai nulle part où aller. Et puis, j'adore cet endroit…

Sa voix s'évanouit lorsque le faisceau de la lanterne de Will balaya le sol à ses pieds.

– Reviens ici ! Éclaire de nouveau cette zone, ordonna-t-elle en s'accroupissant soudain. Dépêche-toi !

Elliott était visiblement prise de panique.

Elle pointa trois pierres alignées.

– Qu'est-ce que c'est ? demanda Will.

Elliott lui arracha la lanterne des mains, franchit l'arche à toute allure et dévala enfin le petit escalier. En l'espace d'une seconde, elle avait trouvé ce qu'elle cherchait sur la corniche derrière la chute. On avait placé trois autres pierres au pied de la paroi.

– Je le savais ! Regarde ! cria-t-elle.

– Et alors, quoi ?

– C'est une procédure propre aux Limiteurs. C'est comme ça qu'ils indiquent les pistes à suivre aux autres soldats. Un grand classique !

– Mais les jumelles et le premier Limiteur auraient pu laiss…

– Impossible ! J'ai inspecté cet endroit de fond en comble la première fois que je suis venue. Je n'aurais jamais laissé passer quelque chose comme ça. Will, tu sais ce que ça veut dire, n'est-ce pas ? dit-elle en armant sa carabine.

Will n'avait aucune envie d'entendre ce qu'elle s'apprêtait à lui dire.

– Ça veut dire qu'il y a d'autres Limiteurs dans ce monde. On n'en a pas encore fini avec eux.

Un plateau à la main, Eddie s'avança vers le fond de la cave où travaillait Drake, perché sur un tabouret. Ce dernier avait soigneusement disposé les pièces de la Lumière noire sur le banc devant lui. Après avoir passé la matinée à évaluer les différents objets styx réunis dans la cave, il avait concentré ses efforts sur leur machine à interroger les détenus. Il était parti chercher son matériel de vérification, et s'en était servi pour examiner chaque composante l'une après l'autre. Il y avait consacré une grande partie de l'après-midi.

– J'ai pensé que vous auriez peut-être faim, dit Eddie en posant le plateau sur le banc.

– Ouais, merci, marmonna Drake.

– Vous avancez ?

– Lentement mais sûrement, répondit Drake en s'essuyant le front. C'est un assemblage subtil. Je n'avais jamais vu certains éléments auparavant. Il y en a quatre de ce type, placés à la base de la Lumière noire. Est-ce que vous avez la moindre idée de leur fonction ? demanda-t-il en attrapant un petit cylindre de métal aux bouts arrondis.

– Non, mon travail consistait à employer la Lumière noire pour faire parler les sujets, rien d'autre. Avez-vous jamais été soumis à la Lumière noire ?

Drake ne répondit pas. Il était complètement absorbé par ces quatre cylindres.

– Lorsque je fais circuler un courant électrique à travers ces pièces, les tubes d'ionisation émettent sur différentes fréquences. Le spectre couvert par chaque tube est incroyablement restreint et précis. Lorsque tous les tubes fonctionnent en même temps, les quatre fréquences conjuguées ont une signature unique. Je crois que je devrais pouvoir fabriquer un détecteur.

– Pour quoi faire ? demanda Eddie.

– Tant que nous sommes en Surface, je devrais pouvoir dire où et quand on fait usage d'une Lumière noire, dit-il en reposant le tube de métal avant de s'étirer.

Eddie ne semblait pas vouloir partir et s'attardait à côté du banc. Drake lui adressa un coup d'œil.

– Vous voulez me demander quelque chose ?

– Oui. C'est à propos d'Elliott. Vous avez dit qu'il y avait une voie qui mène jusqu'à une zone située sous les Profondeurs. Je veux en savoir plus, et surtout comment nous allons procéder.

– Bien sûr, mais reparlons-en plus tard, répondit Drake avec dédain, puis il se transféra du tabouret sur le banc adjacent. Eddie, parlez-moi de ces trucs-là. J'en ai trouvé toute une boîte, dit-il en brandissant une poignée de fioles suspendues au bout d'une corde.

Elles étaient semblables à la paire que les jumelles avaient donnée à Will, si ce n'est que leurs bouchons argentés n'avaient pas été peints.

– Ce sont des réceptacles destinés aux agents viraux. Le liquide clair qui se trouve à l'intérieur est un composé fabriqué par les scientifiques. Ils appellent ça un « statique ». Il maintient le virus en vie, même hors du corps de son hôte.

– Oui. J'en ai fait analyser un échantillon, car nous n'arrivions pas à comprendre comment ils y étaient parvenus, dit Drake en se déplaçant vers d'autres objets posés à l'extrémité du banc. Et ceux-là ? demanda-t-il en indiquant un groupe de bouteilles de plusieurs centimètres de long dont les bouchons avaient été scellés. Je ne suis pas zoologue, mais ces créatures ressemblent à des escargots, ajouta-t-il en indiquant les petites choses qui flottaient à l'intérieur d'un liquide jaune. À quoi servent-elles ?

– Ce sont des escargots, en effet. Les escargots du Fléau. Leur habitat naturel se situe tout autour de la Cité éternelle. Je me suis souvent rendu là-bas avec des patrouilles de la Division. Nous étions chargés d'encadrer les scientifiques qui ramassaient les escargots pour récupérer les souches virales qu'ils abritent.

– Vous êtes en train de me dire que ces escargots sont à l'origine du Dominion ? Ce sont eux, les vecteurs de la maladie ? demanda Drake avec impatience.

– Non, pas ces escargots-là en particulier, car ils sont morts depuis trop longtemps. Mais, oui, en effet, les spécimens fraîchement prélevés transportent différents virus, et les scientifiques les ramassent pour isoler les souches les plus fatales. Ils les modifient ensuite dans les laboratoires, pour créer des agents infectieux plus efficaces.

– Joliment emballés et prêts à être lâchés sur nous, les Surfaciens. C'est bien ça ?

– Exact, confirma Eddie. Les scientifiques les transforment en armes biologiques.

Drake étudiait l'échantillon qu'il tenait à la main avec une joie évidente.

– Ce qui veut dire que ces petites vermines... ces escargots du Fléau sont responsables du virus. Et si jamais nous les éradiquions jusqu'au dernier, les Styx perdraient leur source d'approvisionnement en pathogènes, dit-il avec une étincelle dans les yeux.

– Mais la Cité éternelle est sacrément vaste. Il est impossible de les éliminer tous jusqu'au dernier, commenta Eddie d'un air sceptique.

– Non, ça n'a rien d'impossible. Pas quand on connaît un biochimiste de renom avec un goût pour les pesticides.

Chester émettait des grognements pitoyables en essayant de se libérer des cordes qui lui emprisonnaient les poignets. Il bougeait les doigts pour stimuler la circulation. Il avait à nouveau des crampes dans les jambes, car ses chevilles étaient très solidement attachées l'une à l'autre. Il se tut pendant un temps. Il ne savait pas s'il devait pleurer ou bien reprendre sa tirade, mais il finit par choisir de parler. Il se sentirait un peu mieux ainsi.

– Espèce de grosse vache cinglée ! s'époumonait-il. Ça fait des semaines que vous me retenez prisonnier ici, bon sang ! Laissez-moi sortir !

Ses cris étaient assourdissants, dans l'espace confiné où il était enfermé.

Il attendit une réponse, mais rien ne vint.

– Oh mon Dieu, gémit-il en regardant la lumière qui filtrait à travers les fentes de la porte de l'étroit placard obscur dans lequel Martha l'avait séquestré, juste sous l'escalier. Harry Potter, je comprends ce que tu as subi !

Chester se remémorait sa vie d'avant... il passait alors du temps avec sa mère et son père... se plongeait dans ses livres favoris... profitait de sa maison merveilleuse... jouait avec sa PlayStation... la vie était agréable, sereine et prévisible. Les souvenirs affluaient dans son esprit.

Il avait tant voyagé, l'année précédente ! Il avait parcouru des centaines, si ce n'est des milliers de kilomètres, dans les recoins les plus profonds de la Terre, tout ça pour se retrouver dans cette situation-là une fois de retour à la Surface. Il repensa au moment où ils avaient quitté l'abri antiatomique, Martha et lui, sur la chaloupe. Malgré ses doutes à son sujet, il était alors empli d'un grand espoir et d'un bel optimisme.

Pourquoi cela a-t-il aussi mal tourné ?

Il voulait se réveiller de ce cauchemar.

Pourquoi ? Pourquoi ? Pourquoi ?

Mais ce n'était pas juste un cauchemar.

Qu'avait-il fait pour mériter ça ?

C'était bien réel.

Ne viendra-t-il jamais personne à mon secours ?

Il se mit à geindre d'agacement.

Dès que le Dr Burrows, Will et Elliott avaient sauté dans le gouffre de Jeanne la fumeuse, il aurait dû prévoir comment ça allait tourner. L'attitude de Martha avait radicalement changé. Elle s'était mise à se comporter bizarrement presque aussitôt. Elle le suivait partout comme un ballon d'hélium, toujours sur son dos à l'inciter à avaler la nourriture qu'elle avait préparée sans grand respect pour l'hygiène. Pire encore, elle essayait sans arrêt de le toucher, telle une mère monstrueuse et dégoulinante d'affection.

– Mamie marteau frappée du ciboulot ! marmonna Chester en frissonnant.

Il entendit un vague bruit de pas de l'autre côté de la porte. Il ne savait que trop bien qu'elle guettait juste derrière.

Après avoir été pris sur le fait alors qu'il essayait de téléphoner et avoir reçu un coup sur la tête, il s'était réveillé dans le placard sous l'escalier. Il ne savait pas depuis combien de semaines il était enfermé là. Elle ne lui accordait que quelques instants chaque jour pour se dégourdir les jambes. Mais même dans ces moments-là, c'était sous la menace, et les mains toujours entravées.

Il avait d'abord essayé de la raisonner en la suppliant de le détacher. Elle s'était contentée de secouer la tête.

– C'est pour ton bien, répondait-elle systématiquement.

Le tic nerveux qui affectait son œil gauche avait progressivement empiré. On aurait dit qu'elle lui adressait sans cesse des clins d'œil complices. Mais cette situation n'avait rien d'amusant, et très franchement, cette femme le terrorisait. Il était convaincu qu'elle était également capable de lui donner un coup de couteau, « pour son bien ».

Allongé dans l'étroit placard, il était à l'affût du moindre bruit. Il entendit un autre mouvement de l'autre côté de la porte. Cela ne faisait aucun doute, elle était là, assise les jambes écartées comme à son habitude. Il l'imaginait, son arbalète posée sur les genoux, jouant avec son gros couteau, telle une tante cinglée dans un vieux film d'horreur. Cependant, ce n'était pas un film et cette situation était parfaitement injuste. Il voulait simplement rentrer à la maison. Toutes ses émotions bouillonnaient en lui jusqu'à ce qu'il ne tînt plus. Il se mit à hurler à tue-tête, puis roula sur le côté pour pouvoir donner des coups de tête dans la porte, avec une telle violence que c'en était douloureux.

– Hé, marteau, je sais que t'es là ! Laisse-moi sortir !

Il entendit soudain un clic, et la porte s'ouvrit sur une paire de mollets dodus. Il leva les yeux et vit la dame plutôt rondouillarde aux cheveux carotte et frisés, vêtue comme à son habitude de plusieurs couches de vêtements crasseux.

– Allons, allons, mon chéri, il ne faut pas t'énerver comme ça, dit-elle alors que les muscles de son œil semblaient soudain pris d'une folle envie d'exécuter la danse de Saint-Guy.

Mais Chester était dans une telle colère qu'il se fichait pas mal de ce qui pouvait lui arriver. Il se remit à hurler en la voyant s'accroupir à côté de lui, et tenta même de lui flanquer un coup de tête dans le genou.

– Je veux juste revoir mon papa et ma maman ! hurla-t-il d'une voix stridente. Laisse-moi rentrer chez moi ! C'est trop injuste !

– Vilain garçon ! C'est pas la peine de faire tout ce tintamarre. C'est *moi* ta famille, maintenant, dit-elle calmement en lui plaquant la tête sur le sol du placard. C'est Martha qui s'occupe de toi, pas ces vils Surfaciens.

Puis elle sortit un chiffon jaune, qu'elle lui fourra dans la bouche.

Il crut d'abord qu'elle tentait de l'étouffer, et se débattit encore plus violemment, mais il ne pouvait pas faire grand-chose. Il avait trop peu d'espace dans le placard et il était pieds et poings liés. En outre, elle était incroyablement forte.

– S'pèce d'truie ! hurla-t-il à travers le chiffon en agitant la tête pour s'en débarrasser.

Sans prévenir, elle lui administra une méchante claque et Chester se mit à crier. Non de douleur, mais parce que ce qu'elle venait de faire l'avait choqué. Il se sentait si vulnérable !

– Vilain, vilain garçon ! dit-elle à bout de souffle en maintenant le chiffon à poussière contre sa bouche. Personne ne t'entendra ici, et il ne faut pas t'énerver comme ça, tu sais.

On aurait dit qu'elle dressait un chiot mal élevé.

Chester n'en pouvait plus et avait abandonné la lutte. Il n'essayait plus de crier, ni de se débattre. Martha retira le chiffon et il l'observa avec une horreur grandissante tandis qu'elle agitait son couteau sous son nez.

– Et si tu continues à employer ce langage, je vais être obligée de te couper la langue. Tu veux vraiment que je fasse ça ?

Chester serra la mâchoire et se mit à agiter la tête en marmonnant frénétiquement en signe d'obéissance. Pendant un instant, ses yeux s'étrécirent et son visage se figea, comme si elle attendait que quelqu'un lui donne d'autres instructions. Mais il n'y avait personne d'autre dans la pièce. Alors, elle s'anima à nouveau.

– Je sais ce qui est bon pour toi, et tu feras exactement ce que cette bonne vieille Martha te dira de faire.

Paralysé par la peur, Chester continuait à la fixer, les yeux emplis de larmes qui roulaient sur ses joues. Elle dégagea les cheveux qui lui couvraient le front, puis elle lui caressa le visage de ses petits doigts crasseux. Il n'osa pas reculer, ni lui opposer la moindre résistance.

Elle inclina la tête vers lui et lui sourit comme si de rien n'était. Son œil menaçait désormais de jaillir de son orbite.

– Martha va bien s'occuper de toi. Martha sera toujours là pour toi… toujours et à jamais, dit-elle en essuyant ses larmes avec son pouce.

Chapitre Huit

Le médecin chantonnait tout seul. Il n'y avait pas d'autre bruit dans la pièce, mis à part le tic-tac de la vieille horloge de parquet. Il se pencha sur Mme Burrows en orientant le faisceau de son tube lumineux sur son œil. Il s'agissait d'un minuscule globe lumineux enveloppé dans un tube de chrome. Son attitude en disait long, et il n'avait pas l'air optimiste. Mais il se tut pendant un instant, alors qu'il continuait à éclairer alternativement un œil, puis l'autre, et sembla connaître un regain d'espoir.

– Ah oui… Était-ce… ? murmura-t-il.

Mais il secoua la tête après l'avoir examinée pendant plusieurs secondes encore.

– J'ai cru voir une lueur… une réaction, mais j'ai dû me tromper, conclut-il en ôtant son pouce de la paupière de Mme Burrows, qui se referma aussitôt.

Il s'empara ensuite d'une épingle, lui saisit le poignet, lui retourna la main avant de la lui planter plusieurs fois dans la paume, puis il lui piqua le bout de chaque doigt, faisant perler le sang à chaque coup d'aiguille. Il scrutait le visage de Mme Burrows, essayant de discerner une réaction aux stimuli.

– Rien, marmonna-t-il en lui plantant l'aiguille dans le dos de la main.

Ce geste semblait quelque peu inutile à l'officier en second, qui faillit dire quelque chose, mais se ravisa.

Le médecin recula d'un pas.

– Non, c'est bien ce à quoi je m'attendais. Pas le moindre signe de progrès.

C'était un vieil homme ratatiné à la barbe grise. Il portait une redingote sur son gilet, qui avait presque la même couleur que sa barbe. Ses vêtements étaient maculés d'éclaboussures. Il s'agissait peut-être de sang séché. Il se mit à murmurer d'un ton désapprobateur, en reposant dans sa mallette sa lampe, son thermomètre et une paire de marteaux destinés à tester les réflexes. L'examen médical était manifestement terminé.

L'officier en second se balançait d'avant en arrière au côté du médecin, et le plancher crissait sous son poids considérable. Il avait regardé sans comprendre les procédures médicales, comme un chien face à une partie de cartes.

– Mais n'y a-t-il pas quelque chose qu'on puisse faire pour elle ? risqua-t-il, les yeux rivés sur le corps inerte de Mme Burrows.

La pièce, qui servait autrefois de salon, avait été aménagée pour elle. On avait installé un lit dans un coin et placé Mme Burrows dans un fauteuil roulant en osier, un vieux meuble à trois roues.

Le tic-tac régulier de la comtoise meublait les blancs dans la conversation, alors que le médecin prenait son temps pour enrouler son stéthoscope avant de le remettre dans sa mallette. Il la referma en silence, appuya sur les cliquets l'un après l'autre, puis il glissa la main dans sa poche et prit la pose, comme s'il s'apprêtait à parler à ses pairs.

– Y a-t-il quoi que ce soit d'autre que l'on puisse faire pour la patiente ? entonna-t-il en se tournant vers Mme Burrows.

C'est à ce moment précis que la salive qui s'accumulait derrière la lèvre inférieure légèrement proéminente de Mme Burrows se mit à déborder. Un long filet lui dégoulina alors sur la poitrine.

– Eh bien, assurez-vous que la patiente est confortablement installée et continuez à lui administrer son médicament deux fois par jour, dit le médecin en regardant la salive qui se répandait sur son chemisier en coton, bien trop ample pour elle.

Il prit une inspiration et se tourna vers l'officier en second.

– Si vous avez besoin d'autres médicaments, je peux vous rédiger une ordonnance pour l'apothicaire.

– Non, merci, il nous en reste encore quelques flacons.

– Très bien. Voici la note de mes honoraires. Vous paierez quand vous pourrez, dit le médecin, en tirant un bout de papier plié de la poche de son gilet pour le tendre à l'officier en second.

Ce dernier s'apprêtait à regarder la note, mais une toux feinte l'obligea à se tourner à demi vers le couloir. Sa mère et sa sœur se tenaient cachées là pour écouter la conversation. Elles se mirent à gesticuler frénétiquement, incitant l'officier à aborder la question qu'il avait évité de poser jusqu'alors.

– Docteur, elle a survécu jusqu'à présent contre toute attente, n'est-ce pas ? Ne pensez-vous pas que son état puisse s'améliorer un peu avec le temps ?

– Je vous l'accorde, c'est un miracle, répondit le médecin en se caressant la barbe d'un air songeur. Mais on ne peut pas nier les faits. La patiente est capable de respirer sans assistance, mais il n'y a aucune chance pour qu'elle puisse un jour recouvrer ses fonctions cognitives. Elle ne manifeste aucun réflexe – rien du tout – et ses pupilles ne réagissent absolument pas.

Le médecin ferma un œil, comme si ce qu'il s'apprêtait à dire lui était douloureux.

– Je présume que vous pensiez lui rendre service en l'amenant ici. Mais il aurait sans doute été plus clément de la laisser partir en paix, après les interrogatoires.

– Je ne pouvais pas la laisser mourir au Cachot, dit l'officier en second. Trop de gens y ont déjà trouvé la mort.

– Mais il faut parfois laisser la nature suivre son cours, affirma le médecin d'un air sinistre. Vous m'avez bien dit que son calvaire était l'un des pires dont vous ayez jamais été témoin ?

– En effet, confirma l'officier. Ils l'ont soumise à six ou sept Lumières noires.

– Vous êtes mieux placé que la plupart d'entre nous pour savoir le genre de dégâts que peuvent causer ces appareils. Les Lumières noires ont manifestement affecté cette femme. C'est comme si… comment dire ?…

Le médecin hésita un instant, cherchant une analogie adéquate.

– C'est comme si on avait retiré tous les pois de la cosse, dit-il en levant le doigt en l'air.

L'officier en second plissa le front d'incompréhension.

– Oui, poursuivit le médecin, plutôt satisfait de lui-même. Cette patiente a été sérieusement choquée, et il ne reste plus grand-chose... juste la cosse. Or, les petits pois, ça ne repousse pas, n'est-ce pas ? Elle était peut-être très forte auparavant, mais on ne revient pas de là où elle est à présent.

– Plus de petits pois, dit l'officier en second, qui venait de comprendre en regardant Mme Burrows d'un œil triste. Elle avait une volonté de fer, c'est sûr. Elle s'est vaillamment battue, dit-il en posant la main sur le bras du médecin. Mais, s'il vous plaît, docteur, j'ai besoin de votre aide. Je ne sais plus quoi faire. Si vous étiez à ma place, que feriez-vous maintenant ?

– Je la remettrais aux Styx, répondit-il sèchement en retirant son bras.

Il prit sa mallette et son chapeau mou et se précipita vers l'entrée. Il salua la vieille dame et la jeune femme d'un mouvement de la tête. Puis il coiffa son couvre-chef et quitta la maison aussi vite que ses jambes fines le lui permettaient, sous le regard des deux femmes qui s'attardaient dans l'entrée.

– Eh ben, l'est parti comme si y avait le feu. Y pouvait pas filer plus vite, remarqua la vieille femme en refermant la porte derrière lui. Y pense que la Surfacienne, elle est fichue.

– Maman, elle... répondit l'officier en second qui les avait rejointes dans l'entrée.

Mais sa mère avait l'air si peu compatissante qu'il se tourna vers sa sœur.

– Eliza, je ne fais que...

– Que *quoi* ? l'interrompit sa sœur. C'est notre médecin de famille depuis des années. Il nous a même mis au monde, mais maintenant il veut se débarrasser de nous, dit-elle sans équivoque. Et tu voudrais lui faire des reproches ? C'est une vraie honte, bon Dieu ! Une plaisanterie !

L'officier en second était tellement abasourdi d'entendre de tels blasphèmes dans la bouche de sa sœur qu'il en eut le souffle coupé.

Mais Eliza ne manifestait pas le moindre repentir. Avec ses yeux bleu pâle, son visage large et ses cheveux presque blancs noués derrière la tête, elle était typique des femmes de la Colonie.

L'officier, quant à lui, arborait un crâne dégarni hérissé de quelques poils, un visage aux traits tombants et un physique trapu. Il était tout aussi typique de la gent masculine. Ils étaient tous deux extrêmement fiers de leurs origines, car ils descendaient des Fidèles, c'est-à-dire des loyaux employés que sir Gabriel Martineau avait invités à vivre dans son nouveau royaume souterrain, près de trois cents ans plus tôt.

L'officier en second et sa famille étaient très respectés dans la communauté, et ils obéissaient aux Styx. Qui plus est, du fait de son travail au commissariat de police, l'officier en second était en contact quasi quotidien avec les Styx, exécutant leurs ordres, aussi désagréables soient-ils. Mais en aidant cette Surfacienne, il avait mis son statut en péril et sa famille à l'écart de la communauté très soudée dans laquelle ils vivaient. Ils en étaient parfaitement conscients tous les trois.

– Eliza, notre médecin est un homme très occupé. Peut-être avait-il quelque chose d'urgent à faire ? Une autre visite à domicile ?

– T'as raison, et ma meilleure amie est un champignon, répliqua-t-elle en ricanant.

– Tu nous as fourrés dans un sacré pétrin, pas vrai, fils ? s'exclama la vieille dame.

Elle s'avança vers lui avec Eliza, l'obligeant à battre en retraite dans le salon.

– Regarde-la ! Cette Surfacienne nous suce le sang jusqu'à la moelle, et jamais elle s'en remettra. À mon âge, j'ai mieux à faire que de nettoyer après elle, et pis de lui tasser le gosier avec de la nourriture coûteuse qu'on n'a guère les moyens de gaspiller sur cette goulue. Et v'là qu'il va encore falloir cracher au bassinet pour régler cette nouvelle facture. Mais qu'est-ce qui t'est passé par le ciboulot, bon sang, fils ?

Eliza se joignit alors à l'attaque :

– Et puis, les gens n'arrêtent pas de causer. Ils veulent savoir ce qui t'a poussé à ramener une infidèle à demi morte dans la famille, une Surterrienne qu'on ne connaît ni d'Ève ni d'Adam. Je te le demande un peu !

– Eliza… risqua l'officier en second, mais sa sœur n'en avait pas fini avec lui.

– Hier aux boutiques, Mme Cayzer et Mme Jempson m'ont complètement ignorée. Elles ont traversé la rue pour m'éviter, comme je te le dis, lança-t-elle avec indignation.

L'officier en second n'avait nulle part où aller. Les deux femmes l'avaient acculé contre le fauteuil roulant de Mme Burrows et elles s'approchaient désormais pour lui donner le coup de grâce, comme des chiennes de chasse face à un renard boîteux.

– Tu nous prends pour qui, au juste ? Les saints patrons des Surfaciens malades ? pressa Eliza. Parce qu'on est la risée de toute la caverne Sud, voilà ce qu'on est devenus !

L'officier en second laissa échapper un petit grognement d'angoisse, mais il ne chercha pas à fournir la moindre explication. Il se gratta la peau du cou, qu'il avait fort court, supportant une large tête posée sur de tout aussi larges épaules.

La vieille femme, qui avait remarqué la bave sur le chemisier de Mme Burrows, repoussa son fils et se mit à la nettoyer grossièrement à l'aide de son mouchoir, comme pour appuyer chacun de ses mots.

– On raconte aussi au marché que les Styx s'intéressent tout particulièrement à notre cas… à cause de ce que tu as fait, dit-elle avant de jeter son mouchoir sur une petite table. Tu as déclenché leur courroux ! hurla-t-elle.

On entendit un miaulement qui venait de l'entrée.

– Colly, dit Eliza en se retournant.

La chatte était venue voir ce qui se passait. C'était une chasseresse, de la race des chats géants qu'on ne trouvait que dans la Colonie. On les élevait pour leurs prouesses contre les rats. Elle regarda les trois humains de ses grands yeux couleur cuivre, renifla bruyamment en direction de Mme Burrows, puis s'en alla furtivement vers le foyer, devant lequel elle s'étira voluptueusement en plantant ses griffes dans le tapis.

– Non, Colly ! Allez, ouste ! lança la vieille femme en pointant la porte d'un doigt perclus d'arthrite, comprenant que le chat s'apprêtait à piquer un somme.

– Laisse-la tranquille, maman, dit Eliza d'une voix douce, tandis que l'horloge commençait à carillonner, ajoutant à la tension qui régnait dans la pièce. Nous avons été bannies dans la cuisine, mais pourquoi Colly ne profiterait-elle pas du feu comme cette paresseuse de Surfacienne ?

Colly était légèrement plus petite que Bartleby, le chasseur qui se trouvait à présent au centre de la Terre en compagnie de Will et d'Elliott, et elle avait la peau couleur d'ébène.

La chatte s'installa confortablement au côté de Mme Burrows, puis elle se roula en boule avec un bâillement satisfait.

– Colly, répéta la vieille dame, mais le chat ne lui accordait pas la moindre attention.

L'horloge continuait à carillonner, et l'officier en second profita de cette diversion.

– Maman, laisse-la donc si elle veut rester là. Et si je te préparais un petit thé ? proposa-t-il en lui enlaçant les épaules, pour éloigner la vieille femme voûtée. Toute cette agitation, c'est pas bon pour ton cœur.

Eliza resta dans le salon, fusillant du regard la silhouette comateuse de Mme Burrows. Elle ne comprenait pas ce qui était passé par la tête de son frère. Ces gens étaient leurs ennemis, et cette femme avait caché quelque chose aux Styx. C'est pourquoi elle avait subi un tel traitement. Eliza n'était pas une femme méchante, mais son amertume était telle qu'elle ne parvenait plus à se contenir.

Elle se pencha en avant et gifla Mme Burrows, laissant une marque rouge sur sa peau blanche. La claque retentit si fort qu'elle fit bondir Colly. Eliza poussa un petit cri aigu qui trahissait son agacement, puis se précipita hors de la pièce.

Le douzième et dernier coup retentit au milieu des éclats de voix qui provenaient de la cuisine, quand Mme Burrows ouvrit soudain les yeux.

– Fichue, mais en vie ! dit-elle avec défiance, puis elle bougea la mâchoire et posa sa main sur la joue qu'Eliza venait de frapper. Du calme, du calme, Eliza, dit-elle sur le ton de la réprimande.

Elle s'essuya la bouche, puis se souvint de l'épingle qui était restée plantée dans sa main. Elle gloussa quelques instants en regardant l'aiguille et en écartant les doigts, puis elle l'ôta sans effort.

Puis elle sentit la tache humide sur son chemisier.

– Tu as vu mon petit manège, et le coup de la bave, Colly ? dit-elle en souriant à la chatte qui la regardait attentivement. J'ai trouvé que c'était bien joué.

Les interrogatoires sous la Lumière noire avaient énormément endommagé le cerveau de Mme Burrows, à tel point que son corps avait presque cessé de fonctionner. Elle ne devait la vie qu'à la veille de son système nerveux végétatif, grâce auquel ses principaux organes avaient continué à fonctionner. Son cœur battait encore et elle respirait toujours. Elle s'était trouvée dans un état catatonique, aux portes de la mort pendant plusieurs semaines. L'officier en second et sa famille s'étaient occupés d'elle. Avec le temps, il s'était passé quelque chose d'exceptionnel.

Semaine après semaine, les connexions neuronales si méchamment malmenées avaient commencé à se renouer, comme un ordinateur qui aurait lancé un programme de réparation automatique. Une petite zone de ses lobes frontaux – sièges de sa mémoire et de sa conscience – avait entrepris la tâche herculéenne consistant à retisser ensemble le reste de sa matière grise.

Mais les liaisons neuronales n'avaient pas retrouvé leur schéma précédent. Sa vue était tellement affaiblie qu'elle différenciait à peine le jour de la nuit. Cependant, comme pour compenser ce handicap, cette nouvelle version de Mme Burrows comportait quelques avantages surprenants.

Elle avait découvert qu'elle maîtrisait désormais la plupart de ses fonctions corporelles. Même si elle avait senti chacune des piqûres que lui avait infligées le médecin, elle parvenait à isoler la douleur pour ne pas y réagir. Ce n'était néanmoins qu'une petite partie de ce dont elle était capable. Elle pouvait ralentir toutes ses fonctions physiologiques, y compris son rythme cardiaque, si bien qu'elle avait à peine besoin de respirer. Elle pouvait également réguler la température de son corps, suant à volonté ou transformant son haleine en un nuage de vapeur. C'est comme si elle avait dépassé le niveau de maîtrise que seuls les pratiquants les plus avancés pouvaient espérer atteindre, d'après son maître yogi.

Mais ce n'était pas tout. Chose inexplicable, alors même que sa vue était si basse, elle avait acquis une autre faculté. Elle ne savait pas s'il s'agissait d'un sens olfactif particulièrement aiguisé ou bien de quelque faculté animale profondément enfouie dans les recoins de son cerveau, mais quelque chose s'était éveillé en elle. Un peu comme un système d'alarme qui détecterait les gens dont elle *sentait* littéralement la présence.

Elle était capable de différencier ceux qui lui étaient familiers des étrangers, même s'ils ne faisaient que passer devant la porte de la maison. Elle savait quelle était leur humeur. Qu'ils soient en colère, tristes, heureux ou qu'ils s'ennuient, elle détectait toute la palette des émotions humaines. Un biologiste aurait sans doute émis l'hypothèse qu'elle était devenue capable de déchiffrer les phéromones émises par les humains : ces signaux chimiques qui se diffusent dans l'air et jouent un rôle fondamental dans la vie des autres espèces animales, qui les utilisent pour communiquer ou pour réguler leurs comportements. Mais Mme Burrows n'était pas biologiste et ne savait rien de tout cela. Elle était ravie d'avoir développé ce nouveau sens, qui semblait s'affiner un peu plus chaque jour. Elle était convaincue qu'il pourrait lui servir à s'échapper de la Colonie. Or, vu la tournure que prenaient les choses dans le foyer de l'officier en second, ce jour n'était peut-être pas si lointain.

Elle n'avait donc pas besoin d'entendre la dispute qui se déroulait dans la cuisine pour savoir qu'elle battait son plein. Elle sentait l'exaspération et la contrariété qui irradiaient de la mère et de la sœur de l'officier. Elle percevait également l'indignation de ce dernier, mais aussi une légère émanation de peur, tandis qu'il se défendait vaillamment contre cet assaut verbal.

Mme Burrows se leva de son fauteuil roulant et s'étira les membres les uns après les autres.

– Ah, c'est nettement mieux, soupira-t-elle. Viens ici, Colly.

La chasseresse se rendit aussitôt à son côté. Mme Burrows avait passé beaucoup de temps avec cette chatte, et c'était un peu comme si Colly avait compris que les dons exceptionnels de cette femme rivalisaient avec les siens, et peut-être même les surpassaient. L'odorat des chasseurs était en effet incroyablement fin. C'était peut-être cela, ou quelque chose de plus animal qui avait noué le lien qui les unissait. Le fait est que la chatte lui obéissait au doigt et à l'œil.

Mme Burrows tendit la main jusqu'à ce qu'elle trouve la grosse tête du chat.

– Promenons-nous un peu dans la pièce. J'ai besoin d'exercice, dit-elle.

Mme Burrows suivit donc Colly qui la guidait, évitant les meubles et lui parlant tout du long. Elle s'était sentie bien seule pendant tout ce temps, contrainte de feindre un état comateux dès qu'un Colon approchait.

Or, cette chatte ne pouvait raconter à personne les transformations saisissantes qui l'avaient affectée. Elle était devenue une femme nouvelle.

Chapitre Neuf

Chester changea de position, pour soulager un peu ses membres. Il était plus que temps que Martha lui apporte à boire et à manger, il en était certain. Il ne savait pas quand elle avait ouvert la porte pour la dernière fois, car les heures s'écoulaient lentement, sans que rien puisse les différencier, mis à part ses crises de désespoir, où il fondait en larmes.

Il s'était passé quelque chose.

Il avait entendu des bruits qu'il ne parvenait pas à identifier. Le crissement du gravier à l'extérieur, comme si une voiture s'était garée devant la maison, et puis des coups. Mais les bruits avaient été si brefs et si étouffés derrière la porte qu'il ne savait pas vraiment ce qui se passait à l'extérieur de sa minuscule prison. Il présumait que sa geôlière monstrueuse devait tramer quelque chose qui n'avait de sens que pour elle et son monde tordu. Grognant et tiraillé par la faim et la soif, il chassa ces bruits de ses pensées, puis essaya de se rendormir.

Drake se précipita dans l'appartement au-dessus de l'entrepôt, et fila dans sa chambre, dont il ressortit quelques instants plus tard muni d'un sac ordinaire et d'un sac à dos. Eddie avait perçu l'urgence avec laquelle il avait agi et s'était levé.

Drake déversa le contenu des deux sacs sur le sol, puis il se mit à prélever dans le tas les différents éléments dont il avait besoin.

– Un problème ? demanda Eddie.

– Oui, il faut que j'aille dans le Norfolk. Je viens de vérifier mes messages sur le serveur distant. On y accède par un numéro surfacien que j'ai donné à Elliott pour qu'elle me contacte en cas d'urgence.

– Elle a des ennuis ? s'empressa de demander Eddie.

– Non, le message est de Chester, et il ne la mentionne pas, dit Drake en remettant une partie de son équipement dans son sac à dos. Le message n'est pas très clair, mais d'après ce que j'ai pu comprendre, il est peut-être déjà revenu à la Surface. Quel idiot ! ajouta-t-il en secouant la tête, furieux contre lui-même. Je n'ai pas vérifié ce serveur régulièrement. Le message date d'il y a plusieurs semaines.

Drake prit un pistolet et deux chargeurs. Il en introduisit un dans son arme après l'avoir garni de munitions et fourra le pistolet dans son holster. Marquant une pause, il lança un coup d'œil à Eddie.

– J'espère juste que ce garçon aura la bonne idée de se cacher et de ne pas tenter de rentrer chez lui. S'il est revenu à Highfield, vos potes l'auront forcément chopé.

– Elliott est peut-être avec lui, commenta Eddie en enfilant sa veste. Je viens avec vous.

– Je suis garé à quelques pâtés de maisons d'ici, dit Drake en indiquant la direction de sa Range Rover au moment où ils franchissaient le seuil de l'entrepôt.

– Prenons plutôt ma voiture, suggéra Eddie qui s'éloignait déjà dans l'autre sens.

Pendant un instant, Drake ne broncha pas et se contenta d'ajuster la lanière de son lourd sac à dos sur son épaule. Puis il vit s'allumer les feux d'une Aston Martin flambant neuve, tandis qu'Eddie pressait son porte-clés.

– Classe, la bagnole, commenta Drake en s'approchant du véhicule laqué de noir avec un regard appréciateur.

Eddie ouvrit la portière du conducteur et attendit Drake, qui semblait hésiter.

– Un peu voyante, non ? À moins que vous ne soyez James Bond. Peut-être vaudrait-il mieux prendre la Range Rover ?

Eddie ne lui répondit pas, et Drake finit par capituler.

– Très bien, on prendra la vôtre alors, mais c'est moi qui conduis.

La soirée était bien avancée et il n'y avait pas beaucoup de circulation, si bien que Drake sortit de Londres à toute allure avant de poursuivre vers le Norfolk. Parvenu au bout de la quatre voies, il ne décéléra pas en entrant sur la départementale. Ils écoutèrent un temps les nouvelles à la radio, mais ne dirent rien après cela, tandis que le dernier rayon du soleil s'évanouissait à l'horizon pour laisser place à un paysage sans lune. Un vent puissant s'était levé. De temps à autre, ils voyaient briller les yeux de cerfs dodus qui paissaient en bordure de la route, à la lumière des phares.

Drake réduisit l'intensité de ses phares, car il venait de repérer une voiture qui fonçait vers eux. Comme il s'y attendait, l'autre conducteur l'imita, mais arrivé à la hauteur de leur véhicule, il remit les pleins phares en klaxonnant comme un fou. Une canette de bière vide vint heurter le flanc de l'Aston.

– Espèce d'idiot ! s'exclama Drake, aveuglé par les phares.

Eddie glissa brusquement sur son siège, car Drake exécutait un demi-tour impeccable, retournant la voiture dans le sens opposé. Il écrasa le champignon, et le V8 se mit à rugir, alors qu'il prenait l'autre véhicule en chasse.

– Qu'est-ce que vous faites ? lui demanda très calmement Eddie.

– Il faut que quelqu'un donne une leçon à ce débile ! répondit Drake.

Il finit par rattraper la voiture, qu'il dépassa avant de lui couper si brutalement la route qu'elle fut obligée de s'arrêter, une roue à cheval sur le bas-côté enherbé.

– Je ne crois pas que ce soit une bonne... commença Eddie, mais Drake avait déjà bondi hors du véhicule.

L'autre conducteur était sorti et regardait Drake d'un air narquois, appuyé sur sa portière, la cigarette aux lèvres. Il avait une vingtaine d'années, les cheveux longs et un T-shirt noir sans manches sur lequel était dessiné un pentagramme blanc et délavé. Assise sur le siège du passager, sa copine sirotait une canette de cidre en gloussant. Elle était à moitié ivre et regardait Drake approcher.

– T'es la police ou quoi ? lança le conducteur d'une voix traînante et néanmoins insolente lorsque Drake se planta devant lui. Tu vas faire quoi maintenant, hein ? ajouta-t-il en lançant sa cigarette sur Drake qui l'esquiva d'un pas de côté, l'écrasant sous sa botte au moment où elle frappait la chaussée dans un torrent d'étincelles.

Deux autres hommes qui avaient à peu près le même âge que le conducteur se trouvaient à l'arrière de la voiture. C'était à celui qui sortirait la meilleure blague avinée. Leurs échanges étaient entrecoupés de rires rauques. On aurait cru entendre deux baudets en train de braire.

– Vingt-deux, v'là la flicaille ! Hé, tire-toi, sale racaille !

Le conducteur aperçut alors le véhicule qui était garé devant lui. C'était le dernier modèle d'Aston Martin. Il se redressa alors avec un rictus plein de dédain.

– Espèce de gros richard ! hurla-t-il. Retourne d'où tu viens, vermine ! ajouta-t-il en brandissant le poing, protégé derrière la portière de sa voiture.

En une fraction de seconde, Drake avait franchi la distance qui les séparait et lui avait tordu le bras si bien qu'il était désormais plaqué contre sa voiture. Le conducteur essaya de le frapper avec son autre coude, mais Drake lui cogna la tête contre le toit du véhicule, qui rendit un son sourd. La copine du conducteur cessa soudain de glousser et émit un glapissement, qui se transforma rapidement en un cri strident quand elle laissa tomber sa canette de cidre sur ses genoux.

– Hé, mec ! Tu peux pas faire ça ! protesta le conducteur, immobilisé par la clé de Drake. Coups et blessures !

Il essaya cette fois de lui donner un coup de poing, mais Drake répliqua en lui cognant la tête encore plus fort que la première fois. Les passagers étaient désormais complètement silencieux et tendaient le cou pour voir la scène.

– T'en veux encore ? lui souffla Drake au creux de l'oreille.

– Mais qu'est-ce que j'ai fait ? gémit le jeune homme.

– Tu le sais très bien, et à partir de maintenant, sache que je t'ai à l'œil. Si tu sors à nouveau du rang, je te tue, rugit Drake. Et maintenant, dégage d'ici, hurla-t-il en jetant le conducteur sur son siège.

Son visage, déjà pâle à l'origine, était devenu blême.

Drake regarda la voiture s'éloigner à une vitesse tout à fait raisonnable, puis il rejoignit l'Aston et se remit au volant, qu'il agrippa avec une telle force que l'une de ses phalanges émit un craquement sourd. Il regardait droit devant lui, comme s'il était fasciné par la scène derrière le pare-brise. À la lumière des phares, les branches des arbres s'agitaient frénétiquement dans le vent.

Eddie ne put s'empêcher de remarquer que Drake tremblait de rage.

Il finit par briser le silence en s'éclaircissant la voix.

Drake continua à regarder droit devant.

– Allez, Eddie, dites-le. Dites-moi que je suis complètement cinglé d'avoir fait ça et qu'ils pourraient très bien nous signaler à la police. *Aston Martin impliquée dans un incident dû à l'agressivité au volant*, dit-il comme s'il récitait un gros titre.

– Non, ce n'est pas ce qui m'inquiète, répondit Eddie en secouant la tête. Je m'apprêtais à vous dire que nous avons bien plus en commun que vous n'êtes prêt à l'admettre.

– Et si je vous disais que je ne veux pas le savoir, est-ce que ça vous couperait dans votre élan ? rétorqua brusquement Drake.

– C'est la même chose qui nous anime. Nous sommes tous deux rongés par une colère sans bornes qui jamais ne s'apaise.

– Je ne vous ai jamais vu perdre votre sang-froid, opposa Drake.

– Nous contrôlons notre colère chacun à sa façon, ou du moins c'est ce que nous essayons de faire. Le paradoxe est que ce qui nous détruit est aussi ce qui nous définit, dit-il, puis il marqua une pause, le temps de trouver les mots justes. C'est comme si nous étions sans cesse sur le fil du rasoir, toujours en quête de quelque chose, incapables de marquer un temps d'arrêt. Mais la plaie ne se referme jamais, ajouta-t-il en reprenant sa respiration. Vous savez pourquoi je suis devenu ainsi, mais vous ne m'avez presque rien dit de vous. Qu'est-ce qui vous a rendu comme ça ?

– Vous, les Styx.

Dans un taillis situé non loin de là, un renard poussa un cri qu'on eut dit presque humain, mais Drake garda les yeux rivés sur l'horizon.

– Il y a maintenant des siècles, commença-t-il avant de déglutir, j'étais jeune étudiant à Imperial… Nous étions trois. Fiona, Luke et moi. Nous ne nous mêlions guère au reste des étudiants. Nous n'avions pas de temps à leur consacrer, ils nous appelaient les *Wunderkinder*, les « enfants prodiges », expliqua-t-il en fermant les yeux un instant. Nous partagions les mêmes passions, mais nous restions presque tout le temps à l'université. Les professeurs nous laissaient le champ libre... tout ce que nous leur demandions... la direction des labos. Ils n'interféraient pas avec nos différents projets de recherche car, au bout du compte, l'université tirerait le bénéfice de nos travaux.

– En optoélectronique ?

– C'était mon domaine, oui. Luke, c'était le matheux, et Fiona, le prodige de l'informatique. On se complétait parfaitement. Mais c'était Fiona le génie. Elle était capable de coder comme personne. En deuxième année, elle avait écrit un programme qui enregistrait les informations et se servait d'algorithmes uniques pour les analyser. Lorsque le milieu des affaires et les services de sécurité ont eu vent de ce qu'elle fabriquait, ils ont tous essayé de la débaucher. Ils voulaient tous le programme, à n'importe quel prix. Mais elle tint bon et continua à travailler à son projet. Lorsque le programme eut absorbé assez de données et atteint la masse critique, il fonctionna encore mieux qu'elle ne l'eut cru. Mais elle commença à découvrir des choses étranges... des anomalies. Il se mit à signaler des événements qui ne semblaient pas cohérents. Des configurations qui ne tenaient pas debout, même en appliquant la théorie de la marche aléatoire. Et j'imagine que vous avez deviné pourquoi, ajouta Drake en laissant glisser ses mains sur le volant.

– C'étaient nous, les Styx. Ces signaux correspondaient à nos interventions ?

– Gagné ! répondit Drake. La semaine précédant la remise des diplômes, elle nous a salués Luke et moi, comme d'habitude, avant de partir sur son vélo pour rejoindre le labo de l'université. C'est la dernière fois que nous l'avons vue. Ils ne l'ont jamais retrouvée, ni elle ni son vélo. Personne n'a réussi à expliquer comment tous ses travaux avaient pu disparaître avec elle. Son ordinateur portable, les disques de sauvegarde qu'elle gardait dans sa chambre, et tout ce qui se trouvait sur le réseau de la fac. Tout ce qui avait le moindre rapport avec le programme avait disparu sans laisser aucune trace, dit Drake. C'est alors que mon ami a fait une dépression nerveuse.

– Vous voulez dire Luke ? demanda Eddie.

– Oui. Il était extrêmement intelligent, mais très nerveux. Il s'est effondré quand Fiona a disparu. Il a quitté la fac, est reparti vivre chez sa mère, et il est mort au bout d'un an après avoir sombré dans l'alcoolisme.

Drake se tourna alors vers Eddie.

– Pour autant que je sache, vous faisiez partie de l'escadron de Limiteurs qui a enlevé Fiona. Vous êtes peut-être l'un de ceux-là.

Eddie secoua lentement la tête. Comme à l'accoutumée, son visage demeurait indéchiffrable.

– Non, et je ne sais pas quoi vous dire. Je peux vous demander pardon pour les actes perpétrés par mon peuple, mais ça n'aurait aucun sens pour vous, n'est-ce pas ?

– Aucun, marmonna Drake en tournant la clé de contact.

Il refit un demi-tour et reprit la route initiale.

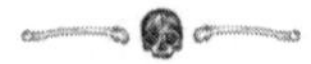

La porte de ma chambre est close et ma robe de chambre y est accrochée. Elle est bleu foncé et si épaisse que j'ai l'impression de porter un bout de moquette, mais elle est vraiment chaude. Maman me l'a achetée avant Noël, car l'ancienne devenait trop petite. Chester bougea légèrement la tête. *Là, juste à côté de la porte… les affiches sur mon mur… oui, je les vois… exactement là où elles devraient être. Je les connais bien. Lorsque je n'arrive pas à dormir, je reste allongé sur mon lit et je les regarde. Mon poster préféré, c'est la forêt de sapins. Certaines affiches sont un peu de travers, car j'étais encore petit lorsque je les ai accrochées. La plupart sont là depuis toujours et j'ai l'intention d'en acheter de nouvelles.* Chester tourna encore un peu la tête. *Oui, voilà la lampe d'architecte que m'a donnée papa. Elle est de couleur orange. C'est son père qui la lui avait offerte, mais elle était noire et très écaillée à l'origine. C'est pourquoi papa l'a peinte en orange lorsqu'il avait à peu près mon âge. Il y a des endroits où il a mis trop de peinture sur le pied, et elle a même coulé un peu, mais je m'en fiche car elle était à mon papa, et puis j'aime bien la façon dont les ressorts maintiennent la lampe dans n'importe quelle position. Parfois, lorsque je ferme les yeux, l'abat-jour ressemble à une capsule Apollo. J'ai vu un reportage génial sur les missions Apollo qu'on a envoyées sur la Lune.* Chester bascula la tête sur le côté et sourit. *J'adore mes livres et je ne les prête jamais à personne, de peur qu'on n'en abîme la couverture. Je les ai presque tous lus plusieurs fois. Il me faut toujours toute la col-*

lection, et je m'assure chaque fois qu'ils sont bien rangés dans le bon or...

– Voilà ton repas, mon chéri, dit Martha d'une voix sirupeuse en ouvrant la porte du placard, arrachant brutalement Chester à son monde imaginaire – un dur retour à la réalité.

Il passait de plus en plus de temps à s'imaginer de retour chez lui à Highfield pour s'occuper l'esprit. Il ravivait le souvenir des différentes parties de la maison avec un incroyable réalisme. Il se rappelait jusqu'au moindre détail. Outre sa chambre, il se promenait souvent au rez-de-chaussée ou dans son jardin ensoleillé où tout était en ordre. C'était la perfection.

– Tu veux manger, oui ou non ? insista Martha alors qu'il ne répondait pas.

Encore un peu sonné, il acquiesça en marmonnant. La silhouette de Martha se découpait sur fond de lumière vacillante. Chester pensa d'abord qu'elle devait avoir trouvé des bougies, mais il semblait y avoir beaucoup trop de fumée dans la pièce. On aurait dit qu'un feu de joie brûlait tout à côté. Mais non, ils se trouvaient dans une maison plutôt chic, malgré l'aspect très primitif que lui conféraient l'éclairage et la fumée. Il sentit alors l'odeur de la viande brûlée.

– Martha, s'il vous plaît, est-ce que je peux sortir un peu ? Vous ne voulez pas me détacher, juste le temps de manger ? demanda-t-il d'une voix docile. J'ai les jambes vraiment raides. Je promets que je ferai tout ce que vous me direz.

Elle le regarda avec un rictus, la paupière battante. Chester retint sa respiration pendant quelques secondes, puis elle tourna vivement la tête pour regarder derrière elle.

– Non, pas maintenant... du ménage... j'ai du ménage à faire, marmonna-t-elle avant de se retourner vers lui. Mange, ordonna-t-elle avec méchanceté.

– Oui, oui, j'ai très faim, oui, bafouilla aussitôt Chester qui voulait éviter de provoquer l'une de ses crises de folie.

Il n'allait certainement pas refuser de manger, même si elle avait préparé ce plat selon ses méthodes peu hygiéniques.

Elle lui souleva la tête et se mit à le nourrir à la cuiller.

– Miam, dit-il en avalant la viande presque crue. C'est délicieux. Merci...

Mais il ne put finir sa phrase, car elle lui enfournait un gros morceau dans la bouche.

– C'est bien, dit-elle lorsqu'il eut terminé et reposa sa tête sur le sol. À la bonne heure.

Elle se contenta de pousser l'assiette et la cuiller sur le sol à côté d'elle, s'essuya sur sa jupe, puis se releva en grognant.

Chester réfléchissait à toute allure. Il fallait qu'il fasse quelque chose. Il fallait qu'il essaye de contacter quelqu'un à l'extérieur.

Mais comment ?

C'est alors qu'une idée lui traversa l'esprit.

– Martha...

Elle le fixait désormais de son œil fou, mais il n'allait pas se laisser intimider.

– Martha, s'il vous plaît, est-ce que je peux avoir mon sac à dos ?

L'œil fou se rétrécit quelque peu. Elle le regardait d'un air suspicieux.

– Pour quoi faire ? siffla-t-elle en ouvrant à peine les lèvres, puis elle répéta sa question d'une voix stridente.

– Euh... J'ai tellement l'habitude de poser ma tête dessus... et puis, rester allongé comme ça sur le sol, ça n'est pas très confortable, expliqua Chester.

Martha ne répondit pas. Chester prit son courage à deux mains et finit par se lancer.

– Mère... *maman*, s'il te plaît, est-ce que je peux l'avoir ?... S'il te plaît ? supplia-t-il.

Cette dernière tentative eut un effet immédiat sur Martha.

– Mais oui, bien sûr, dit-elle d'une voix presque normale. Ne bouge pas, mon gentil garçon, je vais te le chercher.

Elle s'éloigna d'un pas lourd, tandis que Chester s'efforçait de se faufiler hors du placard pour voir ce qui se passait à l'extérieur. Il était sûr d'avoir aperçu un vrai feu dans le salon. Il ne brûlait pas dans l'âtre, mais au beau milieu de la pièce. Il y avait aussi des traces sombres un peu partout sur la moquette fauve de l'entrée, comme si on y avait traîné quelque chose. *De la boue ?* se demanda-t-il.

Chester rentra bien vite dans son placard en l'entendant revenir sur ses pas.

– Merci beaucoup, maman, dit-il.

Elle lui glissa le sac à dos sous la tête, puis elle se releva pour le regarder.

– Tout ce que tu voudras, mon merveilleux fils, dit-elle en roucoulant, puis elle claqua la porte du placard.

Chester attendit que tout soit calmé, puis il se tourna très lentement sur le côté et passa les mains au-dessus de sa tête pour pouvoir les plonger dans son sac. C'était difficile avec les poignets liés, mais il finit par trouver ce qu'il cherchait.

– Je l'ai ! murmura-t-il en tenant l'objet dans la faible lumière qui passait sous la porte.

Il s'agissait d'une petite boîte en plastique de la taille d'un jeu de cartes à laquelle était attaché un fil électrique qui servait d'antenne. Il plaça la boîte dans sa bouche tandis qu'il cherchait le minuscule interrupteur. Une fois enclenché, il replaça rapidement la boîte tout au fond du sac en s'assurant qu'elle était bien dissimulée sous ses vêtements sales.

Il roula sur le dos, posa la tête sur son sac, puis il mit les mains en prière.

– S'il Vous plaît, mon Dieu, je ne vous ai pas demandé grand-chose jusque-là, mais cette fois, je vous en conjure, faites que quelqu'un remarque mon signal, murmura-t-il d'une voix tendue. *S'il Vous plaît !*

Après avoir traversé un village qui n'avait qu'une petite épicerie et un bureau de poste, Drake ralentit enfin. Il cherchait un endroit où garer la voiture. Il finit par trouver un chemin qui menait à une zone boisée et s'arrêta sous les arbres. Ainsi, l'Aston Martin ne serait pas visible depuis la route.

– On va continuer à pied à partir de là, dit-il à Eddie.

Puis, dans le silence nocturne, ils trièrent l'équipement qu'ils s'apprêtaient à emporter avec eux.

Eddie choisit deux pistolets semi-automatiques, dont un avec un silencieux, comme s'il s'attendait à ce qu'il y ait du grabuge. Drake ne comprenait pas pourquoi, mais il ne lui posa aucune question.

Drake enfila son casque en s'assurant que le bandeau était bien placé sur son front. Il rabattit la lentille sur son œil droit avant d'activer la batterie accrochée à sa ceinture. La scène s'anima de flocons orangés, puis s'éclaircit en l'espace d'une seconde. Il voyait les environs presque comme en plein jour, à présent.

Il enfila son sac à dos sur ses épaules et ils partirent à travers l'herbe humide. Il songeait déjà à ce qu'ils allaient découvrir en arrivant au port souterrain sous le champ d'aviation. Il avait accompagné Will et le Dr Burrows la dernière fois qu'il s'y était rendu, et ils étaient partis sur la chaloupe. Il fallait parcourir plusieurs centaines de kilomètres avant d'atteindre l'abri antiatomique qui était profondément enfoui sous terre. L'appel de Chester venait de là, et même si le message datait d'une quinzaine de jours, il ne pouvait pas exclure la possibilité que le garçon fût encore caché non loin du terrain d'aviation, ou même qu'il l'ait attendu dans le port.

Ils longèrent un champ de seigle, marchant côte à côte sur le petit chemin de campagne. À travers sa lentille, Drake avait l'impression de contempler la surface d'un grand lac balayé par le vent, mais c'est à peine s'il y prêtait attention. Il se demandait qui avait bien pu accompagner Chester dans la chaloupe. C'était un voyage qu'on entreprenait à deux pour remonter le fleuve. Un homme posté près du moteur hors-bord, un autre pour se charger du pilotage et du ravitaillement en carburant. Chester n'avait fourni aucun indice dans son message, même s'il semblait plutôt désespéré.

Une légère bruine se mit à tomber au moment où Drake et Eddie traversaient une route étroite pour grimper sur l'autre accotement.

– Le Norfolk, gloussa Drake. La pluie, toujours la pluie. Il pleut tout le temps, dans ce comté.

Eddie ne broncha pas, mais Drake sentit sa désapprobation. Il n'aurait pas dû parler à voix haute.

Ils ne tardèrent pas à atteindre le terrain d'aviation et se faufilèrent à travers une brèche dans le grillage. Ils remarquèrent alors un préfabriqué au loin, à l'intérieur duquel brillait une lampe. Ils passèrent derrière un groupe de maisons disposées en rond. Elles dataient des années soixante. Drake en déduisit qu'elles avaient dû servir de logements aux soldats et à leurs familles. Mais elles étaient vacantes, et en pleine restauration, à en juger par les matériaux de construction qui jonchaient le sol alentour.

Ils se dirigèrent vers l'un des grands bâtiments. Drake se surprit à vérifier sans cesse que son compagnon était toujours à ses côtés. Le Limiteur avait beau prétendre qu'il avait cessé toute activité de terrain depuis des années, il se déplaçait sans faire le moindre bruit. Drake avait l'impression d'être frappé de surdité. Il voyait Eddie traverser des fougères sèches ou des taillis dans un silence absolu. Elliott se déplaçait de la même façon.

Ils pénétrèrent enfin dans un bosquet de ronces. Drake retira quelques morceaux de bois pourri qui masquaient la trappe sous laquelle se trouvait un puits en béton d'environ deux mètres carrés. Ils descendirent en s'accrochant aux degrés de métal rouillé fixés dans la paroi du conduit, puis rejoignirent une pièce remplie de casiers en pataugeant dans une eau brune et crasseuse qui leur rentrait dans les bottes.

Drake ouvrit une porte tout au fond de la pièce et ils s'engagèrent rapidement dans un couloir où flottaient des barils de pétrole vides et des bouts de bois moisis. Ils parvinrent enfin au mur de parpaings dans lequel Will avait creusé une brèche.

Eddie sortit l'un de ses pistolets avant de passer de l'autre côté. Ils s'accroupirent aussitôt, à l'affût, inspectant chaque côté du port. Personne en vue. D'un signe de la main, Drake indiqua une extrémité du quai à Eddie. Il se chargerait d'inspecter le reste.

Drake découvrit la chaloupe là où Chester et Martha l'avaient laissée, et juste à côté, un sac militaire et deux fourre-tout. Il se mit à fouiller dans l'un des sacs et y dénicha des bombes aérosol contre les araignées-singes, quelques rations de nourriture et une poignée de fusées éclairantes. Ce n'est qu'alors qu'il s'aperçut de la présence d'Eddie à ses côtés.

– Rien à signaler, lui dit l'homme en jetant un coup d'œil par-dessus son épaule en direction du fleuve qui filait dans le noir. C'est donc le chemin qui me conduira à Elliott ?

Drake ne répondit pas et se contenta de lui montrer l'un des sacs.

– Je ne sais pas qui est remonté de l'abri antiatomique, mais une chose est sûre, ils ont laissé pas mal de matériel derrière eux. Mais où est donc Chester ?

– Quelque part où il se sent en sécurité ? suggéra Eddie. Vous disiez qu'il pourrait partir pour Londres. Il est peut-être en route ?

– Peut-être, mais il sait que vos hommes guetteront le moment où il refera surface. Or, il n'a pas d'autre moyen de me contacter, si ce n'est en laissant des messages sur le serveur distant.

– Vous le connaissez bien.

– Oui, mais tout dépend de la personne qui l'accompagne. Si c'est Will, ils ont peut-être tenté de revenir à Highfield ensemble. Seul, Chester se montrerait bien plus prudent. Non, je crois qu'il s'est sûrement caché pas loin d'ici.

– Ce qui veut dire qu'il faut ratisser les bâtiments, dit Eddie en pointant le ciel de ses doigts blancs et fins, et garder l'œil ouvert au cas où il aurait laissé des indices.

– Mais s'il est parti d'ici il y a une ou deux semaines, la pluie aura balayé toute trace de son passage, répondit Drake d'un air soucieux.

Chapitre Dix

– Ah, te voilà ! Viens donc un peu voir ça ! cria le Dr Burrows.
Will venait de sortir de l'ombre des arbres et se dirigeait vers son père qui fabriquait une table à tréteaux au pied de la pyramide.

– Qu'est-ce qu'il y a, papa ?

Le Dr Burrows leva les yeux du crâne qu'il tenait à la main et ne vit distinctement son fils que lorsque ce dernier se trouva tout près de la table.

– Qu'est-ce qui t'est arrivé ? On a essayé de te scalper ? dit-il en regardant ses cheveux courts.

– Elliott m'a coupé les cheveux, répondit Will avec indignation.

Il se gratta la tête, et quelques touffes de cheveux lui restèrent dans la main.

– En fait, c'était plutôt douloureux car son couteau n'est pas très aiguisé. Elle s'occupe des siens, maintenant. C'est sans doute à cause de cet endroit, mais ses cheveux poussent beaucoup plus vite que les miens. Je te jure, presque un centimètre par jour. Peut-être que c'est un truc styx…

– C'est fascinant, l'interrompit le Dr Burrows comme s'il n'avait rien écouté de ce que lui disait son fils.

Il choisit une zone dégagée sur la table très encombrée, où il posa le crâne. Il y en avait trois au total, alignés en rang.

– Où les as-tu trouvés ? demanda Will.

Le Dr Burrows posa ses doigts écartés sur deux crânes en même temps.

– Cette paire-là se trouvait dans un petit compartiment près du sommet de la pyramide. J'ai délogé une pierre qui portait une inscription. J'en ai fait une traduction approximative, et ça donne : « Origines ». Ils se trouvaient à l'intérieur.

– Dans un petit compartiment ? demanda Will. Mais tu ne m'as rien dit. Où est-ce que j'étais quand tu les as trouvés ?

– En balade avec ta copine coiffeuse, répondit le Dr Burrows sur un ton caustique.

– Vraiment ? demanda Will en plissant le front.

Il savait très bien de quel jour il s'agissait, mais il n'appréciait pas que son père tente de le culpabiliser ainsi. Il consacrait le plus clair de son temps à l'aider, et il estimait mériter parfois quelques instants de répit.

– Oui, elle te montrait la planque, tu te souviens ? Ce jour mémorable où elle a prétendu que les arbres la regardaient, répondit le Dr Burrows avec indifférence.

Puis il posa la main sur le troisième crâne et changea d'attitude.

– Et ce gars-là, c'est l'un des trois crânes empalés sur un pieu.

– Papa ! Tu n'aurais pas dû le déplacer ! s'exclama Will. Ils étaient là pour une bonne raison. J'aime pas trop l'idée que tu y aies touché.

– Ne me dis pas que tu es devenu superstitieux en prime, rétorqua le Dr Burrows.

Il avait les yeux pétillants de joie, et Will décida de ne pas poursuivre la discussion plus avant. Son père préparait manifestement quelque chose et il saurait bientôt de quoi il retournait.

– Le crâne empalé était celui d'un humain, aucun doute possible. *Homo sapiens,* comme toi et moi, déclara le Dr Burrows. Et celui-là aussi, dit-il en indiquant l'un des deux crânes qu'il avait trouvés dans le compartiment.

– Il est d'une couleur plus sombre, observa Will.

– Cela n'a aucune importance. Concentre-toi plutôt sur le plus petit des deux, juste à côté. Les Anciens ont estimé qu'il était assez important pour le préserver dans la pyramide. Dis-moi ce que tu vois, Will, dit-il en lui mettant le crâne dans les mains.

– Il est lourd. C'est donc forcément un fossile, observa Will en le soupesant. Il ne ressemble pas à un crâne hum…

– Je dirais que si, l'interrompit le Dr Burrows. Mais que dis-tu de l'arcade sourcilière et de la mâchoire bien plus proéminente que les autres ?

– Il n'est pas humain ?

– Je n'ai suivi que quelques cours d'anthropologie et je suis loin d'être un expert en la matière. Cela dit, d'après moi, il a des traits qui ne sont ni humains ni complètement simiens non plus.

– Simiens ? reprit Will.

– Non, je ne crois pas, car…

Le Dr Burrows s'interrompit en agitant les mains avec enthousiasme.

– Tu te souviens de la fois où je t'ai parlé du chaînon manquant et de l'homme de Leakey ? C'était à Highfield et tu étais encore jeune.

– Oui, des histoires à dormir debout sur l'homme de Leakey, se souvint Will en gloussant. Je m'en souviens… du crâne déterré dans un fleuve en Afrique.

– Exactement ! C'était une preuve solide de l'existence d'un ancêtre lointain de l'homme. Mais il n'en existe aucune pour étayer les étapes entre le singe et l'homme, alors que l'on a découvert de nombreux crânes d'*Homo erectus,* et d'autres encore qui l'avaient précédé. On n'a trouvé aucun fossile du chaînon manquant, qui se situe il y a des millions d'années. Tu ne trouves pas ça bizarre ?

– Ouais, c'est très bizarre.

– Évidemment ! Ce mystère est toujours demeuré inexpliqué. On ne sait pas pourquoi il y a un tel trou dans les archives de l'évolution humaine.

– Et alors ?

Le Dr Burrows reprit le petit crâne et le reposa sur la table.

– Ça peut paraître un peu tiré par les cheveux… mais il est possible qu'on n'en ait jamais retrouvé en Surface, parce que… dit-il en pointant le doigt en l'air, pressant Will de compléter sa phrase.

Mais Will ne répondit pas assez vite et le Dr Burrows poursuivit avec impatience.

– Parce que tout est ici-bas.

– Ah, commenta Will, mais son père était lancé désormais.

– Et si ce monde intérieur était le berceau de l'humanité, et peut-être même de toute une série d'espèces animales ? dit le Dr Burrows en ouvrant les bras vers la jungle. Je veux dire, toutes les plantes et tous les arbres que nous voyons devant nous se sont adaptés à l'absence de nuit. La flore de la Surface a besoin du noir pour la photosynthèse et pour déclencher des changements photopériodiques.

– *Photo* quoi ?

Le Dr Burrows ignora la question et continua à débiter son discours :

– Voici ma théorie : la lumière permanente dans laquelle baigne cet écosystème clos favorise une évolution accélérée, et du coup la nôtre aussi.

– Tu veux dire que les singes sont devenus des hommes ici, dans ce monde intérieur, et qu'ils sont retournés ensuite à la Surface ?

– Exactement ! s'exclama le Dr Burrows. Ce qui est étonnant… c'est que les Anciens, ceux qui ont vécu ici, aient possédé un savoir suffisant pour s'y intéresser aussi. D'après ce qui est écrit sur leur pyramide, ils n'étaient pas loin d'avoir compris. Ce qui signifie aussi que je viens de faire la découverte du siècle, conclut-il en prenant une inspiration.

– Encore une autre ? murmura Will dans sa barbe en regardant le vieux crâne avec désapprobation.

Drake jeta un coup d'œil à sa montre. Il était accroupi sur le quai à côté de la chaloupe.

– Le soleil se lèvera vers six heures, dit-il.

Il aurait pu se servir de son casque pour inspecter le terrain d'aviation désaffecté en quête de la moindre trace de Chester, mais ils avaient décidé avec Eddie qu'il valait mieux attendre l'aube. Pour passer le temps, Drake faisait l'inventaire des rations stockées dans les fourre-tout, quand soudain, bien caché sous les paquets, il découvrit un objet qu'il extirpa très lentement du sac.

Il ressemblait à un revolver très rudimentaire.

– Une arme ? demanda Eddie, aussitôt intéressé.

– Non, c'est un prototype de détecteur de basses fréquences, répondit Drake. Il n'a pas encore été correctement testé, mais si les caractéristiques techniques sont correctes, il devrait fonctionner comme système de localisation. Même sur de vastes distances sous terre.

– À travers l'écorce terrestre ? demanda Eddie, intrigué.

– Oui, à travers la roche, peu importe l'épaisseur de la strate, confirma Drake en examinant le cadran situé sur le dessus de l'appareil.

– Pratique.

– Mouais, et j'en ai donné deux à Will, et une série de balises radio pour qu'il puisse retrouver son…

Drake se leva soudain sans finir sa phrase et enclencha l'interrupteur de l'appareil.

Il l'orienta vers le fleuve ; l'appareil émit un faible clic et l'aiguille du compteur oscilla légèrement.

– Ça doit être l'abri antiatomique, à moins qu'il n'ait marqué l'une des stations de ravitaillement sur le chemin.

Lorsqu'il se retourna vers l'autre extrémité du port, le détecteur émit un son bien plus puissant et l'aiguille se mit à s'affoler.

– C'est bizarre, dit-il en suivant la source du signal qui le conduisait derrière la brèche ouverte dans les parpaings. C'est encore plus fort ici, remarqua-t-il d'un air songeur. Je me demande si…

Rebecca bis et le général des Limiteurs étaient assis dans une grosse limousine noire escortée par des véhicules militaires. Deux motards ouvraient la voie.

– Pour qui est-ce qu'ils me prennent ? grommela Rebecca bis, en regardant la jupe de pur coton blanc ornée de rubans crème qu'on lui avait donnée. Au moins, vous, vous ne ressemblez pas à la fée Clochette, dit-elle au général silencieux.

Elle se serait sentie plus à l'aise dans un uniforme gris foncé semblable à celui qu'on avait fourni au général.

Ils aperçurent l'océan, tandis que le cortège de voitures longeait les docks, puis ils coupèrent vers le centre de la métropole. Derrière les vitres teintées de la limousine, Rebecca bis regardait les gens dans la rue et les différents points de vue. Ils dépassèrent une école, dont une ribambelle de jeunes enfants franchissait les portails, tous coiffés de chapeaux à larges bords pour se protéger du soleil. Rebecca bis était ébahie par l'étendue de la ville. D'innombrables rangées de maisons, entrecoupées de boulevards bordés de boutiques. Ils arrivèrent enfin à des bâtiments aussi grands que des hangars : il s'agissait de structures néoclassiques construites en granit, ou dans une pierre plus claire semblable à la craie. On pouvait lire sur leur façade *Institut der Geologie* et *Zentrum fuer Medizinische Forschung*.

Le cortège s'enfonça dans un passage souterrain pour ressortir sur une avenue bordée d'arbres. Rebecca bis aperçut derrière les arbres une sorte de place immense, où se croisaient de nombreuses voies à la circulation intense. Puis des statues d'hommes qui trônaient sur des socles de granit entre les arbres en bordure de l'avenue attirèrent son attention. « Frédéric le Grand », lut-elle sur l'un des monuments.

– Et à la place d'honneur, Albert Speer, dit le général des Limiteurs.

Rebecca bis tendit le cou pour voir la grande silhouette vêtue d'un costume. L'homme tenait des plans à la main. C'était la dernière statue de la rangée mais, contrairement aux autres, elle ne faisait pas face à ses homologues de l'autre côté de l'avenue. Elle fixait l'arche géante dont s'approchait à présent la limousine. Il y avait des véhicules blindés garés tout autour de la place et le général s'intéressait tout particulièrement à la longue file de chars. Certains étaient peints d'une couleur gris neutre, d'autres arboraient un motif de camouflage.

– Des Panzers ? dit-il à mi-voix.

– Hé, mais je connais cette arche ! Je l'ai vue depuis les montagnes, dit Rebecca bis qui venait de comprendre pourquoi elle lui semblait si familière.

Le cortège se gara au pied de l'arche monolithique. On vint leur ouvrir la portière de la limousine pour qu'ils descendent. Les soldats de l'escorte militaire s'empressèrent de sortir de la voiture pour former un cordon de sécurité tout autour d'eux. Les voitures tournaient autour de l'arche, que l'on avait construite sur une grande île. Les soldats se disposèrent de façon à dérober les deux Styx à la vue des curieux.

En posant le pied sur la chaussée, Rebecca bis reconnut l'un des soldats de son escorte. C'était le jeune officier qui commandait l'escadron aux portes de la ville. Il vérifiait que son détachement était bien en place et semblait bien plus à l'aise que la première fois.

– Comme on se retrouve ! s'exclama Rebecca bis.

L'officier esquissa un sourire et se contenta d'opiner. Il voulait manifestement qu'elle continue à avancer vers l'arche, mais elle ne bougeait pas.

– Je tenais à vous remercier d'avoir fait désarmer vos hommes, dit-elle. Vous auriez très bien pu la jouer western, mais vous avez gardé votre sang-froid et épargné vos hommes. Plus important encore, c'est en partie grâce à vous que ma sœur a eu la vie sauve. Ça, je ne l'oublierai *jamais.*

Il acquiesça à nouveau, puis leur signifia qu'ils devaient se diriger vers l'entrée située dans le pilier le plus proche. Rebecca bis parcourut du regard toute la longueur de l'imposant bâtiment. Chaque étage comportait d'innombrables fenêtres aux vitres teintées.

– Quel est cet endroit ? demanda-t-elle à l'officier.

– *Das Kanzleramt*… je crois que vous diriez la chancellerie.

– Exact, dit-elle.

Rebecca bis et le général des Limiteurs franchirent des portes tournantes en verre et en laiton massif, puis on les accompagna dans un hall de marbre jusqu'à un ascenseur. Leur escorte militaire resta en arrière, laissant les deux Styx monter les trente étages seuls. Une femme en tailleur sombre les accueillit au sommet. Rebecca bis tordit le nez lorsqu'elle sentit son parfum capiteux. Elle était jeune, mais très maquillée et avait si bien plaqué sa chevelure blond platine qu'on aurait dit qu'elle avait le crâne verni.

– Bienvenue, dit-elle d'une voix amicale, puis elle s'avança vers Rebecca bis. Cette jolie petite robe vous va à ravir, dit-elle en minaudant.

Elle se comportait comme si elle complimentait la fille de quelque dignitaire en visite, et ne s'attendait certainement pas à entendre la réponse de Rebecca bis.

– Elle est vulgaire, rugit la jeune Styx en agitant les épaules pour manifester son inconfort dans cette robe en coton léger. Dès que j'en aurai l'occasion, je la réduirai en charpie avant de la jeter au feu.

– Oh ! s'exclama la femme en écarquillant les yeux. Par… par ici, je vous prie, balbutia-t-elle en les entraînant à travers un autre couloir.

Elle marchait un peu trop rapidement, faisant claquer ses hauts talons sur le sol de pierres polies. Elle se garda bien de croiser le regard de Rebecca bis, lorsqu'elles arrivèrent enfin devant une grande porte en bois à battant. Elle frappa, puis l'ouvrit.

– Entrez, je vous prie, leur dit-elle.

Rebecca bis entra dans la pièce. Le général des Limiteurs les suivait quelques pas en arrière.

Elle posa le regard sur une longue table de bois sombre et vernie entourée de nombreuses chaises. Un aigle féroce émergeant d'un globe de bronze fracassé trônait en son centre. Après l'avoir examiné de plus près, Rebecca vit que le globe symbolisait le monde.

– Bonjour, dit l'homme qui venait de se lever de son siège à l'extrémité de la table, pour venir à leur rencontre.

Rebecca bis s'efforçait de ne pas fixer sa petite moustache, essayant d'estimer son âge. Il devait approcher les soixante ans. Il était corpulent et respirait bruyamment en marchant. Il avait les cheveux noirs et plaqués. Il portait un uniforme beige aux épaulettes rayées de fils d'or.

– Je suis Herr Friedrich, chancelier de la Nouvelle-Germanie, dit-il en se présentant.

Il avait la voix chaleureuse et parlait un anglais impeccable, en dépit d'un très léger accent. Il tendit la main à Rebecca bis et au général des Limiteurs, puis leur indiqua l'extrémité de la table où il avait été assis. Rebecca bis ralentit en arrivant au niveau d'une longue fenêtre. À cette hauteur, on avait une vue époustouflante sur la métropole. Le général et Rebecca bis s'attardèrent un instant et admirèrent le panorama.

– Impressionnant, n'est-ce pas ? dit fièrement le chancelier en l'invitant à regarder la photographie en noir et blanc accrochée au mur à côté de la fenêtre. Lorsque je suis arrivé dans ce nouveau monde il y a un peu plus de soixante ans, c'est tout ce qu'il y avait. Une bande de terre prise entre la mer et la montagne, peuplée de ruines et de quelques arbres.

Sur la photographie, des équipes d'ouvriers torse nu déboisaient une portion de jungle à coups de hache tandis que d'autres transportaient les troncs abattus. Il y avait des feux allumés tout autour d'eux. Rebecca repéra des tentes à l'arrière-plan et juste à côté, plusieurs de ces drôles d'hélicoptères.

– Soixante ans, répéta Rebecca bis en se tournant à nouveau vers la métropole.

– Tout a commencé dans les années trente, lorsque Himmler a lancé des expéditions aux quatre coins du monde, au Tibet et aux pôles. Il était en quête d'un savoir ancien qui permettrait au parti nazi de gagner le pouvoir. Entre autres choses, Himmler croyait à la théorie de la Terre creuse. Si nous nous trouvons dans cette ville avec une population de près de cinq cent mille personnes, c'est parce que Hitler voulait s'assurer que le IIIe Reich perdurerait bien pendant mille ans, comme il l'avait promis à notre nation. La Nouvelle-Germanie devait lui servir de refuge, son dernier poste avancé, au cas où nous perdrions la guerre.

– Mais il n'est jamais parvenu jusqu'ici, dit Rebecca bis. Il est mort dans son bunker.

Le chancelier s'apprêtait à lui répondre, lorsqu'un serviteur parut devant une petite porte située au coin de la pièce. Leur hôte sourit alors et frappa dans ses mains.

– J'ai pensé que nous pourrions déjeuner ensemble. Notre rencontre se place sous de si bons auspices que nous aurons du plésiosaure au menu, dit-il en s'avançant vers la table où trois couverts les attendaient.

– Du plésiosaure ? demanda Rebecca bis en fronçant les sourcils.

Elle comprit soudain pourquoi ce mot lui était si familier. Will et le Dr Burrows n'arrêtaient pas de discuter des fossiles qu'ils rêvaient de découvrir à l'occasion de leurs voyages. Le plésiosaure et l'ichtyosaure figuraient sur la liste.

– C'est un dinosaure qui ressemble à un énorme lézard à long cou ?

– Très impressionnant et tout à fait exact, la félicita le chancelier. Cette créature vit toujours dans nos océans, et c'est dans sa croupe qu'on trouve les morceaux de choix. J'ai le meilleur chef de toute la ville. Il saisit légèrement chaque steak et les sert sur un lit de riz à la mangue, ajouta-t-il en se pourléchant les babines. Vous allez goûter un mets rare, je vous le promets.

Ils prirent place et le domestique, une carafe en argent à la main, leur servit de l'eau fraîche.

– On apprend vite que pour s'adapter à ce monde et à ses températures élevées, il convient de boire suffisamment et de bien s'alimenter, déclara le chancelier en se servant un petit pain rond qu'il brisa au-dessus de son assiette. Nous n'avons pas l'habitude de recevoir des visiteurs originaires de la croûte extérieure, mais je ne doute pas qu'on se soit bien occupé de vous, n'est-ce pas ? J'espère que tout est à votre convenance.

On lui avait manifestement indiqué que c'était la jeune fille qui dirigeait les opérations, mais peut-être ne le croyait-il pas vraiment, car il adressait également ses questions au général des Limiteurs.

– Tout se passe très bien, merci, répondit poliment Rebecca bis. Mais je dois dire que je commence à me lasser des innombrables douches que votre personnel médical m'invite à prendre, ainsi que des doses infinies de teinture d'iode qu'il me faut avaler.

Le chancelier acquiesça avec compassion.

– En effet. Il est regrettable que vous soyez passées par les mines d'uranium avant d'arriver jusqu'à notre ville, mais on m'a dit que vous n'aviez pas subi d'irradiation excessive. J'ai bien peur que ces douches et la teinture d'iode ne soient des mesures de précaution nécessaires. Comme on vous l'a sans doute dit, nous limitons nos séjours dans ces montagnes, comme dans certaines parties de la jungle, à cause du taux de radioactivité élevé.

Rebecca bis acquiesça.

– Et votre sœur ? Se remet-elle bien ? demanda le chancelier.

– Vos médecins ont fait des merveilles. Elle avait perdu tellement de sang que je n'étais pas sûre qu'elle s'en sorte. Mais elle est sauve et sur la voie de la guérison. Je vous en suis très reconnaissante. Elle est absolument ravie qu'on lui ait envoyé un dentiste pour réparer ses dents cassées.

Le chancelier balaya la remarque d'un geste.

– Cette assistance est des plus naturelles entre de vieux alliés comme nous, dit-il en jetant un coup d'œil en direction d'un dossier posé sur son bureau, derrière le général des Limiteurs. Eh bien... Méphistophélès, j'ai lu quelques fichiers à votre sujet. On les a archivés sous forme photographique et il a donc fallu un moment avant de les localiser, mais je suis à jour maintenant. Veuillez m'excuser de ne pas vous avoir rencontrés plus tôt, mais je suis resté en liaison directe avec mon personnel depuis que vous êtes nos hôtes.

– Vos hôtes ? reprit Rebecca bis d'un ton sec, au moment où le chancelier buvait une gorgée d'eau.

Il déglutit bruyamment. Il n'avait pas l'habitude qu'on lui parle ainsi. Il reposa son verre sur la table avec méticulosité, puis se renfonça dans sa chaise et attendit que Rebecca bis poursuive.

– Vos hôtes, ou vos prisonniers ? On nous a confinés dans un complexe sous bonne garde. À l'exception de cette visite, vous ne nous avez pas autorisés à nous rendre où que ce soit.

– Nous vous avons protégés pour votre bien. Nous ne voulons pas affoler les civils, qui n'ont pas l'habitude de voir des étrangers. Vous êtes libres de quitter la ville quand bon vous semblera, mais tant que vous resterez dans son enceinte, nous insistons pour que vous demeuriez sous notre supervision.

– Vous nous laisseriez donc partir ? Vraiment ? Ne craignez-vous pas que nous révélions votre existence au monde extérieur, lorsque nous y retournerons ?

– Je ne pense pas que vous feriez ça, répondit le chancelier sans hésiter. Il me semble que les Styx accordent autant d'importance à leur intimité que nous. Quoi qu'il en soit, nos ingénieurs ont scellé avec des explosifs la fissure par laquelle nous sommes entrés en Antarctique. Nous ne savons pas par quel chemin vous êtes parvenus jusqu'à notre monde, mais nous pourrions très bien le trouver si l'envie nous en prenait, et le sceller par la même occasion.

– Inutile, confirma Rebecca bis. Votre secret sera bien gardé.

Puis elle continua, sans attendre :

– Mais j'ai besoin de votre aide.

– Tout dépend…

– Non, cela ne dépend de rien du tout, l'interrompit Rebecca bis. Avant l'invasion de la Pologne, nous avons passé un contrat avec le haut commandement allemand. Nous vous avons fourni des renseignements qui n'avaient pas de prix pour vous permettre de réaliser un certain nombre d'objectifs militaires au cours de votre campagne européenne. Ces renseignements ont eu un coût et de nombreux Styx ont perdu la vie pour les obtenir. Ce contrat était, comment dire, une voie à double sens. Nous vous fournissions des informations, et en échange vous nous promettiez une place à la table du vainqueur en cas de victoire. Même si vous n'avez pas gagné la guerre, je vous demande de racheter votre dette aujourd'hui.

– Pardonnez-moi, mais tout cela date de bien avant moi, et puis aucun membre du haut commandement n'est parvenu jusqu'ici, contra-t-il.

Le serviteur entra à ce moment précis avec un chariot chargé de nourriture, mais le chancelier le renvoya hors de la pièce.

Rebecca bis fixait le chancelier d'un regard froid.

– N'essayez pas de vous défaire de ce contrat. Je ne vous demande pas grand-chose. Juste de nous aider à retrouver quelque chose... quelque chose qu'on nous a volé. Vous avez une dette envers les Styx. Or, lorsque nous demandons une faveur en retour, nous n'aimons pas être déçus. Je ne vais pas m'abaisser à proférer des menaces, mais je vous déconseille *fortement* de nous contrarier.

Le chancelier avait haussé quelque peu les sourcils pendant qu'elle parlait et il gardait désormais cette expression figée sur son visage.

– Les généraux avec qui vous avez conclu ce pacte sont morts depuis longtemps, je le crains, dit le chancelier. Ils ont été tués à la fin de la guerre ou bien ont été jugés lors des procès de Nuremberg. Par ailleurs, nous avons certes conservé les traditions militaires prussiennes pour ce qui est du maintien de l'ordre à La Nouvelle-Germanie, mais nous sommes bien différents malgré tout. Nous ne persécutons plus aucune race comme par le passé. Nous ne cherchons pas la guerre. Nous ne sommes *pas* des nazis.

– Et ça, c'est quoi dans ce cas ? demanda Rebecca bis en indiquant l'aigle de bronze émergeant du globe brisé. Une décoration de Noël ? Vous avez trouvé un endroit tranquille et confortable pour vous cacher lorsque votre pays a perdu la guerre, et vous vous êtes ramollis ? dit-elle avec mépris.

Il y eut un silence qui dura plusieurs secondes.

– Oui, si vous voulez voir les choses comme ça, concéda le chancelier. Nous avons entendu ce qui était arrivé à notre mère patrie après la guerre et nous ne nous intéressons plus à ce qui se passe dans le monde extérieur. Au cours des premiers mois d'existence de ce poste avancé, les membres du parti nazi qui accompagnaient les convois d'hélicoptères venus de l'Antarctique ont été, comment dire, perdus en route. Les officiers SS et les techniciens qui furent acheminés jusqu'ici voulaient oublier le passé et prendre un nouveau départ. Nombreux étaient ceux qui avaient été à Stalingrad et sur le front Est. Après cinq années de massacres inutiles, ils avaient vu assez de morts et de destruction.

– Le lion qui avait cessé de rugir… sourit Rebecca avec amertume. Donc, ça y est, vous vous êtes défilés et vous avez laissé votre nation à l'abandon ? Vous êtes faibles et pathétiques. Vous feriez mieux de vous rebaptiser les Néo-Géraniums, dit-elle en basculant la tête avec insolence.

Le chancelier se cala sur sa chaise, comme s'il ne savait quoi lui répondre.

– Eh bien, notre peuple n'a pas abandonné. Et si vous n'honorez pas vos obligations, il y aura de graves conséquences, poursuivit Rebecca bis.

Le général des Limiteurs prit alors la parole d'un ton détendu, comme s'il menait une conversation normale :

– Acceptez notre requête, ou bien nous dépêcherons plusieurs milliers de Limiteurs comme moi, pour qu'ils tuent tous les hommes, toutes les femmes et tous les enfants de cette ville.

Le chancelier avait désormais les sourcils si haut perchés sur le front qu'on eût dit que jamais ils ne redescendraient.

Rebecca bis posa lentement le poing sur la table, prit une inspiration et vrilla le chancelier de son regard de jais.

– Vous nous fournirez donc des hommes sélectionnés parmi vos troupes d'élite, et des moyens de transport. Une fois que nous aurons obtenu ce que nous sommes venus chercher, nous vous laisserons en paix. Compris ?

Le chancelier finit par acquiescer.

La jeune Styx et le général des Limiteurs se levèrent simultanément de table.

– Vous partez ? Et notre déjeuner ? demanda calmement le chancelier.

– Nous retournons au complexe. Je mange avec mes hommes, dit Rebecca bis avant de tourner la tête vers le chariot qu'avait abandonné le domestique. Nous ne voudrions pas que votre cul de lézard refroidisse.

Chapitre Onze

– Tu veux que je transporte quelques trucs jusqu'à la cachette ? proposa Elliott en refermant le sac à dos qu'elle s'apprêtait à emporter. Ce sera sans doute plus sûr là-bas.

Depuis la base qu'elle avait construite dans les arbres, elle regardait Will, qui vérifiait vaguement ses affaires. Il n'avait pas vraiment de raison d'être là. Il voulait juste être avec Elliott.

Elle se releva et le rejoignit, puisqu'il ne répondait toujours pas.

– Tu devrais garder quelques armes et des munitions ici, mais le reste ne fait qu'encombrer les lieux, dit-elle.

– D'accord, comme tu veux, répondit-il en prélevant quelques objets, puis il s'arrêta pour la regarder. Je n'ai pas parlé de la galerie à papa, tu sais.

– Ah bon ?

Le Dr Burrows n'avait manifesté aucun intérêt pour la cachette, mais Will savait qu'il insisterait pour voir la galerie qui s'étendait derrière la chute d'eau. Comme en témoignaient les inscriptions à l'entrée, c'étaient les Anciens qui l'avaient construite, et son père voudrait forcément l'explorer de fond en comble.

– Tu devrais lui dire, Will, répondit-elle en s'agenouillant à ses côtés pour choisir à son tour quelques objets à emporter, comme s'il était incapable de le faire tout seul. Si cette galerie remonte jusqu'au niveau où vivait Martha, ce qui est très possible, vous pourrez rentrer chez vous, et c'est important.

– Ouais, mais je n'ai pas plus envie que toi de partir d'ici. Un jour prochain, papa va remonter là-haut et raconter ses découvertes au monde entier. Il veut être reconnu. Il en parle tout le temps, dit Will en plissant le front. Il me forcera à l'accompagner, parce qu'il aura besoin d'aide pour transporter les crânes, les pierres et autres artefacts pour étayer ses propos.

Will était visiblement en proie à un dilemme.

– Peut-être qu'il voudra que tu l'accompagnes, pour pouvoir garder un œil sur toi et s'assurer que tu vas bien, suggéra Elliott.

– Non, tu sais très bien qu'il ne fonctionne pas comme ça, rétorqua aussitôt Will en se frottant le visage, puis il poussa un soupir. « Certaines idées sont trop importantes pour qu'on laisse quiconque s'interposer », dit-il en citant ce qu'avait déclaré son père avant de sauter dans le gouffre de Jeanne la fumeuse, et cet acte de foi avait fini par les conduire dans ce monde secret. Impossible, son travail avant tout. Même avant moi, ajouta-t-il en regardant la jeune fille d'un air lourd de sous-entendus.

Elliott acquiesça.

– Et je ne vais pas te laisser ici… pas toute seule, poursuivit-il d'une voix tremblante en faisant mine d'observer un ongle cassé.

– On verra bien, dit Elliott d'un ton détaché. Restons optimistes. Si ça se trouve, on se fera tuer avant d'avoir pris la moindre décision, ajouta-t-elle en ramassant quelques affaires de Will avant de se lever, puis elle retourna vers son sac.

Will était bouleversé. Il avait tenté de faire comprendre à Elliott ce qu'il ressentait pour elle de la seule manière qu'il connût, sans les mettre dans l'embarras, mais elle n'avait pas réagi comme il l'espérait. Il avait l'impression qu'elle l'avait rejeté.

Peut-être était-ce beaucoup plus simple que ça. Peut-être ne l'aimait-elle pas de cette façon. Peut-être n'était-il pas assez *singulier* à ses yeux. Elle le voyait tel qu'il était. Il n'avait rien de très mystérieux, ils vivaient en effet très proches l'un de l'autre. Il ne pouvait pas faire grand-chose pour l'impressionner non plus. Elle serait toujours capable de faire dix fois mieux que lui. C'est elle qui possédait tout un tas de dons qui lui permettaient de prospérer dans cet environnement.

Ils s'étaient retrouvés dans cette situation irréelle à la faveur de circonstances extraordinaires, et peut-être que cela n'allait pas plus loin. Elle aurait sans doute préféré la compagnie d'un autre.

– Chester, soupira Will à mi-voix.

Même si ce n'était pas le cas, Will ne pouvait s'empêcher de penser que le Dr Burrows gâcherait tout pour satisfaire sa quête de connaissance égoïste et sans appel. Will tourna la tête vers la pyramide. Il voyait son père à travers les feuillages. Il filait sur l'un des degrés, perché sur ses jambes maigres telle une araignée égarée, poursuivant son étude détaillée des inscriptions gravées dans la pierre. Qu'il le veuille ou non, Will était prisonnier de sa toile.

Mme Burrows commença à émerger du recoin obscur de son esprit dans lequel elle passait ses journées, alors que la caverne Sud retentissait du premier son de cloche du matin, un son grave et empreint de tristesse. Elle avait repris le plein contrôle de son corps, mais ne bougeait pas le moindre muscle. Elle écoutait plutôt le bruit qui provenait de l'entrée où Eliza et sa mère se disputaient tout en enfilant leurs manteaux et en coiffant leurs chapeaux.

– Elle va bien, dit brusquement Eliza à sa mère en pointant le nez de derrière la porte pour jeter un coup d'œil sur Mme Burrows.

Puis elles s'en allèrent toutes deux en caquetant comme deux vieilles poules.

C'était l'heure des vêpres, c'est-à-dire le service religieux qui se tenait chaque soir sans exception dans toute la Colonie, et il n'était pas convenable d'y arriver en retard. Ce soir-là, l'officier en second était encore au travail dans le Quartier, c'est pourquoi il n'accompagnait pas sa mère et sa sœur, mais il assisterait à l'office dans une église bien plus proche du commissariat de police. Enfin, c'est ce qu'il ferait si on ne lui demandait pas de surveiller quelque malheureux enfermé au Cachot.

La cloche retentit une septième et dernière fois. Mme Burrows entendit quelqu'un courir d'un pas lourd sur le trottoir, puis ce fut le silence absolu. Tout le monde devait assister aux vêpres, à moins d'être en service officiel, ou bien d'être trop malade ou infirme. Ces services étaient l'occasion de renforcer l'instruction religieuse des gens de la Colonie à partir du *Livre des catastrophes*. Les Styx en profitaient pour surveiller la congrégation. On racontait que les deux Styx postés à l'entrée de l'église savaient précisément qui devait être là et gardaient l'œil sur les fauteurs de troubles potentiels.

Au début, Eliza avait insisté pour emmener Mme Burrows à l'église en fauteuil roulant, mais une petite troupe de Colons amers s'était rassemblée sur le trottoir pour l'empêcher à tout prix de passer. Eliza avait ignoré les murmures – « saleté de Surfacienne », « infidèle », lançaient-ils – et s'était mise à marcher sur la route. Mais lorsqu'elle était enfin parvenue devant l'entrée, un cordon de Colons qui s'était rapidement formé lui avait barré l'accès à l'église. Les deux Styx avaient détourné les yeux et n'avaient rien fait pour l'aider.

Le cerveau de Mme Burrows avait été grièvement abîmé par la Lumière noire, et même si elle semblait inconsciente à n'importe quel badaud, elle avait senti des vagues de haine pure émaner de la foule en colère. Elle avait eu l'impression que sa tête allait exploser, et s'était mise à saigner si abondamment du nez qu'on aurait cru qu'une artère venait de céder. Son visage ruisselait de sang.

Alors qu'Eliza tentait d'arrêter l'hémorragie, la foule s'était mise à scander : « Saigne, Surfacienne, saigne ! », puis : « Saignez la truie, saignez la truie ! » Eliza avait fini par abandonner tout espoir d'assister à l'office et elle était repartie avec Mme Burrows sous les huées.

Après cet incident, quel ne fut pas le soulagement de Mme Burrows lorsque Eliza décida de la laisser seule dans la maison vide. Depuis ce jour-là, la sensibilité de Mme Burrows aux émotions de son entourage n'avait cessé de s'aiguiser. Elle ne savait pas si elle pourrait affronter une fois encore la furie et les diatribes de ce troupeau de Colons. Or, ce serait une catastrophe si jamais elle manifestait la moindre réaction, même la plus infime. La partie serait finie. On la jetterait aussitôt au Cachot et il était vraisemblable que les Styx la soumettent à de nouveaux interrogatoires sous la Lumière noire.

À présent seule dans la maison vide, sans personne pour l'observer, Mme Burrows ouvrit les yeux et se rassit. Elle se débarrassa de la serviette qu'on avait drapée sur sa poitrine pour recueillir sa bave, puis se leva.

– C'est mieux, dit-elle en s'étirant, vêtue d'une robe trop ample, puis elle bâilla comme si elle venait de se réveiller d'un profond sommeil.

Elle s'assit sur le sol et fit quelques rapides exercices de yoga pour détendre ses membres encore raides, puis se releva.

– Colly, appela-t-elle d'une voix douce, où es-tu ?

La chasseresse accourut et Mme Burrows caressa sa tête à la peau noire et lisse.

– Bonne chatte, dit-elle, puis elle se rendit dans l'entrée, la chasseresse à ses côtés.

Mme Burrows avait la vue sérieusement touchée, mais ne se reposait plus sur Colly pour lui servir de guide. Pendant la nuit, lorsque le reste de la maison était endormi, elle avait joué avec ce nouveau sens si singulier pour en tester les limites. Il semblait s'affiner chaque jour.

Mme Burrows ne voyait pas comme tout le monde.

Elle avança jusqu'à la porte d'entrée, l'ouvrit et se retrouva face à la rue déserte. Puis elle déchaîna son sixième sens. On eût dit qu'elle déployait des tentacules invisibles qui lui fournissaient des informations, comme si elle voyait ou palpait réellement les choses qu'elle rencontrait en chemin. Ils s'étendaient dans toutes les directions, vers les maisons d'en face, aux extrémités de la rue, voire au-delà, sondant sans cesse leur environnement. Il n'y avait personne dans les parages, elle l'avait deviné, et ce n'est que lorsqu'elle lança l'un de ses tentacules au loin qu'elle tomba sur la salle bondée dans laquelle on célébrait les vêpres. Elle percevait des émotions diverses parmi les gens qui se trouvaient à l'intérieur – l'ennui, la fatigue et la peur. Le prêcheur styx devait donner son habituel sermon apocalyptique. Mais au moment où elle retirait vivement ce tentacule, elle perçut quelque chose.

– Non ! s'exclama-t-elle en sortant dans la rue, puis elle se précipita dans l'allée du jardin, le nez en l'air.

Elle ne pouvait s'empêcher de suivre l'odeur qu'elle venait de découvrir, tel un papillon attiré par la lumière. Colly poussa un miaulement plaintif, comme si elle pensait que Mme Burrows avait tort de quitter la maison.

– Tout va bien, la rassura Mme Burrows. Regarde, il n'y a personne.

Parvenue au bout de la rue, Mme Burrows tourna à l'angle, puis dépassa plusieurs autres voies jusqu'à ce qu'elle ait enfin repéré l'endroit qu'elle avait senti. Il s'agissait d'une maison située au milieu d'une rangée. Elle renifla à nouveau pour s'assurer que c'était bien la bonne, puis s'avança vers la porte d'entrée. Elle était verrouillée. Mme Burrows essaya donc d'ouvrir les fenêtres situées de part et d'autre de la porte et finit par entrer en enjambant le rebord.

Elle se retrouva dans un salon où brûlaient encore les restes d'un feu dans l'âtre. On avait laissé des assiettes à moitié pleines sur la table, mais elle ignora tout cela pour humer l'air une nouvelle fois. Elle se rendit directement à l'arrière de la maison et c'est là qu'elle découvrit, appuyé contre le mur, à côté de la porte de derrière, l'objet qui l'avait attirée jusque-là.

– Will, dit-elle en touchant la bêche adorée de son fils.

Elle ne comprenait pas comment la bêche avait pu atterrir là, mais il la lui fallait à présent. Elle l'attrapa, caressa la lame en acier inoxydable en se rappelant combien Will en avait pris soin. À la fin de chaque journée de fouilles à Highfield, il ne manquait jamais de la nettoyer et de la polir avant d'aller se coucher.

Mais elle n'était pas venue jusqu'ici pour toucher le manche ou la lame de la bêche. Même après tous ces mois passés dans la Colonie, l'odeur qui persistait sur la bêche ravivait l'image de son fils dans son esprit. Son sourire s'estompa rapidement. Elle venait de s'apercevoir qu'elle s'éloignait de ce qui l'avait conduite dans la Colonie. Elle essayait d'aider Will dans sa lutte contre les Styx, et à ce moment précis, elle ne savait pas du tout où il se trouvait, ni même s'il était encore en vie. La dernière fois qu'elle l'avait vu, c'était au Petit Chef, alors qu'ils étaient en chemin pour le Norfolk. Elle se demandait comment il s'en était sorti dans les entrailles de la Terre, chargé de la mission que lui avait confiée Drake.

– Je ne peux pas rester ici beaucoup plus longtemps. Il faut que je quitte la Colonie, marmonna-t-elle à la chatte qui l'observait attentivement. Nous devons quitter cette maison sur-le-champ ! s'exclama-t-elle alors que l'un de ses tentacules olfactifs venait de l'alerter.

À quelques rues de là, elle avait perçu un regain d'activité dans l'église. Mme Burrows fonça vers la fenêtre et laissa tomber la bêche en sortant.

– Bon sang ! jura-t-elle en la récupérant avant de partir en courant. Suis-moi, Colly ! siffla-t-elle.

Elle sentait la présence des gens tout autour d'elle tandis qu'ils se déversaient à nouveau dans les rues. Elle n'était plus très loin de la maison, lorsqu'elle détecta la présence de deux Colons qui se rapprochaient bien trop vite. Elle ne pouvait pas se permettre de se faire repérer. Entraînant la chasseresse avec elle, elle s'abrita dans une ruelle entre deux maisons. Comme elle était presque aveugle, elle ne pouvait être certaine qu'elle était hors du champ des réverbères. Les deux jeunes enfants, un garçon et une fille, couraient dans la rue en riant et criant. Ils la dépassèrent sans la voir.

Dès qu'ils furent partis, Mme Burrows sortit de la ruelle et fonça vers la maison. À l'intérieur, elle cacha la bêche derrière le buffet de la pièce où elle dormait. Mais Colly était encore tout excitée par leur course folle et ne tenait pas en place.

– Calme-toi un peu maintenant, lui ordonna Mme Burrows. Va dans ton panier.

La chasseresse obéit et se faufila hors de la pièce. Mme Burrows venait de reprendre place dans son fauteuil roulant lorsqu'elle entendit la porte d'entrée, et c'est alors qu'elle se souvint de la serviette que l'on avait étalée sur sa poitrine. *Oh non !* songea-t-elle. *Espèce d'idiote !* Elle se pencha en avant pour la ramasser, la jeta sur sa poitrine et s'affala dans son fauteuil, juste avant qu'Eliza et sa mère n'entrent dans la pièce.

Encore vêtues de leurs chapeaux et de leurs manteaux, elles contemplèrent Mme Burrows pendant plusieurs secondes : elles débordaient de désapprobation.

– Encore là, celle-là ? Un fameux poids mort, tiens ! dit la vieille femme d'un ton plein de ressentiment.

– Bien sûr. Elle n'ira jamais nulle part, commenta Eliza. Mais elle ne m'a pas l'air en grande forme, tu ne trouves pas ? Un peu rouge, je dirais. Peut-être qu'elle nous couve une fièvre ? ajouta-t-elle, pleine d'espoir en lui touchant le front.

Mme Burrows ralentit aussitôt sa respiration et abaissa la température de son corps. Il ne fallait pas qu'elles voient qu'elle était essoufflée ou échaudée par l'exercice.

– Non, elle n'a pas de température, décréta Eliza, manifestement déçue.

– P't'être qu'y faudrait lui donner un p'tit coup d'pouce pour l'aider à partir, suggéra la vieille femme en baissant la voix. Elle s'en r'mettra jamais de toute façon. Ce s'rait un peu comme moucher la mèche d'un cierge, non ?

– On ne peut pas continuer comme ça, acquiesça Eliza.

– Non, et en désespoir de cause, faut ben prend' les m'sures qui s'imposent, murmura la vieille femme en ôtant son chapeau. On pourrait arrêter d'la nourrir ? Ou ben ajouter du poison à limaces dans sa nourriture ?

Eliza ne répondit pas. Elle restait plantée devant Mme Burrows, mais son silence était lourd de sens.

C'est ce qu'on verra, pensa Mme Burrows en se retirant dans les recoins obscurs de sa conscience, tout en chérissant le souvenir de Will ravivé par la bêche. *Essayez donc un peu pour voir, vieilles sorcières !*

Chapitre Douze

Cette fois-ci, c'est Eddie qui conduisait, tandis qu'ils filaient à travers la campagne du Norfolk. Drake tenait le détecteur à la main et suivait le signal de la balise radio, tout en consultant le GPS du véhicule pour trouver la route la plus directe.

– Tournez à gauche, dit-il avant de se reprendre – il venait en effet de faire défiler l'itinéraire sur l'écran du GPS. Non, je n'ai rien dit. Tout droit, puis deuxième à gauche, corrigea-t-il en levant les yeux vers un panneau sur le bord de la route. *Walsingham.* À ce rythme-là, on va finir sur la côte.

Dix minutes plus tard, le signal était si fort que le détecteur émettait un bruit quasiment continu. Drake finit par en couper le volume.

– Bien, nous sommes assez près maintenant. Laissons la voiture et partons en reconnaissance.

Eddie trouva un emplacement où se garer et ils quittèrent le véhicule. Après avoir prélevé ce dont ils avaient besoin dans le coffre, Drake s'accorda un instant pour localiser la provenance du signal avant d'enfiler son casque. Ils traversèrent la route et s'engagèrent à vive allure sur un sentier qui longeait un champ de colza.

À travers la lentille de son casque, Drake semblait voir un océan d'or blanc parcouru de longues déferlantes poussées par le vent. Eddie était à ses côtés. Il marchait à longues enjambées et sans bruit, vêtu de son uniforme de Limiteur, la carabine à la main. La silhouette sombre du soldat qui se découpait sur fond d'or avait quelque chose d'intemporel. Elle évoquait l'image d'un guerrier héroïque sorti tout droit de quelque épopée. *Être toujours le meilleur et l'emporter sur tous les autres*, songea Drake en se remémorant ce vers d'Homère.

Drake se réjouissait d'avoir un compagnon, lui qui avait passé une grande partie de sa vie seul, isolé, à livrer cette bataille impossible contre l'ennemi. Voilà qu'enfin il avait un allié, voire peut-être *un ami*. Il trouvait encore bien étrange de se trouver aussi proche d'un homme du camp ennemi, mais il devait bien admettre qu'Eddie avait raison. Ils étaient semblables par bien des aspects.

Un kilomètre plus loin, ils s'approchèrent d'une haie tout au bout d'une prairie herbeuse et virent se profiler une petite colline. Ils s'accroupirent lorsque Eddie lui fit signe de s'arrêter en levant le poing.

Drake scruta la haie à travers sa lentille en essayant de comprendre ce qui préoccupait Eddie et vit alors qu'il examinait le sol devant lui. Drake sortit son revolver. Eddie dégagea quelques branches et quelques touffes d'herbes séchées et Drake finit par comprendre lorsqu'il vit un treillis de bâtons entrecroisés masquant une tranchée au fond de laquelle on avait planté une rangée de pieux acérés.

Les deux hommes échangèrent un regard. C'était un piège qu'on ne s'attendait certainement pas à trouver dans le Norfolk. Ils se demandaient l'un comme l'autre si ce piège était destiné à un gros animal ou bien à un homme. D'après sa taille et l'endroit où il se trouvait, la seconde solution semblait s'imposer.

Eddie donna le signal, puis il contourna la tranchée en vérifiant soigneusement chaque parcelle de terre alors qu'il s'avançait vers la haie. Drake découvrit une zone un peu moins dense qu'il commença à sonder de la main. Il découvrit une ficelle tendue à hauteur d'épaule qu'il se garda bien de toucher. Il ne voulait prendre aucun risque.

Ils partirent à gauche en longeant la haie et aperçurent le toit d'une cabane de l'autre côté. Derrière l'angle droit que formait la haie s'élevait la petite butte qu'ils avaient vue un peu plus tôt. Eddie lui montra sa carabine, puis le sommet de la butte. Drake comprit qu'il comptait se poster en hauteur pour utiliser sa lunette à vision nocturne.

Pendant ce temps-là, Drake continua à longer la haie et finit par trouver un passage. Une fois de l'autre côté, il resta accroupi sur un parterre de fleurs en inspectant le jardin. Tout avait l'air assez tranquille. Il y avait une tonnelle, quelques chaises et un banc, ainsi qu'une mangeoire pour les oiseaux. L'endroit n'avait rien d'extraordinaire et le décor était même plutôt mièvre. C'était l'idée que les citadins se faisaient d'un jardin.

Mais celui qui avait creusé ce piège voulait manifestement décourager les visiteurs et ne voyait pas d'inconvénient à les tuer par la même occasion. Ce n'était probablement pas l'œuvre des Styx. Ce piège était bien trop rudimentaire. Non, il s'agissait plutôt de renégats, mais ce n'était qu'une intuition. Il commençait même à se demander s'il allait finir par trouver Chester au bout de cette piste. Pour autant qu'il sache, quelqu'un aurait très bien pu emporter l'une des balises radio et la placer là.

Drake avança lentement. Une odeur désagréable flottait dans l'air, et elle s'intensifiait à mesure qu'il approchait de la cabane de jardin. Il attendit un instant, à l'affût du moindre mouvement, puis il glissa un doigt dans la fente de la porte et l'ouvrit doucement.

Un essaim de mouches agitées se mit à voleter bruyamment, tandis que la puanteur devenait indescriptible.

Le souffle coupé par un sentiment d'horreur, il dénombra quatre corps étendus sur le sol de la cabane, à demi dévêtus. Il y avait une femme et trois hommes. À en juger par son pantalon bleu et sa chemise bleu ciel, la plus récente victime devait être un facteur. C'était une chose que de voir des soldats récemment tués dans une bataille, et il avait appris à surmonter ces horreurs, mais cette fois-ci il s'agissait de civils. Qui plus est, ils se trouvaient dans un état de décomposition avancé.

C'est alors qu'il remarqua autre chose.

– Oh, mon Dieu, s'étrangla-t-il.

Il se couvrit la bouche pour contenir un haut-le-cœur.

Comme si ce massacre et la puanteur moite des corps putréfiés ne suffisaient pas, on avait prélevé des bouts de chair sur les os mis à nu.

Drake recula vivement en refermant la porte derrière lui, puis se dirigea vers l'allée bordée d'arbres juste derrière les meubles de jardin. Il se hâtait sans doute un peu trop, mais cette odeur lui était devenue insupportable.

Il était clair désormais qu'il avait affaire à quelqu'un de sauvage et de monstrueux. Au moins, le corps de Chester ne faisait pas partie des cadavres, mais rien ne prouvait qu'il allait bien pour autant. S'il était encore en vie, Drake devait le tirer de là au plus vite.

Drake ralentit sa respiration et fit appel à tous ses sens. Il voyait clairement la maison à travers sa lentille, mais ne descendit pas le long de l'allée bordée d'arbres qui débouchait sur un petit portail. C'était l'endroit idéal pour tendre une embuscade.

Il partit sur la gauche, contourna la maison, longea l'allée en passant par la bande de terre meuble, puis sauta par-dessus une petite barrière. On avait abandonné une voiture dans l'allée principale devant l'entrée, comme si le conducteur en était sorti précipitamment. Il y avait également deux valises sous le véhicule, dont une qui avait été ouverte à la hâte. Quelques vêtements gisaient éparpillés sur le sol. Drake ne s'approcha pas plus près, de peur que le crissement du gravier sous ses bottes ne trahisse sa présence.

Il se glissa furtivement vers l'entrée et s'accroupit sous une fenêtre avant de se relever lentement pour jeter un coup d'œil à l'intérieur. Il vit la lueur d'un feu dans la pièce, mais il n'y avait personne. Il aurait voulu avoir une liaison radio avec Eddie, car il se retrouvait face à un dilemme. Fallait-il entrer dans la maison ou bien aller chercher son compagnon, qui se trouvait sans doute encore sur la butte, en train de scruter les environs à l'aide de sa lunette à vision nocturne ? Drake était rongé d'inquiétude au sujet de Chester. Il aurait voulu partir à l'attaque sans attendre Eddie, mais s'ils devaient se lancer à l'assaut du bâtiment, mieux valait qu'ils entrent simultanément par l'avant et par l'arrière pour semer la confusion parmi les occupants. Il rebroussa donc chemin vers la brèche qu'il avait trouvée dans la haie.

Drake était presque parvenu à son but lorsqu'il aperçut brièvement une ombre… humaine. Une femme, qui plus est. Elle avait des cheveux bouclés et décoiffés. Son visage dodu était luisant de sueur. Elle tenait une arme à la main.

Il entendit un sifflement.

Il n'eut pas le temps de réagir. Quelque chose vint frapper la lentille qui lui couvrait l'œil et il ne résista pas au choc qui le fit basculer en arrière. Il effectua une roulade et ne se releva que quelques mètres plus loin, prêt à tirer. Mais la scène s'embrasa derrière sa lentille et vira à l'orange vif, avant de s'évanouir dans le noir. Des bris de verre tombèrent sur le sol. La force du projectile avait brisé la lentille.

Or, sans vision de nuit, il ne pouvait espérer voir cette femme dans la pénombre.

Dans les buissons, il entendit un clic sur sa gauche.

Une arbalète ?

C'était donc une flèche ? Il se souvenait que Will lui avait parlé d'une ancienne renégate qui avait pris Elliott et les garçons sous son aile. Il était certain qu'elle se servait d'une arbalète.

– Martha ? lança-t-il.

Une première déflagration retentit sur la colline et il entendit la voix gutturale de la femme lâcher un juron, puis Eddie tira encore un autre coup de feu qui se réverbéra alentour.

Drake se précipita vers la maison. Il courait à l'aveuglette dans le noir et il voulait se protéger derrière une masse compacte. Il se plaqua contre un mur, à l'affût du moindre bruit et du moindre mouvement. C'est alors qu'il entendit les cris de panique qui venaient de l'intérieur de la maison. Il essaya d'entrer par la porte de derrière, mais la poignée ne cédait pas.

Il entendit d'autres cris encore.

– Chester ! s'exclama Drake qui l'avait reconnu.

Il enfonça la porte d'un coup de pied et découvrit le jeune garçon allongé dans l'entrée.

– Styx ! Au secours ! hurla Chester qui se débattait comme un beau diable sur la moquette, toujours ligoté.

Le jeune garçon avait vu Eddie se faufiler par la porte d'entrée.

– Dites-lui que je suis un ami, Drake.

– Chester, tout va bien. Il est de notre côté. Et Dieu merci, tu es sauf ! cria Drake.

Chester lança un regard stupéfait à Drake et des larmes de gratitude se mirent à rouler sur ses joues.

– Tu es en sécurité maintenant, dit Drake en tranchant les liens de Chester.

Chester s'agrippait à son bras, qu'il refusait de lâcher. Il pleurait toujours et bredouillait des paroles incompréhensibles.

– Et la femme ? demanda Drake à Eddie.

– Je l'ai touchée, mais je n'ai pas réussi à l'abattre. Elle a contourné la maison et s'est enfuie vers la route. Il n'y avait pas de trace de son passage quand je suis arrivé, si ce n'est ceci, dit Eddie en brandissant l'arbalète.

Elle était couverte de sang. Eddie s'avança vers la porte d'entrée, qui était restée ouverte, pour observer l'allée principale.

– Impossible, ce n'est pas une renégate. J'ai vu les corps dans la cabane, ces gens qu'elle mangeait. J'ai déjà été confronté à des cas de cannibalisme comme ça, mais…

– Non, ne dites ri… ! hurla Drake, mais il était déjà trop tard.

Comprenant ce que venait de dire Eddie, Chester se raidit soudain. Il chercha du regard les cuillers et les assiettes sales que Martha avait jetées sur la moquette de l'entrée. Des morceaux de viande séchée y étaient restés collés.

– Des corps ?… Des gens ?… gémit-il. Pas des oiseaux ? ajouta-t-il en frissonnant. C'étaient pas des oiseaux ?

Il venait de comprendre ce que Martha lui avait donné à manger et fut pris d'une nausée incontrôlable.

– Oh, Chester, je suis désolé, lui dit Drake en essayant de le consoler.

– Voici ce que je voulais te montrer, dit le Dr Burrows à Will, qui venait de le rejoindre d'un bond sur l'un des degrés de la pyramide.

Il y avait une rangée de dix pierres accrochées à hauteur des yeux sur une petite corniche. Elles faisaient chacune cinq centimètres carrés et étaient toutes gravées de symboles. Elles affleuraient légèrement, et lorsque le Dr Burrows appuya sur la pierre la plus proche, elle s'enfonça.

– Waouh ! s'exclama Will. Peut-être qu'il y a quelque chose de caché derrière, comme les crânes que tu as trouvés ?

– C'est ce que j'ai cru au départ, mais il y a un truc qui les empêche de sortir de leur logement.

Le Dr Burrows montra alors à Will que le bloc de pierre refusait de bouger de plus de quelques centimètres, puis il le repoussa.

– Et elles sont toutes comme ça, ajouta-t-il en procédant de même avec la pierre suivante.

– Qu'est-ce qu'il y a d'écrit dessus ? demanda Will en essayant de déchiffrer le bloc le plus proche de lui. Ce sont des lettres ?

– Oui, il y a une lettre gravée sur chaque pierre, mais lorsqu'on les lit de droite à gauche, comme je l'ai fait pour les archives des Anciens, on n'obtient qu'un charabia incompréhensible. J'ai même essayé de mélanger les lettres pour voir s'il s'agissait d'une anagramme, mais en vain. Ça ne veut rien dire, bon sang.

Le Dr Burrows se pencha pour récupérer son journal, et se mit à siffler en l'ouvrant à la page où il avait recopié les lettres.

– Il va t'en falloir un autre, commenta Will en remarquant les rares pages encore vierges.

– Je m'occuperai de ça le moment venu, marmonna le Dr Burrows avec impatience en examinant l'enchaînement des dix lettres. Non, je ne comprends pas. Tout ce que j'ai vu sur cette pyramide m'indique que les Anciens étaient un peuple très intelligent et surtout logique. Ils ont laissé derrière eux une synthèse de leurs connaissances dans le domaine de la philosophie, de la médecine et des mathématiques. Et je peux te dire qu'ils étaient bien plus en avance que les Grecs, qui leur ont pourtant succédé des siècles plus tard.

– Qu'est-ce que tu veux dire ? demanda Will, soulagé de voir que son père avait changé de sujet.

Il devenait beaucoup moins pressant de révéler l'existence de la galerie. Qui plus est, il aurait eu l'impression de trahir Elliott.

– « Regardez mes œuvres, puissants, et désespérez ! » déclama le Dr Burrows d'une voix théâtrale, en alliant le geste à la parole.

– Hein ?

Will se demandait si son père ne souffrait pas d'une insolation.

– C'est une citation d'un poème intitulé *Ozymandias*[1], expliqua le Dr Burrows. Je veux parler de la vanité des peuples puissants, ajouta-t-il en regardant vers son fils sans le voir. Comment laisser un testament, une archive à l'épreuve des ravages du temps ? Le papier n'est pas adéquat, à l'exception des manuscrits de la mer

1. Poème de P. B. Shelley, 1817.

Morte, car il ne perdure pas. Les bibliothèques brûlent. À dire vrai, les bâtiments ne durent pas non plus, n'est-ce pas ? Ils disparaissent dans des catastrophes naturelles ou bien finissent par être pillés. L'œuvre du temps.

– Je ne sais pas, répondit Will en haussant les épaules. Qu'est-ce que tu ferais, toi ?

– Nous nous tenons juste au-dessus, Will. Il faut construire un édifice si imposant, si substantiel que rien ne puisse le rayer de la face du monde, ou plus exactement, corrigea-t-il en secouant la tête, des entrailles de la Terre intérieure. Mis à part les effets du climat, cette pyramide durera une éternité, comme celles d'Égypte, qui ne sont que des bébés en comparaison.

Le Dr Burrows eut l'air soudain agacé.

– En plus, je n'ai vu qu'un tiers du tableau. Je n'ai pas encore examiné les deux autres pyramides, n'est-ce pas ? Qui sait ce qu'on y trouvera, et s'il y a une solution à cette énigme ? Peut-être est-ce un code dont la clé se trouve sur l'autre... dit-il en inclinant la tête vers la rangée de pierres.

– Mais on ne peut pas aller voir les autres pyramides alors qu'il pourrait très bien y avoir des Limiteurs dans le coin. Elliott a dit que ce serait...

– N'écoute pas ce qu'elle raconte, répondit le Dr Burrows en se tournant vers son fils. Je ne crois pas qu'elle soit tombée sur ce signal par hasard au beau milieu de la jungle. Non, c'est bien trop important. Et puis, c'est quand même insensé quand on y pense, nous n'avons même pas fait l'effort d'explorer les autres pyramides, déclara-t-il en refermant son journal. À dire vrai, rien de tel que d'agir dans le présent. Retourne au camp et ramène-nous ce dont nous aurons besoin. On met les voiles, tout de suite !

Will hésita. Or, le Dr Burrows s'attendait à une tout autre réaction.

– Allez, l'autre pyramide n'est pas très loin. Ce voyage, c'est du gâteau.

– D'accord, répondit Will, qui n'avait pas vraiment envie de marcher longtemps dans la jungle, mais il savait bien qu'il était inutile d'essayer d'argumenter.

– Et n'oublie pas ma boussole ! lui cria le Dr Burrows, descendant déjà de la pyramide.

Ouais, ouais, se dit Will à lui-même en traînant les pieds, pendant qu'il traversait la clairière pour rejoindre leur base perchée dans un arbre.

– Il faut qu'on t'emmène loin d'ici, dit Drake en entraînant Chester vers la sortie.

Ils franchirent ainsi la porte, puis traversèrent l'allée qui menait à la route.

Drake était atterré par l'apparence du jeune garçon. Après lui avoir ôté la couche de crasse qu'il avait sur le visage, il avait découvert avec angoisse à quel point il avait maigri. Ses plaques d'eczéma n'avaient jamais été si rouges et enflammées.

– Prends ton temps, lui dit Drake d'une voix douce en l'aidant à chaque pas.

Il avait enveloppé Chester d'une couverture prise dans l'une des chambres, et le jeune garçon s'appuyait lourdement sur lui.

– Il fait froid, dit Chester en claquant des dents.

Il était très choqué. Drake avait beau l'encourager, Chester ne semblait pas l'entendre.

– Tu sais, avant qu'on n'arrive ici, j'ai été malade pendant des semaines… vraiment malade… dit-il en s'arrêtant un moment pour se retourner vers la maison. J'y ai longuement réfléchi dans mon placard, et je crois qu'elle m'empoisonnait… avec des amanites qu'elle trouvait dans la forêt. Juste pour que je ne puisse pas m'enfuir.

– Essaie de ne pas y penser, lui dit Drake, qui réussit à le faire avancer de nouveau.

– Est-ce que c'est la mer ? J'entends les vagues… commenta Chester en levant la tête pour humer l'air.

– Oui, elle est juste un peu plus loin, lui répondit Drake tandis qu'ils gravissaient l'accotement de l'autre côté de la route.

– Tu travailles avec un Styx, maintenant ? lui demanda Chester, tentant de comprendre tout ce qui venait de se passer.

– C'est un ancien Limiteur, et c'est aussi le père d'Elliott.

– Vraiment ? bredouilla Chester.

Ils poursuivirent leur chemin jusqu'à une berge jonchée de galets. Une nappe de brouillard s'étendait sur la mer du Nord, mais le soleil perçait déjà à l'horizon, dissipant peu à peu le voile de brume.

– On est assez loin, déclara Drake et ils s'assirent sur la plage.

Chester fixait les vagues d'un regard impassible.

– Parfois, je vois des choses qui me rappellent ma vie d'avant et je fais comme si rien n'avait changé. Mais c'est faux, et j'ai changé moi aussi, n'est-ce pas ? Avec tout ce que j'ai vécu, je suis devenu quelqu'un d'autre. Je suis… une espèce de monstre qui a mangé… marmonna-t-il en posant la main sur sa bouche si bien que Drake comprenait à peine ce qu'il disait.

Chester laissa retomber sa tête sur ses genoux.

– Je l'ai repérée, annonça Eddie, ce qui fit tressaillir Chester.

Il n'avait pas entendu le Styx approcher. Eddie regardait quelque chose au loin à travers la lunette de sa carabine.

– Elle est loin devant, près du promontoire, ajouta Eddie.

– Laissez-moi voir un peu, demanda Chester en se débarrassant de sa couverture.

Il se releva et se servit de la lunette télescopique pour localiser la minuscule silhouette dans le lointain.

– Oui, y a pas de doute, c'est bien elle… et on dirait qu'elle est blessée, dit Chester en la regardant marcher d'un pas sinueux. Elle mérite la mort, ajouta-t-il sans réserve, la mâchoire contractée. Vous croyez que je peux la tirer d'ici ? demanda-t-il en armant la carabine.

– Non, la distance est trop grande. Le vent ferait dévier la balle, expliqua Eddie.

– Je m'en fiche. J'en prends le risque, rétorqua Chester d'une voix rauque.

Il marqua une pause, puis se mit à glousser bizarrement.

– Qu'est-ce qui se passe, Chester ? lui demanda Drake inquiet de voir le jeune garçon perdre les pédales après ce qu'il venait de vivre.

– Je n'y crois pas ! répondit Chester en gloussant.

Il venait de repérer quelque chose au-dessus de Martha, qui courait à présent en zigzag, tel un lapin affolé. Elle n'était pas complètement timbrée. Un Lumineux l'avait en effet suivie jusqu'ici.

Chester observait l'immense créature, qui ressemblait à une mite, aller et venir au-dessus de sa tête. Elle était nettement moins rapide que dans son habitat naturel, à cause de la gravité qui régnait en Surface.

Le Lumineux déploya ses ailes aux écailles étincelantes à la lumière du soleil matinal. Elles jetaient des éclairs d'une blancheur éblouissante, si bien qu'on aurait cru voir voler un cygne géant. Tout à coup, il les rabattit contre son corps et fondit sur Martha, qui l'esquiva à la dernière seconde en se jetant sur les galets. Elle se releva et se remit à courir.

– Elle n'a rien pour se défendre. Elle n'a pas la moindre chance de s'en sortir, se réjouit Chester alors que le Lumineux fondait à nouveau sur sa proie. Il l'a repérée car elle saigne. Il connaît l'odeur de son sang. Il va l'attraper.

– Si tu veux, je peux me rendre là-bas pour m'assurer qu'il a bien achevé son travail, proposa Eddie aussi naturellement que s'il lui avait proposé une tasse de thé.

– Merci, déclina poliment Chester en abaissant sa carabine, puis il se tourna vers le Styx. Elle craint les Lumineux plus que tout au monde… et je ne voudrais pas que les choses aillent trop vite. Je veux qu'elle connaisse une mort lente, ajouta-t-il le regard dur.

– D'accord, Chester. Et si tu redonnais sa carabine à Eddie et que tu te rasseyais ? suggéra Drake d'une voix douce.

Chester regarda tour à tour les deux hommes avant de fixer son regard sur Drake.

– Honnêtement, je ne sais pas ce qui me dérange le plus. Ce que m'a fait subir cette vieille sorcière… ou le fait que ce Styx soit désormais ton meilleur ami… et en prime, il s'appelle *Eddie*.

Chapitre Treize

Will venait de rassembler des vivres et de l'eau et s'apprêtait à partir, lorsque Elliott parut soudain. Elle transportait du bois de chauffage dans ses bras. Bartleby gambadait derrière elle.

– Tu vas quelque part ? demanda-t-elle en remarquant son sac à dos et le Sten qu'il tenait à la main.

Will la regarda d'un air résigné qui en disait long.

– Je t'ai laissé un mot. Papa estime qu'il ne tirera rien de plus de cette pyramide et il est déterminé à examiner l'une des deux autres. Tu le connais. Il a décrété qu'il fallait partir maintenant.

Elliott fit claquer sa langue contre son palais.

– Et après tout ce que j'ai essayé de lui dire.

– Ouais, je sais, soupira Will.

– Très bien, je t'accompagne, dit-elle en laissant tomber les morceaux de bois.

– Vraiment ? demanda Will, ravi.

Le Dr Burrows ne fut pas vraiment enchanté de voir Elliott au côté de son fils, mais il ne dit rien. Il savait qu'elle lui avait déconseillé de s'éloigner du camp.

Il était inhabituel qu'ils partent en expédition tous les trois. À dire vrai, mis à part une rapide excursion dans la jungle jusqu'aux ruines de la ville, le Dr Burrows n'avait pas beaucoup bougé. Il s'était concentré sur la pyramide voisine de leur base.

Ils suivaient les coordonnées de la deuxième pyramide d'après ses calculs, avançant en file indienne et d'un pas lourd à travers la jungle. Comme il fallait s'y attendre, le Dr Burrows avait décidé de mener la troupe. Il marchait à grandes enjambées, loin devant Will, suivi par Elliott et Bartleby qui fermaient la marche. Will avait l'impression de revivre le moment où ils étaient entrés dans ce monde secret sans savoir ce qu'ils y trouveraient, ni même où ils allaient. Mais tout cela lui semblait déjà si lointain !

Le chant d'un oiseau ou le craquement d'une brindille venait parfois troubler le silence de la jungle, tandis qu'ils avançaient sur le tapis de feuilles mortes qui jonchaient le sol. Ils ne tardèrent pas à suer à grosses gouttes du fait de l'humidité ambiante. L'air était emprisonné sous la chape que formait la canopée et il n'y avait pas la moindre brise.

Ils remarquèrent alors que le sol devenait plus humide et que les arbres géants les protégeaient moins du soleil. Ils venaient d'entrer dans une forêt de petits cyprès clairsemés, dont les troncs étaient si disproportionnés qu'on les aurait cru enflés. Il y avait de la boue mêlée à des algues séchées qui s'étalait un peu partout et jusqu'à quatre mètres de hauteur.

– Un bassin de débordement, suggéra le Dr Burrows au moment où ils se séparaient pour explorer les alentours.

– Qu'est-ce que c'est que ce truc là-bas ? dit Elliot en indiquant un plan d'eau agité dont la surface ondulante était couverte d'algues vertes.

– Un marais ? proposa Will.

– Allons voir, dit le Dr Burrows en se précipitant au-devant.

– Je savais qu'il allait dire ça, gémit Will.

Ils franchirent la distance en pataugeant dans l'eau qui leur arrivait à la hauteur des cuisses, en surveillant les éventuels serpents ou crocodiles. Cependant, l'endroit semblait entièrement peuplé de lézards dont la taille variait du gecko à l'iguane d'un mètre de long, mais rien de bien méchant. Leur peau iridescente brillait de reflets bleus, rouges et verts tandis qu'ils se réchauffaient au soleil. Ils bougeaient à peine, ouvrant simplement la gueule pour attraper une libellule ou émettre un sifflement lorsque Will ou un autre s'approchait un peu trop près. Ils semblaient beaucoup troubler Bartleby, qui ne lâchait pas Elliott d'une semelle.

Le Dr Burrows pataugeait d'un air rêveur.

– On imagine très bien le début de la vie dans un marais comme celui-ci, dit-il en indiquant le soleil d'un geste de la main. Ultraviolets à volonté, vingt-quatre heures sur vingt-quatre, et de l'eau en abondance, juste à la bonne température. Imaginez un peu… peut-être est-ce dans ce marécage que s'est formée la soupe primordiale. L'endroit même où est né le premier organisme unicellulaire avant d'évoluer.

– Moi, je me serais dépêché d'évoluer pour déguerpir de là dare-dare, dit Will en écrasant un moustique sur sa nuque.

Ils quittèrent le marais pour retrouver la terre ferme et pénétrèrent dans une forêt d'acacias hérissés d'épines, entre lesquels poussait un épais taillis, rendant leur marche d'autant plus difficile. Ils finirent cependant par tomber sur une piste qui était assez large pour laisser passer un véhicule, et dont le tracé rectiligne n'avait rien de naturel. Will remarqua alors l'herbe rase qui poussait sur les côtés.

– Ce n'est pas l'œuvre de l'homme, n'est-ce pas ? Le lit d'une ancienne rivière ? demanda-t-il en jetant des coups d'œil méfiants tout autour de lui.

– Je dirais… ni l'un ni l'autre, répondit le Dr Burrows.

Tout cela n'inspirait rien de bon à Will. Il adressa un regard à Elliott, mais cette dernière semblait parfaitement détendue.

– Ah ! s'exclama le Dr Burrows qui venait de repérer quelque chose un peu plus loin devant.

Il s'agissait d'un énorme tas de fumier animal, plutôt récent à en croire les volutes de vapeur qui s'en échappaient.

– C'est manifestement une artère principale pour la faune locale, décréta le Dr Burrows. Une piste très fréquentée.

– Oui, vous voyez les marques sur ce tronc, indiqua Elliott, là où l'écorce a été arrachée ?

Will et Elliott détournèrent leur attention du fumier et observèrent le tronc d'arbre. Une abrasion oblique révélait l'aubier blanc sous l'écorce. La résine qui coulait le long du tronc s'était solidifiée en gouttes d'ambre. Mais le Dr Burrows était bien plus intéressé par le tas d'excréments monstrueux.

– Qu'est-ce qui a bien pu faire ça ? demanda Will en regardant s'accroupir son père. Une très grosse vache ? Un auroch ?

– Pas un carnivore en tout cas. Je vois des noyaux de fruits, dit le Dr Burrows en sondant le tas de fumier avec un bâton, et puis de la cellulose, des restes de végétation non digérés. Il faut aller voir plus loin.

– Quoi ? Tu veux dire qu'on va partir chercher d'autres cacas géants ? demanda Will d'un air facétieux.

Elliott parvint à peine à réprimer un gloussement.

– Ne sois pas bête. Je voulais dire qu'on devrait chercher l'animal lui-même, rétorqua sèchement le Dr Burrows. Et par chance, c'est plus ou moins dans la bonne direction, ajouta-t-il en ouvrant brusquement le boîtier de sa boussole pour vérifier leurs coordonnées.

Will et Elliott échangèrent un sourire alors que le Dr Burrows évitait délibérément de les regarder, puis il se remit fièrement en chemin.

Bartleby repéra la bête qui se déplaçait lentement loin devant eux. Il poussa un miaulement inquiet, marqua l'arrêt et s'aplatit contre le sol. Will, le Dr Burrows et Elliott partirent se cacher furtivement dans le taillis.

C'est alors que retentit un bruit de trompette. Un gros animal à peau grise se dirigeait à présent vers eux. D'après ses membres énormes et sa démarche pesante, Will présuma aussitôt qu'il s'agissait d'un éléphant. Il était suivi par d'autres congénères.

Will et le Dr Burrows échangèrent des regards ébahis.

– Probablement une famille, murmura le Dr Burrows. Les plus jeunes sont à l'arrière.

– Mais ils ont de drôles d'oreilles. Il y a quelque chose qui cloche dans leurs défenses. Elles sont deux fois moins longues que celles d'un éléphant, commenta Will.

– C'est tout à fait normal. Elles sont censées être comme ça. Tu ne vois pas les deux paires de défenses ? demanda le Dr Burrows, tellement excité qu'il en avait le souffle court. Will, tu ne sais donc pas ce que sont ces créatures ? L'importance de cette découverte ? Ce sont soit des gomphothériums, soit des paléomastondontes. Oui, c'est ça, je crois que ce sont des paléomastodontes, premiers ancêtres des éléphants qui vivaient à l'oligocène. Encore des fossiles vivants !

– Mais est-ce qu'ils sont pacifiques ? demanda Will en voyant que le plus gros d'entre eux continuait à s'approcher d'eux.

– Il sent notre odeur, murmura Elliott en levant sa carabine.

L'animal gigantesque continuait d'avancer vers eux, puis, à une vingtaine de mètres de là, il choisit une souche d'arbre et se lança dans une démonstration de force. Il barrit avant de renverser la souche pourrie et la frappa de ses défenses supérieures proéminentes.

Bartleby émit un grognement sourd et guttural.

– Chut ! dit Elliott en se retournant vers lui.

La vue de cet animal avait sans doute paniqué le chasseur, car il fit la dernière chose à laquelle on aurait pu s'attendre. Il bondit hors du taillis et atterrit en plein milieu de la piste, le dos arqué et les omoplates rentrées.

– Bartleby ! cria Will.

Le chat, qui semblait désormais minuscule face au paléomastodonte, le fixa droit dans les yeux. C'est alors que le paléomastodonte poussa un nouveau barrissement et se mit à agiter la tête beaucoup plus rapidement avant de s'éloigner d'un pas lourd.

– L'instinct de préservation, commenta le Dr Burrows en riant. Je parie que l'animal le plus proche auquel il puisse rapporter Bartleby est un jaguar ou un tigre à dents de sabre, et il n'a vraiment pas envie de s'y frotter. Il représente un trop grand danger.

Will ne trouvait pas ça amusant du tout.

– Reviens ici tout de suite, espèce de chat débile ! gronda-t-il.

Le reste de la journée se déroula calmement. Ils virent la pyramide se profiler devant eux lorsqu'ils émergèrent de la jungle, en sueur et épuisés. Pendant un instant, ils se contentèrent de contempler le gigantesque édifice qui semblait identique à celui qui se trouvait non loin de leur campement.

– Alors, voilà la deuxième pyramide... dit Will en s'épongeant le front. T'avais pas dit que le trajet, ce serait du gâteau ? marmonna-t-il à l'attention de son père.

Mais le Dr Burrows ne comptait pas se laisser affecter par la fatigue. Il avait le regard habité. Rien d'autre ne comptait pour lui et il se précipita vers la pyramide, sortit son journal et se mit à en inspecter le premier degré.

– Ça y est ! Il est enfin content, commenta Elliott en s'affalant sur le sol avec Will. J'ai apporté des vivres si jamais tu as faim, ajouta-t-elle en défaisant son sac à dos.

– Tu parles ! Je suis mort de faim.

Elliott lui tendit un paquet bien emballé sous plusieurs couches de tissu pour éviter que l'odeur n'attire les animaux un peu trop curieux.

– C'est un premier essai, dit-elle en ôtant le tissu qui contenait plusieurs paquets verts. J'ai fait cuire la viande dans des feuilles de palme, et je crois que c'est plutôt réussi.

Will prit l'un des paquets, mais à peine avait-il commencé à le défaire avidement que déjà retentissait l'appel de son père.

– Will, viens ici ! J'ai besoin de toi ! Maintenant !

Will feignit de ne pas avoir entendu et mordit dans un morceau de viande.

– Miam, c'est délicieux, dit-il.

– Will, Will ! cria encore son père.

– C'est de l'antilope, n'est-ce pas ? Tu t'es surpassée cette fois-ci, complimenta Will en mâchonnant lentement pour mieux savourer cette bouchée.

– Le Doc te réclame, dit-elle, amusée par la façon dont Will ignorait complètement ses appels.

– Tu sais quoi ? marmonna-t-il en agitant la tête d'un air qui trahissait son amusement.

– Quoi ? demanda-t-elle, incapable de garder son sérieux en entendant les hurlements frénétiques du Dr Burrows, qui semblaient annoncer la fin du monde.

– Dans le bon vieux temps, lorsque nous étions encore à Highfield, je n'avais qu'une envie, l'accompagner dans ses fouilles comme si rien d'autre au monde n'avait d'importance.

– Et alors ? demanda-t-elle tandis qu'il prenait une autre bouchée.

– Je crois que je n'étais pas très marrant à l'époque. Pas étonnant que j'aie pas eu d'amis.

Will poussa un grognement en se relevant la bouche pleine, puis il se dirigea vers la pyramide en tapant des pieds. Son père se trouvait sur l'un des plus hauts degrés et il sautillait de joie.

– Qu'est-ce qu'il y a ? demanda Will sans grand intérêt après l'avoir rejoint.

– Regarde donc ! s'exclama le Dr Burrows en indiquant d'un geste de la main le mur qui se trouvait devant lui.

Comme sur l'autre pyramide, les pierres arboraient des frises et des inscriptions, mais Will décelait quelque chose de différent sans pouvoir dire quoi.

Le Dr Burrows pointa du doigt une ligne d'écriture gravée au pied du mur.

– « Dans le jardin du Second Soleil vint un peuple guerrier, avec »...

Il buta sur un mot, puis il poursuivit sa lecture.

– Je ne comprends pas ce mot, dit-il : « Comme des oiseaux volants et... des chariots (ou des wagons) qui roulent tout seuls. Ce peuple a ôté la vie à nos terres pour y substituer le feu et la fumée », lut-il, puis il se tourna vers Will. Regarde un peu ! Regarde ce bas-relief !

Will se cura les dents pour en déloger un morceau de viande, puis haussa les épaules.

– Tu veux dire que tes Anciens avaient pris peur car quelqu'un, une autre tribu, qui sait, avait tenté de coloniser leur territoire ?

– Non, espèce d'idiot ! aboya le Dr Burrows. Je t'ai dit de regarder le bas-relief ! Tu ne vois pas que la pierre est à peine usée ?

– Elle est donc récente ? Elle ne date pas de plusieurs milliers d'années ?

– Non, de quelques décennies, je dirais. On pourrait découvrir quand sont arrivés les premiers avions et autres véhicules.

Le Dr Burrows se mit à siffler un air atonal, puis s'arrêta comme s'il avait oublié quelque chose.

– Mais ce n'est pas tout. Dis-moi ce que tu penses de ça.

Il fila un peu plus loin, puis indiqua le mur.

Will contempla les frises, puis se concentra sur une image.

– Non, ça ne fait aucun doute, c'est un avion.

– Oui, et il ressemble étrangement au Stuka, annonça le Dr Burrows sur un ton qui sous-entendait « je te l'avais bien dit ».

Will regardait d'autres bas-reliefs. Il s'agissait de représentations rudimentaires d'un drôle d'engin volant doté de deux rotors.

– Et même des hélicoptères ? ajouta Will.

– C'est exactement ce que je pensais. Regarde donc un peu le degré juste au-dessus de nous, invita le Dr Burrows.

– Waouh ! s'exclama Will. Il est entièrement vierge !

Certaines pierres étaient fissurées et creusées par des siècles de chaleur et de pluie, mais ne comportaient aucune inscription.

– On peut donc en déduire que cette pyramide n'est pas encore achevée, un peu comme les pages vierges de mon journal. Ce qui signifie que s'il y avait des gens pour rendre compte de l'apparition d'une technologie surfacienne dans leur monde... et l'inscrire sur cette pyramide... ils sont peut-être encore en vie.

– Dément ! lança Will. Mais si c'est le cas, où sont-ils à présent ? Et plus précisément, où sont ces autres gens, le Stuka... et *les hélicoptères* ?

Mme Burrows savait très bien où elle se trouvait, même si elle ne pouvait pas lire le nom de l'établissement, Buttock & File, ni voir la drôle d'enseigne qui représentait un diable rouge souriant dans la cabine de pilotage d'une locomotive à vapeur. De la taverne vide émanait une puanteur suffocante : des relents de bière et des remugles d'urine séchée. Mme Burrows se hâta sur le trottoir encore gluant, au pied des vitres peintes en noir.

– Ne t'éloigne pas, Colly, dit-elle à la chatte restée en arrière pour renifler les portes de l'établissement. On n'a pas beaucoup de temps.

Depuis la fois où elle s'était aventurée hors de la maison de l'officier en second en exerçant son supersens olfactif, elle n'avait osé sortir dans les rues de la Colonie qu'en de rares occasions. Mais elle percevait un endroit qui l'intriguait, juste à la limite de ses nouvelles capacités sensitives. L'image mentale qu'elle avait formée après l'avoir sondé l'avait horrifiée. Elle devait la jouer très serrée pour effectuer l'aller-retour avant la fin des vêpres, car il était situé assez loin de la maison, mais elle ne pouvait résister à la tentation d'aller voir ce qui s'y trouvait.

Le bâtiment était vaste, voilà ce qu'elle savait.

Il puait comme le puits de l'enfer.

Elle n'était plus très loin. Elle trottinait en longeant les larges avenues, esquivant avec aisance les flaques d'eau comme les averses qui tombaient de la voûte de la caverne.

Elle traversa la rue et s'arrêta devant un haut mur. D'après l'odeur du mortier à la chaux, il était de construction récente. Elle se mit alors à en explorer la surface avec les mains.

Trop haut pour pouvoir l'escalader, se dit-elle en longeant le mur.

Parvenue à un endroit encore inachevé, elle se glissa sous une barrière en bois et franchit une tranchée destinée à accueillir les fondations, mais ne s'arrêta pas encore et avança dans une zone jonchée de gravats.

Elle se figea et laissa agir son supersens. L'odeur dominante était celle de la cendre, des tonnes de cendres, morceaux de poutre et de parquet brûlé, derrière laquelle elle percevait aussi celle de la pierre calcinée. Mais il y avait aussi l'odeur de la mort, et d'une cruauté incommensurable. Elle se concentra alors. Elle avait l'impression que de petites voix l'appelaient dans le lointain, réclamant son attention. Elle tourna la tête à droite et à gauche jusqu'à localiser l'endroit où ils avaient péri. Il restait des ossements, de jeunes gens et de vieillards tombés là. Ils avaient brûlé entre les débris.

– Oh mon Dieu, souffla-t-elle, en découvrant le nombre de victimes.

C'était comme si cette zone n'était qu'un immense tombeau où gisaient ceux qui y avaient été brûlés vifs. Elle entendait presque leurs cris de panique. Ils n'avaient nulle part où aller, aucune échappatoire.

Mme Burrows comprit soudain où elle se trouvait.

Drake avait mentionné un incident au détour d'une conversation. Il ne s'était pas appesanti sur la question, comme si la douleur de ce souvenir était encore trop vive pour en parler. En tout état de cause, elle n'avait passé que peu de temps avec Drake pendant la période précédant l'opération dans le parc municipal de Highfield, lorsqu'ils avaient tenté de capturer le vieux Styx.

Mais Mme Burrows savait qu'elle devait se trouver dans le quartier dit « des Taudis », bidonville surpeuplé où séjournaient les éléments les plus coriaces de la société, la lie de ce microcosme. C'est là que Drake avait assisté à leur massacre systématique.

– Les Taudis, murmura-t-elle comme si les morts pouvaient l'entendre, puis elle s'avança d'un pas.

Elle buta contre quelque chose sous la cendre. Elle se pencha pour ramasser l'objet et le palper avec les doigts. C'était la tête de porcelaine d'une petite poupée dont le corps et les vêtements n'avaient pas survécu aux flammes. Mme Burrows l'épousseta, puis la porta à ses narines. On aurait dit que la poupée gardait la mémoire des générations d'enfants qui avaient joué avec elle. Ces gens étaient pauvres et ce jouet avait dû se transmettre de mère en fille au fil des siècles, jusqu'à ce que son ultime propriétaire trouve la mort dans ce terrible carnage.

Or, les responsables de ce crime sermonnaient les Colons en cet instant même sur la conduite de leur vie, tandis que se déroulaient des services religieux dans toute la Colonie. Il s'agissait des Styx.

Mme Burrows déposa délicatement la tête de poupée sur un tas de pierres et s'en retourna vers la brèche par laquelle elle était entrée.

Après avoir travaillé sur la nouvelle pyramide, Will, Elliott et le Dr Burrows repartirent en direction de leur campement. Ils venaient de retrouver la piste herbeuse et le Dr Burrows traînait en arrière. Il sifflotait tout en essayant de lire son journal d'un pas joyeux. Il manqua de trébucher après avoir posé le pied dans un nid-de-poule, mais reprit sa lecture comme si de rien n'était.

– Regarde un peu ton père. Il pourrait filer droit sur un tigre à dents de sabre sans même s'apercevoir de sa présence... Il est dans son monde, remarqua Elliott d'un ton désapprobateur.

– En effet, répondit Will en se tournant vers Elliott. Mais c'est ce qu'il fait de mieux. Il n'est jamais aussi heureux que lorsqu'il essaye de résoudre un problème.

Une volée d'oiseaux vint se poser dans les arbres qui bordaient la piste.

– Beurk ! s'exclama Elliott.

Ils avaient le corps dodu et flasque. On aurait dit des hommes extrêmement âgés à l'énorme bedaine. Ils avaient le crâne et le cou dégarnis, ce qui ne faisait qu'accentuer cette impression, d'autant plus qu'ils n'avaient qu'un duvet clairsemé pour couvrir leur peau ridée. Ils fixaient Will et Elliott de leurs yeux globuleux, dans un silence entrecoupé de quelques cris. On aurait dit qu'ils ne savaient pas que penser des humains qui venaient de s'introduire dans leur jungle, et qu'ils en débattaient entre eux.

– Qu'ils sont laids. C'est quoi, ces trucs ? demanda Elliott.

– Peut-être une espèce de vautour, suggéra Will.

Lorsque Bartleby émergea du taillis, les oiseaux se mirent à agiter leurs ailes décharnées et à crier de plus belle, sans pour autant prendre leur envol. Ils se méfiaient manifestement du chasseur qui arpentait la piste. La mâchoire tremblante, il les dévorait de ses yeux d'ambre. Le chat poussa un long miaulement agacé, car les oiseaux trop haut perchés se trouvaient hors de portée.

– Oui, ils sont vraiment effrayants, dit Will, puis il oublia les oiseaux, reprenant son chemin tout en bavardant avec Elliott.

Le Dr Burrows n'était pas le seul à être en joie. En effet, Will avait passé les plus belles semaines de sa vie dans ce monde intérieur. Il jeta un coup d'œil à Elliott. Elle semblait dans son élément dans cette jungle, et plutôt satisfaite de son sort.

Dans les Profondeurs, elle avait l'air constamment hagard. Avec son teint pâle et sa peau marquée par le temps qu'elle avait passé dans cet environnement des plus sauvages, elle ressemblait à un spectre errant. Hormis la blessure qu'elle avait reçue au bras, ses cicatrices n'étaient plus qu'à peine visibles, maintenant. Elle était rayonnante, les cheveux noirs et lisses et le teint hâlé. Elle était devenue une autre personne. Will était parfois frappé par son incroyable beauté et il se disait qu'il avait beaucoup de chance de l'avoir pour amie.

Elliott venait de lui dire quelque chose, mais il n'y avait pas prêté attention.

– On a passé une journée d'enfer aujourd'hui ! s'exclama-t-il brusquement.

– Hein ? dit-elle, surprise.

– Je veux dire qu'on s'est bien marrés… si on participe tous les deux aux expéditions de papa, on peut au moins passer un peu de temps ensemble, pas vrai ? dit Will d'une voix troublée en essayant de s'expliquer. Tu sais, sans qu'il nous interrompe toutes les dix minutes, ajouta-t-il en rougissant.

Will détourna la tête et grimaça. Il était furieux contre lui-même. Il ne parvenait pas à exprimer ce qu'il voulait vraiment lui dire, tout ce qu'il ressentait pour elle. Il avait le vocabulaire d'un adolescent de quinze ans et ne connaissait pas les mots adéquats. Il serra les dents. Il n'osait lui dire quoi que ce soit d'autre, de peur que ses sentiments ne soient pas réciproques. Il avait peur de se ridiculiser.

Mais Elliott acquiesça, puis lui adressa un large sourire. Quel ne fut pas le soulagement de Will ! Elle semblait comprendre ce qu'il voulait dire. Ils restèrent quelques instants les yeux dans les yeux, jusqu'à ce que le Dr Burrows vienne les interrompre.

– Bon sang ! hurla-t-il. Saleté de machin à la noix !

Will et Elliott se retournèrent et le virent qui sautait à cloche-pied. Il avait manifestement marché dans un tas d'excréments. Ils ne purent s'empêcher de s'esclaffer en le regardant frotter sa botte sur l'herbe pour la décrotter.

– Était-ce un beau spécimen de bouse de paléomastodonte ? demanda Will en gloussant, alors qu'il rejoignait son père.

Mais ce dernier ne lui répondit pas, car quelque chose d'autre avait attiré son attention.

– Je me demande… dit-il en feuilletant les dernières pages de son énorme journal, ces pierres… ces pierres, marmonna-t-il.

– Quelles pierres, papa ? demanda Will qui n'avait pas la moindre idée de ce dont il parlait.

– J'ai trouvé une nouvelle série de pierres mobiles, tu sais bien, comme sur l'autre pyramide.

– Tu ne m'as rien dit, pourtant, se plaignit Will.

– J'ai essayé, mais comme d'habitude, tu étais bien trop occupé avec ton amie, rétorqua le Dr Burrows en se grattant le menton d'un air songeur. Cette seconde série de pierres est manifestement plus récente, et les lettres sont toutes différentes… J'essaie de comprendre comment les combiner avec la première séquence pour leur donner un sens.

– Il y en a sûrement d'autres sur la troisième pyramide, remarqua Will. On y trouvera peut-être la réponse.

– Peut-être, répéta le Dr Burrows à plusieurs reprises, en étudiant une page de son journal.

Il fit un pas de côté et marcha dans une bouse encore plus imposante, s'y enfonçant à mi-mollet. En dépit du bruit de succion et de la puissante odeur qui en émanait, il semblait n'y accorder aucune attention.

– Papa ! N'approche pas du campement ce soir ! lança Will en riant. Elliott te préparera…

Will s'interrompit soudain. Elle ne les avait pas encore rejoints. Il la chercha du regard et la vit qui observait quelque chose, la carabine pointée sur les arbres en contrebas.

– Elle a vu quelque chose, murmura-t-il en se hâtant de la rejoindre.

D'un coup d'œil, elle lui fit signe de se taire et continua à scruter la jungle à travers sa lunette de visée.

Le Dr Burrows, qui les avait désormais rattrapés, regardait les taillis qui semblaient inquiéter Elliott.

– Encore ces arbres curieux qui nous observent ? demanda-t-il d'un ton moqueur.

– Je ne comprends pas... j'ai cette intuition... comme s'il y avait quelque chose là-bas, dit-elle lentement en fronçant les sourcils. Mais je ne vois *rien*... rien du tout.

– Les seuls êtres vivants qui soient dans le coin sont ces charognards détestables, dit le Dr Burrows en indiquant les vautours. Corrige-moi si je me trompe, nous ne sommes pas encore des charognes, n'est-ce pas ? Ils ne constituent donc pas une menace.

Le Dr Burrows se pencha pour ramasser un bâton et le lança en direction des oiseaux. Il manqua largement sa cible et le projectile retomba dans les taillis sous les branchages.

Tout à coup, un petit arbre se déplaça vivement sur le côté pour esquiver le bâton. Mais Bartleby, qui était le seul à l'avoir remarqué, ne broncha pas, tout cela n'avait absolument aucun sens pour lui. Il avait certes perçu le mouvement, mais il ne discernait aucune odeur qui ressemblât à celle d'un animal ni d'un humain d'ailleurs.

Deuxième Partie

Contact

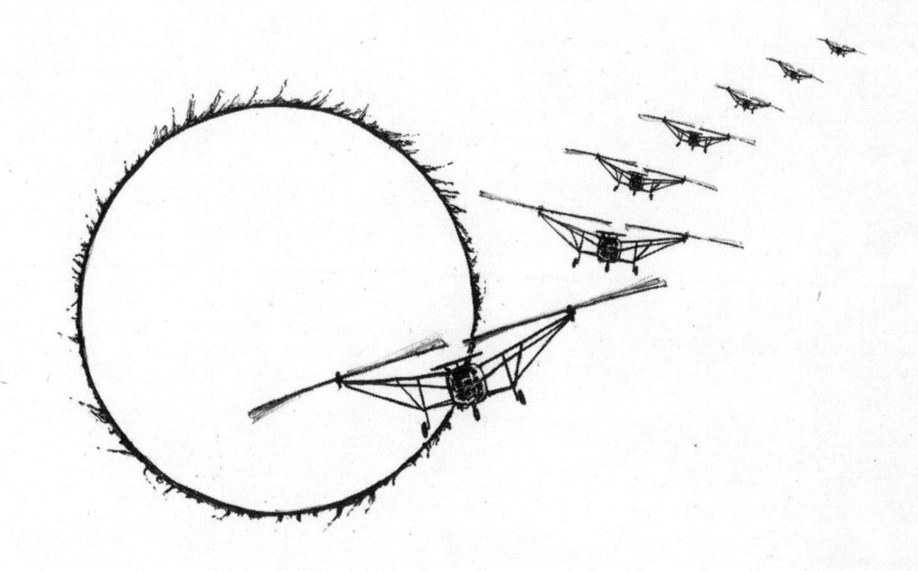

Chapitre Quatorze

On avait érigé un petit chapiteau peu élevé, au bord de la route balayée par des bourrasques de vent qui soulevaient des tourbillons de poussière. Un petit convoi de cars anguleux aux vitres opaques se rangea, les portières s'ouvrirent pour laisser sortir une brigade de Limiteurs. Ils déposèrent leurs sacs à dos et leur équipement à l'entrée de la tente avant d'y pénétrer en file indienne. Les maîtres-chiens retenaient leurs molosses rugissants qui préféraient nettement rester à l'air libre après avoir été enfermés aussi longtemps.

Sans attendre l'ordre de leurs supérieurs, les Limiteurs s'installèrent face aux troupes de La Nouvelle-Germanie. Il régnait un silence tendu sous la toile qui claquait au vent, tandis que des jeunes gens aux cheveux ras et blonds, vêtus de tenues de combat immaculées, regardaient leurs homologues. Les Limiteurs grisonnants, parmi lesquels figuraient de nombreux vétérans, comme en témoignaient leurs cicatrices, regardaient droit devant. Ils attendaient que commence le briefing sans manifester le moindre intérêt pour les autres soldats.

À l'extérieur, une limousine noire sous escorte militaire s'arrêta dans un crissement de pneus. Vêtues de tenues de combat, les jumelles en sortirent, suivies par le général des Limiteurs. Il resta un temps en arrière pour examiner la rangée d'hélicoptères garés sur la piste.

– Des Fa 223, plus connus sous le nom de *Focke Achgelis*, dit-il en scrutant l'engin le plus proche.

L'hélicoptère comportait deux paires de rotors disposés de chaque côté d'une coque à peine plus épaisse qu'un fuselage normal.

Le général des Limiteurs s'intéressa ensuite aux hangars dans lesquels stationnaient plusieurs engins. Il n'en reconnaissait pas la plupart, quand il tomba tout à coup sur deux avions de couleur fauve.

– Des ME 263 ! s'exclama-t-il en identifiant les engins au nez aplati et aux ailes ramassées.

Le chancelier, qui venait d'arriver dans une autre limousine, avait entendu le Styx.

– Oui, ce sont nos avions d'interception et de combat. Des avions à réaction. Nous avons poursuivi leur fabrication après être arrivés ici. Ce sont les engins les plus rapides et les plus maniables des cieux.

– Peut-être ici, mais les choses ont changé dans le monde réel, rétorqua le Limiteur, puis il se dirigea vers la tente, laissant le chancelier fort mécontent.

Le général des Limiteurs s'assit au premier rang à côté de ses hommes, tandis que les jumelles se tenaient à l'entrée de la tente où l'on avait installé une table de campagne et un chevalet.

Le chancelier entra en titubant, lança un rapide coup d'œil aux Limiteurs assemblés là, puis s'arrêta devant les jumelles Styx. Incapable de les différencier l'une de l'autre, il hésita un instant et finit par saluer chacune d'elles d'un petit signe de la tête. Puis, ne tenant pas à passer pour un imbécile en public, il tenta sa chance :

– Je suis ravi de faire votre connaissance, jeune demoiselle, dit-il à Rebecca sans se tromper de personne. Comment vous portez-vous aujourd'hui ? demanda-t-il d'un ton faussement jovial sans savoir s'il s'adressait bien à celle qu'il n'avait pas encore rencontrée.

Rebecca secoua légèrement la tête pour lui indiquer qu'elle n'appréciait pas du tout la manière dont il s'adressait à elle.

– Je dois dire que vous avez époustouflé nos médecins, s'empressa d'ajouter le chancelier qui venait de comprendre son erreur. Vous avez guéri bien plus vite qu'ils ne s'y attendaient, bien plus vite que la plupart des gens.

– Je suis styx. Nous ne sommes pas comme *la plupart des gens*, rétorqua Rebecca avec un sourire glacial.

– Non, non, bien sûr que non, bafouilla le chancelier.

Il était manifestement très mal à l'aise en présence des jumelles. Il voulait échapper à cette situation le plus vite possible.

– J'aimerais vous présenter... commença-t-il.

Tout à coup, on entendit une bagarre à l'arrière de la tente. Quatre soldats néo-germains parurent alors, escortant une forme sombre qu'ils avaient ligotée. On aurait dit qu'ils venaient de capturer un animal sauvage.

– Ah, oui... une patrouille de sécurité a attrapé cet... cet... *homme*, hésita le chancelier. Il rôdait en bordure de la ville et volait de la nourriture.

Alors que les soldats tentaient de la retenir, la forme noire emmaillotée de la tête aux pieds s'avança en tirant sur les cordes qui l'entravaient. Il brandit alors un bras maigre et tordu, puis rejeta en arrière le capuchon de tissu graisseux qui couvrait son visage difforme et couvert de grosseurs de la taille d'un pamplemousse. Ses yeux blancs ressemblaient à deux œufs durs.

– Il prétend vous connaître, dit le chancelier.

– Coxy ! s'exclama Rebecca. Qu'est-ce que tu fiches ici ?

Tom Cox renifla bruyamment et pinça ses lèvres tordues avant de s'exprimer :

– Ah, mes amies, je savais que vous étiez toujours en vie ! On m'a envoyé pour vous protéger.

– Pour nous protéger ? répéta Rebecca bis d'un ton sceptique.

– Tu es descendu dans le Pore, et tu as voyagé des milliers de kilomètres durant sans y être contraint ? poursuivit Rebecca en plissant le front.

– Sûr. Ben ouais, j'ai suivi les Limiteurs.

– Et tu as fait tout ce voyage à ski, jusqu'à cette métropole ? ironisa Rebecca bis.

– Et tu n'as pas fondu au soleil ? ajouta sa sœur.

– Ouais... et j'aime pas ça. J'aime pas le soleil, marmonna Cox. C'est comme en Surfa...

– J'en déduis donc que vous connaissez bien cette personne, intervint le chancelier en s'essuyant les paumes à l'aide de son mouchoir, comme si la seule vision de Cox avait suffi à le souiller.

– Oui, on peut dire ça, confirma Rebecca bis. Cette escorte est inutile. Libérez-le.

Arrachant les cordes des mains de ses gardes, Cox bondit soudain en avant, tel un cerf plein de vitalité, puis s'avança entre les rangées de soldats assis sur leurs sièges.

– De nouveaux copains, dit-il d'une voix rauque en dirigeant ses narines vers le contingent de soldats au visage juvénile.

Il se glissa ensuite vers les jumelles, et tourna ses yeux aveugles vers le chancelier qui l'observait toujours avec un dégoût manifeste. Il s'apprêtait à dire quelque chose aux deux jeunes Styx afin de poursuivre les opérations, lorsque Cox lui lança d'une voix étranglée un « Salut, mon beau ! » avant de lui adresser un baiser écumant de ses lèvres noircies.

– Voici… voici… le colonel Bismarck, bégaya le chancelier, et tous les visages se tournèrent vers l'homme qui s'était levé au premier rang des Néo-Germains.

De grande taille, le colonel arborait une belle moustache et un crâne dégarni. Il se tenait très droit. Il salua les jumelles en se penchant, faisant claquer ses bottes cavalières.

– Je vous laisse entre ses mains expertes, bredouilla le chancelier qui se précipita hors de la tente aussi vite qu'il le put en trottinant sur ses jambes dodues.

– Je serai votre officier de liaison, dit le colonel en s'avançant vers le chevalet à grandes enjambées. Avant de discuter de nos protocoles et de la façon dont nous allons coopérer pour effectuer nos recherches, je souhaite passer le terrain en revue avec vous, dit-il alors que l'un de ses soldats déroulait une carte pour la punaiser.

Le colonel tapota sur la carte pour indiquer aux jumelles une zone sur laquelle il finit par poser le doigt.

– Voici l'ancienne entrée du puits de la mine d'uranium, où l'on vous a tendu une embuscade.

Il fit glisser son doigt sur la carte. Il s'apprêtait à poursuivre, lorsque Rebecca l'interrompit :

– Là, dans la jungle… qu'est-ce que c'est ? dit-elle en indiquant trois triangles dorés.

– Ce sont de grands monuments visibles à plusieurs kilomètres à la ronde, répondit-il. D'anciennes pyramides… mais nous ne…

– Des pyramides ! s'exclama Rebecca bis en échangeant des regards avec sa sœur. Y a-t-il quoi que ce soit d'aussi imposant dans la jungle ?

– Non, rien qui dépasse la canopée, répondit le colonel Bismarck.

– Si on les avait repérées avant, on aurait filé directement là-bas. Le Dr Burrows foncera droit dessus, telle une souris des cavernes sur un morceau de fromage, dit Rebecca.

– C'est là qu'on trouvera les gens que nous recherchons, déclara Rebecca bis au colonel d'un ton très assuré. Et c'est par là qu'il faut commencer nos recherches.

Les rangs des soldats néo-germains furent parcourus par une vague d'agitation.

– Comme je m'apprêtais à vous le dire, nous évitons de nous aventurer dans cette zone très radioactive, qui ne revêt aucune importance stratégique, dit le colonel en regardant la carte, puis il prit une inspiration avant de poursuivre. Mais il y a autre chose.

– Quoi ? demandèrent en chœur les jumelles.

– Nous y avons perdu des troupes, dit-il en se caressant la moustache, manifestement peu enclin à répondre à cette question. Nous ne les avons jamais vus, mais nous pensons que des indigènes s'y trouvent encore cachés.

– Ah, un mystère. J'aime les mystères, caqueta Cox en agitant ses mains difformes sous son châle.

– Il n'y a pas de quoi rire. Vu le nombre d'hommes portés disparus au fil des ans alors qu'ils étaient tous entraînés au combat et dotés d'un équipement opérationnel, il convient de penser que ces indigènes sont extrêmement dangereux. Nous envoyons de temps à autre un avion de reconnaissance dans cette zone, mais ils ne trouvent jamais rien, dit-il en regardant Rebecca bis droit dans les yeux de son regard gris. Il est donc fort probable que vos proies soient déjà mortes.

– Mais qui sont au juste ces indigènes, comme vous dites ? demanda Rebecca. Des guérilleros ?

– Non, bien au contraire. S'ils possèdent des armes, elles doivent être très rudimentaires. Nos archéologues pensent qu'ils descendent d'un peuple ancien qui vivait dans des villes immenses éparpillées sur tous les continents du globe, il y a des siècles de cela. Ils estiment que leur société est sans doute à l'origine du mythe d'Atlantis.

– Bah ! commenta Rebecca. S'il a pigé ça, ce bon vieux Dr Bourrin doit être au septième ciel.

– Au septième ciel ? répéta le colonel Bismarck qui n'avait pas compris l'image.

– Ne vous inquiétez pas, répondit Rebecca bis d'un air résolu en examinant la carte de plus près, pour voir où étaient situées les pyramides. Quoi que vous puissez dire sur le risque encouru, nous devons commencer nos recherches par là, dit-elle. C'est là que se trouvent les gens qui nous ont volé notre virus.

– Et si Will Burrows n'est pas encore mort, cela ne devrait plus tarder. Nous allons l'étriper, ajouta Rebecca en posant la main sur son ventre tout en se remémorant la douleur de sa blessure par balle.

Eliza remplit une cuiller de gruau et ouvrit la mâchoire de Mme Burrows de l'autre main. Elle sembla hésiter un instant en regardant le contenu de la cuiller, puis elle hocha la tête et le déposa sur la langue de la femme inconsciente.

– T'es peut-être aussi bête qu'un Coprolithe, mais ça t'empêche pas de descendre nos vivres, hein ?

Le réflexe pharyngé de Mme Burrows ne semblait pas fonctionner normalement. Sa gorge se contracta et elle recracha le gruau.

– Pour l'amour du ciel, espèce de vache malpropre ! s'exclama Eliza. Tu m'en as mis partout !

Elle se releva d'un bond et s'empressa de nettoyer les gouttes qui lui avaient atterri sur le visage et le chemisier.

– La deuxième fois sera la bonne, dit Eliza en reprenant sa place.

Elle essaya à nouveau de forcer Mme Burrows à manger une cuillerée, mais cette dernière la recracha de la même façon. Eliza avait beau persévérer encore et encore, elle obtenait toujours le même résultat : Mme Burrows rejetait chaque cuillerée avec un spasme qui semblait provenir du plus profond de sa poitrine. Vaincue, Eliza laissa retomber la cuiller dans le bol et la posa sur la petite table juste à côté.

– Bien, si tu ne t'alimentes pas, tu vas vraiment avoir des problèmes, déclara-t-elle en regardant le visage relâché de Mme Burrows.

Eliza lui essuya rapidement le menton, puis elle emporta le bol à la cuisine.

– Elle sait, dit la vieille femme qui venait de paraître dans l'entrée.

Elle était agitée et tordait ses mains percluses d'arthrite.

– Ne sois pas idiote. Regarde-la un peu. Comment pourrait-elle savoir ? répondit Eliza à sa mère.

– Elle a toujours avalé sa nourriture auparavant. Pourquoi plus maintenant ? Elle sait, je te dis, insista la vieille femme qui n'en démordait pas.

– Quelles foutaises ! Elle tousse, un peu de fièvre, c'est tout. Mais si elle arrête de manger, elle ne fera pas long feu, et on aura obtenu ce qu'on voulait de toute façon. Mieux vaut se débarrasser de ça. Il ne faudrait pas que quelqu'un en mange, dit Eliza en regardant le bol qu'elle tenait à la main. Je vais le jeter dans l'évier.

La vieille femme resta dans l'entrée pendant qu'Eliza se dirigeait vers la cuisine, pour jeter le gruau qu'elle avait légèrement saupoudré de poison antilimace.

– Tu caches bien ton jeu, lança-t-elle à Mme Burrows qui était affalée dans son fauteuil roulant.

Elle était peut-être gâteuse, mais l'âge n'avait pas émoussé son intuition et l'on pouvait lire une expression de terreur sur son visage ridé. Elle avait failli être la complice d'un crime qui allait à l'encontre de tout ce en quoi elle croyait.

– Tu savais ce qu'on préparait… tu savais qu'on essayait de te refiler du poison, pas vrai ? dit-elle avant de s'enfuir en poussant un gémissement.

Bien sûr que je le savais, songea Mme Burrows en se retirant dans le havre obscur de son cerveau. *Et si tu essaies encore, je serai prête.*

Contre toute attente, elle avait survécu jusqu'alors, et elle n'allait pas laisser ces deux femmes l'empêcher de s'enfuir en Surface.

Dans le calme des sous-sols de l'entrepôt, Drake travaillait sur un ordinateur posé sur l'un des bancs.

– Comment va-t-il ? demanda Drake sans détacher les yeux de son écran et en continuant de taper à toute vitesse.

– Il n'est pas en grande forme, comme on pouvait s'y attendre, répondit Eddie qui venait d'entrer dans la lumière pour s'approcher du banc. J'ai dû lui donner quelque chose pour dormir.

– Ça ne me surprend pas. Le pauvre gosse a subi pas mal de choses ces derniers temps, commenta Drake, les yeux toujours rivés à l'écran. Il aurait peut-être eu un peu moins de mal à s'en remettre si vous vous étiez abstenu d'évoquer les bons petits plats que Martha remisait dans la cabane de jardin.

Eddie haussa légèrement les épaules.

– Quelle ironie, vraiment ! Quand on pense que votre ancienne bande, l'escadron de Hobb, avait la réputation de bouffer du cadavre, poursuivit Drake d'un ton neutre tout en continuant à travailler. Comment s'est-il comporté avec vous ? Je pensais que ce serait peut-être un peu compliqué après ce que lui ont fait subir les Styx.

– Il s'est détendu quand je lui ai dit que j'allais lui acheter une PlayStation et que je lui apporterais un cheeseburger et des frites à son réveil.

– Au moins il n'est pas complètement dégoûté par la nourriture, marmonna Drake, tout à sa tâche.

– Je peux jeter un coup d'œil ? demanda Eddie, qui contournait déjà le banc pour voir.

– Bien sûr. Je compile la dernière ligne de code et... voilà, c'est fini ! s'exclama-t-il en appuyant sur la touche *Entrée* avec emphase.

Une série de caractères mobiles s'affichèrent à l'écran dans un encadré, avant de disparaître pour céder la place à un curseur et à une ligne de texte indiquant que le programme était en train de *« localiser »*.

– Ça fait un moment que je n'ai rien codé, mais... on va voir ce qu'on va voir, dit Drake à mi-voix en attendant que le programme démarre. Ah, ça y est ! dit-il en voyant s'ouvrir une carte dans une nouvelle fenêtre. Voici le nord de Londres, quelque part à Highgate, remarqua-t-il, et c'est alors qu'une autre carte vint se superposer à la première. Le centre de Londres – le West End. Regardons celle-là d'un peu plus près... dit-il en agrandissant la fenêtre au maximum, pour zoomer sur le point rouge qui clignotait. Je t'ai eu ! lança-t-il lorsque le nom de la rue s'afficha enfin. Bien, qu'est-ce que vous savez au juste ? Il s'agit de Wigmore Street, dit-il en indiquant le point lumineux qui était manifestement situé à l'intérieur d'un bâtiment.

– Puis-je vous demander ce que vous êtes en train de faire ? risqua Eddie.

– Vous vous souvenez de ce que je vous ai dit à propos des tubes que j'ai prélevés sur la lampe à Lumière noire ? Ils émettent tous sur une longueur d'onde spécifique et la combinaison des quatre possède une signature unique. Eh bien, ce matin, je me suis connecté à plusieurs antennes que j'ai installées sur les bâtiments alentour pour pouvoir en localiser la source par triangulation. Avec ce matériel, je peux repérer une émission n'importe où dans la région de Londres, ajouta-t-il en tapotant le coin de son écran.

– Vous voulez dire qu'on est en train d'utiliser une Lumière noire là-bas, en ce moment même ? demanda Eddie en pointant le point lumineux.

– Oui, et je me demande bien qui en est la victime, répondit Drake d'un air songeur.

La voiture venait de se garer sur une double ligne jaune à la vue d'un gardien de parking, mais le conducteur n'en avait que faire. Son passager était bien trop important et influent pour qu'il se soucie de quelque chose d'aussi trivial qu'une amende.

– À vos postes, marmonna le policier de forte carrure assis à côté du conducteur.

Il était chargé de la protection de cet homme. Après avoir inspecté le trottoir des deux côtés, il fit un geste approbateur au conducteur, puis ouvrit la portière arrière.

– Euh… nous sommes arrivés, monsieur, dit-il d'une voix hésitante.

– Déjà ? demanda le Premier ministre en relevant les yeux de ses papiers. Oui, très bien. J'étais complètement ailleurs, expliqua-t-il en refermant le dossier posé sur ses genoux.

Il glissa sur le siège, sortit de la voiture et défroissa sa veste en tirant sur ses manches. C'était un homme imposant qui semblait toujours engoncé dans ses costumes, comme s'il avait oublié d'en ôter le cintre.

– Je n'ai vraiment pas de temps pour ça, grommela-t-il en se passant la main sur le front pour ajuster sa frange.

L'agent de protection escorta le Premier ministre qui traversa le trottoir, puis gravit les marches d'un bâtiment.

– Je suis désolé d'être en retard. J'ai été retenu à la Chambre des communes, dit-il à la réceptionniste d'un ton qui manquait totalement de sincérité.

– Bonjour monsieur, répondit-elle en lui adressant son plus beau sourire.

Elle n'était pas du tout surprise de ce retard. Le Premier ministre était coutumier du fait, et elle avait pris la précaution de bloquer le créneau suivant pour que les autres patients ne soient pas importunés.

– C'est par là ? demanda le Premier ministre en se tournant vers la salle d'attente.

– Non, non, ce n'est pas la peine. Le Dr Christopher va vous recevoir immédiatement.

À peine avait-elle appuyé sur l'un des boutons de son téléphone que l'assistante du Dr Christopher descendait déjà l'escalier géorgien.

– Si vous voulez bien me suivre, monsieur, dit l'assistante en tournant les talons en direction de l'escalier.

L'agent de protection ne l'avait pas accompagné à l'étage. Il s'était posté dans le hall pour surveiller les gens qui entraient dans le bâtiment. Il sortit sa radio et prit contact avec le conducteur assis dans la voiture à l'extérieur.

– Le grand chef vient de partir pour son examen médical. Heure de départ estimée à...

Il s'interrompit soudain. Il venait d'entendre s'ouvrir une porte derrière lui. Il fit volte-face et vit une femme qui sortait d'une pièce située tout au fond du hall. Elle était maigre comme un clou et portait une jupe droite de couleur noire et un chemisier blanc à large col.

– À vous, vingt-trois, grésilla la radio, mais l'agent de protection n'écoutait plus.

Il était hypnotisé par cette femme, et c'est à peine s'il pouvait respirer. La structure de son visage, la courbure surnaturelle de ses pommettes la rendaient presque inhumaine, féline et féminine à la fois. Elle était ensorcelante. Il sentit la puissance de son regard lorsque ses yeux noirs d'une incroyable beauté se rivèrent sur les siens. Un froid soudain l'envahit. Il frissonna. Il émanait d'elle une telle autorité qu'il en était abasourdi.

Il ne pouvait bien entendu pas le savoir, mais il était l'un des rares Surfaciens à avoir jamais vu une Styx adulte.

– Vingt-trois, répétez ?

La femme styx s'éloigna et commença à gravir l'escalier avec grâce, et l'agent de protection put enfin souffler.

– Vingt-trois ? Y a-t-il un problème ?

– Non, tout va bien… je viens juste de, euh, voir cette dame, répondit-il sans réfléchir.

– Une dame ? Hein ? Z'amusez bien là-haut ? rétorqua le conducteur d'un ton malicieux.

Arrivée à l'étage, l'assistante frappa légèrement à la porte du cabinet de consultation, l'ouvrit et s'effaça pour laisser passer le Premier ministre.

– Gordy, comment ça va ? demanda le Dr Christopher en se levant de derrière son bureau.

– Oh, pas mal. Toujours les mêmes entourloupes, tu sais, répondit le Premier ministre en lui serrant la main. Je suis content de te revoir, Edward. J'espère que ta famille va bien.

– Oui, merci. Je sais que tu as un agenda très serré. Si tu veux bien passer directement dans l'autre pièce ?

– Fort bien, grogna le Premier ministre qui s'apprêtait à prendre place sur la chaise face au bureau.

– Des troubles de la vue ?

– Je ne vois pas très bien le soir, mais j'imagine que c'est dû à la fatigue. Je lis trop de paperasse ministérielle à la lueur de la bougie, plaisanta le Premier ministre, en suivant le médecin dans le couloir qui menait à une grande pièce remplie de matériel divers.

– Voyons ça. Si tu veux bien prendre place, lui dit le Dr Christopher en lui montrant une chaise placée derrière le système d'imagerie rétinienne. Merci d'ôter tes lentilles. Tu trouveras un étui sur ta gauche. Si tu veux bien poser le menton sur le coussinet, on va regarder comment va ton œil.

– Oui. Inutile de se préoccuper de l'autre, n'est-ce pas ? dit le Premier ministre qui faisait référence à son œil gauche complètement aveugle.

Le Dr Christopher se prépara à entendre la plaisanterie d'usage et il ne fut pas déçu du voyage.

– Tu devrais me faire payer la moitié de tes honoraires, surtout avec toutes les restrictions budgétaires qu'on vient de subir.

– Oui, oui, répondit le Dr Christopher avec un rire forcé. Maintenant, si tu veux bien regarder droit devant, s'il te plaît.

Il était assis en face du Premier ministre et observait son œil à travers la lentille d'un microscope.

– C'est très high-tech, ces derniers temps, commenta le Premier ministre tandis que le Dr Christopher triturait la machine.

– Oui, je veux ce qu'il y a de mieux pour mes patients. Je vais allumer une lumière que tu risques de trouver un peu forte au début.

Il pressa un interrupteur et l'œil du Premier ministre fut soudain inondé par une lumière violette, presque noire. Son corps se raidit.

Observant prudemment le Premier ministre, le Dr Christopher se leva.

– Fait noir, hein, mon gros ? dit-il d'une voix désagréable, puis il contourna l'homme et lui pinça la joue pour s'assurer qu'il était inconscient. Voilà qui m'épargnera au moins un temps tes bavardages idiots.

La femme styx se glissa dans la pièce.

– Il est sous l'emprise de la Lumière noire. C'est étonnant, la rapidité avec laquelle elle l'affecte ces jours-ci, commenta le Dr Christopher. Il n'oppose plus aucune résistance.

– C'est toute la beauté des piqûres de rappel fréquentes, répondit-elle en contemplant le Premier ministre.

Le Dr Christopher frappa dans ses mains, puis s'éloigna vers la porte.

– Quoi qu'il en soit, c'est à vous maintenant. Je serai dans mon bureau au bout du couloir lorsqu'il sera temps de le réveiller.

– Je sais, répondit la femme avec un sourire enjôleur, puis elle referma et verrouilla la porte derrière lui.

– Bien, si vous avez raison et que mes congénères sont bien en train de soumettre quelqu'un à la Lumière noire, qu'est-ce qu'on fait ? On file à Wigmore Street et on les prend la main dans le sac ? Et puis après ?

– Ce sera probablement terminé au moment où on arrivera, répondit Drake. Espérons juste que le pauvre type auquel il font subir un lavage de cerveau ne passera pas l'arme à gauche entre-temps. J'ai entendu dire que c'était fréquent, notamment chez les sujets cardiaques ou souffrant d'une grave affection dont les Styx ignorent l'existence.

– Ou chez les femmes enceintes, comme ton amie à l'université, suggéra Eddie.

Drake secoua la tête d'un air triste.

– Oui, Fiona, dit-il d'une voix douce.

Pendant un instant, il fixa le point rouge qui continuait de clignoter sur la carte, puis il enfonça tout à coup la touche *Échappe* pour interrompre le programme.

– Non, on n'a pas de temps pour ça. On a déjà bien assez à faire. De toute façon, ce n'est sans doute qu'un responsable de second ordre.

Les jumelles étaient assises face à face sur les bancs d'aluminium qui couraient sur toute la largeur de l'hélicoptère. Le général des Limiteurs, huit autres soldats styx et Tom Cox, coincé à l'extrémité du banc, accompagnaient les jeunes filles. Avec tout le matériel qu'ils avaient chargé à bord, il ne restait plus beaucoup de place.

– Un tireur latéral, observa le général des Limiteurs tandis qu'un soldat néo-germain prenait position sur un siège situé derrière un canon à gros calibre monté à côté de la porte principale. On dirait qu'ils s'attendent à ce qu'il y ait du grabuge.

– Ils sont très prudents, acquiesça Rebecca. J'ai bien cru que ce briefing n'en finirait jamais.

– Bouclez vos ceintures, cria le pilote depuis son cockpit en abaissant les interrupteurs de sa console les uns après les autres.

Ils avaient tous resserré leurs harnais de sécurité, jusqu'au dernier, et les rotors se mirent à tourner lentement sur eux-mêmes. Ils gagnèrent de la vitesse jusqu'à ce que l'engin vibre comme une vieille machine à laver.

– C'est parti, dit Rebecca bis.

Mais une minute plus tard, ils n'avaient toujours pas décollé.

Rebecca jeta un coup d'œil à travers le hublot derrière elle et vit qu'aucun des douze hélicoptères n'avait pris son envol.

– Un problème ? finit-elle par demander en hurlant pour couvrir le vacarme ambiant.

– Il faut attendre que le moteur soit chaud, répondit le général des Limiteurs.

– Quelle vieille guimbarde ! dit-elle en riant.

Le moteur Bramo finit par atteindre la bonne température et l'hélicoptère s'ébranla enfin, tandis que les jumelles regardaient les autres engins s'élever dans le ciel.

– Ça y est ! dit le général des Limiteurs en voyant leur engin piquer du nez, et voilà qu'ils survolaient déjà la métropole tentaculaire.

Rebecca se mit à gesticuler pour lui indiquer la chancellerie, lorsqu'ils croisèrent un avion qui filait à toute allure. On aurait dit une chauve-souris noire et lisse.

– T'as vu ce machin ? hurla Rebecca.

Elles n'avaient rien vu de tel sur le terrain d'aviation. C'était une grande aile volante sans fuselage ni stabilisateur, et d'après les flammes qui jaillissaient des deux moteurs, il s'agissait manifestement d'un avion à réaction. Il ressemblait aux avions furtifs de l'armée américaine, sommets de la technologie surfacienne. Cette aile volante filait si vite qu'une fraction de seconde plus tard elle n'était déjà plus qu'un petit point au-dessus de l'océan.

– Qu'est-ce que c'était que ce truc ? demanda Rebecca bis.

Les jumelles regardaient le général des Limiteurs et attendaient sa réponse. Il hocha la tête.

– Je crois que c'est un Horten 229, construit par les frères Horten pour les nazis dans les années trente, au moins trois décennies avant que les Américains ne commencent à produire leur bombardier furtif.

Le Limiteur plissa légèrement les yeux, comme si tout cela l'amusait, mais ne sourit pas pour autant.

– Je crois que j'ai quelque peu vexé le chancelier quant à ses forces aériennes, et voilà qu'il essaie de m'impressionner avec cet engin, ajouta-t-il.

Ils quittèrent l'espace aérien de la métropole et s'élevèrent dans les airs pour franchir la chaîne de montagnes qui se dressait en toile de fond.

Rebecca bis gardait un œil sur les autres hélicoptères qui les suivaient en formation serrée. Sa sœur s'intéressait plutôt au paysage. Le pilote tira sur le manche à balai et l'hélicoptère s'inclina pour suivre une nouvelle trajectoire. Une vue incroyable se déployait derrière la vaste coque de Plexiglas. La jungle ressemblait à un océan de verdure infini.

– Un monde vierge, dit-elle. On pourrait faire tant de choses ici...

Rebecca bis commença à s'intéresser aux manœuvres du navigateur de l'autre côté du cockpit. Calé derrière le pilote, il était manifestement en contact constant avec lui via son casque, et scrutait un écran circulaire encastré dans un tableau de bord. Elle défit son harnais et le rejoignit en s'accrochant à une rampe pour ne pas perdre l'équilibre.

– C'est quoi, ces taches sombres, là ? demanda-t-elle en lui tapotant sur le bras pour attirer son attention.

Il sembla surpris de la voir là, mais ôta son casque pour pouvoir l'entendre.

– C'est quoi, ces zones sombres ? hurla-t-elle à nouveau.

– *Ein sturm ist im Kommen !* cria-t-il à son tour.

Elle haussa les épaules. Aussi bon que soit son allemand, le vacarme du moteur l'empêchait de comprendre.

– Un front d'orage, lança-t-il enfin après avoir trouvé la bonne traduction. Il faut les contourner, car les courants aériens et les décharges électriques sont trop puissants pour cet hélicoptère. C'est un appareil de repérage...

– C'est un système radar qui sert à évaluer les conditions météorologiques ? Mais qu'est-ce que c'était que ça ? dit-elle en indiquant une petite tache lumineuse aux contours indistincts, qui apparut lentement sur l'écran monochrome avant de disparaître.

Rebecca avait rejoint sa sœur jumelle et écoutait désormais la conversation.

– *Wir wissen nicht*... on ne sait pas. Nous avons envoyé un avion de reconnaissance il y a plusieurs semaines, mais il n'a rien trouvé. Ça pourrait être un champ magnétique... comment dites-vous... *eine Abweichung von der.*

– Une anomalie, traduisit Rebecca en croisant le regard de sa sœur.

– Peut-être – mais c'est très hypothétique – que c'est l'un des gadgets de Drake ? risqua Rebecca bis en fronçant les sourcils. Y a-t-il quoi que ce soit de ce côté ? Un endroit particulier ? Un bâtiment quelconque ?

Le navigateur pivota sur sa chaise pour consulter une carte sur une étagère en métal à côté de son écran. Il y posa un rapporteur pour évaluer les distances.

– La troisième pyramide est le bâtiment le plus proche... et c'est aussi la plus éloignée de notre position actuelle.

– Ça se trouve à côté d'une pyramide ! Pourquoi ne nous l'a-t-on pas dit ? demanda Rebecca.

– De toute façon, vous verrez cet endroit, puisque c'est le dernier point de chute prévu pour cette opération, répondit le navigateur en haussant les épaules.

Les jumelles pensèrent la même chose au même moment, sans avoir besoin d'échanger un regard.

– Non, déclara Rebecca bis sans équivoque possible.

– On commence par là, ordonna Rebecca. Dites à votre pilote de changer de cap... tout de suite.

Chapitre Quinze

– Je reste dans la voiture, si jamais tu as besoin de moi. Tu n'auras qu'à parler là-dedans, dit Drake en s'assurant que le micro était bien accroché à l'intérieur de la manche de Chester.

Ils étaient tous les deux à l'arrière de la voiture que conduisait Eddie.

– Et Eddie prendra position à l'arrière, poursuivit-il.

– Quoi… dans mon jardin ? demanda Chester d'une voix incrédule.

Il avait les yeux rivés sur une maison située en contrebas, puis il détacha à contrecœur son regard de la vitre de la Range Rover pour regarder le micro caché dans sa manche, et le pistolet posé sur les genoux de Drake.

– On a vraiment besoin de tout ça ? demanda-t-il.

– Oui. Attends-toi à n'importe quoi, répondit Eddie en se tournant vers lui. Et nous ne pouvons pas traîner là très longtemps. Ça n'est pas sûr, ajouta-t-il en regardant la rue dans le rétroviseur.

– Écoute, Chester, je comprends parfaitement ce qui te pousse à faire ça, commença Drake avant de soupirer. Tu veux rassurer tes parents et leur dire que tout va bien. Mais, comme je ne cesse de te le répéter, ce n'est vraiment pas une bonne idée.

Chester contracta la mâchoire d'un air résolu, mais ne répondit pas.

Drake était manifestement mal à l'aise. Il ferma les poings, puis les rouvrit.

– Tu disposes de dix minutes maximum. Tu ne peux pas rester plus longtemps que ça. Les Styx viendront et ils ne se contenteront pas de t'enlever, ils prendront ton père et ta mère aussi. Tout le monde y passera, et tu fais courir un risque à *tous* ceux avec qui tu rentreras en contact, sans exception.

– Je comprends, bredouilla Chester. Je m'assurerai que c'est tout aussi clair pour eux.

– Tu dois savoir comment vont se dérouler les choses. Tes parents ne vont pas te laisser entrer et ressortir aussitôt comme si de rien n'était. Ils voudront savoir où tu étais passé tout ce temps, et avec qui. Ils exigeront une explication. Mais tu ne peux rien leur dire. Puis, lorsque tu essaieras de repartir, ils feront tout un foin et prendront sans doute contact avec la police, ce qui revient à téléphoner directement aux Styx.

Chester s'apprêtait à dire quelque chose, mais Drake l'interrompit aussitôt :

– Ensuite, une fois qu'ils auront sonné l'alarme et que tu auras disparu à nouveau, les Styx embarqueront tes parents pour les interroger et découvrir ce qu'ils savent.

– Non, j'arriverai à faire entendre raison à ma maman et à mon papa, répondit Chester d'une voix enrouée. Ils feront ce que je leur demande, car ils ont confiance en moi.

– Il faudra bien plus que de la confiance, Chester. On est en train de parler de tes parents. Ils vont se battre bec et ongles pour te retenir, rétorqua Drake.

– Non, il faut qu'ils sachent que je vais bien. Je leur dois au moins ça, non ? contra Chester d'une voix tremblante, suppliant Drake du regard.

– Il vaut mieux laisser certaines choses en paix, répondit Drake en secouant la tête, mais Chester avait déjà les yeux rivés sur la maison.

– Je parie que mon papa est en train de prendre son café devant la télé. Il écoute les nouvelles du soir. Ma maman sera dans la cuisine, la radio allumée pendant qu'elle prépare le dîner. Mais dans tous les cas, ils seront probablement en train de penser à moi. Tu sais, ils n'ont personne d'autre que moi. Ma sœur Annie est morte dans un accident lorsqu'elle était petite, et il n'y a plus que moi. Je ne peux pas les laisser souffrir comme ça, les laisser croire qu'il m'est aussi arrivé quelque chose de terrible. Rien n'est pire que... de ne pas savoir.

– Bien, au moins, on t'aura prévenu, dit Drake en jouant avec la glissière de son pistolet.

Eddie démarra la voiture et descendit la rue, puis il se gara à quelques maisons de celle de Chester.

– Allons-y, dit-il, et ils sortirent tous en même temps.

Drake prit sa place derrière le volant et le Styx escorta Chester sur le trottoir.

– Nous y voilà, dit Chester, parvenu devant la maison.

– Bonne chance, murmura Eddie, qui s'éclipsa derrière la maison.

Chester s'arrêta pour contempler la porte d'entrée après avoir effectué quelques pas dans l'allée au dallage irrégulier. C'est alors qu'il remarqua un mouvement derrière le store de la cuisine.

– Maman, dit-il, rayonnant.

Il remonta lentement la courte allée. Rien n'avait changé. On avait récemment tondu les petites zones enherbées de part et d'autre du chemin. Pendant les mois d'été, son père sortait toujours la tondeuse le dimanche soir, lorsqu'il faisait un peu plus frais.

Chester regarda la grosse grenouille de béton posée sur la platebande. Elle tirait la langue comme si elle attendait le passage d'une mouche pétrifiée. La fadeur grise de la statue mouchetée de lichen séché contrastait avec les fleurs colorées dont elle était entourée. C'était l'œuvre de sa mère. Elle effectuait des trajets réguliers au centre de jardinage local et replantait complètement cette platebande tous les deux mois, quoi qu'il arrive. Elle choisissait les fleurs les plus colorées et les plus éblouissantes.

– Eh bien, ça me rend heureuse, disait-elle au père de Chester lorsqu'il lui demandait chaque fois combien cela avait coûté.

Il ne répondait rien, car il était content de la voir ainsi.

Rien n'a changé. Les choses ont suivi leur cours sans moi, se dit soudain Chester. Les rituels propres à la famille Rawls, toutes ces petites activités routinières qui avaient rempli les moments creux de son enfance continuaient, alors même qu'il n'était plus là. Ces choses qui constituaient les pierres de touche de sa vie avaient perduré sans même qu'il en profite. Au fond de lui, il avait le sentiment qu'elles auraient dû cesser, au moins temporairement, jusqu'à ce qu'il revienne à la maison, car il s'agissait aussi de ses rituels à lui.

À ces pensées, Chester eut d'autant plus envie de voir ses parents. Il voulait qu'ils sachent qu'il faisait partie de la famille, même s'il n'était plus là.

Il entra sous le porche, prit un instant pour se recoiffer car il ne voulait pas avoir l'air trop débraillé, puis pressa la sonnette.

Au son de la cloche, son pouls s'accéléra. Il connaissait si bien son carillon mollasson.

Il entendit des voix.

– C'est moi ! C'est vraiment moi, dit-il à voix haute, le visage fendu par un grand sourire. Je suis de retour, dit-il encore plus fort.

Il vit une silhouette se déplacer derrière le verre translucide de la porte d'entrée.

Il avait l'impression qu'il allait exploser.

La porte s'ouvrit et il vit sa mère qui s'essuyait les mains sur son torchon.

Chester la regarda fixement, submergé par l'émotion au point qu'il était incapable de parler.

– Oui, que puis-je faire pour vous ? demanda Mme Rawls en lui adressant un coup d'œil indifférent.

– Mam... articula-t-il enfin, les lèvres tremblantes et les yeux noyés de larmes.

Elle n'avait pas changé. Elle avait toujours ces mêmes cheveux bruns, très courts, et elle portait les lunettes de lecture qu'elle oubliait sans cesse au sommet de son crâne.

– Mam... dit à nouveau Chester, qui dévorait des yeux son visage.

Elle était exactement comme il l'avait imaginée pendant tous ces mois passés sous terre. Peut-être un peu plus vieille que la dernière fois, avec de nouvelles rides autour des yeux, mais Chester n'y prêta pas attention, car il regardait le visage d'une personne qu'il aimait plus que tout autre. Il ouvrit les bras pour l'enlacer et la serrer contre lui.

Mais elle resta impassible.

– Oui ? demanda-t-elle à nouveau en fronçant les sourcils et en lui adressant l'un de ces regards en biais qu'elle lançait à ceux qui l'arrêtaient dans la rue pour lui demander de l'argent.

C'est alors que, chose encore plus incroyable, elle recula d'un pas.

– Ah, mais oui ! Vous êtes venu chercher les vêtements, n'est-ce pas ? dit-elle sèchement. Tout est prêt à emporter.

Elle indiqua un sac de plastique blanc derrière les bouteilles de lait au coin du porche. Il était plein, et on y avait inscrit un nom que Chester ne parvenait pas à déchiffrer derrière le voile de larmes qui lui emplissait les yeux.

– Qui est-ce ? demanda M. Rawls.

– Papa, dit Chester la gorge serrée, mais Mme Rawls était trop distraite pour l'entendre.

– C'est juste quelqu'un des bonnes œuvres. Il est venu ramasser nos vieux vêtements, répondit-elle en criant en direction du couloir.

– J'espère que tu n'as pas encore essayé de te débarrasser de mon gilet préféré, répliqua M. Rawls avec un gloussement sonore qui se perdit dans une soudaine explosion musicale.

Chester ne s'était pas trompé. Son père, comme à son habitude, regardait la télévision dans le salon. Ironie du sort, c'était la musique d'une fanfare jouant un air de bienvenue solennel.

Mme Rawls avait enfin remarqué les larmes de Chester. Il s'avança vers elle, mais elle s'abrita derrière la porte qu'elle commençait déjà à refermer.

– Vous travaillez bien pour les bonnes œuvres, n'est-ce pas ? demanda Mme Rawls, qui commençait à avoir des soupçons.

– Maman ! s'étrangla-t-il presque. C'est moi !

Mais elle ne semblait toujours pas le reconnaître. Au contraire, elle avait l'air de plus en plus inquiète.

– Vous n'êtes pas venu ramasser les vêtements, n'est-ce pas, déclara Mme Rawls, à présent résolue à refermer la porte.

Ne sachant que faire, Chester bloqua la porte avec son pied.

– Qu'est-ce qui ne va pas, maman ? Tu ne me reconnais donc pas ?

– Jeff, dit Mme Rawls d'une voix étranglée par la panique.

– Mais c'est *moi* ! Chester !

La peur cédant un instant la place à la colère, le visage de Mme Rawls s'empourpra.

– Allez-vous-en ! lança-t-elle sèchement en pesant de tout son poids sur la porte, mais Chester ne céda pas.

Mme Rawls lâcha un juron. C'en était trop pour Chester. Il ne supportait plus cette situation aberrante.

– Laisse-moi entrer, rugit-il en poussant la porte d'un coup d'épaule.

Projetée en arrière, sa mère recula de quelques pas en titubant, et se rattrapa au chambranle de la porte de la cuisine.

Chester pénétra dans l'entrée et pointa du doigt une grande photo accrochée au mur. Il ne l'avait jamais vue avant. Ils étaient là tous les trois assis dans une cabine du London Eye. Big Ben se profilait en toile de fond derrière la grande roue. Un touriste japonais avait pris leur photo avec l'appareil de son père. Cette ultime sortie en famille avait quelque chose de spécial pour Chester. Ses parents étaient venus le chercher directement après la classe et voilà qu'il figurait sur la photo, encore en uniforme d'écolier.

– Regarde ! C'est moi ! Avec papa et toi ! hurla Chester. T'es malade ou quoi ?

– Sortez… de… chez… moi ! dit Mme Rawls en appuyant sur chaque mot avant de partir d'un rire étrange et étranglé. Vous n'êtes pas mon fils !

Elle appela à nouveau M. Rawls, mais cette fois-ci elle hurla à tue-tête. Chester ne l'avait jamais vue dans un état pareil. Il n'en revenait pas.

Quelque chose se brisa avec fracas et M. Rawls déboula du salon avec une tache sombre sur sa chemise blanche. Il avait renversé son café. Cette fois, il avait entendu sa femme qui l'appelait au secours, malgré le bruit de la télévision.

– Qu'est-ce qui se passe ? aboya M. Rawls.

– Ce garçon a perdu la tête ! Il prétend être Chester ! cria Mme Rawls tandis que son mari s'avançait vers lui.

– Quoi ? s'exclama M. Rawls en adressant un coup d'œil à sa femme qui tordait son torchon avec angoisse.

– Il dit qu'il est notre fils, dit-elle encore une fois.

M. Rawls se tourna vers Chester. Il était d'ordinaire très timide et osait à peine croiser le regard des gens qu'il ne connaissait pas bien, mais il était dans une colère noire à présent et fixait Chester droit dans les yeux.

– Comment osez-vous ? Espèce… espèce de malade ! Comme osez-vous venir ici et dire des choses pareilles ? Notre fils a été porté disparu, et vous ne lui ressemblez pas pour un sou.

– Mais papa... plaida Chester, intimidé par la fureur de son père.

Il pointa néanmoins encore une fois la photo du doigt.

– Je suis moi... c'est moi ! Tu ne vois donc pas qui je suis ?

– Quittez cette propriété sur-le-champ, ou j'appelle la police. Tiens, Emily, appelle donc la police dès maintenant. Dis-leur qu'il y a un fou en liberté dans le quartier.

La mère de Chester se précipita dans la cuisine et M. Rawls s'empara d'un parapluie adossé au mur et menaça son fils :

– Voyou ! grogna-t-il. Tu cherches de l'argent pour payer ta drogue, n'est-ce pas ?

– Papa, papa ! suppliait Chester en tendant les mains.

– Sors d'ici ! Sinon tu vas prendre un coup, crois-moi ! hurla M. Rawls.

Mais Chester ne bougea pas d'un pouce.

– Très bien, tu l'auras voulu.

Juste au moment où M. Rawls s'apprêtait à asséner un coup de parapluie à Chester, Drake poussa le garçon sur le côté. Il attrapa M. Rawls par le poignet, lui tordit le bras et le força à s'agenouiller.

– Donnez-moi ça, dit-il en lui arrachant le parapluie des mains, puis il se retourna vers Chester.

Le garçon regardait son père d'un air idiot, alors que ce dernier continuait à vociférer sans pouvoir se relever. Drake lui avait fait une clé au bras.

– Reviens sur terre, Chester, dit Drake.

Mais Chester ne réagit pas.

– Retourne à la voiture, maintenant, ordonna-t-il d'une voix plus forte.

Eddie parut soudain, entraînant Chester avec lui.

Drake retourna M. Rawls et le plaqua sur le dos, puis il jeta le parapluie au bout du couloir.

– Désolé de vous avoir dérangés. On s'est trompés d'adresse, dit-il en claquant la porte derrière lui avant de regagner la voiture.

Chester était affalé contre la portière de la voiture, qui s'éloignait déjà à vive allure.

– Je ne comprends pas, je ne comprends pas, bredouillait-il en tremblant.

Drake posa la main sur son épaule, mais le garçon se dégagea.

– Ils ne savent pas ce qu'ils font, Chester. Tes parents ont subi la Lumière noire. C'est pour ça qu'ils ne t'ont pas reconnu. Pas vrai, Eddie ?

– Oui, c'est exact, répondit le Limiteur sans hésiter.

– On a modifié leur comportement. On leur a reconfiguré le cerveau, si tu veux, et je parie qu'on les a conditionnés pour qu'ils prennent contact avec un agent styx dès que tu pointerais le bout de ton nez. Ils penseront appeler la police, mais ce sera un tout autre numéro. Ils n'auront pas conscience de ce qu'ils feront. J'ai bien peur que les Styx ne les aient déjà rattrapés, Chester.

– Ce qui signifie qu'il ne faut pas traîner dans le coin, dit Eddie en accélérant, grillant un feu rouge au passage.

Chapitre Seize

Will avait encore les paupières closes, mais il perçut un éclair dans le ciel qui l'arracha à son sommeil, réveillant son père au passage. L'arbre trembla sous le choc de la foudre qui venait de s'abattre presque au même instant.

– Sacrément puissant, celui-là, commenta le Dr Burrows en se levant pour se dégourdir les jambes.

– Ouais, encore un autre de ces orages énormes, acquiesça Will.

Mais quelle ne fut pas sa surprise lorsqu'il vit le ciel limpide entre les branchages, alors qu'il s'attendait à contempler une épaisse couverture nuageuse.

– On dirait que le vent l'a dissipé. On devait dormir au plus fort de la tempête.

Des gouttes filtraient parfois à travers l'incroyable feuillage de l'arbre gigantesque où ils avaient établi leur base et tombaient tout autour de Will, qui était fasciné de les voir terminer leur marathon en éclaboussant les planches grossières maculées d'auréoles humides.

– Il est temps de poursuivre, annonça le Dr Burrows. Mais je crois qu'un p'tit déj s'impose.

Will aurait bien voulu se rendormir, mais la faim eut raison de lui. Il suivit son père et tituba vers le sac à dos qu'Elliott avait accroché à une corde nouée à une branche haute, pour préserver les vivres des fourmis. Will et le Dr Burrows prirent l'une des mangues qu'Elliott avait cueillies la veille. Il n'y avait pas la moindre trace d'elle ni de Bartleby, et Will en conclut qu'elle était partie chasser.

Assis en tailleur à côté de la table, le Dr Burrows griffonnait dans son journal tout en mordant dans son morceau de mangue. Will savait qu'il était peu probable qu'il obtienne une réponse s'il lui demandait sur quoi il travaillait. Il s'assit donc au bord de la plateforme et contempla la pyramide à travers les branchages. L'édifice et les herbes alentour luisaient sous l'intense lumière du soleil après la mousson. Sous l'effet de la chaleur se formaient déjà des nuages de vapeur, emportés par les brises occasionnelles.

– C'est marrant, comme rien ne change jamais ici, n'est-ce pas ? dit Will qui n'était pas encore complètement réveillé et déjà en sueur. Je veux dire qu'il y a toujours du soleil... toujours le même climat, à part les orages. Il n'y a pas d'hivers ni de saisons, ni rien de tout ça. Comme si le temps s'était arrêté sur un été caniculaire.

Le Dr Burrows, la bouche encore pleine, marmonna quelque chose d'inintelligible.

Will se mit à balancer alternativement ses jambes au-dessus du vide. Cette situation lui rappelait ses sorties dans un parc d'attractions à Highfield, lorsqu'il était bien plus jeune. Tartiné de crème solaire, il filait toujours droit sur les balançoires, dans l'espoir qu'on ne les ait pas vandalisées. Mais même si elles étaient encore en bon état, Mme Burrows lui proposait rarement de le pousser. Elle préférait feuilleter ses magazines télé et ses revues cinématographiques sur papier glacé, assise sur un banc non loin de là. Il avait dû apprendre à se balancer tout seul ou à rester assis là, pendant que d'autres enfants se faisaient pousser par leur père ou leur mère.

– Je me demande comment va maman, dit Will en songeant à la dernière fois qu'il l'avait vue dans le café au bord de l'autoroute. Je me demande si elle s'entend bien avec Drake. J'espère qu'elle...

– Oh, tais-toi à la fin, l'interrompit sèchement le Dr Burrows.

Il avait le visage rose puce. Il avait écrasé dans son poing le morceau de mangue qu'il était en train de manger. Le jus lui dégoulinait entre les doigts, et il oscillait sur place.

– Tu ne peux donc pas vivre dans le présent ? Profiter au maximum de l'opportunité qui t'est offerte ? Tu penses toujours au passé, et ce n'est pas sain, surtout pour quelqu'un de ton âge !

Le Dr Burrows s'avança d'un pas lourd vers le gros tronc d'arbre qui leur servait à monter et descendre jusqu'à la plateforme, puis il marqua un temps d'arrêt.

– Dans ce monde, nous sommes tous des hommes sans ombre, dit-il, puis il amorça sa descente.

– Qu'est-ce que ça veut dire ? lança Will, mais le Dr Burrows avait déjà disparu.

Il savait qu'il avait touché un point sensible en mentionnant Mme Burrows. Le souvenir de la femme qui l'avait rejeté lorsqu'il était revenu en Surface avec Will faisait manifestement souffrir son père. Mais il était hors de question pour Will de tourner le dos à sa mère. Il avait découvert une nouvelle facette de sa personnalité, et il ne cessait de penser à elle. Le peu de temps qu'il avait pu passer avec elle lui avait permis de comprendre combien il l'aimait tout au fond de lui.

Will avait déniché un coin isolé près d'une petite source, où il avait planté des croix en l'honneur des membres de sa famille qu'il avait perdus. Il ne s'y rendait pas aussi souvent qu'il l'aurait voulu ces derniers temps, mais lorsqu'il se trouvait là, étendu dans l'herbe à se remémorer l'oncle Tam, Sarah Jérôme et Cal, il songeait également à sa mère, et priait pour qu'elle soit à l'abri des Styx. Il ne pouvait oublier ses ennemis, car il avait placé les fioles qui contenaient le virus et le vaccin du Dominion dans une vieille bouteille médicinale pour les protéger de l'humidité avant de les enterrer de l'autre côté de la source.

Cet endroit était plein de contradictions pour lui. Il représentait tous les bons moments de sa vie, mais aussi le virus mortel dont les Styx s'apprêtaient à se servir pour commettre un génocide et décimer la population surfacienne.

Contrairement à son père, Will ne voulait pas oublier le passé. Il se sentait redevable envers les gens qui avaient peut-être perdu la vie à cause des événements qu'il avait contribué à mettre en branle en entrant par effraction dans la Colonie avec Chester. Will hésitait à se rendre à la source maintenant, mais il se ravisa. Il valait mieux qu'il aille aider son père. Si jamais il l'avait fâché, il fallait retisser le lien qui les unissait. En lui proposant son aide, il était sûr d'y arriver. Will se lava le visage avec de l'eau puisée dans l'une des cantines, balança la bandoulière de son Sten sur son épaule et s'avança vers le tronc pour rejoindre son père.

Il venait de traverser la prairie et commençait déjà à escalader la pyramide, lorsqu'il perçut un son qui l'horrifia. Il marqua une pause. Il était certain d'avoir entendu le vrombissement lointain d'un moteur. Il tendit l'oreille, puis secoua la tête. Le bruit semblait avoir cessé, mais il grimpa les degrés à toute vitesse, cherchant à localiser son père avec frénésie. À mi-parcours, il courut le long de la pyramide en scrutant la clairière en contrebas, au cas où le Dr Burrows serait en train de travailler sur l'une de ses récentes découvertes. Il finit par repérer son père après avoir contourné l'arête de la pyramide. Il était de l'autre côté et examinait les pierres mobiles.

Sa colère semblait s'être dissipée.

– Ah, te voilà ! cria-t-il en essayant d'extraire l'une des pierres de son logement. J'essaie de voir si…

– Papa ! T'as entendu ça ? hurla Will en indiquant le ciel à la hâte.

– J'arrive, répliqua le Dr Burrows en agitant la main, car il pensait que son fils l'appelait.

Il venait de saisir la pierre adjacente et ajustait sa position, lorsque Will parvint à sa hauteur.

– J'essaie une nouvelle métho…

C'est alors que Will entendit à nouveau le même son porté par une bourrasque de vent. Cette fois-ci, le doute n'était plus permis, même si le Dr Burrows semblait ne s'intéresser qu'aux pierres mobiles.

– Pour l'amour du ciel, papa, arrête de jouer avec ça ! T'as pas entendu ?

– Entendu quoi ? répondit le Dr Burrows en retirant la main et en inclinant la tête sur le côté.

Cette fois, il était inutile de tendre l'oreille.

Un hélicoptère apparut soudain dans un grand fracas. Il volait si près de la canopée qu'il dispersait les gouttelettes d'eau qui s'y étaient déposées. Il prit de l'altitude et stationna enfin juste à l'aplomb de la pyramide. L'intense courant d'air pulsé par les pales de l'hélicoptère leur frappa le visage avec la force d'une petite tornade et souleva au passage la poussière et les débris accumulés sur l'édifice. Père et fils s'aplatirent au sol pour ne pas être emportés par le souffle.

– Qui est-ce ? cria le Dr Burrows en essayant de ramper vers le bord de la corniche pour avoir une meilleure vue.

– Non, espèce d'idiot ! hurla Will en tirant son père amusé contre le flanc de la pyramide pour les dérober tous deux aux regards des visiteurs.

– Mais qui se trouve là-dedans ? demanda le Dr Burrows.

– Tais-toi ! lui ordonna Will.

Ils étaient aplatis contre la pyramide à présent et bien moins visibles d'en haut. L'hélicoptère n'était pas dans la ligne de mire de Will, qui se fichait pas mal de savoir qui se trouvait à l'intérieur de l'engin. Il ne faisait aucun doute qu'il s'agissait d'un appareil militaire. En sus du Stuka que le Dr Burrows avait repéré, l'entrée en scène de cet hélicoptère ne laissait rien présager de bon.

Will se risqua néanmoins à s'éloigner un peu de la paroi. Clignant des yeux pour se protéger de la poussière et du souffle des pales, il aperçut brièvement un pilote coiffé d'un casque et portant des lunettes d'aviateur aux verres fumés. Puis, tandis que l'engin pivotait lentement sur lui-même, il vit que la porte latérale était ouverte et qu'un soldat était posté derrière un gros canon.

On dévida des cordes de part et d'autre de l'hélicoptère.

C'est alors que Will vit quelque chose d'autre qui lui coupa le souffle. Derrière le canonnier, il entr'aperçut le visage décharné de Limiteurs vêtus de leur habituelle tenue de camouflage. L'un d'eux ajusta soudain son tir en direction de Will.

– Des Styx ! Il y a des Styx dedans ! bafouilla Will en se plaquant contre le mur avant de saisir violemment le Sten qu'il portait à l'épaule.

Il l'arma, prêt à tirer.

Il faut qu'on file d'ici.

Will scruta en toute hâte la jungle qui s'étendait face à eux. Alors qu'il essayait d'évaluer leurs chances de traverser la clairière, il crut voir Elliott. Elle semblait vouloir se montrer derrière le tronc d'un des arbres massifs.

Il n'eut pas le temps de regarder plus longtemps, car à cet instant tout un escadron d'hélicoptères apparut au-dessus des arbres. Ils se positionnèrent en cercle tout autour du premier, au ras de la canopée. Le mouvement de leurs pales agitait les branches et soulevait une tempête de feuilles volantes.

Derrière la clameur des hélicoptères, Will entendit alors la détonation d'une carabine. Des éclats de pierre se brisèrent juste au-dessus d'eux. Ils étaient pris sous des tirs de précision. Les Styx voulaient manifestement les capturer en vie : les Limiteurs ne manquaient jamais leur cible.

Will jeta un nouveau coup d'œil vers la jungle. Il leur était impossible de l'atteindre, même en tirant parti de la faible gravité pour s'élancer dans le vide le long de la pyramide. La distance était trop vaste. Les tireurs d'élite styx auraient tout le temps nécessaire pour abattre quiconque tenterait de fuir par la clairière. Ce n'était donc pas une option.

Le Dr Burrows semblait totalement perdu. Il s'aplatissait contre le mur et agrippait son journal des deux mains comme s'il voulait préserver la seule chose qui comptât à ses yeux. Will regarda à nouveau l'hélicoptère qui planait juste au-dessus de leurs têtes. Il aurait préféré ne pas voir les silhouettes noires des Limiteurs se découper sur fond de ciel blanc, et descendre en rappel vers le sommet de la pyramide. Ils étaient six en tout.

Will braqua instinctivement son Sten sur les soldats styx, mais une grêle de balles s'abattit sur la pyramide. Les Limiteurs tiraient depuis les autres hélicoptères, frappant la corniche à quelques mètres à peine de lui. Il abaissa son arme et s'affala contre la paroi. À quoi bon, face à une telle puissance de feu et un tel nombre ?

– On est cuits, marmonna Will à son père.

Comment auraient-ils pu échapper à ça ? Will se sentit soudain apathique, comme si l'on avait siphonné toute son énergie.

Il entendit un cri venant du sommet de la pyramide. C'était un Styx. Il indiquait aux autres soldats où se trouvaient Will et son père.

Les Limiteurs venaient d'atterrir.

Ils étaient si proches, à présent.

– C'est fini, papa.

Will se cacha le visage derrière son bras et ferma les yeux, se préparant à l'inévitable.

Il attendait sa capture.

Quand tout à coup se produisit quelque chose d'inexplicable.

La paroi contre laquelle ils étaient plaqués, ainsi que le sol sur lequel ils se tenaient se dérobèrent soudain.

– Waouh ! hurla le Dr Burrows d'une voix stridente.

Ils plongèrent tous deux dans le noir.

– Hé ! s'exclama Rebecca bis, tandis qu'ils continuaient à planer au-dessus de la pyramide. Où est-ce qu'ils sont passés ?

– Quoi ? répliqua Rebecca qui se trouvait à l'intérieur de l'hélicoptère et n'avait donc pas vu la scène.

Elle se pressa contre le canonnier latéral et sa sœur pour mieux voir.

– Ne me dis pas qu'on les a perdus ! Comment est-ce possible ?

La première vague de Limiteurs à s'être posée sur le plateau qui formait le sommet de la pyramide inspectait déjà le degré où se trouvaient Will et le Dr Burrows quelques instants plus tôt. D'autres hélicoptères se posaient dans la clairière, vomissant leurs troupes dès qu'ils se trouvaient à proximité du sol. Les aboiements des chiens retentissaient parmi les arbres, tandis que leurs maîtres repéraient les multiples pistes.

– Ils n'iront pas loin, dit Rebecca bis.

Dans le noir le plus complet, Will roulait le long d'un plan incliné. Il retenait ses cris de douleur, bien qu'il se cognât les coudes et les genoux contre de multiples arêtes, quand il comprit soudain qu'il dévalait un escalier. Dieu merci, les marches n'étaient pas trop hautes, sans quoi il aurait souffert bien plus atrocement.

Il eut le souffle coupé lorsqu'il percuta le sol de pierre avec fracas. En essayant de retrouver une respiration normale, il chercha des yeux son Sten, qu'il avait laissé tomber dans sa chute. L'image des Limiteurs descendant le long des cordes était encore vive dans sa mémoire, il savait qu'il devait retrouver son arme s'il voulait survivre.

Mais que s'est-il passé ?

Les soldats styx étaient presque sur eux, mais par un extraordinaire coup de chance, il avait réussi à leur échapper.

Mais où se trouvait-il maintenant ? Et où était son père ?

Après avoir retrouvé son souffle, il roula sur le côté et se mit à crier.

– Papa, papa, t'es là ?

Il entendit un gémissement et prit un coup sur la tête. Il tendit la main et attrapa le pied du Dr Burrows.

– Fais attention où tu mets les pieds, papa ! dit-il en lui agrippant la jambe.

Will se hissa à côté de son père, qui était étendu sur le dos et manifestement sonné.

– Ça va ? demanda Will en lui secouant le bras.

– Aïe ! se plaignit le Dr Burrows au bout d'un temps. S'il te plaît, laisse-moi tranquille, Will. J'ai sacrément mal au bras, ajouta-t-il avec humeur.

Content de voir que son père n'était pas trop grièvement blessé, Will lâcha prise. Puis il chercha à mettre un peu d'ordre dans ses idées.

– C'était moins une. J'ai bien cru qu'on était cuits.

Leur fuite tenait du miracle, et il ne comprenait toujours pas ce qui s'était passé.

– Tu as réussi à nous faire entrer dans la pyramide, papa ! Comment as-tu déchiffré le code sur les pierres ?

– Je n'ai rien fait du tout, avoua le Dr Burrows, qui se redressa en se palpant prudemment la jambe. Je deviens trop vieux pour ça. Mes pauvres genoux…

– Si ce n'était pas toi, dans ce cas… comment est-ce qu'on a atterri là ? demanda Will, cherchant à percer les ténèbres qui les entouraient.

– Qu'est-ce que j'en sais ? répondit le Dr Burrows.

Il se releva en grognant et fouilla dans ses poches.

Will retrouvait les réflexes qu'il avait développés pendant les mois passés sous terre. Il tapa dans ses mains pour jauger la distance de l'écho.

– C'est assez vaste ici, remarqua-t-il.

Le Dr Burrows fouinait toujours dans ses poches.

– Oui, mais il faut qu'on puisse voir où on est, et pour ça, il nous faut de la lumière. T'as quelque chose sur toi ?

– Hum… je crois pas, dit Will en se relevant pour vérifier ses poches, même s'il savait qu'il était fort peu probable qu'il ait quoi que ce soit sur lui.

Il était inutile de se promener avec un globe lumineux, par ce jour permanent.

– Ha ha ! dit le Dr Burrows, qui venait de dénicher une petite boîte d'allumettes qu'il avait prise dans le magasin de l'abri antiatomique. De bonne vieilles allumettes tempête. De fabrication militaire. Et voilà ! dit-il en craquant l'une d'elles sur le fond de la boîte.

Will vit qu'ils se trouvaient dans une salle de dix mètres de hauteur. Seules deux parois étaient visibles à la lueur vacillante. Creusées dans le mur qui se trouvait juste derrière eux, s'élevaient les marches le long desquelles ils avaient dégringolé.

– Le sol, murmura le Dr Burrows. Regarde un peu.

Il y avait à leurs pieds des formes sculptées dans la pierre, mais contrairement aux bas-reliefs qui se trouvaient à l'extérieur, elles étaient colorées.

Le Dr Burrows commença son inspection en s'avançant de plusieurs pas, tout en abaissant l'allumette vers le sol.

– Je crois qu'il s'agit d'une carte. On voit des fleuves et des montagnes, et aussi des villes. Regarde. C'est sûrement une carte ! Voici l'Asie. Et là, l'Europe.

Alors qu'il essayait d'en voir un peu plus, il faillit perdre l'équilibre en effectuant un pas de côté.

– Tous ces continents sont représentés avec une telle précision… Comment est-ce possible ? Et voici l'Amérique du Nord ! dit-il en sifflant d'admiration. Non ! Ce qui veut dire que ces gens, les Anciens, étaient là des millénaires avant Christophe Colomb !

– Avant Christophe Colomb ? répéta Will, trop préoccupé pour comprendre ce que lui disait son père.

– Oui, et qu'ils pouvaient se déplacer d'un continent à l'autre, car ils ne naviguaient pas sur les océans. Ils se déplaçaient depuis le centre de la Terre. Le monde s'étendait à leurs pieds !

– Papa, j'aurais besoin d'un peu de lumière ici, dit Will qui commençait à s'impatienter devant le bavardage enjoué de son père.

Il n'avait qu'une priorité, pour l'heure : localiser son Sten, mais il ne le voyait nulle part.

– Bon Dieu ! s'exclama le Dr Burrows en se brûlant les doigts au moment où s'éteignait l'allumette.

Les ténèbres les enveloppèrent à nouveau, et Will l'entendit qui tripotait la boîte.

Après avoir craqué une nouvelle allumette, le Dr Burrows se dirigea vers la paroi opposée et fut immédiatement intrigué par ce qu'il vit au sol. Il y avait d'autres bas-reliefs peints. Il ne s'agissait plus d'une carte, mais d'une longue procession.

Les personnages étaient au moins deux fois plus grands que la normale. À en juger par leurs parures et leurs couronnes, il s'agissait sans doute de souverains. Derrière le roi au port vraiment royal se tenait la reine, assise dans une chaise à porteurs. Suivaient ensuite les soldats, ou peut-être était-ce la garde royale. Certains d'entre eux se trouvaient dans des chars tirés par quatre étalons blancs.

Cette découverte fit presque oublier à Will l'objet de sa quête. C'est alors qu'il remarqua un détail de la scène.

– Papa, murmura-t-il, c'est encore le symbole de mon pendentif.

– Oui, dans le cartouche du souverain, dit le Dr Burrows en montrant le panneau juste en dessous du roi où figurait l'emblème tridentin, rehaussé d'or parmi d'autres pictogrammes.

– Regarde, il est partout, corrigea Will qui l'avait repéré sur les couronnes du roi et de la reine, et sur le sceptre du souverain.

À dire vrai, le symbole tridentin était blasonné sur les boucliers et les plastrons de nombreux membres de la garde royale, dont les dorures reflétaient la lueur vacillante de l'allumette du Dr Burrows.

– Exquis, murmura-t-il, mais alors qu'il longeait la paroi, la flamme s'éteignit dans un ultime crachotement. Mince ! Je veux voir le reste ! dit-il en cherchant maladroitement une autre allumette.

Will sortit soudain de sa rêverie alors qu'ils replongeaient dans l'obscurité.

– Papa, c'est de la folie. On n'a pas de temps pour ça. Il y a les Limiteurs là-haut et ils vont chercher à savoir où nous sommes passés. Ils ne vont pas *s'en tenir là*. Ils feront tout ce qui est en leur pouvoir pour nous dénicher. Et puis Elliott est livrée à elle-même. Il faut qu'on arrive à la contacter d'une manière ou d'une autre. Il faut aussi que je retrouve mon Sten. C'est notre seule arme, ajouta-t-il d'une voix sourde en se tournant pour scruter les ténèbres.

– Épargne-moi tes sermons, Will, répondit le Dr Burrows. J'ai toute une boîte d'allumettes et je ne vois pas pourquoi je ne jetterais pas un rapide coup d'œil à ces fresques. On essaiera de trouver la sortie après, d'accord ?

Will ne dit rien lorsque son père essaya de craquer en vain une nouvelle allumette, même après plusieurs tentatives.

– Allez, bon sang !

Lorsqu'il y parvint enfin, la salle fut soudain inondée de lumière, ce qu'une simple allumette n'aurait su produire.

Will et le Dr Burrows étaient encerclés par des torches enflammées, derrière lesquelles se tenaient des arbres couverts d'une écorce rugueuse.

Tout à coup, Will remarqua qu'ils avaient des bras et des jambes à l'échelle humaine. Il discernait également des visages sous l'écorce qui s'écaillait. Ils avaient une bouche et de petits yeux aux pupilles marron qui brillaient à la lueur des torches.

Dans un bruissement de feuilles, les silhouettes s'approchèrent de Will et du Dr Burrows.

– Les arbres d'Elliott, balbutia Will pris de terreur.

Plusieurs patrouilles de Limiteurs avaient pris position aux quatre coins du plateau qui formait le sommet de la pyramide, tandis que les jumelles marchaient derrière eux, surveillant les opérations au sol. Le général des Limiteurs grimpa sur le plateau et s'entretint brièvement avec l'un de ses hommes, qui lui donna quelque chose, puis il alla trouver les deux Rebecca.

– Tout d'abord, voici l'émetteur radio que le système radar avait détecté, dit-il en leur tendant une petite boîte noire. Il était caché là-bas, dans une crevasse, indiqua-t-il d'un coup d'œil. Nous ne l'avons pas ouvert pour évaluer ses caractéristiques techniques, car nous ne voulions pas perturber le signal, poursuivit-il.

– Oui, laissez-le continuer à fonctionner, acquiesça Rebecca. Il y a des chances pour que Drake soit à l'origine de cet engin. Il l'aura obtenu chez l'un de ses copains technophiles.

– Et quoi d'autre ? pressa Rebecca bis.

– Nous avons examiné les traces laissées dans les environs. Il y a quatre types d'empreintes au total : trois humains, dont un adulte et deux autres plus jeunes, parfois accompagnés par un animal. Il s'agit vraisemblablement du chasseur.

– Oui, sans doute… nous avons donc affaire au Dr Bourrin, à Will, à Elliott, et c'est tout.

Le général des Limiteurs acquiesça, puis il reprit son exposé.

– Nos Limiers ont détecté plusieurs pistes aux quatre points cardinaux, dit-il en embrassant la jungle d'un geste de la main. Nous avons localisé le camp de notre cible dans un arbre non loin d'ici, en bordure de la clairière. Il se trouve au sud, dit-il en effectuant un quart de tour sur lui-même pour indiquer la direction aux jumelles.

– Vous y avez trouvé quelque chose ? demanda Rebecca bis.

– Des vivres, de l'eau, des vêtements de rechange, et quelques munitions, mais nous n'avons pas terminé notre perquisition. Il y avait aussi un piège improvisé destiné à exploser, si d'aventure quelqu'un venait à trébucher sur le fil tendu en travers de la principale voie d'accès. Nous l'avons neutralisé. Ils avaient utilisé du C4, un puissant explosif surfacien.

– Ça concorde. C'est encore Drake qui le leur a fourni, c'est sûr, commenta Rebecca.

– Et voilà Elliott qui continue à nous jouer ses bons vieux tours, ajouta sa sœur. Ce qu'elle peut être prévisible…

Le général des Limiteurs poursuivit son rapport.

– Il y a de nombreux objets, des os, des pièces, des morceaux de poterie et de verre qui semblent avoir été déterrés tout récemment.

– Le Dr Bourrin, ironisa Rebecca. Il ne changera donc jamais.

– Nous avons aussi trouvé des crânes humains, dont trois semblent assez récents. Ils ont été empalés sur des pieux, et l'un deux présente une blessure à la tempe qui correspond à l'impact d'une balle, peut-être tirée à bout portant. Ils appartiennent sans doute aux Néo-Germains portés disparus, ajouta-t-il en jetant un coup d'œil au colonel Bismarck, qui était trop loin pour les entendre.

– Laissons le soin à nos amis de le découvrir par eux-mêmes. Ce n'est pas notre problème, dit Rebecca avec un geste d'impatience. Parlez-nous du Dr Bourrin et de Will. Où sont-ils maintenant ?

– Si vous voulez bien me suivre, les pria le général des Limiteurs en les entraînant vers le degré inférieur. Les cibles ont été vues pour la dernière fois sur cette corniche. La poussière soulevée par l'hélicoptère réduisait la visibilité, mais après quelques mouvements rapides, ils ont tout simplement disparu, rapporta-t-il. Les chiens n'ont pas réussi à repérer de traces récentes au départ de cette zone.

Les jumelles digéraient l'information en avançant sur la corniche.

– Nous les avions sur un plateau, pris à découvert, et malgré tout nous les avons perdus, dit Rebecca d'un ton vindicatif. Conduisez-nous là où ils se trouvaient, ordonna-t-elle.

– À l'endroit *exact,* renchérit sa sœur en secouant la tête d'un air désapprobateur.

Le général leur indiqua l'endroit. La patrouille des quatre hommes assignés à la protection des jeunes Styx s'empressa de leur céder la place.

Rebecca bis examina le mur alors que sa sœur s'agenouillait pour palper la fente étroite qui courait entre deux blocs de pierre sur la corniche.

D'un claquement de doigts, elle indiqua au Limiteur le plus proche qu'elle voulait le couteau de combat qu'il portait à la ceinture. Il le dégaina et le lui tendit.

– Vous ne pensez pas que dans un moment d'inattention, vos hommes n'ont pas vu filer nos deux amis au bas de la pyramide ? demanda Rebecca en sondant la fente à plusieurs endroits, sans parvenir à l'insérer très profond. La faible gravité les aurait aidés à s'échapper rapidement.

– Il n'y a aucune trace d'une ouverture dérobée sur ce vieux tas de cailloux, remarqua Rebecca bis qui observait sa sœur.

Le général des Limiteurs se tenait entre les jumelles, visiblement mal à l'aise. Il n'appréciait pas qu'on remette en question la fiabilité de son rapport.

– Qu'en dites-vous, alors ? demanda Rebecca, sans le regarder pour manifester son mécontentement.

– Depuis trois hélicoptères et avec trois angles de vue différents, mes hommes avaient les deux cibles dans leur ligne de mire. Comme vous le savez, ils tiraient au sol pour s'assurer que les cibles restaient bien en place. Personne ne les a vus s'échapper dans la jungle, déclara-t-il en se redressant, sûr de son fait. Il ne fait aucun doute que c'est leur dernière position connue.

Surgi de nulle part, Cox bondit au-dessus de leurs têtes et s'arrêta devant la paroi. Il souleva le châle qui lui couvrait le visage, inclina sa tête difforme et commença à agiter l'air de la main en reniflant bruyamment. Il effectua quelques pas traînants, puis huma à nouveau l'air jusqu'à ce qu'il parvienne juste au-dessous des pierres mobiles du Dr Burrows. Mais elles ne l'intéressaient pas. Il prit une profonde inspiration, comme pour confirmer sa découverte, et s'exprima enfin :

– Juste là, mes chéries, proclama-t-il en grattant le sol de ses pieds, comme un poulet qui s'apprête à déchiqueter un malheureux ver à coups de bec.

Cox se trouvait exactement là où Will et le Dr Burrows s'étaient plaqués contre la paroi pour échapper à l'hélicoptère.

– Juste là, je sens la peur… c'est ici que la proie a fui sous terre.

– J'admets que vous êtes encore meilleur que n'importe lequel de nos Limiers, Tom Cox, dit Rebecca d'un ton mélodramatique en levant le bras.

Sa sœur se tourna vers le général des Limiteurs, qui acquiesça à l'ordre muet de la jeune fille.

– Nous allons apporter les munitions. Nous allons les faire sortir de leur cachette, même s'il faut démolir cette pyramide.

Les étranges silhouettes encerclaient complètement Will et le Dr Burrows.

– Papa, les arbres… ils ont des armes… et ils n'ont pas l'air très amicaux, murmura Will qui n'en revenait pas.

Certains avaient dégainé des sabres, d'autres tenaient des lances au fer luisant entre leurs mains bizarres. On aurait dit que la peau avait tant poussé qu'elle avait fini par former des nœuds sur les phalanges de leurs doigts gigantesques et malhabiles.

– Ne panique pas… ne fais rien qui puisse alarmer ces… hum… chuchota le Dr Burrows d'une voix hésitante… ces Broussards.

– Les alarmer ? répondit Will. Papa, celui-ci a mon Sten, et il semble savoir s'en servir ! dit-il après y avoir regardé à deux fois.

Le Broussard tenait en effet le Sten correctement entre ses mains peu agiles, et il le pointait directement sur Will et le Dr Burrows.

– Hum, dit le Dr Burrows en feignant de rester calme devant son fils. Oui, on dirait qu'ils sont humanoïdes. Leur apparence provient peut-être d'une mutation cutanée. Je suis d'accord avec toi. Ils ont manifestement l'air intelligent. Je vais essayer de communiquer avec eux.

Le Dr Burrows ouvrit son journal avec lenteur pour ne pas les effrayer, puis il se mit à parler dans un langage qui ne ressemblait à aucun autre. Les mots rendaient un son rauque et guttural.

Les Broussards bruirent légèrement, mais ne réagirent pas outre mesure.

– Ma prononciation est peut-être fautive, s'ils sont doués de parole, évidemment.

– Si tu dois faire quelque chose, fais-le et vite ! pressa Will.

Le Dr Burrows fit une nouvelle tentative. Cette fois il n'y eut aucun bruissement, mais une voix s'éleva au milieu du cercle de Broussards. Elle employait la même langue hideuse que le Dr Burrows.

– Oui, oui, oui ! s'exclama le Dr Burrows qui sortit son bout de crayon et se mit à griffonner dans son journal, tout excité. Tu as repéré celui qui parlait ? murmura-t-il en traduisant la réponse. Il ou elle a dit que... nous avons... enfreint les limites du temple... et que si nous ne partons pas... les gardes, ou plus précisément, les gardiens... vont... *nous tuer,* compléta le Dr Burrows en adressant un coup d'œil nerveux à Will. Bon sang, Will, ils vont nous tuer.

Les Broussards se mirent à glisser lentement vers le père et le fils.

– J'ai le droit de paniquer, maintenant ? demanda Will en scrutant frénétiquement tout autour de lui, pour voir s'il n'y avait pas une brèche entre les Broussards.

Le Dr Burrows ne lui répondit pas et se contenta de déglutir bruyamment.

Will eut soudain une idée.

– Les symboles sur le mur... je vais tenter quelque chose, murmura-t-il en plongeant la main dans sa chemise, arrachant le pendentif que lui avait confié l'oncle Tam.

Will brandit alors le symbole sous les yeux d'autant de broussards que possible, comme s'il essayait de repousser une bande de vampires assoiffés de sang à l'aide d'un crucifix.

– Vite... Dis-leur quelque chose, papa... Dis-leur que je suis leur souverain, leur roi, quelque chose dans le genre, et qu'ils doivent nous obéir et nous laisser rester ici.

– Euh, marmonna le Dr Burrows lorsque l'un des Broussards envoya valdinguer le pendentif dans les airs.

Un autre Broussard prit alors la parole. Il avait un ton particulièrement désagréable, même dans cette langue déjà si disgracieuse.

– Oh, parvint à articuler Will en remarquant le regard encore plus hostile des Broussards qui levaient déjà leurs armes.

– Ça n'aura pas servi à grand-chose, dit le Dr Burrows. Il vient de t'insulter. Il t'a traité de voleur. Ils ne vont sûrement pas nous laisser rester ici maintenant.

– Merci, trop sympa, oncle Tam, marmonna Will.

L'un des arbres s'avança en brandissant son sabre, quand Will entendit soudain un bruit sourd qui lui fit claquer la mâchoire. La salle tout entière sembla trembler, alors que des grains de poussière s'abattaient sur les Burrows et le cercle de Broussards.

– Bon sang, c'était quoi ? demanda le Dr Burrows.

Quelques morceaux de mortier se fracassèrent sur le sol, puis un gros bloc de pierre se détacha du plafond, frappant à la tête un Broussard qui était légèrement plus petit que les autres. Ses congénères se tournèrent vers lui, mais aucun d'eux ne vint lui porter secours.

– Futur bois de chauffe ? plaisanta Will.

Cette situation désespérée commençait à l'affecter. Il n'arrivait pas à croire qu'ils aient pu échapper aux Limiteurs et à une mort plus que certaine, pour se retrouver face à une menace tout aussi périlleuse. Ils étaient pris entre le marteau et l'enclume. Et même si les Broussards semblaient reculer un peu à présent pour conférer vivement entre eux, il ne voyait pas comment ils pourraient réussir à s'échapper et rejoindre Elliott.

– Qu'est-ce que c'était que *ça* ? répéta le Dr Burrows en levant la tête vers le plafond et en clignant des yeux. Une explosion ?

– Oui, papa, répondit Will avec résignation. Ce sont les Limiteurs... ils essaient de perforer la paroi pour nous atteindre, soupira-t-il. Si ces arbres effrayants ne nous font pas la peau avant, les Styx s'en chargeront. Génial ! Vraiment trop génial !

Sous l'effet de la faible gravité, l'explosion projeta des éclats de pyramide si haut dans le ciel qu'ils semblaient ne jamais devoir retomber à terre. Avant même que la fumée et la poussière ne se soient dissipées, les jumelles gravissaient déjà les degrés en bondissant, suivies de près par le général des Limiteurs. Une fois en haut, elles inspectèrent les dégâts causés par l'explosion. Les pierres sculptées avaient sauté, mais la structure sous-jacente était encore intacte.

Le général des Limiteurs restait imperturbable.

– On voit se dessiner une ouverture, indiqua-t-il. Tom Cox avait raison. Maintenant que nous savons où elle se trouve, nous allons creuser quelques trous tout autour et y placer d'autres explosifs. Encore une explosion et nous attraperons le Dr Burrows et le gamin, dit-il en appelant ses hommes d'un geste.

Elliott avait observé l'hélicoptère qui planait au-dessus de la pyramide depuis la lisière de la jungle, où elle se trouvait encore lorsqu'elle avait entendu le bruit du moteur. Elle était aussitôt partie en courant vers leur camp de base. Elle avait fini par localiser Will et le Dr Burrows en arrivant à la pyramide, alors qu'ils s'aplatissaient sur le degré le plus élevé.

– Oh non ! s'exclama-t-elle. Ils n'auraient pas pu se trouver en pire posture ainsi pris à découvert.

Elle était trop loin pour pouvoir les aider et elle savait que si jamais elle s'aventurait hors de la jungle, elle serait alors parfaitement visible pour quiconque se trouvant dans l'hélicoptère.

Lorsqu'elle vit Will qui regardait dans sa direction, elle s'avança un peu en agitant frénétiquement les bras pour attirer son attention, mais il était trop préoccupé par l'engin tonitruant au-dessus de sa tête. Il semblait ne pas l'avoir remarquée. Elle battit en retraite sous le couvert arboré et vérifia que Bartleby l'attendait bien là où elle lui avait ordonné de rester. Il était hors de question qu'il se précipite dans la clairière. Il miaula pour lui faire comprendre qu'il voulait la rejoindre, mais elle secoua la tête.

– Décrochons cet engin du ciel, dit-elle et elle mit sa carabine en joue en enroulant la bandoulière autour de son bras pour stabiliser son tir.

Elle mit l'hélicoptère dans la ligne de mire de sa lunette télescopique. Elle n'avait jamais vu pareil engin volant auparavant et elle visa un soldat sans savoir qu'il s'agissait du pilote. Il n'était qu'une cible, qui n'en avait plus pour longtemps à vivre, ainsi pris dans son collimateur.

Elliott prit une grande inspiration, puis elle retint son souffle, prête à presser sur la détente, lorsque l'hélicoptère pivota tout à coup. Ce qu'elle vit alors lui glaça le sang : il y avait un Limiteur dans l'engin. Elle grimaça, s'apprêta à l'abattre lorsqu'elle vit soudain une petite silhouette à ses côtés, dont l'identité ne faisait aucun doute.

– Rebecca, cracha-t-elle.

Elliott n'en revenait pas. Comment l'une des jumelles styx avait-elle pu survivre à l'embuscade qu'elle leur avait tendue ?

– C'est impossible !

Elle essayait encore d'encaisser le choc de cette découverte, lorsqu'elle entendit le vacarme des autres hélicoptères. Quelques secondes plus tard, un tir de barrage s'abattait tout autour de Will et du Dr Burrows, les empêchant d'aller où que ce soit. Elle vit alors des cordes se dérouler jusqu'au plateau de la pyramide, tandis que des Limiteurs commençaient à descendre en rappel depuis le premier hélicoptère.

– Je ne peux pas tous les abattre ! Qu'est-ce que je fais maintenant ? s'interrogea-t-elle en abaissant sa carabine.

Elliott savait qu'elle n'avait presque aucune chance d'extraire Will et le Dr Burrows de cette situation. Il fallait qu'elle se mette à l'abri pour pouvoir réfléchir à un plan pour la suite. Elle ordonna à Bartleby de la suivre et s'enfonça dans la jungle en longeant la clairière.

Elle courut entre les énormes troncs d'arbre jusqu'à ce qu'elle parvienne enfin à leur camp de base. Elle entendit des cris qui provenaient de la pyramide, mais elle ne s'arrêta pas pour voir ce qui se passait et attrapa plutôt quelques objets au passage. Elle installa rapidement un piège avant de repartir. Elle ne cessait de se dire qu'elle avait pris la bonne décision, ce que vinrent confirmer les hurlements des Limiers, dissipant ses derniers doutes. Elle refit plusieurs fois le même chemin pour laisser de fausses pistes, puis fonça droit vers la rivière, pataugeant en plein milieu, là où les Limiers ne pourraient jamais la traquer.

Une fois dans leur cachette, elle s'empara rapidement de deux Browning Hi-Power et des munitions qu'elle avait cachées là, mit dans son sac à dos les explosifs que lui avait donnés Drake, ainsi qu'assez de vivres et d'eau pour tenir toute une journée. Si elle devait partir en campagne, il fallait qu'elle garde des forces.

Elle descendit le long des lianes jusqu'à la rivière. Bartleby l'attendait là où elle l'avait laissé, mais il n'avait pas l'air ravi du tout. Elle l'entraîna vers les taillis un peu plus loin sur la berge.

– Désolée. Tu restes là, lui dit-elle à plusieurs reprises en pointant le sol du doigt.

Le chasseur s'assit sur son séant bien malgré lui, agitant la queue avec impatience. Il savait qu'ils avaient des ennuis, mais ne comprenait pas pourquoi on l'excluait de la course et fixait Elliott, qui lui caressait affectueusement la tête.

– Je ne peux pas prendre le risque de te voir t'attaquer à un Limier. Et je ne sais toujours pas si je peux te faire confiance, avec tous ces Styx dans le coin. Tu as subi la Lumière noire, et tu te souviens de ce qui s'est passé la dernière fois ?

Lorsque Elliott rejoignit le cours d'eau en pataugeant, le chasseur poussa un miaulement mélancolique. Elle s'immobilisa. Elle se sentait totalement seule. Dire que la veille sa vie lui semblait si parfaite, et qu'aujourd'hui elle allait devoir faire face à l'insurmontable pour tenter de sauver son ami ! Tout cela avait l'air si désespéré, c'était une cause perdue…

Elle regarda les arbres immenses qui s'élevaient de part et d'autre du cours d'eau. Rien n'avait changé. La jungle était toujours la même et l'abondante végétation bourdonnait encore de vie, mais pour elle, c'était le théâtre d'une guerre, un lieu où se jouaient des questions de vie et de mort.

Elle se laissa aller à imaginer ce que subissait son ami à ce moment précis… capture… torture… mort.

– Will, dit-elle d'une voix étranglée en ravalant un sanglot. Non, je ne peux pas m'écrouler maintenant… il *doit* y avoir une issue. Il faut que je raisonne comme toi, Drake, conclut-elle en se redressant.

Chapitre Dix-sept

– Ils veulent qu'on avance, dit le Dr Burrows en observant le comportement des Broussards. Ils savent ce qui se passe à l'extérieur et ils nous emmènent en lieu sûr !

Will entendait la note d'optimisme dans la voix de son père, tandis que le cercle des êtres étranges s'affairait en bruissant. Il jeta un coup d'œil par-dessus son épaule en les voyant s'avancer vers eux d'un pas raide et traînant sur le sol de pierre : on aurait dit une haie animée. Au centre du cercle, les deux Burrows étaient manifestement censés suivre le mouvement.

– Oui, murmura Will, mais où nous entraînent-ils ?

La phalange les encerclait complètement. Ils arrivèrent tout au bout de la salle et ils virent à la lueur des torches un passage qui conduisait à un petit escalier dont ils descendirent les marches.

– Cet escalier ne finira donc jamais ? J'ai l'impression qu'on va arriver quelque part sous la pyramide ! s'exclama le Dr Burrows, émerveillé.

Will n'en avait aucune idée, mais au bout de quelques instants ils parvinrent au bas de l'escalier et se retrouvèrent à nouveau sur une surface plane.

Will distingua une sorte d'intersection, mais ils ne s'y arrêtèrent pas. Les Broussards leur firent traverser un autre passage aux murs ornés de bas-reliefs aux couleurs plus vives. Will et son père aperçurent alors une ville côtière, au centre de laquelle s'élevait un palais majestueux qui rappelait vaguement le Taj Mahal, avec son gros dôme encadré de quatre minarets élancés. Au cœur de la baie s'élançait la statue colossale d'un homme en toge tourné vers la mer, qui tenait un télescope à la main.

– T'as vu l'étendue des lieux ? C'est assez remarquable pour être la huitième Merveille du monde. Tu sais quoi, Will ? dit le Dr Burrows en se tournant vers son fils.

– Quoi ?

– Une fois qu'on sera tirés d'affaire, eh bien, il faudra absolument qu'on revienne.

– Bien sûr, papa, lui répondit Will sans le moindre enthousiasme.

Will était incapable de se projeter au-delà de l'instant présent, et certainement pas dans un avenir aussi lointain. La situation n'augurait rien de bon. Il sentit croître sa peur lorsque les lumières s'éteignirent tout à coup.

– Pourquoi se sont-ils arrêtés là ? demanda Will à son père en murmurant. Ils ne bougent plus.

On n'entendait plus le moindre bruissement parmi eux. Les Broussards étaient parfaitement immobiles.

– Tout ira bien, tu vas voir, dit le Dr Burrows. Ce sont les descendants d'une ancienne civilisation à la splendeur passée. Ils nous perçoivent tels que nous sommes. Nous sommes en quête de savoir, tout comme eux, et puis nous ne leur avons fait aucun mal.

Le Dr Burrows ne semblait vraiment pas préoccupé par la situation.

– Tu sais… à force d'attendre comme ça dans le noir, je viens de me rappeler que je voulais te demander quelque chose depuis un moment déjà…

– Quoi donc, papa ? répondit Will d'une voix distraite.

– Replonge-toi dans les Profondeurs… dans la Grande Plaine… Tu n'aurais pas croisé une péniche coprolithe, sur le réseau de canaux ? Elle transportait trois Coprolithes…

– *Quoi ?* Je ne pense pas, objecta Will, que ce soit vraiment le lieu ni le mom…

– Non, écoute-moi. Vous étiez trois au début, n'est-ce pas ? Toi, Chester, et comment déjà, Col… Colin ?

– Cal, dit Will avec une pointe de colère.

Son père était inexcusable. Comment pouvait-il avoir oublié le nom du défunt frère de Will ?

– Oui, nous étions tous ensemble lorsqu'on a vu passer une péniche coprolithe, soupira-t-il.

– Je le savais ! Je le savais ! s'exclama le Dr Burrows d'une voix un peu plus aiguë que d'ordinaire sous l'effet de l'excitation. J'étais sur cette péniche, vêtu d'une de leurs combinaisons grises. Et maintenant que j'y repense, je suis sûr de vous avoir vus tous les trois ! Je *vous* ai vus !

– Non ? répondit Will qui était sincèrement étonné.

Cal avait en effet remarqué le comportement insolite de l'un des Coprolithes.

– Je n'arrive pas à y croire ! On est passés si près l'un de l'autre sans le savoir. C'est vraiment bizarre ! Si seulement on avait su ! poursuivit Will.

– Oui, mais on est ensemble maintenant, commenta le Dr Burrows en riant, et c'est tout ce qui compte. Will, je peux te dire honnêtement que j'ai connu l'un des plus beaux moments de ma vie en travaillant avec toi dans ce monde incroyable, si ce n'est *le plus beau,* à dire vrai. Je suis si fier de toi !

Will était submergé par l'émotion et ne savait pas vraiment comment réagir à un tel témoignage d'affection.

– Papa, finit-il par articuler, oui, c'était... tellement...

Ils entendirent soudain un bruissement frénétique tout autour d'eux. Pris par un sentiment d'angoisse, Will oublia aussitôt cette discussion avec son père.

– Pourquoi est-ce qu'ils font ça ? murmura-t-il d'une voix inquiète. Tu devrais craquer une allumette, qu'on voie un peu ce qui se passe.

– Vaut mieux pas. Je pourrais mettre le feu à l'un des Broussards. Calme-toi, Will. Je parie qu'un réseau souterrain relie ces pyramides, et que c'est par là qu'ils vont nous emmener dans un instant. Quelque part loin des Styx. J'en mettrais ma main à couper.

Will fut encore plus perturbé lorsque le bruissement atteignit un paroxysme enfiévré.

– Non, je ne vais pas rester là à ne rien faire. Donne-moi les allumettes, papa. Tout de suite, insista-t-il.

Mais il n'obtint aucune réponse de son père. Ils entendirent un grincement non loin de là et furent soudain enveloppés par une lumière aveuglante. Au même moment, ils se trouvèrent projetés en avant avec une telle force qu'ils en perdirent l'équilibre et roulèrent sur le sol. Contrairement à ce que craignait Will, ils atterrirent sur un sol mou et herbu.

– Trop de lumière, grogna-t-il en tentant d'ouvrir les yeux face au soleil éblouissant.

Il aperçut la lisière de la jungle un peu plus loin.

– La pyramide ! s'écria le Dr Burrows, pris de panique. On est de nouveau à l'extérieur de la pyramide !

Will tourna vivement la tête. Son père avait raison. Ils se trouvaient bien au pied de la pyramide. Il put distinguer quelques vagues formes humaines qui se dirigeaient vers eux. C'est alors qu'il faillit bien avoir une attaque en entendant une voix qu'il ne connaissait que trop bien.

Jamais il n'aurait cru devoir l'entendre à nouveau.

– D'où vous sortez, tous les deux ?

– Rebecca ! souffla Will.

– Oh, mais regardez-moi ça, je crois bien que c'est notre duo de choc ! retentit une voix identique qui provenait d'une autre partie de la pyramide.

– Non ! hurla Will, qui venait de comprendre que les jumelles avaient toutes les deux survécu.

Alors qu'il tentait de s'enfuir à quatre pattes, il tomba sur son Sten qui gisait dans l'herbe. Les Broussards l'avaient jeté au moment où ils les avaient expulsés, son père et lui. D'un geste vif, il s'en empara, pivota sur lui-même et appuya sur la détente, arrosant la pyramide à l'aveuglette, dans l'espoir de toucher l'une des deux sœurs, mais ses tirs ricochaient sur la pierre dans toutes les directions.

Will avait vidé la moitié de son chargeur, lorsqu'un Limiteur lui asséna un coup de revolver derrière la nuque.

Il sombra aussitôt dans les ténèbres.

– Va falloir y aller doucement, dit Elliott en s'efforçant de ralentir l'allure.

Les hurlements des Limiers retentissaient de toutes parts. Elle ne voulait pas tomber sur l'un de ces chiens d'attaque, ou dans une embuscade tendue par une patrouille de Limiteurs. Trop de choses dépendaient d'elle à présent. Elle ne s'était pas rendue directement à la pyramide, car elle avait besoin de se préparer d'abord.

Elliott s'immobilisa tout à coup. Elle venait d'entendre les coups de feu d'une arme automatique.

– Un Sten… celui de Will ? s'interrogea-t-elle à voix haute.

Était-ce bien son arme, ou bien les Limiteurs se servaient-ils de semblables mitraillettes légères ? Voilà qui aurait été très inhabituel. Mais comment Will aurait-il pu s'en servir, puisqu'il s'était déjà fait capturer avec son père ? Pourquoi échangeait-on des coups de feu, dans ce cas ? Il fallait qu'elle se rapproche pour évaluer précisément la situation. Mais comment procéder avec une telle concentration de soldats styx dans les parages ? C'est à cet instant qu'elle leva les yeux vers le ciel.

– Les arbres ! Sers-toi des arbres ! dit-elle en commençant déjà à grimper en haut d'un tronc.

Une fois parvenue à une certaine hauteur, elle se mit à se rapprocher de la pyramide en sautant de branche en branche. Son stratagème avait fonctionné. Il était fort peu probable qu'un limier la détecte là-haut, même avec son odorat ultrasensible.

Après avoir atterri sur la branche noueuse de l'un des arbres les plus imposants, elle recommença à grimper de plus en plus haut, jusqu'à ce qu'elle voie enfin percer un rayon de soleil à travers les feuillages. À mesure qu'elle s'élevait, et à son plus grand étonnement, elle croisa des papillons aux ailes vivement colorées et aussi larges que des livres ouverts, et des chenilles de la taille d'un crayon qui se gavaient de fruits abondants.

Alors qu'elle se hissait sur une branche, elle se retrouva nez à nez avec un animal à la fourrure miteuse et marron. Trois yeux clignèrent simultanément tandis qu'il ouvrait lentement la bouche, tout aussi surpris qu'elle par cette rencontre inopinée. À en juger par ses griffes en forme de crochet dont il se servait pour s'éloigner d'elle avec pesanteur, le Dr Burrows l'aurait assimilé à une espèce de paresseux.

Elliott n'avait vu qu'une toute petite partie de cet écosystème au sol, mais elle n'avait pas le temps de s'émerveiller devant la faune incroyable qu'elle était en train de découvrir. Il y avait tout un monde au-dessus de sa tête.

Après avoir grimpé pendant vingt minutes, elle se trouvait si haut qu'elle embrassait le reste de la jungle du regard. Se calant contre une grosse branche, elle visa le sommet de la pyramide.

Ce qu'elle vit alors dans sa lunette ne lui inspira rien de bon.

Will reprit ses esprits, puis il leva la tête et s'aperçut que deux Limiteurs le soutenaient par les aisselles.

– Salut, loooooser, lui lança Rebecca d'un ton moqueur en se dandinant vers lui.

– Papa ? dit-il, encore sonné.

– Ton papounet est là-haut, indiqua la jeune Styx d'un signe de la tête.

Will essaya d'accommoder sur son père. Les Limiteurs les avaient emmenés tout en haut de la pyramide et il ne voyait que quelques silhouettes à l'extrémité du plateau. Il avait mal à la tête suite au coup qu'il avait reçu et sentait les rayons du soleil sur ses bras et ses épaules.

– Oui, j'ai pensé qu'un peu de soleil te ferait du bien, ironisa Rebecca en le voyant s'examiner. J'ai demandé que l'on te débarrasse de ta chemise. Le teint pâle et les grands airs, c'est tellement dépassé !

Will sentait sa peau qui commençait déjà à brûler. La jeune Styx savait très bien qu'il n'avait aucune protection naturelle contre les ultraviolets.

– Espèce de petite garce ! rugit-il.

– Parfaitement, acquiesça-t-elle. Mais je crois bien que j'aurai mérité mon diplôme de grande garce quand j'en aurai fini avec toi. Lorsque tu m'as collé cette balle, tu n'imagines pas à quel point j'ai souffert.

La manière dont Rebecca évoquait sa blessure lui glaça le sang. Il était bien placé pour savoir à quel point elle était revancharde. Elle lui réservait quelque chose d'atroce, mais il ne comptait pas laisser transparaître sa frayeur.

– Ce que tu me soûles, rétorqua-t-il avec un bâillement exagéré.

– Will, tu l'auras sans doute compris depuis le temps, les Styx règlent leurs comptes selon l'Ancien Testament, dit-elle en ignorant ses sarcasmes.

Elle fléchit les jambes en un demi-plié presque parfait, puis elle se redressa. Will se souvint alors des heures de danse classique qu'elle pratiquait dans le jardin à Highfield, faute de place à l'intérieur de la maison.

– Nous suivons la loi du Talion, œil pour œil, dent pour dent, et tout le tintouin, dit-elle, puis elle prit une inspiration comme pour faire durer le plaisir malgré son impatience.

– Qu'est-ce que tu racontes encore ? lui dit Will en essayant de se libérer de l'emprise des Limiteurs, pour corriger la jeune fille qui se tenait devant lui.

– Je te dis ça pour que tu ne sois pas surpris, car je vais récupérer mon dû, et les intérêts en prime.

– Je viens de te le dire : tu me soûles ! marmonna Will.

– Fais-toi plaisir, Coxy, annonça-t-elle brusquement en souriant à Will.

Will remarqua l'homme qui venait d'apparaître à ses côtés. Il avait déjà vu ce visage troublant dans les Profondeurs, avec ses yeux sans pupilles et ses tumeurs multiples.

– Tom Cox ? souffla-t-il.

– Lui-même pour vous servir, acquiesça-t-il d'une voix déformée.

C'est alors que Cox se glissa vers lui pour lui inciser l'estomac d'un coup de faucille.

La blessure était sans doute superficielle et visait à lui infliger une douleur atroce sans pour autant produire trop de dégâts. Will poussa un hurlement jusqu'à ce qu'il frise l'asphyxie.

– Un petit avant-goût de ce que je te réserve, mon cher frère, dit Rebecca en se penchant vers lui, hilare. Ça fait mal ? J'espère bien. Imagine mille fois pire et tu sauras ce que j'ai subi lorsque tu m'as tiré dessus.

La sueur dégoulinait le long de son visage, mais les Limiteurs continuaient à le tenir fermement.

– Espèce de… de… commença-t-il sans pouvoir trouver un terme assez fort pour exprimer la haine qu'il éprouvait à son égard.

C'est pourquoi il lui cracha au visage.

– C'est qu'il gigote sacrément, hein ? dit Cox en léchant sur la lame très aiguisée de sa faucille le sang de Will dont plusieurs gouttes roulèrent sur ses lèvres noircies et craquelées, étincelant d'un rouge cramoisi sous l'intense lumière du soleil.

– Voulez que j'lui coupe la langue pour la peine ? demanda Cox.

– Non, plus tard peut-être, mais j'ai besoin de le faire parler d'abord, répondit Rebecca en s'essuyant le visage avec sa manche, puis elle fit signe à sa sœur de lui amener le Dr Burrows.

– Will, mais tu saignes ! Qu'est-ce qu'ils t'ont fait ? s'exclama-t-il en s'approchant de son fils.

Contrairement à lui, il était libre de ses mouvements, mais l'autre jumelle styx le tenait en joue, un revolver néo-germain à la main.

– Ça va, papa, répondit Will d'un air sombre en remarquant que son père serrait toujours son journal contre lui comme si sa vie en dépendait.

– Hé, frangin ! lança Rebecca bis. Tu veux nous faciliter la vie et me dire ce que tu as fait de nos fioles de Dominion ? Le Dr Bourrin me jure qu'il ne sait rien de tout ça. Il ment tellement mal que je crois bien qu'il dit la vérité. Alors, c'est Elliott qui les a ?

– Elliott qui ? répliqua Will en rugissant.

– Pourquoi est-ce que tu ne nous rends pas nos fioles, et on te fichera la paix, à toi et à tes vieilles pierres à la noix, et puis tes hommes arbres qui ne veulent manifestement pas de toi non plus ?

Le Dr Burrows s'apprêtait à dire quelque chose, quand Will l'interrompit soudain.

– Ouais. Tu nous laisserais partir ? Tu crois *vraiment* que je vais gober ça ? Un mensonge de plus ? dit-il en levant les yeux au ciel.

– D'accord. On passe donc à la méthode forte. Moi, ça me va, dit froidement Rebecca. Je vais en savourer chaque minute.

Cox se rapprocha de Will en soupesant sa faucille dans sa main ridée.

– Attends encore un peu, Coxy, lui dit Rebecca. Au fait, j'ai des nouvelles pour toi. Ton pote Drake a essayé de nous jouer un tour dans le parc municipal de Highfield. On a éliminé toute son équipe, du coup.

– Il est mort ? demanda Will à mi-voix. Non, c'est encore un de tes mensonges.

– Le Tanneur, ça te dit quelque chose ? répliqua Rebecca en lui adressant un clin d'œil. Et puis on nous rapporte qu'il y a une nouvelle recrue dans la Colonie. Un légume à la vinaigrette.

– Célia, dite « le légume », compléta Rebecca bis.

– Maman ? dit Will.

– Ma femme ? bredouilla le Dr Burrows, un peu lent à comprendre ce qu'il venait d'entendre. Que lui est-il arrivé ?

– Comme si ça te préoccupait, répondit froidement Rebecca bis. Selon nos informations, elle a voulu résister à nos interrogatoires. La Lumière noire l'a sacrément amochée.

– Vraiment bien amochée… chantonna Rebecca. À dire vrai, c'est plutôt un légume *râpé*. Tu te souviens, Will, un peu comme la garniture des kebabs dégoûtants qu'on t'achetait au fast-food du coin et qu'on te servait à dîner. C'était dans le bon vieux temps, à Highfield.

– Une vraie choucroute, même, suggéra Rebecca bis.

– Tu ferais mieux de baisser un peu le ton. Ces Néo-Géraniums pourraient croire que tu te fiches d'eux.

– Les Néo-Géraniums ? demanda le Dr Burrows en contemplant les soldats qui s'affairaient tout autour des hélicoptères garés là. Qui sont-ils ? Ce ne sont pas des Styx, n'est-ce pas ?

Les jumelles se turent en voyant approcher le général des Limiteurs accompagné par le colonel Bismarck, et l'un de ses hommes qui transportait un gros appareil.

– Je crois qu'on a besoin de nous un instant, dit Rebecca. Gardez les prisonniers bien au chaud en attendant, Coxy.

– Seront à point, confirma-t-il en plissant les yeux en direction du soleil, sautillant d'un pied sur l'autre, tant il était impatient.

Le colonel Bismarck et le soldat néo-germain restèrent en arrière pendant que le général des Limiteurs briefait les jumelles.

– Il faut que vous voyiez ça, dit-il à voix basse pour ne pas être entendu par Will et le Dr Burrows.

Il extirpa une bourse dont il vida le contenu dans sa main gantée. Il s'agissait des bris de l'une des fioles et d'un autre flacon de verre marron, recouverts de quelques brins d'herbe desséchés.

– Un bouchon blanc, remarqua Rebecca bis en échangeant des regards avec sa sœur. Mais qu'est-ce que c'est que ça ? dit-elle en prélevant l'étiquette encore collée à un fragment de verre marron.

– C'est du russe. Ça provient donc de l'infirmerie du sous-marin que vous avez trouvé, répondit le général des Limiteurs. Je me risquerais à dire que les deux fioles se trouvaient dans ce flacon, enroulées dans une touffe d'herbe pour éviter qu'elles ne se brisent.

– Si c'est tout ce qui reste de la fiole au bouchon blanc, ça nous fait un vaccin de moins. Et il n'y a pas trace de notre virus ? dit Rebecca.

– Non, nos Limiers n'ont pas tardé à dénicher le lieu où l'on avait enterré ça, poursuivit le général des Limiteurs. Quelqu'un est passé par là il y a peu. Il y a une heure ou deux, d'après nos estimations. La terre vient tout juste d'être retournée et l'on a reposé du gazon par-dessus pour masquer l'endroit.

– Nous pouvons donc en déduire qu'Elliott a tenté de récupérer les deux fioles et que cette idiote en a cassé une au passage. Par accident ou bien délibérément. Elle a probablement le Dominion sur elle à présent, conclut Rebecca en contemplant le bouchon blanc dans la main du général. Dommage, mais ça n'a pas vraiment d'importance. Nous pourrons toujours en fabriquer une fois que nous aurons récupéré le virus. La sono est prête ? demanda-t-elle alors, en se tournant vers l'endroit où le soldat néo-germain attachait un haut-parleur kaki au sommet d'un trépied, pendant que l'un de ses camarades reliait une grosse batterie au boîtier de contrôle.

– Presque, répondit le colonel Bismarck. Nous sommes en train de monter le reste des haut-parleurs.

Elliott les observait depuis le sommet de son arbre, lorsqu'elle entendit une voix amplifiée.

– Elliott, que tu nous voies ou non, nous savons que tu nous entendras.

Le volume était si puissant qu'une volée d'oiseaux effrayés s'égailla dans un arbre proche. Elliott pointa sa lunette sur la jumelle qui tenait le micro. On avait installé de gros haut-parleurs à pavillon sur le toit de la pyramide, non loin de là où Will et le Dr Burrows étaient détenus.

Elliott avait vu Cox lacérer l'estomac de son ami avec sa faucille et elle avait bien failli appuyer sur la détente. Elle savait cependant qu'il valait mieux ne pas intervenir tout de suite, au cas où se présenterait une opportunité. Si jamais les Limiteurs déplaçaient Will et le Dr Burrows, elle pourrait peut-être entrer dans la danse et venir à leur rescousse. Ils n'allaient certainement pas les emmener en hélicoptère, en tout cas pas avant d'avoir mis la main sur le virus du Dominion. Entre-temps, il était improbable qu'on leur fasse grand mal. Pas tant que les jumelles tenteraient encore de négocier, car elles avaient besoin de leurs otages pour faire pression. Elliott savait qu'elle n'aurait plus très longtemps à attendre avant d'entendre leur proposition. Ces deux intrigantes avaient toujours un marché à proposer.

Elliott hocha la tête en entendant l'une des jumelles reprendre ses explications.

– Apporte-nous le virus du Dominion, et nous vous épargnerons tous les trois. Tu as cinq minutes pour manifester ton accord… Tu n'auras qu'à tirer deux coups. Ensuite, nous exigeons que tu nous apportes le virus ici même et dans l'heure qui suivra. C'est aussi simple que ça.

– T'as raison ! marmonna Elliott.

– Nous ne plaisantons pas, c'est ce que va te prouver ton petit copain au bronzage si seyant, avec un petit numéro de karaoké juste pour toi…

Elliott vit la jumelle poser la main sur le micro avant de s'entretenir avec Cox, puis se diriger vers Will et reprendre la parole.

– Elliott, écoute un peu cette chanson. Ça s'appelle « le rap des neuf doigts », dit-elle en gloussant, puis elle plaça le micro devant Will.

– Va-t'en Ell… parvint-il à articuler juste avant que l'un des Limiteurs ne resserre son emprise sur son cou.

– Qu'est-ce qu'ils préparent ? se demanda Elliott.

Le Dr Burrows gesticulait comme un fou en suppliant les jumelles, mais elles l'ignoraient l'une comme l'autre. Will se débattit en vain, lorsque l'un des Limiteurs le força à tendre le bras. Le soldat était bien trop fort.

– Si tu n'as pas encore tout suivi, nous allons lui trancher le doigt, annonça la jumelle. Et il en perdra un autre toutes les dix minutes et ce, jusqu'à ce que tu nous rapportes le virus.

– Oh, mon Dieu ! souffla Elliott.

Elle ne pouvait pas rester là sans rien faire à regarder Will souffrir le martyre. Elle savait que les jumelles n'avaient pas la moindre intention de les laisser partir, car c'est ainsi que les Styx procédaient. Elle se souvint de l'épisode où ils avaient cru abréger les souffrances de Drake dans la Grande Plaine, dans les Profondeurs. Elle n'avait pas pu tirer alors et Will s'en était chargé. Mais elle était prête cette fois-ci. Elle visa Will à la tête, le doigt posé sur la détente.

Cox prit la main de Will et plaça la faucille à la base de son index.

– Non, je ne peux pas ! s'écria Elliott en voyant le visage de Will déformé par la peur.

Alors qu'il s'apprêtait à hurler, elle changea de cible et appuya sur la détente.

Chapitre Dix-huit

Tous les gens sur la pyramide entendirent la détonation lointaine, et une fraction de seconde plus tard, la balle toucha sa cible.

Le visage de Cox explosa dans un bruit de pastèque trop mûre. Le châle crasseux qui lui enveloppait la tête enfla comme sous l'effet d'une bourrasque. Il vacilla pendant un instant, sa faucille lui échappa des mains et il tomba à la renverse.

Tous ceux qui avaient reçu un entraînement militaire s'étaient jetés à terre ou bien s'étaient accroupis. Le Dr Burrows, encore perplexe, et les jumelles étaient les seuls à être encore debout.

– Sympa de donner de tes nouvelles, Elliott, dit Rebecca bis dans le micro, en regardant le cadavre qui gisait à quelques mètres d'elle.

La jumelle ne manifesta pas le moindre trouble et se rapprocha du corps sans vie pour ramasser la faucille.

– Pauvre Coxy. Voilà qui n'était pas mérité. Et je dois dire que tu me déçois, Elliott. J'étais certaine qu'on trouverait un arrangement. Nous voulons toutes les deux…

Un second tir interrompit Rebecca bis. Le contingent militaire réagit à nouveau et des cris s'élevèrent depuis la base de la pyramide.

– Y a-t-il des blessés ? Quelqu'un a-t-il été touché ? cria le général des Limiteurs à plusieurs reprises, mais tout le monde était indemne.

Les jumelles styx échangèrent un regard.

– J'imagine que c'était le deuxième coup que nous attendions. Elliott vient de nous donner le signal. Marché conclu, dit Rebecca en riant.

– Il faut croire. C'est très drôle. Mais de telles manières méritent une correction, rétorqua Rebecca bis, tout aussi hilare, puis elle ôta sa main du micro et se remit à parler : Fort bien, nous avons donc un accord. Mais ce n'était pas très poli de tuer l'un de nos amis sans permission... Tu as donc modifié les termes du contrat. Attention, ne t'avise pas d'abattre quelqu'un d'autre, car nous exécuterions Will et le Dr Burrows sur-le-champ. Bien, nous échangerons un seul des otages contre le virus, je répète, un seul des otages, et je parie que tu choisiras la Taupe humaine, à moins que tu n'aies succombé au charme des hommes mûrs ? Tu as notre parole. Nous respecterons les termes de ce nouveau contrat. Contente-toi d'apporter le virus, d'accord ?

Le Dr Burrows semblait se remettre du choc que lui avait causé la mort de Cox.

– Tout cela est vain, lança-t-il aux jumelles. Pourquoi ne pas discuter avant que quelqu'un d'autre ne perde la vie ?

Il adressa un regard à son fils, que l'on maintenait à genoux. Il avait l'air terrifié.

– Tu veux discuter ? lui dit Rebecca avec une voix de dessin animé, en faisant mine de parler avec la main.

Puis elle laissa retomber sa main et reprit une voix normale, le regard glacial :

– Peut-être que je n'ai pas envie de te parler, dit-elle. T'es tellement vieux, et puis rasoir, avec ça.

– Non, je suis sincère. Je suis sûr que nous pouvons trouver un accord. Donne-moi le micro et je persuaderai Elliott de t'apporter la fiole, proposa le Dr Burrows.

– Non, ne fais pas ça, papa, s'il te plaît. Tu ne sais pas à qui tu as affaire, dit Will qui avait retrouvé un peu de sa voix.

Mais le Dr Burrows avait pris sa décision. Il avait déposé son journal sur le sol devant lui.

– Surveille-le, tu veux, dit-il à son fils avant de s'emparer du micro que tenait Rebecca bis. Est-ce que ça marche ? demanda-t-il d'une voix tonitruante qui résonna dans toute la jungle.

– Oui, ça marche, lui répondit Rebecca bis d'un ton las.

– Bien, Elliott, c'est moi. Je veux que tu fasses exactement ce que je te dis.

Le Dr Burrows hésita, ne sachant pas trop comment il allait poursuivre.

– Redis-lui bien que nous allons exécuter l'un d'entre vous, intervint Rebecca d'un ton naturel en examinant ses ongles.

– Hors de question ! rétorqua le Dr Burrows dans le micro. C'est idiot. Que comptes-tu obtenir ainsi ?

– Vengeance. Nous allons nous venger de tout ce qu'elle a fait. Au cas où tu ne l'aurais pas remarqué, elle vient de dézinguer ce pauvre Coxy. Elle s'en est prise à l'un de nos copains, et on n'apprécie pas vraiment ce genre de choses, poursuivit Rebecca d'une voix très dure. Vas-y… répète à Elliott ce que je viens de te dire.

Le Dr Burrows souffla d'incrédulité.

– Oh, très bien. Si tu veux assassiner quelqu'un, autant que ce soit moi, suggéra-t-il sans la prendre au sérieux.

– Papa, pour l'amour du ciel, redonne-leur le micro et arrête ! hurla Will en voyant que Rebecca bis s'apprêtait déjà à tirer.

– Non, mon fils. J'en ai assez de cette comédie. Ces filles ne sont pas sérieuses. Elliott va nous rapporter le virus et chacun reprendra sa route ensuite. Le travail que nous avons effectué ici est bien trop important pour que nous nous laissions enquiquiner par toutes ces âneries. Elliott, je viens de leur dire qu'elles pourraient me tuer si l'un d'entre nous doit mourir. Je sais qu'elles bluffent, c'est pourquoi…

– Non, on ne bluffe pas, dit Rebecca bis en armant son pistolet, dont elle vida aussitôt le chargeur dans le dos du Dr Burrows.

Les multiples détonations résonnèrent dans les haut-parleurs avant de se répercuter dans le reste de la jungle. On aurait cru entendre un colosse taper sur une timbale.

Pendant un instant, le Dr Burrows vacilla sur place.

– Will ? souffla-t-il.

Ses jambes cédèrent sous lui et il s'effondra en basculant vers l'avant.

– Oh non ! Papa ! Papa ! s'écria Will en se libérant de l'emprise des Limiteurs pour se jeter sur le journal de son père. Non ! hurla-t-il en tendant la main vers le cadavre du Dr Burrows.

Chapitre Dix-neuf

Will était dans un tel état qu'il était incapable de comprendre ce qui se passait autour de lui. Il était affalé à côté du corps de son père, qu'on avait laissé là où il était tombé. Encore torse nu, il ne semblait pas se soucier du soleil qui lui brûlait les épaules. Il n'avait quitté son père que pour récupérer les lunettes de ce dernier, qui avaient valdingué après la fusillade. Il les tenait à présent dans une main, le précieux journal du Dr Burrows dans l'autre.

De temps en temps, il secouait la tête. Il ne pouvait pas admettre ce qui venait d'arriver. Moins d'une heure auparavant, ils étaient encore à l'intérieur de la pyramide et son père se réjouissait à l'idée d'y retourner pour inspecter les peintures murales qu'ils avaient découvertes.

L'avenir était certes encore incertain, mais il devait le vivre avec son père. Sa mort avait tout balayé. Toute l'implication, toute la passion, toute l'énergie déployées par son père dans son insatiable quête de savoir, lui qui n'avait pas hésité à prendre des risques, tout cela avait été rayé d'un trait de plume, à l'instant même où la jeune Styx avait appuyé sur la détente.

Will jeta un coup d'œil au ciel, frappé de voir que le monde poursuivait sa course sans son père. Le temps s'écoulait inexorablement, sans qu'il en soit encore le témoin.

Rien n'avait changé.

Rien n'était plus pareil.

Il avait pleuré au début, mais n'avait plus de larmes ni aucun intérêt pour ce qui allait se passer ensuite. On l'avait confié à la garde d'un unique Limiteur, pendant que les jumelles étaient descendues plus bas.

Will entendit des bruits de pas réguliers derrière lui, mais ne se retourna pas. Si les jumelles étaient revenues pour le torturer ou le tuer, il ne pourrait rien y faire. Il ne doutait pas qu'elles agiraient selon leur bon vouloir.

– Tu devrais mettre ça, lui dit un homme en déposant une serviette verte sur ses épaules. Sans quoi, tu vas attraper un coup de soleil.

Une seconde serviette atterrit non loin de lui, ainsi qu'une petite cantine en aluminium, qui rendit un bruit d'eau en retombant sur le tissu.

– Tu saignes encore. Tu devrais nettoyer ta plaie et la bander avec ça, sinon *die Fliegen*... les mouches... vont s'y attaquer.

Le ton était celui de quelqu'un d'efficace. Il parlait avec un accent trop parfait et désuet, semblable à celui des archives radiophoniques que le Dr Burrows écoutait à Highfield. Tout cela ne semblait guère naturel à Will. C'est alors qu'il se retourna et vit le visage du colonel Bismarck, avec sa moustache militaire et ses yeux doux et gris.

– J'ai moi aussi vu mourir mon père, dit le colonel Bismarck en se redressant. J'avais à peu près ton âge, ajouta-t-il avec une profonde inspiration. Nous étions dans une ville militaire de l'autre côté de l'océan, lorsque nous avons été attaqués par des pirates. La plupart des habitants ont été massacrés, et j'ai survécu en me cachant dans les canots de sauvetage qui se trouvaient sur le toit de notre maison.

Le colonel se reprit soudain, comme s'il en avait trop dit, puis il fit claquer les talons de ses bottes cavalières en cuir verni, en s'inclinant légèrement.

– Toutes mes condoléances.

Will le regarda s'éloigner à grandes enjambées sur le plateau de la pyramide, puis il se retourna vers son père.

Le général des Limiteurs avait insisté pour que les jumelles se mettent à couvert sur le degré inférieur. Il était préoccupé par leur sécurité. Si jamais elles restaient sur le plateau, elles se trouveraient dans la ligne de mire d'Elliott.

Les patrouilles, qui comptaient quatre Styx chacune, venaient faire leur rapport au général les unes après les autres. Elles disposaient pour la plupart de Limiers et suivaient des protocoles de recherche précis, mais elles n'avaient pas trouvé la moindre trace d'Elliott.

Les jumelles écoutaient d'une oreille distraite la progression de l'enquête, lorsque le colonel Bismarck les rejoignit.

– Mes troupes attendent vos ordres. Si vous souhaitez les déployer, il suffit que vous me le disiez, dit-il à Rebecca en indiquant les soldats qui se trouvaient dans la clairière herbue d'un geste de la tête.

Les Limiteurs couraient en tous sens pendant que les soldats néo-germains attendaient sans rien faire. Rebecca jeta un coup d'œil à l'endroit qu'il venait de montrer. Une poignée de soldats avaient été chargés de surveiller les hélicoptères, tandis que les autres s'abritaient du soleil à l'ombre des arbres, en lisière de la jungle. Ils étaient assis par terre, jouaient aux cartes et fumaient des cigarettes.

– Merci. Nous verrons comment se déroule notre affaire, répondit la jeune Styx.

Mais le colonel voulait manifestement lui dire autre chose :

– D'après moi, vous avez agi précipitamment en abattant le père. Vous aviez donné votre parole au sujet de cet échange, mais vous êtes revenue dessus ensuite.

– Non, pour être précise, Elliott a modifié les règles du jeu à l'instant où elle a abattu l'un des nôtres, répondit Rebecca en lissant ses cheveux noirs et luisants.

Elle respectait cet homme, et elle était donc prête à prendre le temps de s'expliquer.

– Nous ne pouvions laisser passer ce qu'elle a fait à Coxy, pas sans représailles.

– Nous ne nous serions pas conduits de la sorte, répliqua le colonel avec ferveur et honnêteté, qui en faisait manifestement une question de principe. Nous appartenons à l'ordre de Bayard, et nous sommes fiers de nos racines prussiennes. Nous nous conformons à un code moral strict, que ce soit sur le champ de bataille ou ailleurs. *Ehre vor allem* – « l'honneur avant tout ». Cette jeune fille a abattu votre camarade depuis la jungle, parce que vous vous apprêtiez à blesser son compagnon. Votre conduite a justifié son acte, dit-il en chassant une mouche qui lui frôla le visage en bourdonnant. Pourquoi pensez-vous qu'elle croira quoi que ce soit de ce que vous lui direz, à présent ?

– Il ne faut pas sous-estimer cette fille, acquiesça Rebecca. Elle a vécu dans l'un des environnements les plus dangereux qui soient. Elle est jeune, et c'est une survivante, doublée d'une combattante entraînée et endurcie. Pour pouvoir l'amener là où nous voulions, nous avons dû faire monter la température… il fallait menacer quelqu'un qui lui soit vraiment cher. Il faut l'acculer, comme un rongeur affamé. C'est alors que son comportement deviendra prévisible et lorsqu'elle pensera ne plus avoir d'autre solution, elle partira se terrer dans la jungle ou concoctera quelque autre plan. Dans le premier cas, nous la pourchasserons, et dans le second, il faudra bien qu'elle établisse un contact. Nous serons alors prêts à jouer avec elle, et dans tous les cas nous sortirons gagnants.

Le colonel s'apprêtait à dire quelque chose, lorsqu'elle se tourna vers le général des Limiteurs.

– Est-ce que nous n'approchons pas de l'heure fatidique, de toute façon ? demanda-t-elle. L'heure est presque entièrement écoulée.

– Encore cinq minutes, dit-il en consultant sa montre.

– Et c'en sera alors fini de Will Burrows, dit Rebecca en se frottant les mains, puis elle pivota et se tourna vers le colonel. Lorsqu'il s'agit de nos opposants, nous pratiquons la tolérance zéro. Nous ne faisons aucune concession, car…

Une explosion retentit, tel un coup de tonnerre de l'autre côté de la pyramide. Des feuillages et des branches brisées voltigèrent dans le ciel.

– Qu'est-ce qui se passe ? hurla Rebecca bis. Bon sang ! On ne voit rien, d'ici.

– Partez du côté nord, hurla le général des Limiteurs à l'attention de deux patrouilleurs qui venaient de sortir de la jungle.

– Venez avez nous. Nous aurons une meilleure vue de là-haut, dit Rebecca, et les jumelles firent volte-face, comme si elles s'apprêtaient à grimper sur le plateau de la pyramide.

– Non, mauvaise idée, commenta le général des Limiteurs. C'est peut-être une ruse pour vous attirer à nouveau à découvert. Vous feriez mieux de rester ici.

Les jumelles obtempérèrent et se mirent néanmoins à courir le long de la pyramide. Elles avaient franchi un premier angle et parcouru la moitié de la largeur de la face suivante, lorsqu'une seconde explosion retentit. D'autres feuillages furent projetés dans les airs, suivis d'un craquement sonore. Un arbre venait de s'abattre dans la clairière. Cette fois, la détonation était bien plus proche, et elle provenait du côté sud de la pyramide que venaient de quitter les jumelles.

– Elle joue aux chaises musicales, ou quoi ? protesta Rebecca avant de s'arrêter dans un dérapage contrôlé et de pivoter sur elle-même.

Les jumelles rebroussèrent chemin, tandis que des Limiteurs couraient en tous sens au pied de la pyramide. Le général des Limiteurs n'avait pas bougé d'un pouce.

– C'est forcément Elliott qui s'amuse avec son C4, leur dit-il.

– Quelle m'as-tu-vu ! Qu'espère-t-elle obtenir de toute cette comédie ? dit Rebecca.

– Pourquoi ne lui demandes-tu pas toi-même ? répondit Rebecca bis en pointant du doigt la petite silhouette qui marchait d'un air déterminé vers le côté sud de la pyramide.

Elliott semblait désarmée. Elle portait un sac à dos et avançait, le bras tendu. Elle tenait quelque chose dans son poing.

– Comme c'est gentil de te joindre à nous ! lui cria Rebecca d'un ton enjoué avant de reprendre sa voix glaciale. Maintenant, reste où tu es !

– Ne me dis pas ce que je dois faire ! rétorqua Elliott pendant que les Limiteurs se regroupaient dans la clairière pour l'encercler, leurs fusils pointés sur elle. Et dis à tes hommes de main que si l'un d'eux s'approche de moi, je relâcherai ceci. Et… bang ! dit-elle en levant le poing à hauteur de sa tête. La charge explosive que je transporte dans mon sac à dos détonera, et tu pourras dire adieu à ton virus. J'ai placé environ dix kilos d'explosifs tout autour de la fiole.

– Que nous conseillez-vous ? demanda Rebecca bis au général des Limiteurs du coin de la bouche. On l'élimine d'une balle dans la tête ?

– Si nous procédons de la sorte et qu'elle utilise un mécanisme à sûreté intégrée, il suffit qu'elle ouvre la main pour faire exploser le C4, et comme elle le dit, notre virus sera incinéré.

– Un mécanisme à sûreté intégrée ? répéta Rebecca.

– C'est un dispositif de destruction assurée, expliqua le général des Limiteurs ; si jamais elle perd le contrôle de ses membres ne serait-ce qu'une seule seconde, qu'elle relâche le bouton et qu'il y a contact, c'est l'explosion. C'est l'un des trucs préférés des kamikazes.

– Bien, demandons-lui ce qu'elle veut, décida Rebecca bis. Viens par ici ! cria-t-elle à la jeune fille.

Elliott s'avança d'un pas nonchalant vers la façade est de la pyramide, dont elle gravit les degrés un à un. Elle ne voulait pas prendre le risque de sauter, au cas où elle aurait glissé et relâché le bouton.

Les jumelles, le général des Limiteurs et le colonel Bismarck l'attendaient au sommet. Elle leur adressa à peine un regard et se rendit directement vers Will.

– Je suis vraiment navrée, lui dit-elle à voix basse.

Will tourna la tête pour la voir, clignant des yeux comme s'il venait de se réveiller d'un profond sommeil.

– Elliott ! Qu'est-ce que tu fais là ? Tu aurais dû t'enfuir, dit-il d'une voix enrouée. Tu sais que c'est une bataille perdue d'avance.

Elliott ne réagit pas et Will haussa légèrement les épaules, puis il se détourna.

Pendant un instant, elle resta à ses côtés, les yeux posés sur le corps du Dr Burrows qui gisait à plat ventre sur le sol, noyé dans une flaque de sang qui ne cessait de s'étendre. Puis elle pivota sur elle-même d'un air déterminé. Elle laissa glisser son regard sur les jeunes filles, puis sur le Limiteur et l'arrêta enfin sur le colonel Bismarck.

– Bon sang, et vous, vous êtes qui, au juste ?

– Je suis colonel de l'armée de La Nouvelle-Germanie.

– Ces machines volantes vous appartiennent donc. Comment vous êtes-vous retrouvés à travailler avec ces bouchers… ces meurtriers ?

Elliott ne lui laissa pas le loisir de répondre.

– Je veux que vous appeliez l'un de vos hommes, qu'il apporte un bandage et s'occupe de sa blessure, dit-elle en inclinant la tête vers Will.

– J'appelle un médecin, répondit le colonel Bismarck qui s'éloignait déjà vers l'autre extrémité de la pyramide.

– Hors de question, intervint Rebecca. Restez là où vous êtes, colonel.

– Ah, vraiment ? répliqua Elliott. Vous n'êtes pas en mesure de…

– Rien, je répète, tu n'auras rien tant que nous n'aurons pas conclu un accord qui fasse avancer les choses, l'interrompit Rebecca.

Elliott scruta les deux douzaines de Limiteurs déployés sur le plateau. Ils attendaient tous qu'on leur donne l'ordre d'attaquer, tels des diables à ressorts prêts à jaillir de leur boîte. D'autres soldats styx gravissaient les flancs de la pyramide et venaient grossir leurs rangs. Ils étaient terrifiants avec leurs visages décharnés et brutaux, mais Elliott secoua la tête avec un petit gloussement désapprobateur.

– Ah, mais regardez-vous un peu ! Vous mourez d'envie de me tuer, n'est-ce pas ? Mais vous vous êtes trompés de pied en enfilant vos chaussures, ce matin. C'est moi qui vous tiens à ma merci, là, au creux de ma main, déclara-t-elle en levant le poing. Si je relâche la pression, nous irons tous au paradis.

Tout en se tenant à distance des soldats styx, elle se mit à parader en agitant son poing sous leur nez.

– Tu t'amuses un peu trop, je trouve, dit Rebecca bis. On reconnaît bien la Styx qui est en toi. Au fait, tu nous as dit que ton père était un Limiteur, mais nous n'en sommes guère convaincues. Qui était-il, au juste ?

– Mais c'était la Mouche ! rétorqua Elliott avec une lueur de malice au coin de l'œil.

– Non, impossible… répondit Rebecca bis.

– Mon père est mort, et n'essayez pas de me distraire, dit Elliott en se dirigeant droit sur les jumelles.

– Tu n'as pas les tripes de te faire sauter, lui lança Rebecca.

– Ah bon ? répliqua Elliott qui leva l'auriculaire sans hésiter une seule seconde. Eh bien, ce petit cochon-là en a le cran. Il s'ennuie, et il aimerait bien aller jouer.

Un silence de mort s'abattit sur la scène écrasée par un soleil ardent. Tout le monde était hypnotisé par Elliott, et c'est alors qu'elle leva un autre doigt.

– Oh, mais regardez-moi ça ! Un autre petit cochon vient de se joindre à lui, dit-elle d'un ton détaché. Vous voyez le dispositif, maintenant ? demanda-t-elle en regardant l'objet noir à présent à demi visible. Et je crois bien que vous avez oublié ce qui s'est passé dans le sous-marin, la dernière fois qu'on s'est croisés. Vous vous souvenez de la façon dont j'ai déclenché une bonne tonne d'explosifs que m'avait fournis Drake ? Je n'ai pas hésité à l'époque, et je suis sûre que…

– Vas-y, Elliott ! hurla Will sans même prendre la peine de se tourner. Fais-moi frire ces petites garces !

Elliott croisa le regard de Rebecca. Ni l'une ni l'autre ne semblait vouloir céder.

– Comme je viens de vous le dire, vous n'êtes pas en mesure de me dicter quoi que ce soit, ricana Elliott.

Rebecca garda le silence.

– C'est une première. Où sont donc passées tes petites répliques narquoises ? Un Limier t'aura donc dévoré la langue ?

Rebecca bis observait le câble enroulé autour du bras d'Elliott, qui reliait à son sac à dos le boîtier qu'elle tenait à la main.

– Du calme. Un médecin va s'occuper de Will, dit-elle à Elliott.

Chapitre Vingt

Drake quitta sa chambre et se rendit dans la pièce principale. Eddie était assis à son bureau et travaillait sur l'un de ses petits soldats. Il regardait au travers d'une grosse loupe montée sur un bras rétractable, appliquant des petites touches minutieuses sur la figurine. Il s'arrêta au moment où Drake entra dans la pièce.

– Comment va Chester ? demanda-t-il.

– Pas très fort, répondit Drake. Je lui avais bien dit qu'il ne fallait pas qu'il s'approche de ses parents, car ça allait forcément mal finir.

Eddie acquiesça en écartant la loupe.

– Est-ce le bon moment pour discuter de la façon de faire avancer les choses ? La réapparition de Chester a mis nos projets sur la touche, et les miens vont tout faire pour nous retrouver, c'est certain, ce qui ajoute encore à la pression, dit Eddie en reposant son pinceau sur l'assiette qui lui servait de palette, puis il s'essuya la main. Je veux remplir ma part du marché et vous apporter mon aide, quelles que soient vos intentions. Ensuite, il faudra partir en quête d'Elliott.

– Marrant que vous disiez ça. J'avais déjà élaboré un plan, et il se trouve justement que je suis en retard à mon rendez-vous, répondit Drake en consultant sa montre. Il faut que je voie un type pour lui parler d'un certain escargot.

– Quoi ? lui demanda Eddie avec un regard de biais.

– Mon grand chef spécialiste des pesticides est en train de me concocter un bon petit plat, répondit Drake.

Les clés de la voiture, qu'il sortait de sa poche, cliquetèrent.

– J'en ai pour deux heures tout au plus, ajouta-t-il en se retournant, puis il s'arrêta. Un peu plus tard, ce serait bien si vous me montriez le chemin qui mène à la Cité éternelle, vous savez, près de la cathédrale.

– Saint-Paul ou Westminster ?

– Personnellement, j'aime autant passer par Westminster.

– Et ensuite elle fait quoi ? demanda Rebecca au général des Limiteurs.

À l'autre extrémité de la pyramide, Elliott était agenouillée à côté de Will qui semblait à peine la remarquer. Le jeune médecin avait nettoyé et pansé sa plaie. Will avait fini par coopérer sous la menace d'Elliott. Il avait passé une chemise néo-germaine et coiffé une casquette à visière. Elliott avait beau lui parler, il restait muré dans son monde, comme s'il n'entendait pas un mot de ce qu'elle lui disait.

– Ses options sont limitées, et elle en est consciente, répondit le général des Limiteurs à la jumelle styx. Dès qu'elle nous aura remis la fiole, elle perdra son seul atout, à moins qu'elle n'ait l'intention de prendre un otage pour s'assurer une sortie sans encombres.

– Quoi ? L'une de nous ? dit Rebecca bis en échangeant des regards avec sa sœur. Si jamais c'est le cas, vous saurez ce qu'il vous restera à faire. Tuez-les tous les deux, Will et elle, sans vous soucier des victimes collatérales. Personne n'est indispensable lorsqu'il s'agit de récupérer le Dominion.

– Oui, je le sais, confirma le général des Limiteurs.

– Ah, nous y voilà. Enfin un peu d'action, observa Rebecca.

Elliott tentait de remettre Will sur pied, mais ce n'est qu'au bout de la troisième tentative qu'il finit par se relever. Sans jamais lâcher le détonateur, elle lui fit traverser le plateau en le tenant par la main.

Elliott s'arrêta devant le général des Limiteurs et les jumelles, mais Will avait l'air ailleurs. Il serrait le journal de son père contre sa poitrine et se retournait sans cesse vers son cadavre. Il semblait avoir perdu toute pugnacité. Il était même incapable de se mettre en colère contre les deux jeunes Styx.

– On commence vraiment à fatiguer, à traîner comme ça sur ce vieux tas de cailloux, dit Rebecca. Quelle est ton offre ?

– Mon offre ? répéta Elliott en riant. Je ne vous fais pas du tout confiance, à vous, les Styx. Hé, vous ! Par ici ! cria-t-elle soudain au colonel Bismarck qui obtempéra aussitôt. Je suis prête à conclure un marché, mais à certaines conditions, poursuivit Elliott. Je vous donnerai le Dominion…

– Mais dis-nous d'abord ce qui est arrivé au vaccin. La fiole au bouchon blanc, intervint Rebecca.

– Je n'arrivais pas à ouvrir le couvercle du flacon. J'étais pressée, c'est pourquoi j'ai dû le briser sur un rocher. J'y suis allée un peu fort, mais par chance, seule la fiole contenant le vaccin a été endommagée, expliqua Elliott. Comme je le disais avant que tu ne m'interrompes, je suis prête à vous remettre le virus du Dominion, si…

– Non ! s'écria Will. Non, sûrement pas, bon sang ! Elles vont le répandre en Surface.

Will semblait prêter attention à ce qui se passait autour de lui pour la première fois depuis le meurtre de son père.

– Laisse-moi régler ça, Will ! lui dit Elliott.

– Tu plaisantes, j'espère ! Tu ne vas tout de même pas le leur donner, n'est-ce pas ?

Will était dans une colère noire, comme si Elliott, et non les jumelles, était soudain devenue l'ennemie à abattre.

Laissant choir le journal de son père, il se précipita sur elle.

Elliott effectua un pas en arrière, choquée par la férocité de son accès de colère.

– Will…

Mais il s'avançait droit sur elle.

– Déclenche le détonateur, Elliott, maintenant ! Détruis le Dominion ! Rappelle-toi ce que nous a dit Drake. Elles ne mettront pas leurs sales pattes dessus, dit-il en pointant du doigt les jumelles. Tous ces gens, Drake et ma mère, sont morts en tentant de les arrêter. Et nous connaîtrons le même sort !

Elliott recula encore d'un pas, mais Will se jeta sur elle et la fit basculer en arrière. Il la maintenait plaquée au sol, lui agrippant le bras tout en s'efforçant de lui ouvrir les doigts pour activer le détonateur.

– Aidez-moi ! cria la jeune fille, qui concentrait tous ses efforts sur le dispositif qu'elle refusait de lâcher.

– Non, tu ne vas pas les laisser le récupérer ! bouillait-il. Espèce de sale traîtresse !

Elliott le frappa au visage d'un coup de coude, mais il en fallait plus pour l'arrêter. Le colonel Bismarck, qui était le plus près des deux adolescents, fut le premier à réagir. Il attrapa Will par le bras et par le cou pour le séparer d'Elliott. Voyant qu'ils avaient l'occasion rêvée de la désarmer, Rebecca et le général des Limiteurs se jetèrent dans la mêlée. Si l'un deux parvenait à lui attraper la main pour la lui maintenir fermée, ils reprendraient alors le contrôle de la situation.

Mais pendant que le colonel Bismarck s'efforçait de relever Will, Elliott parvint à tenir les Styx à distance en leur décochant coups de pied et coups de poing, et elle leur échappa enfin dans une glissade.

– Pas si vite ! hurla-t-elle hors d'haleine en se remettant sur pied.

Ils reculèrent.

– Bien tenté, les Cols d'albâtre ! ricana-t-elle.

Will était hors de lui.

– Allez, Elliott, fais-le ! Détruis cette saleté de virus ! hurla-t-il en se débattant, mais le colonel l'avait fermement empoigné.

– C'était moins une, dit Elliott en reprenant son calme avant de poursuivre. Très bien, voici mes conditions. Vous allez nous mettre, Will et moi, dans l'une de ces machines volantes…

– Ce sont des hélicoptères, l'informa Rebecca.

– Dans l'un de ces hélicoptères, donc, et lorsque nous serons dans les airs, je vous rendrai votre Dominion. Le colonel et ses hommes nous accompagneront, mais je ne veux pas de Styx avec nous.

– Et quand est-ce que tu comptes… commença Rebecca bis en adressant un coup d'œil exaspéré à Will.

Il avait déjà le visage brûlé par le soleil, et sa peau s'empourprait d'autant plus vite qu'il n'avait cessé de hurler sa rage.

– Colonel, pouvez-vous empêcher cet idiot de crier, on ne s'entend plus penser ici, dit Rebecca bis.

Deux Limiteurs vinrent porter assistance au colonel Bismarck.

– Non, pas eux ! Faites venir deux de vos hommes ici, ordonna Elliott d'un ton sec. Je ne veux pas qu'un seul Limiteur s'approche de lui. Il restera à mon côté. Je ne veux pas le perdre de vue. Vous non plus, colonel. Et vous resterez à côté de moi.

– Donc, comme je disais… quand est-ce qu'on récupère le virus ? demanda Rebecca bis.

– Je viens de te le dire. Je te le donnerai lorsque nous serons dans les airs, ensuite on nous transportera, Will et moi, jusqu'à un autre endroit dans la jungle. C'est aussi simple que cela.

– Très bien, conclut Rebecca bis. Que la fête commence.

Will se débattait encore lorsque deux soldats néo-germains l'emmenèrent au bas de la pyramide, avec Elliott et le colonel à leur suite. La jeune fille avançait avec prudence, de peur de perdre l'équilibre et de relâcher le détonateur en dérapant. Ils finirent par rattraper Will et son escorte néo-germaine, qui venaient d'arriver devant le premier hélicoptère de la rangée. Will jurait encore comme un charretier, lorsqu'on le confia à deux autres soldats assis à l'intérieur de l'engin.

– Tenez-le bien, et attachez-le au besoin, leur dit Elliott.

– Ce garçon pourrait regretter d'avoir laissé ça derrière lui. C'était à son père, dit le colonel Bismarck en lui tendant le journal du Dr Burrows.

– Merci, dit Elliott. Je suis sûre qu'il sera content de l'avoir une fois qu'il se sera calmé… si jamais il se calme.

Le colonel embarqua à bord de l'hélicoptère, et Elliott lui emboîta le pas.

– Où est ta fiole ? demanda Rebecca, encadrée par sa sœur et par le général des Limiteurs.

– Démarrez cet engin, dit Elliott au colonel, puis elle se tourna vers les trois Styx qui attendaient devant l'hélicoptère, telle une délégation officielle. Je veux voir tous vos Limiteurs là-bas, Limiers compris, dit-elle en indiquant la clairière herbue à côté de la pyramide.

– Tu veux qu'on évacue le flanc ouest ? demanda le général des Limiteurs.

– Pourquoi est-ce que tu nous demandes ça, maintenant ? demanda Rebecca bis d'un air perplexe. Ça ne faisait pas partie du contrat.

– Contente-toi de faire ce que je te dis, si tu veux revoir ta fiole en un seul morceau.

Le général des Limiteurs donna des ordres à ses hommes, qui se retirèrent aussitôt. Le pilote abaissa une série d'interrupteurs et le moteur Bramo se mit à toussoter. Les jumelles et le général des Limiteurs commencèrent à reculer. Ils n'étaient pas partis très loin, lorsque Elliott se fourra les doigts dans la bouche et émit un sifflement strident.

– Qu'est-ce que tu mijotes ? hurla Rebecca bis. Donne-nous la fiole.

– Si tu essaies de nous jouer… dit Rebecca, manifestement agitée.

À ce moment-là, Bartleby traversa la clairière, telle une flèche, avant de s'arrêter en dérapant sur le sol à la recherche d'Elliott, quand il fut distrait par les aboiements féroces d'un Limier qui l'avait repéré depuis l'extrémité de la pyramide.

Les pales gagnaient de la vitesse et Elliott le siffla à nouveau. Bartleby dressa les oreilles, la repéra enfin, et s'élança alors vers elle au galop.

– Qu'est-ce que fiche ce chasseur ici ? demanda Rebecca bis. Pourquoi as-tu besoin de lui ? Il y a quelque chose de louche dans cette histoire.

– T'as carrément raison, acquiesça sa sœur qui se mit à crier à tue-tête : Bartleby, au pied !

Le chat hésita, puis changea de direction, tournant le dos à l'hélicoptère.

– Allez, mon beau, viens me voir ! hurla Elliott.

Rebecca avait l'air inquiète. Quelque chose ne collait pas. Pourquoi Elliott se préoccupait-elle tant du chasseur, alors que tant de choses dépendaient de sa fuite avec Will ? Elle ne savait pas vraiment pourquoi, mais cet animal représentait l'une des pièces maîtresses du plan d'Elliott. Elle se mit à crier dans la langue des Styx, débitant une série de mots inintelligibles. Elle cherchait à prendre le contrôle du chat, en activant la programmation qu'il avait subie sous l'effet de la Lumière noire, lorsqu'il était à la Colonie. Rebecca, qui s'attendait à recevoir une obéissance absolue, n'allait pas tarder à être fortement déçue.

– Bartleby, je t'ai dit de venir ! cria Elliott qui maîtrisait elle aussi la langue des Styx.

Le chat s'arrêta.

Tout dépendait désormais de la force de sa volonté. Rebecca tenta à nouveau d'attirer le chasseur, en se servant des mots-clés styx. Mais lorsque Elliott l'appela à nouveau, Bartleby fit son choix et bondit vers elle. Apeuré par le souffle des rotors, il hésita un instant devant la porte de l'hélicoptère.

– Monte, Bartleby, ordonna Elliott.

Le chat grimpa à bord d'un bond, et elle le prit dans ses bras.

– Et on décolle maintenant ! cria-t-elle au colonel Bismarck.

Il était désormais trop tard pour pouvoir faire quoi que ce soit, lorsque les jumelles remarquèrent la corde qui pendait au cou de Bartleby. Elliott en détacha un petit paquet.

– Tu veux dire qu'elle ne l'avait pas sur elle ? s'exclama Rebecca bis.

– Le chasseur transportait la fiole, dit sa sœur.

L'hélicoptère était déjà à dix mètres du sol et continuait son ascension.

– Lance-nous la fiole, hurla Rebecca bis en s'avançant, ou notre marché ne tient plus !

Des Limiteurs avaient émergé de sous les arbres, tandis que d'autres étaient postés sur la pyramide. Ils tenaient Elliott et l'hélicoptère dans leur collimateur.

Elliott agita le petit paquet devant elle.

– Très bien, vous feriez mieux de ne pas la laisser tomber, dit-elle en lançant la fiole aux jumelles.

Lorsque Rebecca bis l'attrapa au vol, l'hélicoptère gagnait déjà de l'altitude.

– Une chaussette puante de Will, dit la jumelle d'un air dégoûté, et elle s'empressa de déchirer la chaussette élimée pour voir ce qu'il y avait à l'intérieur. Elle y trouva une fiole fermée par un bouchon noir, qu'elle examina à la lumière. Son visage se fendit d'un immense sourire et elle fit le signe de la victoire à sa sœur et au général des Limiteurs.

– On l'a enfin ! hurla-t-elle, triomphante.

L'hélicoptère était à une cinquantaine de mètres au-dessus du sol, lorsque Rebecca se tourna vers les Limiteurs pour leur donner l'ordre d'ouvrir le feu.

– Je vous le déconseille, dit le général des Limiteurs en posant la main sur son bras. Regardez un peu de ce côté-ci.

Les troupes néo-germaines étaient sorties pour observer le déroulement des opérations. Sentant que leur officier en chef se trouvait peut-être en danger, nombre d'entre eux avaient dégainé leurs armes, et les soldats chargés de garder les hélicoptères pointaient vaguement leurs fusils en direction des jumelles.

– Ne vous inquiétez pas, dit le général des Limiteurs. Ces vieux hélicos consomment énormément de carburant. Même si le colonel ne ramène pas Elliott et le fils Burrows jusqu'à la cité, il n'ira pas très loin, de toute façon.

Rebecca acquiesça puis, d'un geste de la main, ordonna aux Limiteurs de se retirer.

– C'est fini, murmura Elliott en s'attardant devant la porte pour regarder disparaître la pyramide dans le lointain.

Les Limiteurs ne furent bientôt plus que de petits points inoffensifs. Elle poussa un soupir de soulagement, puis se rassit sur le plancher de l'hélicoptère.

– Était-ce vraiment la fiole qu'ils voulaient ? La fiole de Dominion ? demanda le colonel. Ils semblaient le penser, mais j'ai besoin de connaître la vérité, sans quoi je serai contraint de vous ramener là-bas. C'est une question d'honneur.

– Oui, c'était bien le virus, confirma Elliott. J'ai rempli ma part du marché.

Le colonel adressa un signe de la tête au navigateur, qui indiqua à son tour au pilote qu'il pouvait poursuivre sa course. Alors que l'hélicoptère s'élevait au-dessus de la canopée, Elliott ouvrit le poing et déposa quelque chose sur le sol, puis elle s'épongea le front.

– Quoi ! s'exclama le colonel Bismarck en se penchant pour examiner l'objet de métal noir. Je croyais qu'il s'agissait d'un détonateur.

– Je crois bien que non, répondit-elle en ramassant la boussole du Dr Burrows, pour en ouvrir le boîtier et le montrer au colonel. Je n'avais pas de détonateur à sûreté intégrée, et j'ai donc bluffé tout du long.

Le colonel Bismarck éclata de rire, mais Elliott lui adressa un sourire las.

– Et je n'avais pas d'explosifs dans mon sac à dos non plus. J'ai utilisé tout ce que j'avais pour soigner mon entrée spectaculaire au pied de la pyramide, dit-elle en déroulant le câble qu'elle avait enroulé autour de son bras, puis elle se débarrassa de son sac à dos. À part deux pistolets, ce sac est rempli de linge sale.

Le colonel se mit à rire encore plus fort, mais Will ne trouvait pas ça amusant du tout. Il essaya de se relever d'un coup, mais les deux soldats néo-germains qui l'encadraient l'obligèrent à se rasseoir sur le banc de métal. Ils étaient plus forts que lui et il avait les poignets entravés, c'est pourquoi il ne chercha pas à lutter.

– Pour l'amour de Dieu, gronda-t-il en fusillant Elliott du regard. Tu leur as donné le Dominion. Pourquoi ? Après tout ce qu'on a fait pour les empêcher de mettre la main dessus ? T'as complètement perdu les pédales, ou alors tu n'es qu'une sale traîtresse ! Voire les deux !

Troisième Partie

Restitution

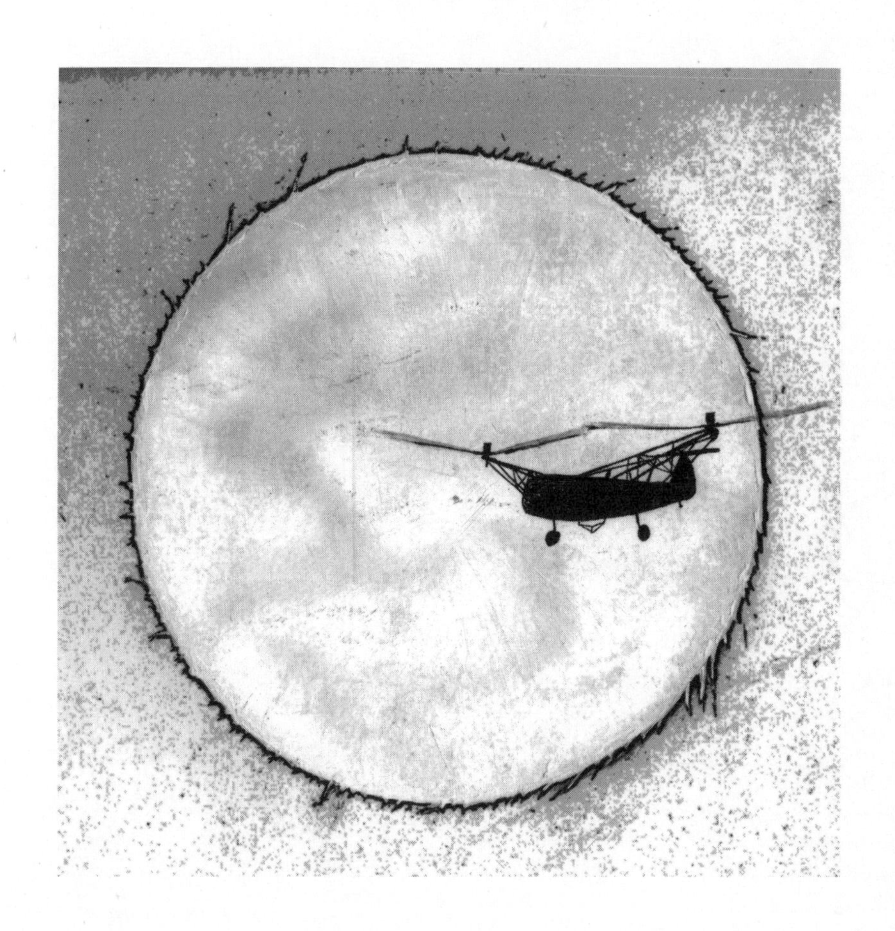

Chapitre Vingt et un

– Eddie, j'emmène Chester faire un tour en voiture, dit Drake. Il passe son temps à broyer du noir dans sa chambre, en dégommant des bidules sur cette PlayStation que vous lui avez achetée.

– Ça lui fera du bien de changer de décor, acquiesça Eddie en reposant son pinceau et en écartant sa loupe sur le côté. Vous voulez que je vous accompagne ?

– Non, merci, ça ira.

Au volant de la Range Rover, Drake traversa la Tamise en passant par le London Bridge. Assis à ses côtés, Chester se délectait de la brise qui lui fouettait le visage à travers sa vitre, tandis qu'il contemplait le fleuve. Mais lorsqu'ils approchèrent des caméras de vidéosurveillance placées dans le périmètre de la City, le quartier financier de Londres, Drake remonta toutes les vitres fumées du véhicule.

– Baisse la tête à partir d'ici, conseilla Drake. Il y a des systèmes de vidéosurveillance partout, et ils comportent désormais des programmes de reconnaissance faciale. C'est à croire que les Styx dirigent tout le pays maintenant.

– C'est ce que je commence à penser, moi aussi, marmonna Chester d'un ton pathétique.

– Tu peux arrêter de jouer les Bourriquet, maintenant. À moins qu'Eddie n'ait posé des micros dans la voiture, ce qui n'est pas le cas, inutile de continuer ton numéro.

– D'accord, répondit Chester d'une voix plus enjouée. Mais pourquoi tout ce cinéma ? Qu'est-ce qui se passe ?

– Tu comprendras tout le moment venu, dit Drake en fusillant du regard un taxi noir, qui venait de lui faire une queue-de-poisson.

Ils se dirigeaient vers le nord-ouest de Londres et ses banlieues sans fin. Chester ne s'était toujours pas habitué à voir tant de gens dans les rues après les mois qu'il avait passés sous terre. À force d'essayer de les observer un à un, il avait fini par avoir la migraine. Il se demandait combien de Styx se cachaient dans cette foule, et combien d'entre eux avaient été soumis à la Lumière noire et étaient de fait leurs agents. Peut-être était-il devenu paranoïaque, mais c'était sûrement mieux ainsi.

Drake vira dans une zone industrielle à l'abandon, après avoir dépassé une série de boutiques miteuses. Un ancien viaduc ferroviaire se dressait sur le côté. Ses arches en brique, noircies par des années de pollution, dataient de l'époque victorienne. Celles que l'on n'avait pas murées comportaient des vitrines de fortune en verre et en aluminium, dont les panneaux annonçaient : « Meubles en pin – Prix défiant toute concurrence ! », ou encore « Fournitures de bureau – Les meilleures affaires de Londres ». Drake poursuivit sa route jusqu'à un atelier de réparation de voitures, devant lequel il se gara.

– Par ici, dit-il, et Chester le suivit.

Ils franchirent une porte aménagée dans le rideau de fer.

L'intérieur était jonché de morceaux de tôle. Au centre de la pièce, un homme travaillait sous une camionnette surélevée. Il tapait énergiquement sur le pot d'échappement à grands coups de marteau.

– Bonjour ! lança Drake d'une voix forte.

L'homme chauve cessa son travail et émergea de sous le véhicule, vêtu d'un bleu de travail délavé.

– Monsieur Smith, dit-il en s'adressant à Drake, rangeant son marteau dans sa ceinture porte-outils.

– Tout est prêt ? demanda Drake.

L'homme ne lui répondit pas et s'attarda sur Chester.

– Tout va bien. Il est avec moi, le rassura Drake, avant de tirer deux choses scintillantes de son portefeuille.

Chester vit qu'il s'agissait de deux gros diamants, lorsque Drake les déposa dans la paume crasseuse de l'homme, toute barbouillée d'huile de vidange.

– Comme je te l'ai dit, attention à la manière dont tu t'en débarrasses.

– Les vendre ? Tu rêves, mon gars. Je les garde, sourit l'homme.

Il avait une incisive en or.

– Ça servira de fonds de pension. Pour la miss et moi, comme je te le dis.

L'homme se dirigea alors vers le fond de l'atelier, et Chester suivit Drake, qui s'enfonçait plus avant sous la voûte.

– Si tout se passe comme prévu, il va bientôt me falloir un autre véhicule, dit Drake au moment où ils entraient dans une pièce qui servait à la fois de remise et de bureau.

Des cartons de pièces détachées étaient empilés tout autour d'une table sur laquelle trônait un téléphone.

– Une bagnole un peu sportive, ce coup-ci ? demanda l'homme. Bien nerveuse ?

– Non, un break tout ce qu'il y a de plus banal m'ira très bien. Une voiture de famille avec pas mal de kilomètres au compteur, du genre BMW ou Mercedes. Et dont on ne puisse pas retrouver la trace, évidemment, comme la Range Rover.

– Pas de problème. Je m'en charge, mon pote, confirma l'homme tandis qu'ils entraient dans une autre pièce mal éclairée et remplie de casiers.

– Mon uniforme d'école ! s'exclama Chester, en le voyant qui gisait en tas sur une cagette. Qu'est-ce qu'il fiche là ?

L'homme ouvrit une autre porte, tout au bout de la pièce. D'après l'écho, la salle suivante semblait bien plus vaste.

– J'vous laisse continuer vos petites affaires, monsieur Jones, dit l'homme en tendant la clé de la pièce à Drake.

– Smith, mon nom est Smith, corrigea Drake.

– Ah oui, désolé, monsieur *Smith*, gloussa-t-il en dévoilant à nouveau sa couronne. Je garde l'œil ouvert. Si jamais des étrangers rappliquent, je ferai sonner le bigophone. Ça roule ?

– Cool, merci, lui répondit Drake. Je veux que tu enfiles ça, dit-il à Chester une fois l'homme reparti, et tu viendras me rejoindre ensuite.

– Mais pourquoi ? demanda Chester, qui s'attardait devant son uniforme d'école.

Il souleva son blazer pour jeter un coup d'œil au pantalon de flanelle grise qui se trouvait en dessous, et plusieurs grandes photographies glissèrent sur le sol. La première était une copie du portrait de famille pris dans la cabine de la grande roue du London Eye, qu'il avait découverte lors de sa dernière visite chez ses parents. Sur un autre cliché, il reconnut l'équipe de foot du lycée de Highfield. Plus jeune, il portait un uniforme de gardien de but.

– Au fait, Drake, pourquoi toutes ces photos ?

– Ah oui, apporte-les-moi, tu veux ?

Chester commençait à trouver la situation fort désagréable.

– Vous ne voulez pas me dire ce qui se passe ? Mes vêtements d'élève... ces photos... c'est un peu flippant.

– Calme-toi, et fais très exactement ce que je te dirai, lui répondit Drake. Tout ira bien, je te le jure.

– J'espère, acquiesça Chester, toujours aussi mal à l'aise.

Son uniforme à la main, il avait l'impression de tenir un objet datant d'une vie antérieure.

Drake franchit la porte et la referma derrière lui.

– Complètement marteau, marmonna Chester en commençant à se changer.

Il était seul à présent et ressentait un vide au creux de l'estomac. Il n'avait pas la moindre idée de ce que préparait Drake. D'après le coup d'œil qu'il avait jeté dans la pièce d'à côté, elle était plongée dans le noir et cela ne lui disait rien qui vaille. Qui plus est, il percevait de drôles de bruits. Des cris, puis quelque chose qu'on traînait sur le sol.

Il avait grandi depuis la dernière fois qu'il avait porté cet uniforme. Son pantalon était ridiculement court, et il avait du mal à le boutonner. C'est à peine si ses épaules rentraient dans son blazer. Avec une démarche assez semblable au monstre de Frankenstein ainsi engoncé dans ses vêtements, il se dirigea vers la porte et frappa, puis l'ouvrit prudemment.

– Entre, lui lança Drake depuis la pénombre.

La salle était vaste. Chester était surpris de voir l'étendue de la cave, mais il n'arrivait pas à en évaluer toute la longueur, car il n'y avait qu'une seule ampoule, surmontée d'un abat-jour. Elle n'éclairait qu'une petite zone, à environ vingt mètres de lui. Sous le cône de lumière se trouvait un homme attaché à une chaise. Il balançait la tête d'un côté, puis de l'autre, les yeux rivés au sol.

Drake émergea des ténèbres et ôta le bâillon qu'il avait placé sur la bouche de l'homme.

– Papa ! s'étrangla presque Chester, en trébuchant sur une autre chaise qu'il n'avait pas remarquée dans l'obscurité.

Chester s'avança alors dans la pénombre. Son père mit quelques instants à comprendre qu'il y avait quelqu'un d'autre dans la pièce, puis il releva la tête et regarda son fils.

Chester effectua un pas en arrière.

– Il…

M. Rawls le regardait avec tant de haine que Chester ne put continuer. C'était d'autant plus choquant que son père était d'ordinaire l'une des personnes les plus douces et les plus réservées qui soient.

Mais Chester avait l'impression d'avoir affaire à un étranger. Il se sentit envahi par un sentiment de désespoir. L'amour que lui portait son père s'était donc éteint à jamais ?

– Qu'avez-vous fait à Emily, espèces de monstres ? cria M. Rawls.

Il luttait en vain contre les entraves qui lui maintenaient les mains attachées au dossier de la chaise et lançait des coups de pied dans le vide.

– Ne résiste pas, Jeff, ou on s'occupe de ta femme, menaça Drake.

– Ma maman ! Où est ma maman ? demanda Chester.

Drake s'approcha de lui et lui parla au creux de l'oreille, sans prendre la peine de murmurer, comme s'il voulait que M. Rawls entende chacune de ses paroles :

– Elle se trouve dans un box à l'arrière, et elle va bien. Enfin, si Jeff coopère, évidemment. Maintenant, prends cette chaise et pose-toi dessus.

Chester hésita.

– Fais ce que je te dis ! rugit Drake.

Hébété, le jeune garçon prit place face à son père qui continuait à le fusiller du regard.

– Qu'est-ce que tu veux, espèce de petit voyou ? Tu veux m'extorquer de l'argent ? demanda M. Rawls d'une voix plus aiguë et légèrement hystérique. Tu n'as pas compris que j'étais actuaire, que je travaillais pour une petite compagnie d'assurances… je ne gagne pas grand-chose. Tu frappes à la mauvaise porte !

C'est alors que Drake intervint.

– Si t'es actuaire, Jeff, t'as forcément le cerveau parfaitement logique et analytique, et j'ai besoin que tu fasses fonctionner tes méninges maintenant, pour ta survie et pour celle d'Emily.

Chester aurait préféré ne jamais entendre le torrent d'injures dont les couvrit son père.

M. Rawls tenta de tourner la tête pour mieux voir Drake, mais ce dernier l'empoigna et le força à regarder droit devant lui.

– Montre-lui la première photo, ordonna Drake en se rangeant à côté de M. Rawls, qui fixait désormais le portrait pris dans le London Eye. Dis-moi qui se trouve avec ta femme et toi ?

– Mon fils. C'est mon fils, et… dit M. Rawls après avoir craché avec mépris.

– Et qui est-ce ? demanda Drake en pointant le faisceau d'une lampe torche sur Chester, qui plissa des yeux.

– Je n'en sais rien ! hurla M. Rawls. Comment le saurais-je, bon sang ?

Chester n'arrivait pas à croire que son père ne parvienne toujours pas à le reconnaître, alors même qu'il portait le même uniforme que sur la photo.

– Regarde-le bien, Jeff, car tu sais *très bien* de qui il s'agit et si tu ne me le dis pas, je vais tuer Emily. Elle est dans une pièce juste à côté, et je vais lui trancher la gorge. À vrai dire, tu vas me regarder lui…

– Non, Drake ! s'écria Chester, frappé d'horreur. Vous feriez pas ça !

Drake éteignit la lampe torche et se rapprocha de Chester.

– Tais-toi, gronda-t-il, et Chester s'exécuta.

Le jeune garçon préférait éviter de discuter avec lui.

– Qui êtes-vous, d'abord ? demanda M. Rawls. Vous faites du démarchage électoral pour un parti d'extrême droite ? lança-t-il en riant méchamment.

– Je ne crois pas que tu aies saisi la gravité de la situation, lui dit Drake en dégainant son couteau.

C'était une arme terrifiante. Drake en orienta la lame en dents de scie de telle sorte qu'elle renvoie la lumière dans les yeux de M. Rawls.

– Si tu ne coopères pas, et vite, ni toi ni ta femme ne ressortirez d'ici avec toutes vos entrailles.

M. Rawls cligna des yeux, comme s'il était en train de vivre un cauchemar dont il n'arrivait pas à émerger. Il se mit à crier « À l'aide ! » à tue-tête.

Drake s'avança droit sur lui et lui administra une grande gifle avant de lui placer la pointe de son couteau juste sous la gorge. Chester se leva d'un bond, mais garda le silence.

– Tu peux toujours hurler à t'en rompre les cordes vocales, personne ne t'entendra. Personne ne va venir à ta rescousse. Alors, vas-y, donne-moi tout ce que tu as, Jeff.

M. Rawls se tut enfin, et Drake rengaina son couteau.

Drake donna l'ordre à Chester de se rasseoir et de lui montrer les autres photos, pendant qu'il demandait à M. Rawls de lui décrire le garçon qui y figurait, puis de faire de même avec Chester. Il l'obligea à recommencer à d'innombrables reprises, et si jamais M. Rawls refusait, il le menaçait à nouveau de son couteau ou lui assénait un coup sur la tête, jusqu'à ce qu'il ait le visage rouge et tuméfié.

Chester finit par comprendre ce que Drake cherchait à faire. Il tentait de déprogrammer son père, de le purger de tous les processus cognitifs que lui avaient implantés les Styx sous l'influence de la Lumière noire. Drake devait donc se montrer brutal, et Chester acceptait mieux les mauvais traitements qu'il infligeait à son père.

Drake administra une ultime gifle à M. Rawls, et la situation connut un revirement soudain.

– Allez au diable ! hurla M. Rawls, qui n'en pouvait plus. Faites ce que vous voulez de moi, mais je refuse d'écouter ces idioties une minute de plus.

Il baissa alors la tête, refusant obstinément de répondre à d'autres questions.

– Tout cela ne nous mène nulle part, dit Drake.

Il se précipita sur Chester et enroula son bras autour de son cou en serrant si fort que le jeune garçon ne pouvait plus respirer, et encore moins protester.

– Je vais étrangler ton fils, Jeff. C'est Chester, là, devant toi.

Les semelles des chaussures de Chester raclèrent le sol. Les photographies glissèrent de ses genoux et tombèrent par terre. La chaise bascula en arrière, tandis qu'il essayait désespérément de se libérer de l'emprise de Drake.

– Je vais l'asphyxier, menaça Drake d'un ton glacial qui ne trahissait pas la moindre émotion, si bien que Chester crut vraiment que son heure avait sonné.

M. Rawls avait encore les yeux rivés sur ses genoux et secouait la tête, quand tout à coup il regarda Chester, les yeux écarquillés.

– Chester ! dit-il d'une voix presque inaudible.

Chester virait au bleu.

– Désolé, j'ai pas bien entendu, Jeff, lui lança Drake d'une voix chantante.

Chester avait les yeux exorbités et n'avait plus la force de se débattre.

– Encore quelques secondes avant qu'il ne meure, Jeff, dit Drake. Vous pouvez le sauver. Dites-moi juste qui il est. Dites-moi qui vous voyez devant vous !

– Chester ! hurla M. Rawls d'une voix stridente.

Drake relâcha son étreinte, remit la chaise d'aplomb et aida le jeune garçon à se rasseoir dessus.

– Chester ! C'est toi ?

M. Rawls était en pleurs, à présent, et de grosses larmes roulaient sur ses joues. Chester, qui ne s'était pas encore remis, riait et toussait en avançant vers son père d'un pas vacillant, les bras en croix.

– Papa, c'est fini… on est à nouveau ensemble… j'en ai rêvé, dit Chester d'une voix étranglée, tandis que Drake tranchait les liens qui retenaient encore M. Rawls. Mon papa est de retour. Drake, je ne sais pas comment vous remercier de l'avoir ramené.

– Ne me remercie pas si vite, lui dit Drake en ramassant les photos qui jonchaient le sol. Il faut encore qu'on s'occupe de ta mère, et il faudra peut-être que je te tue pour de bon, ce coup-ci.

Elliott remarqua que l'hélicoptère avait changé de direction et que le vol semblait devenir plus cahoteux. Elle regarda aussitôt le colonel Bismarck, qui s'entretenait avec le navigateur assis dans le cockpit. Il revint vers elle en secouant la tête.

– Il y a un problème, dit-il. Nous sommes en route pour la jungle, à l'est de la pyramide, comme vous nous l'avez demandé, mais un front orageux se prépare juste devant nous, comme on le voit sur l'écran. Il fonce droit sur nous, et il s'agit d'un vaste système dépressionnaire. Nous avons déjà pris des mesures de contournement, mais nous ne pouvons pas poursuivre dans cette direction pendant très longtemps. Nous risquerions de nous trouver pris au beau milieu de l'orage.

– Quelle est la solution ? demanda Elliott.

– Il y a un couloir qui passe juste au-dessus de la ville. Nous pourrions vous y emmener et vous y seriez en sécurité.

– Non, mon colonel. Impossible. Nous avons besoin d'aller à l'est de la pyramide.

Au moment où le colonel s'en allait consulter à nouveau le navigateur et le pilote, l'hélicoptère entra en bordure du système orageux. Une pluie battante commença à s'engouffrer par la porte. Les courants aériens étaient d'une telle puissance que le colonel dut s'accrocher aux parois pour revenir vers Elliott.

– Le pilote va chercher une zone non loin d'ici, touchée par un récent feu de brousse. Nous pourrons vous déposer là, lui dit le colonel Bismarck, mais je crains que vous ne deviez faire le reste du chemin à pied.

Les jumelles sentirent les premières gouttes de pluie sur leur visage et jetèrent des regards aux troupes de la Nouvelle-Germanie, qui s'apprêtaient à embarquer dans leurs hélicoptères. Elles s'avancèrent nonchalamment vers le général des Limiteurs.

– Vous avez fait passer le mot ? lui demanda Rebecca en tournant volontairement le dos aux soldats néo-germains car elle ne voulait pas éveiller leurs soupçons.

– Oui. Mes hommes ont reçu l'ordre d'épargner l'équipage des hélicoptères, mais le reste des troupes sera éliminé en cas de résistance, répondit le général des Limiteurs à voix basse.

– Quant à ce jeune officier qui nous a aidées, je veux qu'il ne lui soit fait aucun mal, précisa Rebecca bis.

– Compris, répondit le général des Limiteurs, en scrutant le ciel qui s'assombrissait rapidement. Et si cet orage se dirige sur nous, voilà qui facilitera grandement notre tâche. Ces vieux coucous ne peuvent pas décoller par gros temps, et qui sait ? nous parviendrons peut-être à prendre le contrôle des troupes de la Nouvelle-Germanie sans verser la moindre goutte de sang.

Rebecca bis se frotta les mains.

– Ce serait formidable. De nouvelles recrues, pour la première phase de notre offensive.

– Oui, avec quelques petits changements, néanmoins fondamentaux, je crois que nous allons être heureuses dans notre nouveau foyer. Très heureuses, conclut sa sœur avec un large sourire.

Le colonel Bismarck s'efforça d'articuler, malgré la force du vent qui augmentait à mesure que l'hélicoptère prenait de la vitesse.

– Là-bas ! Vous voyez ?

Elliott se tenait juste à côté de lui. Elle s'accrochait à la rampe de sécurité devant la porte et regardait défiler la jungle sous ses pieds.

– Oui, confirma-t-elle en apercevant la zone autrefois boisée qui avait été récemment ravagée par le feu.

On aurait dit une plaie charbonneuse, au beau milieu d'une végétation luxuriante.

Le pilote filait droit sur la clairière et pendant un instant, ils semblèrent dépasser l'orage, car les turbulences s'atténuèrent. Elliott et le colonel s'étaient rassis à l'arrière de l'engin.

– Colonel, commença Elliott, vous avez été parfaitement honnête avec moi et j'aimerais vous rendre la pareille.

Le colonel fronça les sourcils.

– Je ne vous dirai qu'une chose. Méfiez-vous des Styx ! Ne les sous-estimez pas. Ils ne seront pas ravis de voir que vous nous avez laissés filer. Et d'après ce que j'ai entendu dire de votre cité, ils pourraient bien décider de s'y installer.

– Merci, mais vu leur faible nombre, je ne crois pas qu'ils constituent une véritable menace, répondit le colonel Bismarck.

Elliott décela néanmoins quelque chose dans son regard qui indiquait qu'il avait pris son avertissement au sérieux.

L'hélicoptère amorça sa descente et Elliott jeta un coup d'œil à Will qui avait la tête baissée, puis elle s'intéressa à la vue qui s'étendait devant elle. Le récent incendie avait réduit la dense végétation de la jungle en cendres que le souffle des rotors faisait voltiger dans les airs. On eût dit qu'ils se trouvaient dans l'œil d'une tornade noire et grise, pris derrière un épais rideau de fumée qui masquait la lumière du soleil.

Ils atterrirent enfin avec un bruit sourd, mais le pilote ne coupa pas les moteurs, car le colonel n'avait pas l'intention de stationner là très longtemps. Elliott bondit hors de l'hélicoptère avec Bartleby à sa suite. On détacha Will avant de le conduire à terre.

– Et si je ne veux pas la suivre ? dit-il au colonel en se frottant les poignets pour rétablir la circulation. J'aimerais autant voir cette fameuse cité. Vous êtes tous des Allemands de la Seconde Guerre mondiale, n'est-ce pas ?

– Oui, d'avant la fin de la guerre, répondit le colonel Bismarck. Comment sais-tu ça ?

– Ça, c'est un Lüger, dit Will en inclinant la tête vers l'arme que portait le colonel au côté. Et ils sont armés de Schmeisser, n'est-ce pas ? ajouta-t-il en se tournant vers les autres soldats. Je veux venir voir le reste de votre cité. Mon père aurait voulu que je le fasse.

Will n'avait pas adressé le moindre regard à Elliott depuis leur départ, mais il l'observait froidement à présent.

– Et je ne veux pas rester à côté d'elle.

Elliott savait qu'il délirait encore suite à la perte de son père, mais elle en avait assez d'entendre ses commentaires.

– Will Burrows, ce que tu peux être lourd ! gronda-t-elle. D'accord, je leur ai remis la fiole de Dominion, mais comment aurais-je pu faire autrement ? Tu as quand même réussi à te faire prendre. Tu m'as forcé la main. Et tu sembles oublier que je t'ai sauvé des griffes de tes sœurs maléfiques. Une fois de plus.

– Ouais, c'est ça, mais à quel prix ?

– C'est pas encore fini, répondit-elle d'une voix à peine audible à cause du bruit du moteur.

– Qu'est-ce que tu veux dire ? demanda-t-il en sautant à terre pour s'avancer vers elle d'un air belliqueux. Oh, j'imagine que tu as encore un plan génial. Tu vas débarquer l'air de rien et leur arracher le virus des mains ? Comme si ça pouvait marcher ! Elles ne vont pas le perdre de vue un seul instant maintenant, et en prime, va falloir combattre des millions de Limiteurs avant de les atteindre. Je ne comprends pas, dit-il en tapant du poing dans sa paume. Comment est-ce que tu as pu, toi, Elliott, le laisser tomber entre leurs mains ? Drake aurait honte de toi !

Pendant un instant, Elliott le regarda d'un air confus, comme si elle était sur le point d'éclater en sanglots, puis elle lui flanqua une gifle.

Will en eut le souffle coupé. Bartleby, mécontent de les voir se quereller ainsi, poussa un miaulement timide.

– Comment oses-tu dire ça ? gronda-t-elle d'une voix grave et tremblante. Drake est mort, il semblerait, et tu n'as pas la moindre idée de ce qu'il aurait fait dans pareille situation. Et pourquoi est-ce que tu ne m'écoutes pas ? Je t'ai déjà dit que nous n'en avions pas fini avec elles.

– Oh, va te faire voir ! hurla Will. Je m'en fiche pas mal.

– Tu cherches un coupable à qui reprocher ce qui est arrivé à ton père. Eh bien, ne m'accuse pas ! J'ai fait tout ce que je pouvais pour le sauver ! cria Elliott. Je pourrais tout aussi bien te reprocher la mort de Drake. Si tu ne t'étais pas pointé dans la Grande Plaine, rien de tout cela ne serait arrivé. Il serait encore vivant.

– Tu peux croire ce que tu veux, rétorqua Will en crachant dans la cendre. Tu ne m'as jamais aimé, de toute façon. Dès le départ, c'était Chester et toi, toi et Chester... vous partiez tout le temps patrouiller ensemble, comme des amoureux, brailla-t-il, si blême qu'il ne savait même plus ce qu'il disait.

– Peut-être qu'il avait besoin de plus de temps pour apprendre !

– Ou peut-être parce que tu l'aimais plus que moi.

– Je ne voudrais pas m'immiscer dans la... oui, la *querelle* qui vous oppose avec votre petite amie, mais... intervint le colonel, aussitôt coupé par Will.

– Ha ! Vous voulez rire ! bafouilla Will en se palpant la joue, encore douloureuse après la gifle que lui avait administrée Elliott. C'est pas ma copine, et elle ne le sera jamais !

À ces mots, les soldats qui se trouvaient dans l'hélicoptère se mirent à glousser. Le colonel les réduisit au silence d'un coup d'œil sévère.

– Et toi tu ne seras jamais mon copain, contra Elliott, parce que Chester a bien raison. T'es qu'un monstre !

– Je suis navré de devoir vous presser, mais il faut que nous décollions, continua le colonel Bismarck. L'orage se dirige sur nous et nous n'avons pas beaucoup de carburant dans nos réservoirs d'appoint.

Will soufflait comme un bœuf. Il traversa le tapis de cendres sèches, mais n'alla pas bien loin, s'arrêtant pour scruter l'horizon, les poings sur les hanches. Le colonel distribua quelques rations de nourriture à Elliott.

– J'ai deux pistolets dans mon sac à dos, déclina Elliott lorsqu'il lui tendit des armes, mais le colonel ne voulut rien entendre.

Il lui confia deux Lüger et l'un des Schmeisser que Will avait admirés, ainsi que quelques munitions.

– Au cas où vous croiseriez des animaux hostiles, lui dit-il avec un clin d'œil.

– Merci, je ne l'oublierai pas, dit Elliott avant de se tourner vers Will. Tu te décides ? Tu restes, ou pas ?

– Non, grogna-t-il en retour sans se retourner.

Le colonel souhaita bonne chance à Elliott et lui adressa un salut militaire, tandis que l'hélicoptère prenait son envol. Elle le regarda s'éloigner en se protégeant les yeux des épaisses nuées de cendres soulevées par les pales. Will ne se tourna vers elle qu'une fois l'hélicoptère hors de vue. Mis à part le hurlement du vent, tout était redevenu silencieux. Will semblait s'être calmé et s'avançait lentement vers Elliott.

– Donc, dis-moi… pourquoi prétends-tu que ça n'est pas encore fini ? C'est quoi, au juste, ce plan de génie ?

Mais Elliott ignorait Will et s'occupait de Bartleby, dont elle débarrassait le crâne glabre de la fine couche de cendres qui s'y était déposée.

– Là-bas, au pied de la pyramide, tu t'es comporté comme un très bon chat. Tu as fait ce qu'on t'avait dit, pas vrai ? dit-elle en lui malaxant la tempe.

Will entendit le ronronnement sourd du chasseur et commença à perdre patience. Il ne supportait pas qu'Elliott fasse comme s'il n'était pas là.

– Pourquoi est-ce que tu ne me réponds pas ? C'est la moindre des choses ! cria-t-il dans un nouvel accès de colère. J'ai le droit de savoir ce que tu mijotes. S'ils ont dit la vérité, j'ai perdu mes deux parents maintenant. Ma mère est sans doute morte et cette ordure vient de tuer mon père.

– Je sais, j'ai vu, dit-elle en lui adressant un coup d'œil. Et tu dois savoir à quel point je suis navrée, mais ce n'est pas le moment d'y songer. Tu auras tout le temps de le faire plus tard.

– Tu as quelque chose en réserve, n'est-ce pas ? demanda Will. Dis-moi ce que c'est.

– Très bien, acquiesça-t-elle. Je repars en Surface. Je passerai par cette galerie qu'on a trouvée, à côté de la chute d'eau.

– En Surface ? Pourquoi diable irais-tu en Surface ? demanda Will, le front plissé, tandis qu'il tentait de comprendre ses intentions. Ça n'a aucun sens. Le Dominion se trouve dans ce monde-ci.

– Je vais en Surface, car il faut que je donne le vaccin à quelqu'un, que Drake soit vivant ou pas.

– Mais… mais… je ne comprends pas.

Totalement perplexe, Will fit quelques pas vers elle, hésitant un moment avant d'avancer encore.

– Mais tu as brisé la fiole du vaccin, celle qui avait un bouchon blanc.

– Oui, c'est vrai, confirma Elliott en consultant la boussole du Dr Burrows pour vérifier ses coordonnées, puis elle s'éloigna de Will qui se précipita pour la rejoindre dans un nuage de poussière. Mais pas avant d'en avoir avalé le contenu, ajouta-t-elle, comme si elle venait de s'en souvenir.

– Ce qui veut dire que… qu'on a le vaccin ! s'exclama Will en s'arrêtant net, car il venait de comprendre. Il est *en* toi !

Chapitre Vingt-deux

Drake roulait dans les rues de Londres, sur le chemin du retour qui conduisait à l'entrepôt. Chester était totalement épuisé et ne prêtait guère attention à ce qui l'entourait, mais il était si heureux qu'il avait l'impression de flotter. On lui avait rendu ses parents.

– Maman et papa, murmura-t-il, puis il se mit à entonner l'air qui passait à la radio.

La déprogrammation de Mme Rawls avait été moins ardue, grâce à l'aide de son mari. Chester arborait un large sourire, repensant à l'instant où le regard de sa mère s'était illuminé et qu'elle l'avait enfin reconnu.

Après cela, il était resté assis aux côtés de ses parents aussi longtemps que Drake le lui avait permis. Il leur avait raconté comment ils étaient tombés par hasard sur la Colonie, Will et lui, et les événements qui avaient suivi. Ils l'avaient d'abord regardé d'un air incrédule et horrifié, mais leurs propres expériences avaient contribué à leur faire admettre qu'il disait la vérité. Ils n'en avaient gardé qu'un vague souvenir, mais se rappelaient qu'on les avait terrassés et que des hommes à l'air malsain les avaient soumis à une intense lumière violette. Ce qui était arrivé ensuite restait flou dans leur esprit, comme s'ils ne pouvaient différencier le rêve de la réalité.

Ils étaient néanmoins ravis de retrouver leur fils en vie, et prêts à croire n'importe quoi. Ils étaient encore terrorisés par Drake et n'auraient pas osé remettre en question la moindre de ses affirmations.

Maintenant que le charme de la Lumière noire était brisé, Drake ne voulait prendre aucun risque. Il voulait que M. et Mme Rawls restent enfermés à double tour pendant les quarante-huit heures qui suivraient. Le mécanicien chauve avait fini par accepter de dormir sur place pour garder un œil sur eux. En fait, lorsque Drake lui donna un autre diamant, il lui dit qu'il allait faire venir sa miss, pour que M. et Mme Rawls soient traités comme des rois.

– C'est bizarre, dit Chester à Drake. Je n'ai jamais cessé de penser à mes parents lorsque j'étais sous terre, vous savez, et j'avais pourtant presque abandonné tout espoir de les retrouver.

Il remercia Drake une fois de plus.

– Ce n'est rien, acquiesça Drake. Je ne pouvais pas les laisser sous l'emprise des Styx.

– Mais est-ce que tout ira bien pour eux ? Vous pensez que tous ces trucs liés à la Lumière noire sont partis, maintenant ?

– La thérapie inversée n'est pas une science. On ne sait jamais quelles parties de la psyché ont été affectées, mais les Styx ne sont peut-être pas allés trop profond, et de toute façon, on a réglé le problème dont on connaissait l'existence.

– Vous avez fait de même avec Will, n'est-ce pas ?

– Oui, dans son cas, c'était une pulsion de mort déclenchée par les hauteurs. J'ai pigé ça lorsqu'on se trouvait sur les toits de la place Martineau, ce qui tombait plutôt bien. Je l'ai forcé à visualiser ce qui allait arriver si jamais il sautait, je l'ai confronté au démon qui le hantait, et ça a fini par marcher, répondit Drake. Sa pulsion en a été anéantie. Et puis, il est solide, ce gamin.

– C'est vrai, mais c'est aussi la personne la plus têtue que j'aie jamais rencontrée, dit Chester.

Malgré sa fatigue, Chester commençait à retrouver ses esprits.

– Mais que va-t-il arriver à mon papa et à ma maman ? demanda-t-il.

Même si ses parents étaient en sécurité pour l'instant, ils ne pouvaient pas rester enfermés indéfiniment.

– Je les emmènerai ailleurs demain. Nous sommes tous dans le même bateau, à présent. Ils ne pourront jamais rentrer chez eux, dit Drake en lançant un coup d'œil à Chester. Tu crois qu'ils peuvent mener le même genre de vie que nous ?

– Ils n'ont pas vraiment le choix, n'est-ce pas ? répondit Chester. Jusqu'à ce qu'on ait vaincu les Styx.

– Puisqu'on en parle, tu ne dois pas souffler mot de tout cela à Eddie. Comment va ton cou ? J'ai fait de mon mieux pour ne pas laisser de marques. Laisse-moi voir.

Chester défit le col de sa chemise pour lui montrer.

– Non, tout va bien, dit Drake. Je ne veux pas qu'Eddie comprenne ce que nous faisions.

– Vous ne lui faites donc pas totalement confiance ?

– Je ne fais confiance à *personne*, rétorqua Drake. Il faut que nous accordions nos violons, si jamais il demande quoi que ce soit. Nous nous sommes promenés un temps, ce qui expliquera les kilomètres au compteur s'il vérifie, puis on a filé à Regent's Park. On s'est promenés un peu, tu as mangé quelque chose, et tu as terminé ton déjeuner par une glace.

Drake se pencha sur le jeune garçon pour ouvrir la boîte à gants.

– Prends l'emballage qui se trouve là-dedans et fais couler un peu de glace fondue sur ta chemise. Fais en sorte qu'on la voie bien.

Chester suivit les instructions de Drake, et frotta l'emballage sur les vêtements qu'il avait remis après avoir ôté son uniforme d'école.

– Vous avez dit qu'on avait déjeuné ? lui demanda Chester d'un ton mélancolique.

Avec tout ce qui s'était passé, il n'avait pas eu le temps de manger depuis des heures.

– Tu trouveras des sandwichs là-dedans, répondit Drake en indiquant la boîte à gants. Sers-toi, mais rappelle-toi bien ceci. Une fois de retour à l'entrepôt, tu devras de nouveau jouer ton numéro, comme si c'était la fin du monde. Compris ?

– Bourriquet suprême, confirma Chester en attrapant les sandwichs.

Will et Elliott commençaient à avoir une idée de l'étendue du feu de brousse, à mesure qu'ils avançaient dans les champs stériles. Le vent avait repoussé les cendres et le bois carbonisé. Par endroits, elles formaient des amas comme des congères, qu'il était difficile de franchir. Ils s'enfonçaient dans la cendre jusqu'aux genoux.

De temps à autre, ils tombaient sur les restes de troncs d'arbres jadis majestueux. Dépouillés de leurs branches et réduits à une fraction de leur taille originale, ils ressemblaient à des bâtons de charbon de bois géants plantés dans le sol.

La brise légère se mouvait rapidement tout autour d'eux, et des grosses gouttes s'abattaient sur les cendres.

Ils se retrouvèrent baignés dans une pénombre irréelle. Les nuages étouffaient le soleil. L'inquiétude du colonel Bismarck n'avait rien d'étonnant. L'orage du siècle était sur eux. Un arc électrique jaillit du ciel et déchiqueta l'un des troncs d'arbre carbonisés qui se trouvait à plusieurs centaines de mètres devant eux. Le tronc bascula au ralenti avec un grincement. Un claquement de tonnerre retentit presque aussitôt, avec une telle puissance que le son les fit dévier de leur trajectoire.

– Cours ! hurla Elliott.

– C'est ce que je fais ! lui répondit Will en criant.

À part les coups de tonnerre qui le rendaient nerveux, Bartleby semblait s'amuser. Il gambadait sous la pluie et se couvrait de cendres, comme s'il s'agissait d'un jeu.

Ils parvinrent à une pente qu'ils dévalèrent. La pluie était devenue torrentielle. Les cendres détrempées rendaient le sol glissant et ils ne cessaient de perdre l'équilibre à mesure qu'ils descendaient la côte.

Une fois au pied de la colline, ils se retrouvèrent dans une sorte de creux où de nombreux troncs calcinés tenaient encore debout. Will et Elliott slalomaient à toute allure entre ces obstacles, lorsqu'ils entendirent un cri perçant.

– Bartleby ! hurla Will, gesticulant en direction du son.

Ils rebroussèrent chemin, puis s'accroupirent lorsqu'ils détectèrent du mouvement.

Des créatures noires un peu plus grosses que des ballons de rugby rampaient lentement sur la carcasse d'un buffle. Il avait le ventre ouvert et ses entrailles se répandaient sur le sol. Les créatures se repaissaient de ses intestins, fouillant entre les rubans de tripes et autres organes avant d'y plonger leurs trompes pointues pour en aspirer le contenu.

– Des puces ? Des puces géantes ? marmonna Will.

Ces créatures ressemblaient en effet à de gigantesques avatars de ces insectes, avec leurs pattes postérieures tordues et leurs carapaces segmentées qui brillaient d'un éclat terne sous la faible lumière. Mais c'étaient sans doute des charognards et non des parasites, puisqu'elles se nourrissaient du cadavre de buffle. Will estima qu'il y en avait une trentaine. Elles produisaient un bourdonnement sourd, comme pour communiquer entre elles. Le son semblait émaner de leurs pattes antérieures, qu'elles frottaient l'une contre l'autre.

Un autre glapissement retentit.

À dix mètres du buffle mort, Bartleby était aux prises avec l'une des puces qu'il tenait entre ses pattes, allongé sur le dos. La créature déroulait et rétractait sa trompe noire pour le piquer. D'autres puces abandonnaient peu à peu la carcasse du buffle et se dirigeaient vers le chat. Ce n'étaient pas seulement des charognards, mais aussi des prédateurs.

Elliott s'aperçut que Will était désarmé. Après leur dispute, elle avait gardé ses armes pour elle. Pire encore, les Browning étaient enfouis tout au fond de son sac à dos et elle n'avait que les armes néo-germaines à portée de main.

– Tiens ! siffla-t-elle, en tirant un pistolet de sa ceinture.

Will se retourna juste à temps pour attraper le Lüger qu'elle venait de lui lancer.

Il pointa l'arme sur la puce qui se trouvait entre les pattes de Bartleby, ajusta sa visée et pressa la détente.

Rien.

– Le cran de sûreté ! rugit-il entre ses dents.

Il cherchait le levier de cette arme, qui ne lui était pas familière, lorsque Elliott fit feu.

L'impact de la balle balaya la puce au loin, comme si elle avait reçu un coup de batte invisible.

Les autres puces se tournèrent lentement vers Elliott en agitant leurs antennes, tandis que leurs pattes antérieures frémissaient en bourdonnant, puis elles se mirent à avancer vers elle.

Sillonnant entre les troncs calcinés, Will se précipita vers Bartleby, après avoir contourné le cadavre du buffle. Le chasseur était sonné et tenait à peine sur ses pattes, mais il était indemne. Will le remettait debout en le tirant par la peau du cou, lorsque l'une des puces en bordure de l'essaim remarqua sa présence.

– Allez, Bart ! pressa Will.

Bartleby avait retrouvé l'équilibre, mais il n'avait pas assez récupéré pour avancer rapidement.

La puce bondit et atterrit juste devant Will. Tout arriva si vite qu'il réagit instinctivement et tira sur l'animal à bout portant. L'exosquelette de l'insecte se fendit en deux, révélant une chair blanche, tandis qu'un fluide laiteux éclaboussait le sol alentour. Will repensa à la noix de coco qu'il avait ouverte d'un coup de marteau, après l'avoir remportée dans un jeu de massacre à la foire de Highfield.

Will essayait d'entraîner Bartleby avec lui, lorsqu'il entendit Elliott crier son nom, puis des coups de feu. Optant cette fois pour le Schmeisser, elle tirait de petites salves sur la horde de puces qui avançait vers elle. De temps à autre, l'une d'elles bondissait, mais Elliott parvenait à l'abattre en plein vol, avant même qu'elle ne touche le sol.

– Allez-y ! hurla-t-elle en voyant Will et Bartleby – qui marchait maintenant à une vitesse normale, bien qu'il titubât encore un peu.

Elliott se retourna et prit aussitôt la fuite avec eux. Quelques minutes plus tard, ils sortirent du vallon et retrouvèrent les champs de cendre. La lisière de la jungle se profilait devant eux. Ils étaient si près, maintenant…

– Elles arrivent ! dit Will à bout de souffle en jetant un coup d'œil par-dessus son épaule.

Les puces n'avaient pas abandonné le projet d'attraper quelques proies vivantes. À présent que les troncs d'arbres calcinés n'entravaient plus leur progression, elles montraient ce dont elles étaient réellement capables et faisaient des sauts fantastiques.

Malgré le bruit de la pluie et du vent, Will entendait le son sourd de leurs puissantes pattes postérieures qui décollaient du sol. Elles décrivaient de grands arcs dans le ciel avant de retomber tout autour d'eux.

Will et Elliott couraient sur une dizaine de mètres, s'arrêtaient pour régler leurs comptes aux puces qui les poursuivaient, et répétaient la manœuvre encore et encore, sans toutefois progresser vers la jungle. Ils espéraient semer les insectes une fois parvenus sous la canopée.

Elliott se débarrassait de la plupart des puces à l'aide de son Schmeisser, et Will abattait toutes celles qui la dépassaient avec son Lüger. Mais alors même qu'il croyait contrôler la situation, l'une des puces lui sauta sur le dos et s'agrippa aussitôt à sa chemise avec ses pinces en tenailles. Il essaya de s'en débarrasser, mais perdit l'équilibre et tomba le nez dans la cendre.

Le hurlement de Bartleby alerta Elliott. Quelque chose clochait. Will avait beau rouler d'un côté, puis de l'autre, en essayant de frapper l'insecte avec la crosse de son pistolet, la créature restait résolument accrochée à son dos. Pire encore, elle se rapprochait peu à peu de sa nuque qui n'avait aucune protection.

C'est alors qu'elle arma sa trompe et s'apprêta à le piquer.

Elliott n'eut pas le temps de prendre son pistolet, ce qui lui aurait permis de tirer avec une plus grande précision.

– Reste à plat-ventre ! hurla-t-elle en direction du jeune garçon qui se débattait. Et tiens-toi tranquille.

Elle s'accroupit, visa et envoya une rafale de balles.

Un craquement sonore retentit. Will était recouvert d'une bouillie blanche. Il se releva, secoua la tête et se remit à courir. Elliott s'occupa de quelques puces supplémentaires, qui semblèrent enfin abandonner la poursuite. Will vit que celles qui avaient survécu repartaient en bondissant vers le vallon, sans doute pour retrouver la carcasse du buffle.

Vingt minutes plus tard, Will et Elliott étaient à l'abri sous la canopée, où ils marquèrent une pause pour reprendre leur souffle.

– Merci, lui dit Will à bout de souffle en ôtant quelques feuilles pour se débarrasser des restes de l'insecte collés sur son cou et dans ses cheveux.

– De rien, répondit Elliott en tapotant son Schmeisser. C'était un peu « ça passe ou ça casse ». Ces armes ne sont pas très précises.

– Tu t'es servi de ce truc-*là* ? demanda Will qui n'avait toujours pas retrouvé son souffle.

– Ça a marché, dit-elle.

– Oui, répondit-il en haussant les sourcils. Mais… une chose.

– Quoi ?

– Si l'un de ces arbres te regarde avec de petits yeux mesquins… règle-lui son compte, tu veux ?

– Quoi ? demanda-t-elle.

– Ces Broussards se fichaient pas mal de nous. Tout ce qui les intéresse, c'est leur satanée pyramide… ils ne nous ont pas aidés… et je ne leur pardonnerai jamais ce qu'ils nous ont fait, à mon père et à moi, dit Will en donnant un coup de pied dans la racine d'un arbre.

– Je n'ai pas *la moindre* idée de ce dont tu parles, Will ! Mais je suis certaine que tu vas tout me raconter, ajouta-t-elle, dès qu'on aura un peu de temps.

Après une heure de marche, ils arrivèrent à la falaise où se trouvait leur cachette.

– Dieu merci, tu t'es débrouillée pour que ça ne tombe pas entre les sales pattes des Styx, lui dit Will d'un ton plein de reconnaissance.

Il était très fatigué, mais reprit courage en voyant tout l'équipement qu'Elliott avait apporté dans la grotte.

– Je crois qu'on a assez de matériel pour faire face à toute éventualité, dit-il en commençant à ranger son sac à dos. Et voici quelque chose d'encore plus important que le reste. C'est notre billet de retour, annonça-t-il en lui montrant le dispositif de repérage en forme de pistolet que lui avait confié Drake.

– Je l'espère, dit-elle en fourrant un nouveau chargeur dans son Sten avant de l'armer. Je l'espère vraiment.

Juchée sur des talons vertigineux, la secrétaire privée du chancelier fit entrer le colonel Bismarck dans le bureau, d'une démarche chaloupée.

– Ah, Bismarck, j'espère que notre affaire avec ces affreuses gens est désormais classée. Tout est bien qui finit bien, et nous pouvons donc les oublier ? demanda le chancelier.

Il se prélassait dans un fauteuil, tandis qu'un barbier apportait la touche finale à sa coiffure et qu'une femme en chemisier gris lui manucurait les ongles.

– Oui, les Styx ont récupéré leur virus. Les échanges de tirs ont été minimes, et même si nous n'avons subi aucune perte, il y a eu une victime parmi les Styx. Et ils ont inutilement mis à mort l'une des trois cibles qu'ils recherchaient au cours de l'opération. C'était un civil du monde extérieur.

– Tant qu'il ne s'agissait pas de l'un des nôtres, souffla le chancelier.

– Non. Nous n'avons eu aucun contact visuel direct avec les indigènes, mais il semblerait qu'ils aient été impliqués avec les cibles. Ils en ont entraîné deux à l'intérieur de la pyramide avant de les en expulser.

– Eh bien, ils n'ont pas constitué une menace majeure pour nos intérêts, contrairement aux pirates ou aux inquisiteurs, déclara le chancelier en reniflant, manifestement peu curieux de toute cette histoire. De toute façon, cette zone ne recèle rien de précieux. Mais les universitaires voudront peut-être savoir ce qui s'est passé. Ça leur donnera du grain à moudre, suggéra le chancelier avec un sourire superficiel. C'est tout ?

– Je vous prépare un rapport détaillé, monsieur, répondit le colonel Bismarck. Vous devriez savoir que…

– Un instant, dit le chancelier en levant la main le temps que le barbier finisse de lui tailler minutieusement la moustache. Poursuivez.

– Les Styx ont accepté de procéder à un échange pour récupérer leur virus, dit-il après s'être éclairci la voix. La fiole contre la liberté d'un jeune garçon et d'une jeune fille. Je crains que les Styx ne soient pas des gens de parole et je n'ai donc pas eu d'autre choix que d'emmener les deux adolescents dans l'un de nos Fa 223 pour les déposer dans un endroit reculé. Le reste de notre détachement ainsi que les autres hélicoptères sont demeurés au pied de la pyramide, avec l'ordre de revenir sur le terrain d'aviation après mon départ.

Le barbier plaça un miroir devant le chancelier, pour qu'il puisse admirer sa moustache et ses cheveux fortement gominés.

– Fort acceptable, dit-il. Merci.

Le barbier retira la serviette posée sur ses épaules avec un moulinet du poignet.

– Tout cela me semble… aïe !

La manucure eut un mouvement de recul, au cri du chancelier.

– Attention, femme. C'était fort négligent de votre part, dit-il avant de se tourner avec impatience vers le colonel. Ce sera tout ?

– Oui, mis à part que je viens maintenant d'apprendre que nous avions perdu tout contact radio avec les hélicoptères, dit le colonel Bismarck. Je soupçonne les Styx d'y être pour quelque chose. J'étais…

– Non, c'est improbable. Ils ont obtenu ce qu'ils étaient venus chercher, l'interrompit le chancelier. Non, c'est soit cet orage énorme qui se dirige vers nous, me dit-on, soit une défaillance de l'équipement. J'imagine que vous allez me harceler à propos de cette fameuse augmentation du budget des armées, afin d'assurer le financement d'un nouveau système de communication ? dit-il en fermant les yeux comme s'il était épuisé. Contentez-vous de le consigner dans votre rapport, colonel.

– Mais nous devrions nous méfier des Styx !

La manucure s'était levée de son tabouret et le traînait bruyamment sur le sol de marbre, contournant le fauteuil pour s'occuper de l'autre main du chancelier.

– Oui, oui, comme je vous l'ai dit. Des gens affreux. Mais j'ai à faire. Merci, Bismarck. Vous avez fait un travail impeccable, conclut-il alors en ouvrant son journal.

Chapitre Vingt-trois

Deux motards vêtus de cuir passèrent à toute allure devant Tower Bridge. Ils filaient sur leurs puissants engins à travers les rues désertes de Londres et rivalisaient pour la pole position.

Arrivés à Parliament Square, ils durent s'arrêter dans un dérapage contrôlé, face aux feux de signalisation. Drake releva la visière de son casque et indiqua d'un geste de la main les chambres du Parlement inondées de lumière.

– À la Colonie, on raconte que des passages relient la citadelle styx à ces bâtiments. Les gens disent que vous avez un accès direct aux chambres fortes situées dans les sous-sols.

– Ce n'est plus le cas, depuis que Guido Fawkes a porté le chapeau pour notre opération souterraine avortée.

– Quoi ? Vous voulez parler de la Conspiration des poudres ? Vous me faites marcher !

– On a comblé les galeries après ça, répondit Eddie avant de rabaisser la visière de son casque.

Il fut le premier à démarrer lorsque le feu passa au vert, laissant Drake encore perplexe derrière lui. Big Ben commença à sonner les cinq heures. Drake secoua la tête, incrédule, fit rugir le moteur de son bolide, et relâcha les freins pour s'élancer à la poursuite du Styx.

Après s'être garé dans la rue Sainte-Anne, ils continuèrent à pied, tournant à droite, puis à gauche pour arriver enfin sur Victoria Street. La façade ouest de l'abbaye de Westminster se profila devant eux. Drake ne savait pas où le conduisait Eddie. Le Styx l'entraîna presque jusqu'au pied de l'abbaye avant de changer de direction. Il marchait à présent plus lentement vers une rangée de bâtiments en grès qui semblaient tout aussi vieux que l'abbaye. Entre les bâtiments, il y avait une courte ruelle qui menait à une place dont les réverbères encore allumés, malgré l'aube imminente, permirent à Drake d'apercevoir quelques arbres et plusieurs voitures. C'est alors qu'il repéra une pancarte à l'entrée de la ruelle.

– « Dean's Yard », lut-il à voix haute. Je ne crois pas m'être jamais rendu dans cet endroit.

– Restez derrière moi et ne dites rien, lui souffla Eddie à voix basse.

Ils avaient traversé la moitié de la ruelle, lorsqu'un homme en uniforme s'interposa devant eux.

– Bonsoir, messieurs, dit le gardien en les dévisageant.

À en juger par la façon dont il tenait son talkie-walkie à la main en redressant les épaules, il s'attendait à avoir des problèmes. Il n'allait certainement pas laisser entrer deux motards vêtus de cuir à cette heure matinale sans demander d'explications.

Eddie ne manifesta pas la moindre hésitation et se rapprocha de l'homme à l'air bourru, à qui il glissa quelques mots au creux de l'oreille. Le gardien ne répondit rien, mais sembla aussitôt baisser la garde. Il rangea son talkie-walkie, frappa dans ses mains puis les joignit et souffla dessus pour les réchauffer. À la surprise de Drake, il se tourna vers Victoria Street et regarda vers la rue, comme s'ils étaient devenus transparents. Il se mit à chanter *I Did It My Way* de façon pitoyable et rentra dans sa loge, dont il referma la porte.

Drake se rapprocha d'Eddie et ils arrivèrent sur la place.

– Il a été soumis à la Lumière noire, n'est-ce pas ? Vous lui avez dit quelques mots-clés pour qu'il nous laisse passer. Qu'est-ce que c'était ? « Frank Sinatra » ?

– Non, des mots que vous seriez incapable de prononcer. Vous n'avez peut-être pas remarqué, mais je craignais que le code n'ait été modifié. Dieu merci, ce n'était pas le cas, répondit Eddie en franchissant la zone herbue qui se trouvait au milieu de la place.

– Je crois que j'ai déjà entendu parler de cet endroit, dit Drake en scrutant le porche des nombreux bâtiments de style géorgien qui les entouraient. Il y a une école célèbre non loin d'ici. Le père d'Alice dans le conte de Lewis Carroll n'en était-il pas le directeur, à une époque ?

Eddie ne répondit pas. Il se dirigea droit vers une porte qui s'ouvrait sur un couloir lugubre, au sol couvert de dalles piquées. Ils l'empruntèrent et parvinrent devant une autre porte. Eddie sortit un globe lumineux pour insérer une clé dans la serrure, et la porte s'ouvrit avec un grincement. Drake sentit l'odeur de moisi de la cave humide qui se trouvait juste en dessous. Ils descendirent une volée de marches de pierre et se retrouvèrent dans une pièce pleine à craquer de cartons, où l'on avait rangé des livres d'écoliers couverts de moisissure.

Eddie se faufila entre les cartons pour atteindre le mur tout au bout de la cave, où il localisa un crochet rouillé à la hauteur des yeux. Il tira dessus. Drake, pendant ce temps, inspectait une vieille bouteille de bière posée sur un carton, lorsqu'un panneau d'un mètre carré situé dans la partie inférieure du mur s'ouvrit devant Eddie.

Drake s'amusa en silence de la taille de l'ouverture.

– Et il n'y a même pas marqué « buvez-moi » sur l'étiquette, marmonna-t-il en remettant la bouteille là où il l'avait trouvée.

– Pardon ? lui demanda Eddie, le regard interrogateur.

– Non, rien, répondit Drake. J'étais juste en train de me dire que ce portail était très peu sophistiqué. On rogne sur toutes les dépenses. Rien de superflu.

– On a creusé cette galerie au début du XIXe siècle, et nous étions un peu dispersés à l'époque. Les événements de Russie constituaient notre principale priorité.

Ils se glissèrent dans l'ouverture. Parvenu de l'autre côté, Drake put se relever. Ils se trouvaient dans un passage blanchi à la chaux de plusieurs mètres de large, qui menait à une autre volée de marches en briques rouges qui s'effritaient.

Drake était en train de descendre les marches, lorsqu'il s'aperçut qu'Eddie n'était plus avec lui. Le Styx se tenait en haut de l'escalier et ne semblait pas vouloir s'aventurer plus avant.

À la lumière de son globe, des perles de condensation étincelèrent comme des diamants sur la toile d'araignée tissée entre la paroi et la solive en bois vermoulu. Drake souffla légèrement dessus, et une araignée obscène à l'abdomen gonflé émergea d'une fissure pour s'avancer entre les carapaces de mouches, mortes depuis longtemps.

– J'en déduis que nous n'allons pas plus loin ? demanda Drake en regardant l'araignée repartir dans sa cachette, déçue de ne pas avoir trouvé de nouvelle victime à vider de ses fluides.

– C'est inutile. Nous savons à présent qu'on peut passer par là. Le reste du chemin est identique, des escaliers et des couloirs.

– Bien, du moment qu'on peut accéder à la Cité éternelle avec deux sacs à dos bien remplis, répondit Drake.

– Dans ce cas, nous en avons terminé, conclut Eddie.

Will et Elliott longeaient le fleuve, lorsque la chute d'eau se profila. Ils continuèrent sur quelques mètres le long de la berge, et Will s'arrêta.

– J'imagine qu'on y est, dit-il d'un ton sans réplique.

Il regarda l'eau limpide, et les libellules exotiques qui filaient à la surface.

– C'est un endroit vraiment spécial, n'est-ce pas ? dit-il en levant les yeux vers des arbres immenses, d'où une volée d'oiseaux couleur émeraude s'envolèrent en jacassant. Et c'est sans doute la dernière fois que nous le contemplons.

Will se tourna alors vers la chute. Caché dans la pénombre, le passage les attendait derrière l'eau pour les ramener, du moins l'espéraient-ils, sur la croûte terrestre.

– Tu sais, je n'ai jamais dit à papa qu'il y avait une galerie ici, dit-il avec tristesse, en se penchant pour cueillir un brin d'herbe.

Elliott fit tomber une pierre dans le fleuve en la poussant du bout de sa botte, mais ne dit rien.

– Tu crois que si je le lui avais dit, les choses seraient différentes à présent ? S'il avait saisi l'opportunité de revenir en Surface… il serait encore vivant, ajouta Will, le front creusé par la culpabilité et le remords.

– Non, pas le Doc. Pas lui, répondit Elliott sans hésiter. Il ne serait parti nulle part, pas avant d'avoir terminé ses travaux, et tu le sais.

– Oui, c'est vrai, dit Will en souriant faiblement. Très bien, Miss Vaccin junior, il faut qu'on t'emmène dans un hôpital surfacien pour que les médecins puissent mettre ton sang en bouteille, dit-il en prenant une grande inspiration.

Will ôta son sac à dos et en tira ses lunettes de vision nocturne. Il ajusta l'élastique sur son front et s'assura que la lentille était correctement positionnée, prête à se rabattre sur son œil.

– Et comme tu es quelqu'un de super-méga-important, maintenant, je suis prêt. Et si jamais un truc essaie de me manger, au moins tu seras sauve.

– Bon plan, ma foi, dit-elle en haussant les sourcils d'un air moqueur, puis elle éclata de rire.

– Attends ! J'ai oublié Bartleby ! s'exclama Will.

Le chasseur était resté un peu plus bas, à côté du fleuve où il essayait d'attraper l'un des petits poissons argentés avec la patte.

– Maintenant que j'y pense, on devrait laisser Bozo passer devant, gloussa Will.

– Ça fait bizarre d'être ici, dit Chester en mangeant la glace que lui avait achetée Drake près du Royal Festival Hall.

Ils se promenaient tranquillement le long de la Tamise, au milieu de la foule.

– Ça a l'air si normal, comme si on était jamais partis, ajouta Chester en regardant étinceler une vaguelette au soleil de la mi-journée.

Ils suivirent la promenade un peu plus loin, puis s'abritèrent à l'ombre du pont de Waterloo, où les revendeurs de livres d'occasion avaient installé leurs étals.

– Tous ces gens, venus de tant d'endroits différents… commenta Chester qui percevait des bribes de conversation des passants. Pas un d'entre eux n'a la moindre idée de ce qui se trouve sous ses pieds, poursuivit-il en regardant le trottoir.

– Peut-être est-ce mieux ainsi, répondit Drake. La plupart des gens trouvent que ce monde est bien assez compliqué comme ça.

Un groupe d'enfants à skateboard passèrent à toute allure, contournant un à un les touristes léthargiques, comme au cœur d'un slalom mobile. Chester les regarda filer, quand un grand garçon coiffé d'une casquette de base-ball marquée de la lettre D s'arrêta brusquement. Il donna un coup de talon expert à sa planche, qui virevolta dans les airs, puis il la rattrapa au vol.

– C'était cool. J'avais demandé un skate au Père Noël juste avant qu'on ne découvre la Colonie, Will et moi, dit Chester d'un air songeur. Je n'ai jamais appris à en faire.

– Moi non plus, admit Drake en s'adossant contre le mur au bord de l'eau, puis il ôta ses lunettes de soleil pour profiter de la chaleur des rayons sur son visage. Mais songe un peu à tout ce que tu as appris depuis.

– Mon père et ma mère vont bien, c'est sûr ? demanda Chester qui l'avait rejoint contre le mur.

– Ils vivent dans le luxe. Je les ai installés dans un hôtel avec service en chambre. Tant qu'ils resteront tranquilles, tu n'auras pas à t'inquiéter. Ils sont en sécurité, le rassura Drake. Je sais que tu as envie de les revoir, mais il faut te montrer patient. Nous devons d'abord régler une ou deux choses. Ensuite, je les emmènerai ailleurs et tu pourras les voir.

– Et Eddie aussi ? demanda Chester. Une fois terminée votre opération dans la Cité éternelle, est-ce qu'il fera encore partie de l'équipe ?

– C'est plutôt à lui de le dire, répondit Drake en tournant son autre joue vers le soleil.

Chester fronça les sourcils, comme pour réfléchir.

– Tu ne dis rien. Dois-je comprendre que tu veux me poser une autre question ? demanda Drake.

– Euh… oui, répondit Chester, en essuyant la glace qui avait dégouliné sur son menton. Je n'ai jamais compris pourquoi vous étiez resté sous terre aussi longtemps. Vous auriez pu revenir en Surface à n'importe quel moment, n'est-ce pas ?

– À l'origine, j'étais censé infiltrer la Colonie et rassembler autant d'informations que possible sur nos chers amis, expliqua Drake.

– Oui, je sais ça.

– L'un des Scientifiques m'a appris que mon réseau s'était dispersé et que les Styx avaient attrapé et tué un membre de ma cellule. Ce qui signifiait que toute notre opération était à l'eau. Je n'avais donc plus aucune raison de remonter en Surface. Les Styx avaient obtenu de moi à peu près tout ce qu'ils voulaient et je savais que mes jours étaient comptés, puisque je ne leur étais plus d'aucune utilité. Je ne pouvais rester plus longtemps dans la Colonie, dit Drake en essuyant ses lunettes de soleil avant de les remettre. C'est pourquoi, après des essais balistiques dans les Profondeurs, j'ai décidé de m'enfuir et d'y rester un temps, pour rassembler autant d'informations que possible. Et pour être honnête, l'arrivée d'Elliott m'a donné une vraie raison de rester là-bas. Je ne pouvais pas l'abandonner à son sort.

Un homme grand et maigre à la barbe déplumée s'arrêta soudain sur la promenade et dévisagea Drake, puis Chester.

– Je n'aime pas son air, dit Chester, aussitôt suspicieux. Styx ?

– Non, ce n'est pas un Styx, répondit Drake en riant. Il est bien trop visible. Par ailleurs, tu ne vois pas les journaux de rue qu'il porte sous son bras ? Il essaie de déterminer si nous sommes des clients potentiels.

Chester continua néanmoins à surveiller l'homme barbu jusqu'à ce qu'il soit parti. Parvenu à la fin de sa glace, il croqua bruyamment le cornet.

– Et puis, il y a autre chose que je n'arrive pas à comprendre.

– Quoi donc ? demanda Drake.

– Vous disposez d'explosifs à volonté.

Drake acquiesça.

– Je me disais que... Avec l'aide des cartes d'Eddie, on pourrait se glisser en douce dans les souterrains et raser la Citadelle. On pourrait dégommer tous les Styx d'un coup.

– Bonne idée, mais ce n'est pas aussi simple. T'es déjà entré dans une pièce infestée par les cafards, je veux parler d'une véritable infestation, et tu y as allumé la lumière ?

– Non, jamais, dit Chester.

– Eh bien moi si, et plusieurs fois. Même s'ils sont tous là, il est impossible de tous les écraser, car ils s'évanouissent en un clin d'œil, dit Drake en claquant des doigts. Ils filent se terrer dans leurs cachettes, et il est alors inutile d'essayer de les chercher.

– Ah oui, répondit lentement Chester en s'imaginant la scène.

– Ce serait pareil avec les Styx. On en tuerait peut-être une poignée, mais le reste décamperait aussitôt. Comme tu le sais, il y en a pas mal qui travaillent en Surface, de toute façon.

– Ça ne marcherait pas, alors ?

– Chester, tu ne crois pas qu'il vaut mieux savoir où ils se trouvent, là-bas, dans la Colonie, plutôt que de les voir s'éparpiller dans tout le pays, où ils pourraient connaître un regain d'activité, si c'est possible ? Et puis, comment pourrais-tu supporter l'idée que des Colons aient pu être tués dans l'attaque ? Au moins un civil y trouverait la mort, c'est inévitable, vu la puissance de l'explosion dont tu parles.

Chester avala le dernier morceau de cornet.

– Oui, mais vous ne croyez pas que ça en vaudrait la peine, malgré tout ?

– Tu veux dire que tu accepterais d'avoir sur la conscience des « dommages collatéraux », comme disent les hommes politiques ? La mort de gens innocents ?

Chester mâchonna d'un air pensif. Il comprenait très bien ce que voulait dire Drake, mais il n'était pas certain d'être d'accord avec lui.

– Mais si cela permettait d'éviter la mort de millions de Surfaciens en empêchant les Styx de diffuser un virus comme le Dominion, je crois que je ne me sentirais pas vraiment coupable. Bien sûr que ce serait horrible de savoir que des Colons ont trouvé la mort dans l'explosion, mais dans l'ensemble, ce serait une bonne chose. Quelque chose de juste.

– Quelque chose de juste, répéta Drake avant de se tourner vers Chester. J'aurais pu être d'accord avec toi à une époque, mais plus maintenant.

– Oh… marmonna Chester, déstabilisé par l'intensité qu'il percevait dans la voix de Drake.

– Tiens, c'est pour toi, dit Drake en fouillant dans sa poche.

Il lui tendit un téléphone portable.

– Cache-le bien, et quoi qu'il arrive, Eddie ne doit jamais savoir que tu en as un, dit-il. Nous retournons à l'entrepôt maintenant, et je te dirai en chemin ce que tu dois faire.

Chapitre Vingt-quatre

On frappait si fort à la porte d'entrée qu'elle tremblait sur ses gonds. Le bruit se réverbérait jusque dans les pièces du fond.

– C'est qui, ça ? demanda la mère de l'officier en second depuis la cuisine d'une voix plaintive.

Installée dans son fauteuil roulant, Mme Burrows savait déjà qu'il ne s'agissait pas d'un voisin qui leur rendait visite un dimanche matin.

Les coups redoublèrent, cette fois plus impatients.

– Chuis occupée, moi, ici ! Quelqu'un, la porte ! C'est p'têt ben mam' Evans qui m'apporte d'la couture à lui faire, cria la mère de l'officier en second.

Elle se levait tous les matins avant son fils et sa fille, mais était encore plus matinale le dimanche. C'était un jour particulier dans la Colonie, où ils pouvaient se régaler d'un morceau de viande à midi, au lieu de l'habituel plat de ceps qu'ils mangeaient en semaine.

Mme Burrows humait le fumet d'un rat fraîchement tué qui commençait à cuire. Eliza l'avait acheté au marché la veille, et il était peu probable qu'il s'agisse d'un rat aveugle, mais plutôt d'un ordinaire rat d'égout, moins onéreux. Mme Burrows en profiterait aussi, car on lui donnerait un brouet dans lequel auraient bouilli les carcasses au lieu de son habituel bouillon de champignons.

– J'arrive… j'arrive, répondit Eliza en descendant l'escalier d'un pas lourd, agacée d'avoir été interrompue alors qu'elle se coiffait.

Eliza essayait encore de discipliner quelques mèches rebelles, lorsqu'elle ouvrit la porte.

– Oh ! dit-elle dans un souffle.

Le vieux Styx se tenait devant elle, le menton levé alors qu'il examinait les autres maisons mitoyennes qui bordaient la rue. Son jeune assistant se tenait juste derrière lui. Dix autres Styx attendaient sur la chaussée. Ils étaient tous si semblables qu'Eliza n'arrivait pas à les différencier. La manière dont ils observaient les environs en donnant des petits coups de tête leur donnait l'apparence d'une volée d'oiseaux qui se serait posée là, mais il s'agissait de terribles rapaces. Eliza remarqua les rideaux qui se soulevaient dans les autres maisons, alors que leurs voisins tentaient d'épier la scène.

Le vieux Styx se tourna lentement vers Eliza, qui le salua d'un signe de la tête, puis recula d'un pas. On ne regardait pas les Styx dans les yeux, et certainement pas un homme d'une telle importance. Au sein de la Colonie, c'était l'équivalent d'une visite royale. On racontait en effet que le vieux Styx était désormais la personnalité la plus importante de leur société, mais personne n'en était sûr.

Son long manteau de cuir crissa, lorsqu'il franchit le seuil et qu'il entra dans le hall, suivi par son jeune assistant.

– La maison de ton frère, dit-il brusquement.

Eliza ne savait comment répondre à cela. Était-ce une question, ou bien une affirmation ? N'ayant pas la moindre idée de ce qu'il convenait de répondre, elle commença à bafouiller, mais sa mère lui sauva la mise. Elle venait de sortir de la cuisine et se dandinait dans le couloir.

– Si c'est mam' Evans et qu'elle vient pour sa couture, dis-lui donc qu'elle a un jour d'avance ! cria-t-elle. Et pis qu'on l'avait bien dit que c'était pour dem…

Lorsque ses yeux chassieux se posèrent sur le vieux Styx, elle laissa échapper un cri étranglé assez semblable à celui d'une grenouille asthmatique. Elle détourna les yeux et mit les mains sur les hanches.

– Nous sommes venus voir la Burrows. Elle est ici, dit le jeune assistant qui se dirigeait déjà vers le salon.

Il était impossible de déterminer s'il leur demandait où elle se trouvait, ou s'il le savait déjà, mais les deux femmes conclurent que la seconde solution était probablement la bonne. Les Styx semblaient tout savoir, jusqu'au moindre détail, même s'ils gardaient toujours leurs distances avec les Colons.

Lorsque le jeune assistant ouvrit la porte et s'effaça pour laisser passer le vieux Styx, Eliza en profita pour jeter un rapide coup d'œil à cet homme si important. Elle remarqua sa peau blanche aussi ridée qu'une vieille pomme flétrie et ses tempes grisonnantes qui contrastaient avec sa chevelure d'obsidienne. Mais sous la faible lumière de la pièce, ses joues et ses orbites creuses qui lui donnaient l'air d'un mort-vivant étaient encore ce qu'il y avait de plus choquant.

Le vieux Styx attendit que son jeune assistant se rende auprès de Mme Burrows et soulève son poignet flasque. Pendant un instant, il le tint dans sa main gantée et le laissa retomber mollement, puis il adressa un regard au vieux Styx, qui répondit d'un signe de la tête.

C'est à ce moment-là que l'officier en second arriva en bas de l'escalier. En bras de chemise, l'homme, imposant, aperçut les Styx postés sur la chaussée, puis il vit sa mère et sa sœur qui se tenaient là en silence, tête baissée. Sans hésiter un seul instant, il traversa l'entrée et pénétra dans le salon.

Il vit le vieux Styx et son assistant, mais ne se manifesta pas avant de pénétrer dans la pièce. En tant qu'agent de police du Quartier, l'officier en second avait des contacts quotidiens avec les Styx et ne leur témoignait donc pas le même respect mêlé de crainte que les Colons ordinaires.

C'est à peine si le jeune assistant le gratifia d'un coup d'œil pour indiquer qu'il avait remarqué sa présence.

– Personne ne s'attendait à ce que cette femme vive plus d'un jour, et encore moins plusieurs semaines. Elle va demeurer plongée dans cet état végétatif. Il n'y a aucun espoir d'amélioration.

– Oui, le médecin nous l'a dit, mais je pense qu'elle… dit l'officier en second en s'éclaircissant la voix.

– Il est bien entendu remarquable qu'elle soit parvenue à résister aux multiples expositions à la Lumière noire auxquelles nous l'avons soumise. Cela faisait bien longtemps que nous n'avions pas employé autant de lampes simultanément sur un sujet, mais le plus remarquable, c'est qu'elle soit encore en vie, dit le jeune assistant. Vous allez la remettre aux Scientifiques.

– Les Scientifiques ? reprit l'officier en avançant dans la pièce.

– Ils vont étudier son cerveau. Ils s'intéressent à sa physiologie neuronale. Ils veulent comprendre comment elle a pu résister à nos techniques d'interrogation. On l'emmènera pour la disséquer dès qu'ils seront prêts à la recevoir, dit le jeune assistant. Vous avez bien travaillé.

L'officier en second ne put se retenir. Il articula un « mais », presque immédiatement suivi par un « non ». C'était là un acte d'insubordination qui, dans le meilleur des cas, méritait une rebuffade, et dans le pire, un bannissement dans les Profondeurs.

Le vieux Styx, qui avait peut-être perçu l'intensité des sentiments de l'officier en second, fixa ce dernier du regard et prit enfin la parole.

– Lorsque vous avez proposé de vous occuper de cette femme, vous vous êtes chargé d'un fardeau bien trop lourd pour vous et votre famille. Prenez son transfert comme une bénédiction.

Le vieux Styx et son assistant se dirigeaient déjà vers la porte, lorsque l'officier en second s'efforça de les remercier, mais uniquement parce que c'était ce qu'on attendait de lui.

– Mer… ci.

Car en son for intérieur, il hurlait : *Ne la touchez pas avec vos sales pattes, espèces de Cols d'albâtre crasseux ! Vous n'en avez donc pas assez fait ? Laissez-la vivre en paix ici !*

Il lui fallut quelques secondes pour se calmer, puis il ressortit dans l'entrée. Le vieux Styx et son jeune assistant étaient déjà partis et s'éloignaient dans la rue avec le reste de leur escorte, tandis que les rideaux tressaillaient à leur passage.

Après avoir refermé la porte d'entrée, Eliza se mit à se taper la tête contre le chambranle, comme si la fin du monde était arrivée.

– Qu'est-ce que tu as fait ? Tu les as amenés chez nous ! Chez nous, bon sang ! vociféra la mère de l'officier en second. Ahhhh ! gémit-elle, et elle se laissa choir sur la première marche de l'escalier en s'éventant de la main. Je me sens toute drôle. J'ai des vapeurs. Je crois ben que mon pauv' palpitant va m'lâcher.

– T'es content de toi, j'espère. Maman est malade à cause de toi ! dit Eliza en se tournant vers son frère. Quelle honte, mais quelle honte ! Les Styx ! Chez nous, comme si nous étions des voyous ordinaires ou des trouble-fêtes, commença-t-elle à geindre, autant que si elle était prise de douleurs. Que vont dire les gens ? ajouta-t-elle en secouant la tête. Tout le monde le saura. J'imagine déjà les ragots au marché, demain.

La vieille dame souffla, puis lança un regard interrogateur à son fils.

– Qu'est-ce qu'ils t'ont dit, hein, de toute façon ? demanda-t-elle.

L'officier, dont le désespoir était manifeste, ne réagit pas aussitôt.

– Ils emmènent Célia pour lui faire subir un examen médical, finit-il par répondre. Ils vont la mettre sur une planche et la découper en rondelles !

Il y eut un moment de silence. Eliza croisa le regard de sa mère, le temps de digérer l'information, puis elles arborèrent soudain un grand sourire. La vieille femme, qui avait visiblement oublié son « pauv' palpitant », se redressa d'un bond et entraîna Eliza dans une danse. Les deux femmes se mirent à chanter de conserve :

– Elle s'en va ! Elle s'en va !

On aurait dit deux enfants à qui l'on venait d'annoncer qu'il n'y aurait pas d'école le lendemain.

L'officier en second repartit s'asseoir au côté de Mme Burrows, alors que des cris de jubilation retentissaient encore dans l'entrée.

– Je suis vraiment navré, Célia, dit-il. Je ne peux plus rien faire, maintenant.

– En voilà un autre, remarqua Will qui ralentit le pas pour indiquer à Elliott un symbole tridentin gravé dans la paroi d'une galerie creusée dans la pierre.

D'instinct, il porta la main à son cou, mais le pendentif que lui avait donné l'oncle Tam n'était plus là.

Il se tourna vers Elliott.

– Tu imagines un peu le travail qu'ils ont effectué pour creuser cette galerie ? C'est époustouflant. J'imagine que les Anciens voulaient conserver un lien entre leur « jardin du Second Soleil » et le monde extérieur. Peut-être était-ce une voie qui servait aux échanges commerciaux entre les deux mondes ?

– Quand tu sors des trucs pareils, tu n'as pas idée à quel point tu ressembles à ton père.

– Ah vraiment ? répondit Will, ravi. J'ai au moins le journal de papa. Merci, tu l'as sauvé ! Je n'avais pas les idées claires après sa mort… à vrai dire…

Will songeait sans cesse au fait qu'il était désormais le gardien du journal du Dr Burrows, seule archive de toutes ses recherches. S'il parvenait à le remettre aux bonnes personnes à la Surface, il assurerait à son père une place dans l'histoire des plus grands explorateurs de tous les temps, sorte de gage d'immortalité. Cette pensée l'aidait à apaiser l'immense sentiment de perte qu'il éprouvait depuis le meurtre de son père. Le Dr Burrows avait compté plus que tout au monde dans sa vie.

– À vrai dire, je crois bien que j'avais le cerveau paralysé, marmonna-t-il, le regard vide.

– Personne ne t'en voudra pour ça, le rassura Elliott.

– Et tu sais quoi, on n'est pas partis très loin, mais je sens déjà que la gravité est moins forte. Je me sens plus léger, déclara Will qui venait de sortir de sa rêverie, le front plissé.

– Tout à fait d'accord avec toi. Bon, on avance, ou quoi ? Je n'ose même pas songer au chemin qu'il nous reste à parcourir.

Chapitre Vingt-cinq

Le général des Limiteurs avait parfaitement planifié l'opération. Une fois l'orage passé, la flotte d'hélicoptères se rapprocha du sol et atterrit au milieu du stade. On avait construit cet énorme complexe en dehors des limites de la ville, plusieurs décennies plus tôt, pour y organiser un rassemblement festif. Mais la zone, parfaitement entretenue à l'époque, était désormais couverte de mauvaises herbes, ce qui en faisait l'endroit idéal pour que les Fa 233 atterrissent à l'abri du regard des citadins.

Le général des Limiteurs passait en revue ses hommes, tandis qu'ils escortaient leurs prisonniers néo-germains pour les parquer à l'extrémité du terrain où flottaient des drapeaux en lambeaux dans le vent déclinant. Par le passé, ils arboraient fièrement le symbole national de la Nouvelle-Germanie, un aigle sur fond rouge et noir, devenu presque invisible sous l'action du soleil.

Les prisonniers avaient les mains sur la tête et les yeux rivés au sol. Ils attendaient leurs instructions.

– Bande de mauviettes, commenta Rebecca bis.

Il n'y avait pas eu une seule victime au pied de la pyramide. Les Limiteurs avaient pris l'ensemble du bataillon néo-germain par surprise et gagné le contrôle de la flotte d'hélicoptères. La manière dont les soldats s'étaient empressés de rendre les armes n'avait guère impressionné les jumelles.

– C'est un problème de commandement, acquiesça Rebecca en retroussant les lèvres de dédain. Mais c'est un problème qu'on peut régler.

– Quel commandement ? Tu veux parler de ce gros tas qui vit dans l'arche, avec ses cheveux gominés et son goût pour la bonne chère ? demanda Rebecca bis en haussant un sourcil.

– Oui, c'est ça. Le gros chancelier, même si Cox semblait avoir un faible pour lui.

– Pauvre vieux Coxy. Est-ce qu'on a rapatrié son corps avec nous ? demanda Rebecca bis.

– Oui, pourquoi ?

Rebecca bis resta un temps songeuse.

– Parce que je pense que les funérailles d'État de Cox seront le premier événement officiel auquel nous participerons, lequel sera présidé par le gros chancelier – il ne sera que notre marionnette, évidemment. Tu sais, avec tous les honneurs militaires, un orchestre, un escadron aérien, et puis…

– Oui, et puis une statue, aussi. Très ressemblante, majestueuse, plantée sur la place où se trouve la chancellerie, suggéra Rebecca en gloussant. On l'érigera juste devant la fenêtre du chancelier, comme ça ce débile la verra tous les jours. Voilà qui amuserait beaucoup Coxy.

Soudain, Rebecca reprit un air grave et émit un petit son agacé.

– Qu'est-ce qu'il y a ? lui demanda sa sœur.

– C'est Will et Elliott. Je n'arrive pas à croire qu'on ait pu les laisser filer une fois de plus. C'était marrant de dégommer le Dr Bourrin, mais on commençait juste à s'échauffer quand Elliott a cédé et nous a rendu notre virus. Dommage… On tenait Will à notre merci. On le tenait, et on l'a laissé partir, dit-elle en serrant le poing.

– Ne sois pas déçue, on a réalisé notre principal objectif, dit Rebecca bis avec un sourire plein d'optimisme. On aura largement le temps d'éliminer ces menus tracas plus tard. Il faut regarder vers l'avenir, c'est pour ça que la vie vaut la peine d'être vécue.

Rebecca bis se tut en regardant le jeune officier blond que deux Limiteurs escortaient jusqu'à l'endroit où étaient détenues les troupes de la Nouvelle-Germanie. Un troisième Styx les suivait, une petite mallette à la main.

– C'est donc le début du traitement, remarqua Rebecca.

Sa sœur acquiesça d'un signe de la tête en direction de l'officier.

– Oui, c'est l'officier que nous avons rencontré lorsque nous sommes entrées dans la cité. C'est un homme bon. Il s'est immédiatement rendu à la raison quand je l'ai menacé. C'est ce qui t'a sauvé la vie.

– Bien, répondit Rebecca d'une voix traînante, esquissant un sourire en jetant un coup d'œil oblique à sa sœur.

– J'espère qu'ils ne seront pas trop brutaux et qu'ils ne le briseront pas, déclara Rebecca bis avec sincérité, en regardant le petit groupe se diriger vers les arches, sous les tribunes du stade. Tu sais quoi ? Si ça ne te dérange pas, j'aimerais assister à sa séance… je veux m'assurer qu'ils font ça correctement.

– Inutile de jouer les professionnelles avec moi, lui répondit sa sœur, taquine, dans un gloussement entendu. Tu l'aimes bien, n'est-ce pas ? T'as le béguin pour le capitaine Boucle d'or, pas vrai ?

– Capitaine Franz, corrigea sa sœur avant de se reprendre.

– Ha ! Tu connais même son nom ! coassa Rebecca avant de partir dans un fou rire.

– Ne sois pas idiote, marmonna Rebecca bis d'un ton désapprobateur, puis elle s'éloigna d'un pas rapide vers l'endroit où les Limiteurs conduisaient l'officier.

À la faveur de la gravité réduite, Will et Elliott progressaient à vive allure le long de la galerie creusée par les Anciens.

Il leur suffisait de prendre leur élan avant de s'envoler d'un bond. Le tracé de la galerie était presque rectiligne et les deux adolescents négociaient les quelques courbes douces en rebondissant contre les parois. Will repérait les virages plus serrés en amont grâce à son casque, et avertissait Elliott en lui criant de ralentir.

Ils avaient l'impression de tomber en chute libre, si ce n'est qu'ils se déplaçaient latéralement, ou peut-être était-ce de bas en haut ? Will ne savait plus très bien.

Ils mettaient à profit les mois qu'ils avaient passés dans les strates où vivait Martha, en haut du Pore, où ils avaient appris à se déplacer dans un environnement à gravité réduite.

Les nuages de poussière et de débris flottant dans l'atmosphère constituaient les seuls dangers potentiels, même s'ils étaient rares, car à la vitesse à laquelle Will et Elliott filaient, l'impact risquait d'être assez douloureux.

Will s'efforçait de calculer leur vitesse pour s'occuper l'esprit. Peut-être atteignaient-ils les cinquante kilomètres-heure, qui sait ?

– Le rayon de la Terre... six mille trois cents kilomètres... mais cette galerie est plus courte... du fait de l'espace occupé par le monde intérieur... c'est pourquoi... la distance totale doit faire dans les... oh, j'en sais rien... cinq mille kilomètres, dit-il à voix haute. À cette vitesse, cria-t-il à Elliott, on va y arriver en moins de deux !

– Ne vends pas la peau de l'iguane avant de l'avoir tué, lui conseilla Elliott.

– On freine ! hurla soudain Will à tue-tête, pour avertir Elliott, tout en essayant de s'accrocher à la paroi pour ralentir sa progression.

Il venait en effet de remarquer que Bartleby avait marqué l'arrêt un peu plus loin devant eux.

Contrairement à ce qu'il escomptait, Will se mit à virevolter un temps dans les airs, puis finit par se rattraper à la paroi et s'arrêta de tournoyer.

Il entendit alors le cri strident d'Elliott, qui se trouvait juste derrière lui. Il lui tendit la main pour l'attraper au passage, mais elle l'entraîna dans son élan.

– Tu m'as pas entendu ? demanda-t-il lorsqu'ils s'arrêtèrent enfin.

– Non. Crie plus fort la prochaine fois, d'accord ? répondit-elle sèchement.

Ils étaient si fatigués qu'il leur arrivait d'avoir des accès de colère et de se disputer à propos de détails insignifiants, mais cette fois, ils s'intéressèrent plutôt à l'obstacle qui se trouvait devant eux.

Bartleby exécutait de lentes cabrioles dans les airs devant quelque chose qui semblait bloquer le passage.

Will se rapprocha et découvrit qu'il ne s'agissait pas d'un rocher, mais d'un barrage d'épais filaments légèrement brillants tendus entre les parois. Ils n'étaient pas très denses, mais bloquaient une bonne portion de la galerie.

Will les sonda avec la crosse de son Sten : ils étaient souples et se mirent à vibrer.

– Je ne sais pas du tout de quoi il s'agit, admit-il en arrachant un filament à la paroi.

Il était de couleur grise et avait la circonférence d'un crayon à papier.

– C'est peut-être une espèce de plante ? Morte ? Ou un minéral quelconque qui se serait formé là grâce à la faible gravité ? Quoi qu'il en soit, ce truc pourrait nous ralentir, conclut-il alors qu'il continuait à l'examiner.

– Ça n'a pas vraiment ralenti les jumelles styx quand elles sont passées par là, contra Elliott.

Elle arracha un filament accroché à la paroi, recula, ôta son sac à dos, puis enflamma la tige.

– Oui ! Ça brûle vraiment bien ! Un repas chaud ! annonça-t-elle.

– Génial ! Ce ne serait pas de refus, répondit Will en extirpant le traceur de son sac pour l'allumer. Le signal est faible, mais on est sur le bon chemin, dit-il en acquiesçant après avoir orienté l'appareil dans plusieurs directions, l'œil rivé sur le cadran.

Ils avaient croisé de nombreuses galeries, mais elles étaient généralement plus petites, ne laissant guère de doute sur l'itinéraire à suivre. Will aurait bien voulu savoir où conduisaient ces galeries latérales, mais ils devaient absolument terminer leur voyage avant que leurs vivres ne soient épuisés. Par ailleurs, les Styx étaient peut-être sur leurs talons et remontaient à toute allure vers la Surface pour y répandre le virus du Dominion. Will n'avait guère envie de les croiser. Il était donc impératif qu'il ramène Elliott en Surface aussi vite que possible.

Bartleby passa près de lui en flottant dans les airs, laissant dans son sillage une traînée de gouttelettes de salive étincelantes. C'est alors que Will sentit le fumet de la viande qui cuisait.

– Bon Dieu, je meurs de faim. Ne laisse pas ce chat me voler ma part, dit-il en rangeant son traceur.

Le lendemain, Will commença à remarquer de minuscules lueurs intermittentes. Il crut d'abord que son casque fonctionnait mal, releva sa visière et vit des petites étincelles bleues remonter le long de son Sten.

Lorsque Elliott le rejoignit, un petit arc électrique se forma entre le canon de sa carabine et celui du Sten de Will.

– Qu'est-ce que c'était que ça ? s'exclama-t-elle.

– Éteins ta lanterne, dit-il.

Elliott décrocha la lanterne de la bandoulière de son sac à dos et éteignit la lumière.

Tous les objets métalliques, y compris la lanterne, étaient enveloppés par d'étranges ondes de lumière bleue.

– C'est une sorte de charge électrique, dit Will. De l'électricité statique, qui sait ? Et t'entends ça ?

Plongés dans le noir, ils tendirent l'oreille. Il y avait bien un grondement sourd qui faisait vibrer les parois de la galerie.

– Oui, j'entends, dit Elliott en rallumant sa lanterne réglée au minimum.

– Je me demande…

– Quoi ? demanda-t-elle tandis que Will regardait devant eux, l'air soucieux.

– Non, je me demandais si nous étions au même niveau que la ceinture de cristaux. Cette accumulation d'électricité pourrait être liée à la triboluminescence… tu sais, ces énormes cristaux qui jettent des éclairs. On les a vus quand on était en route vers le monde intérieur. Il est possible qu'on soit juste à côté du vide, dit-il en jetant un coup d'œil à la paroi de la galerie. Peut-être qu'ils sont quelque part, là, derrière la roche.

– On serait donc à mi-parcours ? demanda Elliott.

– Possible, répondit-il.

Quatrième Partie

À l'attaque !

Chapitre Vingt-six

Drake vérifiait soigneusement que chaque pièce d'équipement étalée sur le sol devant lui figurait bien sur sa liste pendant qu'Eddie l'observait.

– On en transportera quinze chacun, expliqua Drake en indiquant des boîtes de la taille de petites Thermos. Elles contiennent un pesticide extrêmement concentré et sous haute pression, expliqua-t-il. Nous les poserons à intervalles réguliers aux marges de la Cité éternelle, reliés à des charges explosives munies de détonateurs à distance que nous déclencherons par signal radio. Lorsqu'elles exploseront, le pesticide se diffusera sous forme d'aérosol et les courants de convection en assureront la dispersion. D'après mes calculs, l'ensemble de la zone devrait être couverte.

– Des bombes pesticides, dit Eddie.

– Précisément, répondit Drake. Plus d'escargots, et de fait, plus de méchants petits virus à prélever pour les Scientifiques.

Chester entra dans la pièce d'un pas traînant, un pan de chemise hors de son jean comme s'il venait de s'habiller à la hâte. Drake lui lança un coup d'œil, mais il poursuivit son chemin sans s'arrêter, poussant un gros rouleau de cordages du bout du pied.

– Eddie, vous avez dit qu'il fallait emporter ça. On en a probablement plus que nécessaire, mais mieux vaut être prudent, dit Drake avant d'indiquer deux petites boîtes noires.

Il se pencha pour soulever l'un des fils qui sortaient de la boîte la plus proche à l'aide de son stylo.

– Ce sont des micros-cravates. Comme ça, on restera en contact pendant toute la durée de l'opération. Les Specforces en sont équipées.

– Les quoi ? demanda Eddie.

– Les forces spéciales, intervint Chester.

Eddie et Drake se tournèrent vers lui, quelque peu surpris qu'il sache pareille chose. Il indiqua sa chambre d'un signe de la tête.

– C'est dans un des jeux de ma PlayStation. J'y ai joué ce matin, grogna-t-il.

– Bien, dit Drake avant de reprendre. Ces unités sont bien moins encombrantes et beaucoup plus fiables que les casques conventionnels.

– Et ça ? demanda Eddie en montrant deux piles d'uniformes verts pliés, sur lesquels Drake avait posé un masque à gaz. J'ai déjà mon masque et mon treillis de Limiteur.

– Cet équipement est meilleur. C'est le dernier kit de protection NBC en date, répondit Drake.

– Ah, ce sigle-là, je le connais pas, lança Chester.

– Ça veut dire Nucléaire, biologique et chimique, mais les militaires appellent ça un costume de Oui-Oui, à cause de la capuche, ajouta Drake avec un bref sourire. Ils sont indispensables dans la Cité éternelle. Chester, tu te souviens de ce qui est arrivé à Will lorsqu'il a traversé la zone sans masque ?

– Cal et lui ont bien failli se faire dévorer par un limier, répondit Chester avec amertume. Ou bien, vous voulez parler de ces tueurs de la Division qui l'ont presque attrapé ?

Drake le fixa du regard. Chester dépassait les bornes.

– Ouais… je sais, il a été sacrément malade, conclut Chester.

– Il y a des pathogènes pas franchement sympathiques qui traînent là-bas, et c'est d'ailleurs le but de cette opération, dit Drake en se tournant vers les masques à gaz. Et puis à dire vrai, si vous portez l'un de ces costumes de Oui-Oui et qu'on se fait repérer, vos vieux ennemis ne risqueront pas de vous confondre avec un Styx. D'ailleurs… il y a des fléchettes tranquillisantes, au cas où on tomberait sur des membres de la Division une fois à l'intérieur. La dose est suffisante pour les mettre au tapis pendant une quinzaine d'heures, expliqua Drake en indiquant deux pistolets et une carabine. Il n'y aura donc aucune victime, comme convenu. Au pire, tes anciens copains se réveilleront avec une migraine fracassante.

– Merci, dit Eddie.

– Je ne comprends pas, Drake, rugit Chester la tête baissée tandis qu'il dévisageait Eddie d'un air hostile. Maintenant que vous travaillez avec un Styx, vous êtes prêt à laisser filer le reste d'entre eux ?

– Non mais dis donc ! protesta Drake.

– Laissez-le parler, s'interposa Eddie d'une voix calme, toujours aussi impavide. Il a besoin de vider son sac.

– Ils n'hésiteraient pas un seul instant, *eux*, à nous tuer tous autant que nous sommes, nous et même mes parents d'ailleurs, s'il le fallait. Mais vous êtes prêt à les laisser filer, parce que vous avez décidé de lier votre destin à celui de votre nouveau pote ! s'exclama Chester, le visage rouge de colère. Vous devriez vous servir de balles réelles au lieu de jouer avec ces trucs de gosse, ajouta-t-il en jetant un coup d'œil aux pistolets à fléchettes.

– Je ne vois pas ce que je peux dire pour te faire changer d'avis, après tout ce que tu as traversé, répondit Eddie.

– En effet, qu'est-ce que vous pourriez bien dire, au juste ? gronda Chester.

Eddie se dirigea vers les fenêtres et contempla la vue sur la Tamise, puis il leva les yeux vers les immeubles dressés sur la berge opposée.

– Je peux malgré tout te dire que le monde que vous avez bâti est condamné à disparaître. Il ne peut pas durer. Vous cherchez la croissance à tout prix. Toujours plus de technologie, plus de gens, plus de liberté, et pendant tout ce temps, vous asphyxiez la planète qui est source de toute vie.

– Mais on fait des choses pour sauver… objecta Chester.

– Pour sauver l'environnement ? rétorqua Eddie en éclatant de rire, à la stupéfaction de Drake et de Chester qui ne l'avaient jamais entendu émettre ne serait-ce qu'un gloussement. Vos hommes politiques sont faibles. Ils n'ont ni la volonté ni le pouvoir d'effectuer les changements à temps, et c'est parce que votre peuple est lâche et qu'il refuse d'abandonner son confort. Mais mon peuple, les Styx, reprendrait immédiatement le contrôle de l'industrie pour réduire la pollution et mettrait en place un système féodal pour que chacun sache exactement quelle est la place qui lui revient dans la société.

– Un système féodal ? répéta Chester en fronçant les sourcils.

– Oui, comme par le passé. Tout le monde travaillerait pour le bien de chacun. Il n'y aurait pas de chômage, car ceux qui refuseraient de travailler seraient confinés dans des ghettos et exclus de la société. Nous changerons tout. Nous sauverons tout. Nous vous sauverons de vous-mêmes.

– Mais ce sont des idioties, commenta Chester que cette explication avait complètement désarçonné. Si vous voulez vraiment *sauver* les gens, pourquoi est-ce que vous passez votre temps à les *tuer* ? dit-il en regardant Drake qui restait silencieux.

– Parce que c'est la seule façon de parvenir à nos fins. Je t'accorde que la diffusion du virus du Dominion n'est pas la bonne méthode, et c'est pourquoi je suis ici, mais souviens-toi que...

Eddie se tourna vers Chester et riva ses yeux aux siens.

– Nous n'avons pas le choix. Nous devons partager ce monde avec vous et vous souillez notre demeure. Tu voudrais qu'on reste là, à regarder sans rien faire ? Nous sommes contraints de tuer quelques personnes, pour préserver cette planète d'une mort lente et répugnante, et tu ne crois pas qu'il s'agit de légitime défense ?

– Non, c'est dingue. C'est tordu. Tout irait bien sans passer par tous ces trucs dont vous parlez. Personne n'est obligé de *mourir*, répondit Chester en secouant la tête avec emphase.

– On en reparlera dans vingt ans, quand le niveau de la mer aura monté et que toute cette zone sera immergée sous trente mètres d'eau, rétorqua Eddie en balayant le panorama d'un geste de la main. Quand la nourriture viendra à manquer, qu'il y aura des rixes, et qu'il te faudra tuer pour chacun de tes repas.

– Drake, dites-lui qu'il se trompe, implora Chester.

– C'est toi qui as commencé, répondit Drake.

Eddie quitta la fenêtre et se posta à côté de sa maquette. Il prit le premier DVD d'une pile posée tout au bout de la table.

– Chester, je t'ai acheté ces films pour que tu les regardes. En voilà un qui devrait t'intéresser. Ça raconte l'histoire de robots géants venus de l'espace, qui doivent affronter la population de la Terre pour assurer sa survie... afin d'éviter un désastre écologique.

Ne sachant comment réagir, Chester se contenta d'avancer pour prendre les DVD.

– Euh... super... merci, marmonna-t-il.

Il se tourna alors vers Drake d'un air penaud.

– Cette opération… vous êtes sûr que vous ne voulez pas que je vous accompagne ? Je pourrais faire le guet ? Ou bien vous aider à transporter une partie du matériel ?

– Inutile, Chester, on s'en occupe, répondit Drake. Nous serons assez de deux. On va juste se glisser à l'intérieur, poser les bombes, et repartir. Ça ne devrait pas nous prendre plus de deux heures une fois sur place.

– Bon, ben je vais aller regarder mes films, alors, dit Chester en quittant la pièce d'un pas traînant.

– Alléluia ! s'écria Eliza, lorsqu'elle entendit le claquement des sabots des chevaux sur les pavés devant la porte, et elle se précipita à la fenêtre. Oui, ce sont bien eux ! confirma-t-elle, ravie, en voyant la carriole se garer devant la maison.

– Ce jour qu'on avait tant espéré d'voir venir, et pis on avait beaucoup prié pour ça, ben ça y est, l'est enfin arrivé ! proclama sa mère qui sortit de la cuisine en trombe en s'essuyant les mains sur son tablier.

Un Colon à la stature imposante et vêtu d'une blouse grise sauta de son siège à côté du cocher, et la carriole libérée de son poids se mit à vaciller. L'air très naturel, il s'achemina lourdement vers la maison, mais s'arrêta brusquement au bout de quelques pas en lâchant un juron. Il avait oublié quelque chose et retourna à la carriole.

Eliza était encore postée à la fenêtre.

– Non… qu'est-ce qu'il y a encore ? Non, ne pars pas ! Ne peut-on pas en finir une fois pour toutes ? dit-elle en le voyant s'affairer à l'arrière de la carriole.

Muni d'une écritoire à pince, l'homme repartit alors vers la maison d'un pas lourd. Il s'apprêtait à frapper à la porte, de sa grosse main noueuse et charnue, lorsque Eliza ouvrit subitement.

– Oh ! s'exclama-t-il.

Eliza ne put s'empêcher de le dévisager. Il avait des sourcils si épais et si blancs qu'ils lui rappelaient les énormes chenilles blanches qui avaient infesté les zones rurales de la Caverne Sud, quelques années plus tôt. L'homme était si surpris par la vitesse à laquelle on lui avait ouvert la porte que ses sourcils semblaient se déplacer indépendamment l'un de l'autre. Eliza dut se retenir pour ne pas les écrabouiller.

– B'jour, marmonna-t-il, la main encore suspendue devant lui.

L'homme finit par baisser le bras et ses deux sourcils cessèrent enfin leur numéro de lévitation.

– Est-ce bien la résidence de l'officier en second ?

– Celle-là même, répondit Eliza avec entrain. Mais il n'est pas là. Il est au travail.

– Peu importe. Je peux vous notifier ceci, de toute façon, dit-il en s'éclaircissant la voix avant de lire tout haut. Selon l'ordonnance 366, décret 23, pour l'amélioration des connaissances des Scientifiques, je vous signifie par la présente que vous devez fournir…

La mère de l'officier en second, qui se trouvait derrière sa fille, intervint soudain dans la conversation.

– Z'êtes venu chercher la Surfacienne ?

– Euh… oui, confirma l'homme.

– Vous embêtez pas avec toutes ces fadaises officielles. C'est là qu'elle est, dit la vieille dame.

Malgré son âge et son corps frêle et ratatiné, elle l'entraîna jusqu'au salon en le tirant par le bras.

– Débarrassez-nous-en ! dit-elle en montrant Mme Burrows, assise dans son fauteuil.

– C'est cette personne ? demanda l'homme.

– C'est pas une personne, c'est une Surfacienne. Et maintenant, s'il vous plaît, dégagez-la de là, dit Eliza avec impatience. Mais laissez le fauteuil. Il ne nous appartient pas, et nous devons le rendre à son propriétaire.

L'homme reposa ses papiers sur son écritoire et remonta les manches de sa blouse. Il fit claquer plusieurs fois sa langue en examinant Mme Burrows pour évaluer son poids, comme s'il s'agissait d'un meuble peu maniable. Cependant, la robe trop ample dans laquelle elle était enveloppée ne lui facilitait guère la tâche. Avec un dernier claquement de langue, il se rapprocha d'elle et souleva timidement le bras qui flottait dans la manche.

– On veut aussi garder ses habits, sous-vêtements compris, l'informa Eliza.

Atterré par cette demande, l'homme se retourna vers elle en haussant le sourcil. On aurait cru voir une chenille en train de faire le poirier sur son front concave.

– Vous voulez que je fasse quoi, au juste ? Que je la déshabille ? Je ne peux pas. Ce serait indécent.

– Non, *pas maintenant*, répondit Eliza en riant. Mon frère viendra les chercher plus tard.

– Elle ne marche pas ? demanda l'homme, soulagé, tout en continuant à examiner Mme Burrows.

– Non, répondit Eliza avec amertume. Elle est plus morte qu'une limace noyée dans une pinte de New London. Elle ne reviendra pas de là où elle est partie. Emmenez-la et flanquez-la dans votre carriole !

L'homme acquiesça, enroula ses bras autour de la taille de Mme Burrows, et souleva son corps flasque.

Un grognement menaçant retentit alors du fond de la pièce. Colly se dressa face à l'homme en montrant les crocs. Le Colon s'abrita derrière le corps de Mme Burrows.

– Colly ! Ça va pas, non ? gronda la mère de l'officier en second, sidérée par le comportement de la chatte.

– Elle est en chaleur, ou quoi ? demanda l'homme, visiblement inquiet.

– Au panier ! Maintenant ! ordonna la vieille dame.

Sous sa peau flasque, Colly avait les muscles bandés à se rompre et elle s'apprêtait à bondir sur cet homme.

– Colly ! cria Eliza en levant la main pour frapper l'animal, qui n'avait manifestement pas la moindre intention de céder, si bien qu'Eliza finit par l'attraper par la peau du cou et la traîna jusque dans le couloir.

Toutes griffes dehors, la chatte accrocha au passage un tapis persan élimé qu'elle entraîna avec elle hors de la pièce, mais Eliza finit par enfermer dans la cuisine l'animal qui n'avait pas cessé de cracher tout du long.

– Je sais pas ce qui lui a pris, à cette chasseresse-là, s'excusa la mère de l'officier en second. D'habitude, elle est douce comme un agneau, et jamais elle s'est comportée comme ça, avec personne.

– C'est pas grave, lui dit l'homme qui s'empressa de flanquer Mme Burrows sur ses épaules comme un sac de patates, puis il se dirigea vers la porte. J'ai encore failli oublier, dit-il en marmonnant un juron, vous voulez bien me donner mes papiers, s'il vous plaît ?

La vieille femme lui cala l'écritoire sous le bras et il continua son chemin.

Eliza et sa mère se rendirent sur le seuil de la porte, pour regarder l'homme déposer Mme Burrows à l'arrière de sa carriole. Toujours enfermée à la cuisine, Colly n'avait pas cessé de gratter frénétiquement à la porte en poussant des gémissements graves et douloureux.

– Quelle mouche l'a encore piquée, cette chatte-là ? dit la vieille dame. Je ne comprends pas.

– Peut-être qu'elle éprouve la même chose que mon cher frère si mal avisé pour cette Surfacienne ? répondit Eliza avec méchanceté. Il aura le cœur brisé de ne pas avoir eu l'occasion de dire adieu à sa cinglée chérie. Les Scientifiques ne vont pas tarder à lui ouvrir la tête comme une huître des cloaques.

– Une huître des cloaques ? répéta la vieille femme, qui n'avait pas saisi.

– Oui, tu sais, crac ! dit Eliza, en faisant mine d'ouvrir l'un de ces crustacés à l'aide d'un marteau et d'un burin, seule manière de percer leur coquille coriace.

Les deux femmes partirent dans un tel fou rire que c'est à peine si elles parvenaient à se tenir debout. Elles faisaient tellement de bruit que les voisins d'en face se précipitèrent à leur fenêtre pour voir ce qui se passait.

– Crac, crac, crac ! hurla Eliza d'une voix stridente.

Elle riait tant qu'elle en avait les larmes aux yeux.

Chapitre Vingt-sept

La fréquence des clics s'accéléra soudain et le signal s'intensifia. Les deux adolescents s'arrêtèrent devant un passage latéral. Elliott adressa un regard interrogateur à Will, qui lui répondit par un grand sourire.

– Le sous-marin se trouve quelque part là-bas. J'avais placé une balise dans le kiosque, expliqua-t-il, quand une idée lui traversa soudain l'esprit. Tu veux qu'on aille voir ? suggéra-t-il, rayonnant. Qu'on aille jusqu'au sous-marin ? On découvrirait comment les jumelles ont réussi à rejoindre ce pass…

– Sûrement pas ! répondit-elle sèchement, hurlant presque.

– Bon, bon, d'accord, dit-il docilement.

– Allons, Will. Et si jamais l'un de nous glissait et qu'on se retrouvait à flotter dans le vide, comme la dernière fois ?

Elliott le fixait avec un regard dur et implacable.

Will s'apprêtait à lui répondre qu'ils pourraient toujours employer la méthode de son père et se propulser vers la paroi en tirant des coups de feu, mais il se ravisa.

– On continue, alors, murmura-t-il.

À mesure que la gravité augmentait, leurs sauts devenaient de plus en plus courts et ils finirent par avancer beaucoup plus lentement.

Arrivés à un endroit où les roches fissurées s'étaient déplacées, ils durent se faufiler à travers un minuscule passage, avant de pouvoir reprendre leur course. Peu après, ils découvrirent une brèche qui barrait la galerie sur toute sa largeur. Il n'y avait rien d'autre qu'un gouffre béant et noir d'une trentaine de mètres de large, mais ils parvinrent malgré tout à le franchir d'un bond.

– Il y a pas mal de signes d'activité tectonique dans cette zone, commenta Will, qui se garda d'en dire plus.

Il se demandait si Elliott avait envisagé qu'ils puissent tomber sur un cul-de-sac. S'il ne s'était pas trompé et qu'ils avaient effectivement dépassé le sous-marin russe, les jumelles styx n'étaient pas passées par cette partie de la galerie. Il était tout à fait probable que les torsions de la croûte terrestre aient pu bloquer le passage un peu plus loin en amont.

Plusieurs heures plus tard, la gravité était devenue beaucoup plus sensible et ils en étaient réduits à des sautillements. Ils escaladaient même parfois certaines portions de la galerie où s'enchaînaient les virages.

– Oh, non ! souffla Will, au détour d'une courbe.

Comme il le redoutait, ils venaient de tomber sur un cul-de-sac. Le passage était complètement bloqué par des éboulis.

– On est si proches ! dit-il après avoir vérifié le signal émis par la balise suivante à l'aide de son traceur radar.

– Et je suis tellement fatiguée, murmura Elliott en s'affalant sur le sol, la tête baissée, tandis que Bartleby s'installait à ses côtés, tout essoufflé.

– Mais… le signal, dit Will.

– Tais-toi, je ne veux rien savoir, dit-elle à mi-voix en fermant les yeux.

– Elliott, dit Will.

Mais elle ne réagit pas. Elle était déjà profondément endormie.

Will s'avança en trébuchant vers le tas de débris qui bouchait le passage. Il cherchait à évaluer les possibilités qui s'offraient désormais à eux. Ils pouvaient tenter de le contourner en empruntant l'une des petites galeries latérales, mais la dernière qu'ils avaient dépassée se situait à des kilomètres en aval. Qui plus est, l'idée de devoir rebrousser chemin, alors qu'ils étaient si près du but, était insupportable, c'en était trop !

Ils pouvaient aussi tenter de percer un passage, mais il était impossible d'évaluer la quantité de roches accumulées.

– Creuser, marmonna Will, pour voir jusqu'où ça nous mène.

Il jeta un coup d'œil à Elliott endormie. Il ne voulait pas la réveiller. Il ôta son sac à dos et se mit à déplacer les pierres, une à une. La faible gravité lui permettait au moins de déplacer les plus gros blocs, chose impensable en Surface.

Après plusieurs heures, Will était dégoulinant de sueur, mais n'était toujours pas parvenu de l'autre côté. Il était si las qu'il avait les jambes en compote. Il se laissa tomber sur le sol, ferma les yeux, et, pris d'un vertige soudain, il eut l'impression qu'il chutait à travers les strates géologiques. Cette sensation était due à sa fatigue chronique.

– *Arrête-toi quelques instants*, se dit-il, *tu reprendras ensuite.*

– *C'est l'un des moments décisifs. Si tu restes là, tu ne te relèveras peut-être jamais*, tonna une grosse voix dans sa tête. *Elliott et toi n'avez pas assez dormi ni assez mangé. Tu n'auras peut-être plus la force de continuer lorsque tu te réveilleras.*

– Tais-toi, Tam ! murmura Will en apercevant la silhouette d'un homme assis à ses côtés tandis qu'il luttait pour garder les yeux ouverts. Tu n'es pas réel… je sais que… tu… n'es pas… réel.

– *Reste à savoir si tu veux que je le sois ou non*, répondit l'oncle Tam avec une certaine indignation en soufflant la fumée de sa pipe.

– Ça pue vraiment, marmonna Will en toussant. Et en plus, c'est pas bon pour ta santé.

L'oncle Tam se contenta de lui souffler un autre nuage de fumée au visage.

– *Je suis déjà mort, Will. Je ne risque pas grand-chose, tu sais*, dit-il en gloussant. *Et si tu te reposes au lieu de travailler, tu ne vas pas tarder à me rejoindre. Ne laisse pas tomber, Will. Il y a trop de Surfaciens qui dépendent de toi.*

Une idée traversa soudain l'esprit de Will, ce qui le contraria fortement :

– Hé, mais au fait, ce pendentif que tu m'avais donné, c'était une sacrée plaisanterie. Ça ne m'a pas aidé du tout… les Broussards…

Will se redressa d'un coup. Il crut entendre l'écho lointain d'un éclat de rire, mais l'homme imposant demeurait invisible. Cependant, il était parfaitement réveillé maintenant, hanté par les paroles de Tam.

Il y a trop de Surfaciens qui dépendent de toi.

– Allez hop, on y va ! dit Will en se mettant à genoux avant de se relever maladroitement.

Il repartit à l'assaut de l'éboulis en sifflotant, comptant parfois les roches qu'il dégageait jusqu'à cent, avant de repartir de zéro.

Une heure plus tard, Will commençait vraiment à faiblir. Il descella un gros bloc, ce qui déclencha une petite avalanche. Il fit un bond en arrière pour éviter de se retrouver enseveli sous l'éboulis, mais découvrit ensuite qu'il venait d'ouvrir une brèche.

– Je rêve, n'est-ce pas ? Ça n'est pas plus réel que Tam.

Will glissa alors sa main dans la brèche, tendit ses doigts dont la chair était à vif et recouverte de crasse, et ne rencontra que le vide. Grâce à son casque, il vit alors un espace plus vaste qui s'étendait devant lui.

– Oui !... Ça y est ! s'exclama-t-il en levant le poing.

Will se faufila dans la brèche en prenant soin de ne pas déranger les autres pierres, et se retrouva dans une galerie horizontale tapissée d'une couche de champignons. Il s'agenouilla pour les palper et conclut qu'il s'agissait bien de la même espèce que ceux qu'il avait connus lors de son séjour chez Martha. Mais était-il possible qu'ils fussent si près de la Surface ?

Will extirpa son traceur radar de sa poche. Le signal était puissant, très puissant.

Il aurait dû rebrousser chemin pour informer Elliott de ses intentions, mais au lieu de cela, il décida de remonter jusqu'à la source du signal. Ce n'était pas raisonnable. Il n'avait ni son Sten, ni son sac à dos, mais il était résolu à avancer pour déterminer leur position.

Une bourrasque assécha la sueur qui perlait sur son front, et c'est alors qu'il aperçut un endroit familier.

Il se trouvait devant un gros rocher qu'il ne connaissait que trop bien, et il ne tarda pas à localiser le symbole tridentin gravé sur l'une de ses faces.

Il s'avança ensuite un peu plus loin pour se rendre au bord du gouffre immense qu'il avait surnommé « Jeanne la fumeuse ». En son centre, il pleuvait à verse et un vent puissant soufflait.

Will se tenait à l'endroit même où son père s'était précipité dans le vide, avant qu'Elliott et lui-même ne se jettent à sa suite.

– Papa, murmura Will en se remémorant l'épisode.

Le Dr Burrows avait eu raison de sauter. Il avait dit à Will qu'il fallait croire en ses convictions, et c'est ainsi qu'il avait fait la plus grande découverte de tous les temps, un monde au centre de la Terre !

Mais quelle avait été sa récompense ?

Il avait été assassiné de sang-froid par deux adolescentes démentes, qui s'étaient fait passer chacune à son tour pour sa fille.

Will sentit la colère monter en lui et finit par éclater en sanglots.

Il battit des paupières et releva les yeux vers le haut du Pore, où il aperçut brièvement une forme blanche dans le lointain. Sa colère se dissipa aussitôt, et il s'empressa de battre en retraite. Il avait complètement oublié qu'il s'agissait du repaire des Lumineux.

– Oh, mon Dieu ! s'écria-t-il.

Il n'était pas armé et n'avait même pas l'une des bombes aérosols que Drake lui avait fournies.

Il rebroussa chemin en s'efforçant de rester calme au début, puis il se mit à courir. Il ne voulait pas avoir parcouru tout ce chemin pour finir entre les griffes d'un Lumineux.

Il se faufila dans la brèche et retrouva Elliott, profondément endormie, avec Bartleby roulé en boule à ses pieds.

Will était totalement épuisé. Il se laissa choir sur le sol à côté d'Elliott et la secoua légèrement.

– Que ?…

– J'ai trouvé Jeanne la fumeuse, répondit Will en bâillant, à peine capable d'articuler une phrase complète. Et le rocher… là où on a sauté…

– Quoi ? rétorqua-t-elle d'une voix empâtée avant de redresser soudain la tête. Comment ?

– Tam était là… je me suis… frayé un passage… dit Will.

– Tam ? demanda Elliott, les yeux grands ouverts. Mais si t'es arrivé jusqu'à Jeanne la fumeuse… ça veut dire que t'as réussi ! T'es un héros ! T'as réussi ! On y va !

– Oui… mais… Lumineux, marmonna-t-il. Asperge-nous… de… aéros…

Will ne termina pas sa phrase. Il posa la tête sur la roche dure et s'endormit aussitôt.

Drake attendait qu'Eddie ait fini de se préparer, lorsqu'il jeta un coup d'œil à la table sur laquelle était posée la maquette de la bataille. Il se rapprocha, pour comprendre ce qui avait changé depuis la dernière fois qu'il l'avait regardée.

– Vous avez modifié la disposition des troupes. Ce doit être plus tard, lorsque les forces de Napoléon ont été mises en déroute, n'est-ce pas ?

– Oui, c'est le dernier jour de la bataille, répondit Eddie.

– Mais Wellington a encore disparu. Où est-il parti ? demanda Drake en fronçant les sourcils.

– Il est de retour sur mon bureau. Je ne suis toujours pas satisfait de mon travail, expliqua Eddie en mettant son sac à dos à l'épaule.

– Il me semblait pourtant sacrément bien réalisé, commenta Drake en haussant les épaules. Bien, il est temps de décoller. Chester, on s'en va, lança-t-il d'une voix douce depuis le seuil de la pièce en direction des chambres.

Drake attendit une réponse, mais rien ne vint.

– C'est bien un adolescent ! Il doit dormir du sommeil du juste, je ne vais pas le déranger, ajouta Drake en se détournant du seuil.

Ils quittèrent l'appartement et enfourchèrent leurs motos.

Ils circulèrent beaucoup plus lentement que lors de leur dernière escapade, car ils ne voulaient surtout pas se faire arrêter par un agent de police trop zélé. Quoi qu'il en soit, leurs sacs à dos lourdement chargés ne leur simplifiaient pas la tâche.

Ils se garèrent au même endroit, dans la rue Sainte-Anne.

– En avant, et tout le monde descend ! dit Drake en prenant son étui à fusil.

Ils franchirent la courte distance qui les séparait de la ruelle conduisant à Dean's Yard. Ils portaient l'un comme l'autre une combinaison NBC, avec une épaisse veste à capuche et un pantalon assorti. À les voir ainsi munis d'un rouleau de corde et de tout un tas de matériel d'alpinisme, on aurait pu les confondre avec des montagnards prêts à relever un nouveau défi. Ce n'était pas vraiment le genre de personnes qu'on s'attendait à rencontrer aux environs de l'abbaye de Westminster, quelle que soit l'heure, et sûrement pas de si bon matin.

Sans surprise, le gardien jaillit de sa loge dès qu'il les vit.

– Restez où vous êtes ! ordonna-t-il avec un signe de la main, en se dirigeant vers eux.

Il s'apprêtait à rattraper Eddie, lorsque le Styx répéta son manège. À peine Eddie eut-il prononcé les mots-clés que le visage péremptoire de l'homme se détendit. Il se contenta de tourner les talons, fourra les mains dans ses poches et s'éloigna d'un pas nonchalant vers la place déserte.

– C'est une bonne chose que ce bon vieux Frankie ait été de service cette nuit, murmura Drake en rangeant son pistolet.

Après avoir franchi la petite trappe, Drake et Eddie se préparèrent à affronter la longue route qui les attendait, avant de rejoindre la cité oubliée dans les sous-sols de Londres. Ils restèrent silencieux tout au long, négociant les nombreuses volées de marches en brique avant de reprendre leur course sur des kilomètres de galeries horizontales. Seul retentissait le bruit régulier de leurs bottes sur les dalles de pierre.

Parvenus au départ d'un escalier en colimaçon dont les marches glissantes ruisselaient d'eau, ils marquèrent l'arrêt pour procéder aux vérifications d'usage, comme tout soldat s'apprêtant à entrer sur le champ de bataille. Ils s'examinèrent mutuellement pour éliminer toute surface brillante qui aurait pu les trahir, puis ils sautillèrent sur place pour s'assurer que leurs sacs à dos et leurs ceinturons étaient correctement rangés et qu'ils ne produisaient aucun cliquetis.

Drake tira deux fusils de l'étui qu'il transportait et en tendit un à Eddie. Tout comme leurs pistolets, leurs armes ne tiraient que des flèches tranquillisantes. Drake les avait dotées de lunettes de vision nocturne. Ils enfilèrent enfin leurs masques à gaz et allumèrent leurs micros-cravates.

– Nous revoici en territoire ennemi, mon cher ami, dit Drake dans un murmure pour tester sa liaison radio.

– Oui, je vous reçois cinq sur cinq, répondit Eddie en se tournant vers lui.

Ses pupilles noires étaient à peine visibles derrière la visière de son masque.

Contrairement à ce que Drake avait dit, Chester n'avait pas fermé l'œil. À peine Drake et Eddie eurent-ils quitté l'appartement qu'il entra dans la pièce principale pour consulter les moniteurs de vidéosurveillance. Il les regarda sortir leurs motos dans la rue, les enfourcher, et s'éloigner enfin dans la nuit.

– Bien… j'en ai des choses à faire, se dit-il en s'asseyant sur le canapé.

Il tenait le téléphone portable que lui avait remis Drake et composa le premier numéro qui lui revint en mémoire, tout tremblant d'excitation. Son père répondit aussitôt.

– Chester, Dieu merci !

Chester se redressa d'un coup. Quelque chose ne tournait visiblement pas rond.

– Papa, qu'est-ce qui se passe ? Drake t'a dit que j'appellerai, n'est-ce pas ?…

– Oui, oui, bafouilla son père. Mais ta mère… elle est sortie.

– Qu'est-ce que tu veux dire, au juste ? Elle est sortie de la pièce ?

– Bien pire ! Elle est sortie de l'hôtel.

– Tu en es sûr ? demanda Chester d'un ton pressant.

– Oui, j'ai vérifié dans le hall. Je sais que Drake nous a dit de ne quitter notre chambre sous aucun prétexte, mais il a fallu que… que je parle au concierge, qui m'a dit qu'il avait vu Emily sortir de l'hôtel. Elle est passée par l'entrée principale. Elle est partie, comme ça.

– Mais pourquoi maman ferait-elle une chose pareille ? demanda Chester. Elle savait qu'il était crucial que vous restiez cachés.

– Oui, bien sûr. On savait ça l'un comme l'autre, mais elle avait un drôle de comportement hier. Elle n'était plus elle-même. Lorsque Drake est passé hier après-midi, elle a semblé accepter le fait qu'il veuille me parler en privé… je n'avais pas le droit de lui dire de quoi… tu sais… il n'informe que… comment dit-il, déjà ?

– Il n'informe que les personnes concernées, compléta Chester. Ne t'inquiète pas, Drake fait pareil avec moi. C'est au cas où les Styx vous mettraient la main dessus et…

– La nuit dernière, elle est redevenue très silencieuse, l'interrompit M. Rawls. On aurait dit qu'elle avait quelque chose en tête, qu'elle était préoccupée. Et ce matin, elle a disparu dès que j'ai eu le dos tourné.

– Oh non, murmura Chester.

Il y eut un moment de silence.

– Papa, tu ne peux pas rester là-bas, déclara Chester d'un ton résolu. Tu as les clés de la voiture que t'a confiée Drake. Vas-y tout de suite, et retrouve-moi à l'endroit qu'il t'a indiqué. Ne t'arrête pour rien au monde.

– Mais… je ne peux pas partir… pas sans savoir où se trouve Emily, répondit M. Rawls d'une voix tremblante. Qu'est-ce qu'on peut faire ?

– Rien, papa. Rien du tout. Soit elle est fâchée, et elle reviendra quand ça lui chantera, soit…

Chester ne put terminer sa phrase.

– Papa, sors d'ici et fais ce que Drake a dit. Retrouve-moi au point de rendez-vous.

M. Rawls suivit les instructions de Drake et se gara une demi-heure plus tard à quelques pâtés de maisons de l'entrepôt, dans le vieux break que Drake venait d'acheter. M. Rawls avait l'air sinistre, mais il esquissa malgré tout un sourire en voyant son fils qui l'attendait.

– Quel est ton plan ? demanda-t-il à Chester qui prit place du côté passager.

– Rien n'a changé. On fait exactement ce que Drake a dit.

M. Rawls s'apprêtait à protester, quand il se ravisa en secouant la tête. C'en était trop pour lui.

– Mais j'y pense, il y a bien un changement. Après m'avoir déposé, ne t'approche de l'hôtel sous aucun prétexte.

– Non, je… je… et si Emily revient ? répondit M. Rawls dans tous ses états.

– Écoute, papa, si tout va bien, elle t'attendra. Mais dans le cas contraire, et si les Styx ont repris le contrôle de son esprit, c'est bien le dernier endroit où tu dois te trouver, expliqua Chester, qui s'efforçait de rester calme alors qu'il était tout aussi agité que son père.

Mais il savait aussi que Drake était la seule personne capable de l'aider, et il était hors de question qu'ils lui fassent défaut.

– Il faut y aller. Tourne à droite pour que je puisse te montrer l'entrepôt. Plus tard, quand on aura fini, tu retourneras à l'appartement et tu y resteras. Tu y seras en sécurité, et tu auras besoin de ça, lui dit Chester en lui tendant les clés.

Deux Scientifiques se tenaient de part et d'autre de la table d'observation sur laquelle on avait déposé Mme Burrows.

– On pourrait vendre des billets pour ce spectacle, je te le dis, commenta l'un d'eux.

Ils étaient vêtus de leurs blouses de laboratoire réglementaires taillées dans un tissu écarlate ourlé d'un passepoil noir, et dont la poche de poitrine arborait un numéro qui leur servait d'identifiant.

Un-six-quatre, le Scientifique qui venait de parler, était un homme lugubre à l'échine voûtée et au visage long et rose.

– Cette Surfacienne est un petit miracle. Ils l'ont grillée à point en la soumettant à toute une batterie de lampes à Lumière noire, et pourtant, la voici, le cœur qui bat encore... et qui respire... c'est tout à fait remarquable.

Il ajusta ses lunettes et observa son collègue qui était penché au-dessus de Mme Burrows. Deux-trois-huit, de vingt ans son cadet, était plus petit et plus vif. Il s'exprimait par rafales comme si ses paroles et ses pensées se confondaient. De l'avis général, c'était une étoile montante au sein des Laboratoires.

– Étonnant, confirma Deux-trois-huit en détaillant Mme Burrows de ses petits yeux auxquels n'échappait aucun détail.

On avait déshabillé Mme Burrows et jeté un drap gris sur son corps nu. Deux-trois-huit se pencha pour lui examiner le bras, puis le mollet. Il chantonnait un petit air frénétique, tout en la malaxant si fort de ses doigts boudinés qu'il lui laissait des marques rouges sur la peau.

– Pour quelqu'un qui est resté plongé aussi longtemps dans un état cataleptique, elle n'a pas perdu beaucoup de masse musculaire. Je m'attendais à constater une atrophie bien plus marquée, en adéquation avec son état, vous ne pensez pas ? déclara Deux-trois-huit d'une seule traite avant de reprendre enfin son souffle.

Il jeta un bref coup d'œil à Un-six-quatre en tordant le groin d'un air dégoûté.

– Les Colons qui l'ont accueillie ont dû lui faire subir des manipulations ou bien lui administrer un traitement quelconque. Elle a forcément dû recevoir des soins kinésithérapeutiques pour se trouver dans cet état-là, non ?

Un-six-quatre recula d'un pas. Il se demandait si cette salve verbale avait bien pris fin, ou si son cadet s'apprêtait à vomir un autre flot de paroles. Deux-trois-huit chantonnait tout seul à présent, ce qu'il interpréta comme un signal de fin, pour l'heure du moins.

– J'en doute fort, répondit Un-six-quatre d'un air songeur. Après tout… ce ne sont que de simples Colons… un policier du Quartier et sa famille… que savent-ils de ces choses-là ?

– Oui, vous avez raison, tout à fait raison, concéda Deux-trois-huit en parlant si vite qu'on aurait pu croire qu'il venait d'éternuer. Peut-être était-elle au mieux de sa forme lorsque les Styx l'ont emmenée, ce qui expliquerait pourquoi la dégradation est moins marquée que sur un sujet normal.

– Abandonnez ! C'est une pure spéculation théorique qui me fait perdre mon temps, rétorqua Un-six-quatre que son disciple commençait à lasser force d'oublier ainsi son rang.

En effet, il ne revenait pas à Deux-trois-huit d'émettre de telles hypothèses. Il lui restait encore à accomplir des années d'apprentissage.

– Comme vous le savez, nous lui ouvrirons le crâne dans la matinée… pour entreprendre une inspection multisegmentale de son tissu cérébral. Il sera intéressant de voir quelles zones de son cerveau ont été détruites ou endommagées suite à une exposition aussi intense à la Lumière noire.

– Je parierais que les lobes postérieurs sont en bouillie, déclara Deux-trois-huit. Ils se répandront sur la table d'examen dès la première incision, c'est pourquoi il est sans doute nécessaire d'installer un récipient, si nous ne voulons pas patauger dans la cervelle ou encore la voir filer dans les égouts sans avoir pu procéder à une analyse complète.

C'en était trop. Deux-trois-huit avait dépassé les bornes. La physiologie neuronale et l'application des techniques d'interrogatoire constituaient le domaine de spécialité de Un-six-quatre, et ce dernier n'appréciait guère qu'un jeune freluquet doublé d'un moulin à paroles cherche à usurper son autorité. Et ce d'autant moins que le jeune homme avait raison.

– Suffit ! Préparez-la pour la dissection, ordonna froidement Un-six-quatre. Rasez-lui le crâne et branchez-lui un goutte-à-goutte. Je ne veux pas qu'elle nous lâche avant demain. J'aime bien disséquer mes sujets tant qu'ils sont frais et que leur cœur bat encore.

Deux-trois-huit acquiesça en arborant un air servile de circonstance, puis il fila vers les armoires qui tapissaient le mur où l'on rangeait les instruments chirurgicaux. Il n'aimait pas beaucoup l'arrogance de Un-six-quatre à son égard, mais il était prêt à attendre son heure. Un jour, les choses seraient différentes. Il aurait son propre domaine de recherche, ses propres apprentis qu'il pourrait malmener à son tour, et ses propres corps à découper en rondelles.

Mme Burrows était parfaitement consciente de l'endroit où elle se trouvait. Elle avait émergé des recoins obscurs de son cerveau pour écouter l'échange des deux Scientifiques. Même si elle n'avait aucun moyen de savoir à quoi ils ressemblaient, elle s'imaginait deux avatars du Dr Burrows qui se tenaient là à discuter de son cas comme si elle n'était rien de plus qu'un morceau de viande qu'ils s'apprêtaient à découper. Ces chercheurs étaient tellement absorbés par leurs travaux qu'ils lui rappelaient la passion dévorante et égoïste de son mari pour sa chère archéologie.

Deux-trois-huit lui manipulait la tête sans ménagement et lui coupait les cheveux un peu au hasard à l'aide d'une paire de ciseaux. Il lui déversa ensuite un récipient d'eau sur le cuir chevelu, y étala du savon et se mit à la raser au plus près avec une lame extrêmement tranchante. Encore une autre ignominie, songea-t-elle. Elle y laissait certes toute sa chevelure, mais il fallait qu'elle attende encore un peu avant d'agir.

Drake dévalait les marches de l'escalier en colimaçon à la suite d'Eddie. Il suait tant sous son épaisse combinaison NBC que les verres de son masque ne cessaient de s'embuer, si bien qu'il faillit se cogner contre Eddie lorsque le Styx s'arrêta sans prévenir. Qui plus est, Drake ne pouvait pas respirer librement sous un tel harnachement, ce qui n'aidait guère.

– Qu'est-ce qui se passe ? lui demanda Drake par radio en s'efforçant d'entrevoir ce qui se trouvait devant lui.

– Voyez vous-même, répondit Eddie en écartant les sombres écheveaux que formait une plante semblable à du lierre et dont les feuilles lobées et phosphorescentes émettaient une sinistre lueur verte. Je vous présente l'ancien royaume des Brutéens, déclara le Styx. C'était le peuple le plus redouté de toute l'Eurasie, au XIIe siècle avant Jésus-Christ.

Drake se rangea à son côté, puis il écarta la végétation, tout en retenant son souffle, pour désembuer les verres de son masque.

– Bon Dieu ! s'exclama-t-il.

Ils se trouvaient en effet à une centaine de mètres du sol, face à une ouverture creusée dans la paroi abrupte d'une caverne, dont il était difficile d'embrasser toute l'étendue d'un seul coup d'œil. Drake avait l'impression de contempler la ville de Londres depuis le sommet d'un très haut bâtiment, au crépuscule ou bien à l'aube, par une journée d'été brumeuse. Il se pencha un peu en avant et vit les énormes éperons de pierre qui jaillissaient du sol pour s'élancer jusqu'au toit de la grotte, comme autant de piliers obliques.

La zone était envahie par la végétation et il ne cessait d'écarter les feuilles qui lui masquaient la vue. Non seulement il y en avait sur les parois, mais elles avaient aussi colonisé les étendues de boue qui entouraient la cité. Elles émettaient une douce lueur, dont l'intensité était telle que Drake comprit qu'il n'aurait pas besoin des torches qu'il avait emportées.

Au cœur de cet immense halo de lumière se dressait la silhouette sombre de la Cité éternelle. Drake empruntait d'autres voies pour entrer et sortir de la Colonie, et il n'avait jamais eu besoin de passer par la cité pour en explorer de nouvelles. Jusqu'à ce jour, il ne l'avait jamais vue de ses propres yeux. Will la lui avait pourtant décrite par le menu, mais ce qu'il en apercevait désormais, même à pareille distance, défiait presque l'entendement.

Avide d'en voir plus, il pointa la lunette de sa carabine sur la ville et balaya l'ensemble. Où qu'il posât le regard, se dressaient des bâtiments d'une hauteur phénoménale.

– Époustouflant, murmura-t-il.

Il y avait des temples à colonnades colossaux, des tours qui semblaient tout droit sorties d'un conte de fées qui aurait terrorisé n'importe quel enfant, des rangées de statues, et puis des fleuves qui sinuaient à travers la cité, pareils à de longs serpents lents et noirs. Entre les bâtiments couraient de vastes avenues que scrutait Eddie à l'aide de sa lunette.

– Je ne vois aucun escadron de la Division, mais cela ne signifie pas qu'il n'y en ait pas, dit-il. Ils effectuent surtout des patrouilles de routine pour vérifier que personne n'a franchi la frontière, mais de temps à autre, ils…

– … ils escortent des groupes de Scientifiques qui viennent prélever des spécimens, conclut Drake qui se souvenait de ce que lui avait expliqué Eddie auparavant. La rumeur courait dans la Colonie que vous comptiez déplacer toute la population dans la cité, ajouta-t-il. Beaucoup semblaient y croire, mais y avait-il une once de vérité derrière tout ça ?

– La Panoplie n'avait jamais complètement abandonné l'idée. C'était une de nos options, si jamais la Découverte avait lieu.

– Vous voulez parler du jour fatidique où les Surfaciens flaireront l'existence de la Colonie ? demanda Drake.

– Ça arrivera forcément un jour ou l'autre, mais la Colonie ne dispose pas des forces nécessaires pour rendre cet endroit habitable, dit Eddie en abaissant sa carabine, pour lever les yeux vers le toit, situé à quatre ou cinq cents mètres au-dessus de leurs têtes. La canopée est constituée d'une strate de granit exceptionnellement dense, c'est pourquoi vos géologues surfaciens n'ont jamais détecté cette cavité. Cela signifie aussi que ce bloc pourrait se fissurer et s'effondrer un jour, sous l'effet d'une secousse sismique majeure, ce qui serait catastrophique pour la Cité éternelle, et pour Londres en Surface.

– Impensable, acquiesça Drake en baissant les yeux.

C'est alors qu'il remarqua un gros anneau de métal rouillé et abîmé, serti dans la pierre juste à ses pieds. Malgré le feuillage phosphorescent qui le recouvrait, il vit que la grosse chaîne qui y était attachée courait sur la corniche, avant de plonger dans le vide et de longer la paroi de la caverne en contrebas. Il s'agenouilla pour tirer sur la chaîne de sa main gantée, mais il ne parvint pas à la déplacer d'un pouce. Les gros maillons lui glissaient entre les doigts.

– Cette chaîne n'est pas utilisable, et c'est pourquoi nous avons emporté ceci, dit Eddie en déposant le rouleau de corde qu'il portait sur l'épaule avant d'en nouer une extrémité à l'anneau de fer. Je pars en éclaireur, dit-il en s'apprêtant à descendre en rappel après avoir lancé le reste de la corde dans le vide.

Drake attendit de ne plus sentir aucune tension dans la corde, puis il partit à la suite d'Eddie. À peine eut-il touché terre qu'il sentit la bruine qui tombait du toit. Elle n'avait rien de constant, car des bourrasques de vent sporadiques balayaient les averses légères ici et là. Scrutant les environs, Drake distingua des bâtiments rectangulaires sur le sol tout autour de lui, noyés sous des couches de végétaux phosphorescents auxquels se mêlait une autre plante plus sombre, qui n'émettait aucune lumière. Il se rapprocha de l'une de ses structures encore visible sous la masse végétale et vit qu'elle reposait sur quatre pieds en pierre et faisait approximativement la taille d'une cabine téléphonique couchée sur le sol. Drake en caressa la surface mate dans le sens de la longueur et crut voir une faible lueur en émaner. Ou peut-être même qu'elle venait de l'intérieur.

– Un panneau de mica, indiqua Eddie dont la voix grésilla dans son oreillette.

Drake entendit un bruit de succion derrière lui et Eddie surgit de nulle part. Pris par surprise, Drake leva instinctivement sa carabine.

– Tout doux, lui dit Eddie.

– Désolé, répondit Drake, mais si vous tenez absolument à vous approcher ainsi sans un bruit…

– Mais je n'ai rien fait de tel, contra Eddie.

Drake comprit alors qu'Eddie n'avait sans doute pas voulu le prendre par surprise. Le Styx était dans son élément, ici. Il avait été entraîné à évoluer dans des environnements semblables, et ce comportement furtif était comme une seconde nature.

– Vous parliez de mica ? lui demanda Drake.

– Oui, c'est un minéral translucide. Ce sont des tombes. Les Brutéens plaçaient leurs défunts guerriers sous ce qui se rapprochait le plus d'une plaque de verre à l'époque ; peut-être était-ce pour que leurs parents endeuillés puissent venir contempler leurs corps se putréfier.

– Voilà une idée originale… un peu comme la télé-mortalité, commenta Drake en regardant les tombes qui l'entouraient.

Maintenant qu'il y songeait, ces tombes ressemblaient à une série de grands écrans qu'on aurait orientés dans toutes les directions.

– Ça nous changerait de *Secret Story*, c'est sûr, mais je ne miserais pas sur le succès de l'émission. À moins que le public ne participe un peu plus, dit-il en gloussant. Mais revenons à nos moutons, dit-il en balayant la cité du regard. Des traces de la Division ?

– Rien à l'horizon, répondit Eddie qui se baissa pour ramasser une poignée d'algues sombres, qui flottaient dans une dépression remplie de vase. Frottez-vous tout le corps avec ça pour masquer votre odeur. Ça nous aidera à déjouer les Limiers.

– D'accord, répondit Drake en l'imitant.

Après avoir terminé, il tira deux objets de sa poche. On aurait dit des montres-bracelets.

– Voici les traceurs radars qui nous permettront de nous retrouver, dit-il en activant le dispositif de repérage, avant d'en tendre un à Eddie, qui l'accrocha à sa ceinture.

– J'ai votre signal à l'écran, dit Drake en examinant son appareil.

– Moi aussi, confirma Eddie.

– Bien… On s'en servira pour s'assurer qu'on se retrouve bien de l'autre côté de la cité, dit Drake. Comme convenu, faites de votre mieux pour déposer les bombes à intervalles réguliers à mesure que vous avancez. De toute façon, ce n'est pas très grave si vous vous trompez dans les distances et que vous les concentrez au même endroit.

Drake essuya les verres de son masque et leva les yeux vers l'averse tourbillonnante au-dessus de leurs têtes.

– Les courants aériens sont plus puissants que je ne le croyais, ils contribueront à disperser parfaitement le pesticide. Et si jamais ça ne marchait pas et qu'un escargot du Fléau s'en sortait par miracle, on pourrait toujours tenter autre chose, ajouta-t-il en regardant Eddie, qui se tenait là dans sa combinaison NBC.

– Ça marchera, répondit Eddie avec confiance. Bonne chance, Drake, et à tout à l'heure, de l'autre côté.

– Ouais, si tant est qu'aucun de tes anciens potes ne s'incruste à notre petite fête, répliqua Drake en riant.

Après s'être adressé un dernier salut, ils partirent le long des marges de la ville, chacun dans un sens opposé.

Chapitre Vingt-huit

Chester et son père pénétrèrent dans la ruelle qui menait à Dean's Yard. Ils transportaient une malle.

– Bonjour, salua le gardien, qui se mit aussitôt en travers de leur route.

– Bien le bonjour à vous, répondit M. Rawls d'un ton faussement enjoué. J'amène mon fils à l'école. Notre jet privé a connu, hélas, quelques avaries motrices, et nous avons dû passer par Paris Orly pour y effectuer des réparations d'urgence. Par conséquent, nous avons atterri il y a une heure, et mon fils est affreusement en retard pour l'école, n'est-ce pas, Rupert ?

– Oui, père, répondit Chester avec le ton affecté du grand monde.

– Affreusement en retard, répéta le gardien en dévisageant M. Rawls, puis Chester dont le jean et le maillot de rugby rayé ne semblaient guère le convaincre.

M. Rawls toussota en levant la tête vers la place pour manifester son impatience.

– Puis-je connaître votre nom, monsieur ? demanda le gardien.

– Prentiss, répondit M. Rawls.

Le gardien avait remarqué les initiales RP, peintes sur la malle, et cette dernière information suffit à dissiper ses doutes.

– Bien sûr, messieurs, vous devez être épuisés. Par ici, s'il vous plaît, dit-il. Puis-je vous aider, monsieur ? Votre malle semble lourde.

– Non, répondit M. Rawls un peu trop vite avant de se reprendre. Merci… c'est fort aimable à vous… mais nous nous débrouillerons très bien nous-mêmes.

– Fort bien, monsieur, répondit le gardien en s'effaçant pour les laisser passer. Jet privé… Paris « Ohly »… Prout ma chère, marmonna le gardien dans sa barbe une fois que Chester et son père furent hors de portée de voix. Sales aristos. Certains se la coulent douce, pendant que moi, je suis coincé là toute la nuit à me geler les fesses.

– Bien joué, papa, dit Chester à son père en jetant un coup d'œil par-dessus son épaule. Mais Rupert ? *Rupert* ? Qu'est-ce qui t'a poussé à choisir un nom pareil ? demanda-t-il à mi-voix.

– Il fallait que ça commence par R, et puis c'est comme ça que je voulais t'appeler quand tu es né. J'ai toujours pensé que Rupert Rawls, ça sonnait plutôt bien, répondit son père. Mais ta mère n'a jamais voulu en entendre parler, ajouta-t-il en secouant la tête.

– J'en suis ravi. Ah, ma bonne petite maman, dit Chester, pris d'une angoisse soudaine en repensant à sa mère. J'espère juste qu'elle va bien.

Chester n'eut aucune difficulté à reconnaître le porche que lui avait décrit Drake, et ils transportèrent la malle à l'intérieur. Ils filèrent droit vers la seconde porte qui menait à la cave.

– On n'a pas besoin d'une clé ? demanda M. Rawls en voyant la serrure.

– Non, Drake a dit qu'il s'en était chargé, répondit Chester en poussant la vieille porte en bois. La solution la plus simple est parfois la meilleure, murmura Chester en jetant un coup d'œil à l'endroit où le verrou aurait dû s'engager dans la serrure encastrée.

Il se rappela ce que Drake lui avait demandé : il extirpa le petit coin de métal que ce dernier avait inséré dans la fente de la plaque avant et le fourra dans sa poche.

– Il est venu ici plus tôt pour bloquer la porte, n'est-ce pas ? demanda M. Rawls.

– Assure-toi juste qu'elle ne se referme pas derrière nous, ou on ne ressortira jamais d'ici, répondit Chester en lui adressant un clin d'œil.

Ils transportèrent la malle en bas des marches, puis se dirigèrent vers le bout de la cave où ils la déposèrent derrière les cartons de rangement, à l'abri des regards.

– C'est bon, papa. Drake ne veut pas que tu en voies plus, au cas où…

– Oui, je sais, je sais… au cas où je me ferais à nouveau kidnapper, dit-il avec un regard malheureux. Chester, je ne suis pas taillé pour ça. J'ai passé la plus grande partie de ma vie derrière un bureau à travailler sur des rapports actuariels. Je suis si inquiet pour ta mère que je n'arrive pas à garder les idées claires, ajouta-t-il avec un soupir mélancolique. Je sais que je ne serai jamais taillé pour ces trucs de cape et d'épée. Et je me demande comment tu fais.

– Très bien, papa, est-ce qu'on peut reparler de tout ça plus tard ? dit Chester, désolé de devoir interrompre ainsi son père. J'ai un agenda serré.

– Oui, bien sûr, répondit M. Rawls d'un ton résigné. Mais tu es vraiment sûr que je ne peux rien faire d'autre pour t'aider ? J'ai l'impression d'être la cinquième roue du carrosse.

– Tu as déjà fait bien assez, papa. Tu me rendras service si tu retournes à l'entrepôt et que tu nous attends là-bas, dit Chester. Dès que je verrai Drake, je lui parlerai de maman.

– Très bien, mon fils, marmonna M. Rawls.

Chester regarda son père s'éloigner entre les cartons, tête baissée et empli de tristesse. Il avait l'air si fragile et si vulnérable. Chester comprit alors à quel point il avait envie de le protéger, comme s'ils avaient échangé leurs rôles et qu'il devait désormais veiller sur son père et lui dire ce qu'il devait faire.

Chester était impuissant face à la tristesse de son père, et il ne pouvait pas non plus se laisser distraire par ce qui était arrivé à sa mère. Pas maintenant.

Il ouvrit la malle et en sortit une carabine et une cartouchière, puis deux lourds sacs à dos, qu'il saisit par la bandoulière avant de les poser sur le côté.

– Ils pèsent une tonne. Je me demande ce que Drake a bien pu mettre là-dedans, se demanda-t-il. Seules les personnes concernées seront informées, marmonna-t-il à plusieurs reprises en secouant la tête. Je n'ai jamais vraiment aimé Oui-Oui, lança-t-il dans le vide en extirpant la combinaison NBC qui gisait tout au fond de la malle.

Il fallut deux bonnes heures à Drake et Eddie pour parcourir les marges de la cité envahies par les mauvaises herbes. Après avoir placé leur dernière bombe aérosol, ils se retrouvèrent comme convenu au point de rendez-vous.

– C'est par là que nous entrerons, dit Eddie lorsqu'ils approchèrent de l'épaisse muraille qui entourait la ville.

Drake comprit ce qu'il voulait dire en voyant les gros blocs de pierre qui s'étaient effondrés, créant une brèche derrière laquelle se dressait un bâtiment sans fenêtres, de la taille d'un hangar à avions. Drake n'aurait pas traversé la cité sans avoir Eddie pour guide, car le Styx en connaissait le plan. Il s'agissait du plus court chemin pour revenir à l'endroit par où ils étaient entrés dans la caverne.

Après avoir franchi la brèche, ils se laissèrent choir dans un caniveau rempli d'eau, dont ils suivirent ensuite le tracé. Drake jeta un coup d'œil au mur du bâtiment adjacent, haut de trois étages. On en avait entièrement sculpté la façade. Une procession d'hommes barbus à l'allure féroce et aux longs cheveux décoiffés qui flottaient derrière eux, tels autant de serpents, formaient une frise. Ils étaient vêtus de pagnes et portaient une lance à la main.

– Je ne suis pas fâché qu'on n'ait pas affaire à eux, commenta Drake en émergeant de l'eau noire.

Drake resta en arrière, pendant qu'Eddie s'avançait furtivement jusqu'au coin du bâtiment. Le Styx s'accroupit et scruta l'horizon avec la lunette de sa carabine.

– Rien à signaler, dit Eddie.

Ils s'engagèrent alors dans l'une des vastes avenues que Drake avait aperçues dans le lointain. À présent qu'il se trouvait à l'intérieur de la cité, il en avait le souffle coupé.

– Mon Dieu ! C'est le pays des géants ! s'exclama-t-il.

Drake n'en revenait pas. Les porches des bâtiments faisaient plusieurs fois la taille d'un être humain normal. Tous les temples et tous les palais semblaient avoir été construits par une race d'êtres incroyablement grands. Des nappes de brume s'attardaient sur le sol, semblables aux fantômes des anciens habitants de la cité, depuis longtemps disparus, prisonniers des zones abritées du vent situées en bordure de l'avenue.

Drake et Eddie parcoururent plusieurs avenues, en longeant les murs des bâtiments, contraints dès lors d'escalader des blocs de pierre qui s'étaient effondrés. De temps à autre, Eddie marquait l'arrêt et vérifiait les environs. C'est à l'une de ces occasions que

Drake repéra quelque chose, dans une zone à découvert à plusieurs centaines de mètres au-devant d'eux.

– Est-ce que c'est là l'Estrade des prisonniers dont parlait Will ? demanda-t-il en indiquant une structure qui reposait sur plusieurs piliers de pierre.

Il y avait de vagues formes humaines aux silhouettes tordues, qui semblaient avoir été sculptées dans une pierre de couleur claire.

– Il m'a dit qu'on avait enchaîné de véritables individus là-haut et qu'ils s'étaient fossilisés, ajouta Drake, se servant de sa lunette télescopique pour examiner ce qu'il restait des entraves et des chaînes rouillées encore attachées à leurs membres.

Eddie ne répondit pas et se contenta d'un geste pour l'inviter à repartir. Ils entrèrent dans un bâtiment au sol de marbre peuplé d'échos, et gravirent plusieurs escaliers jusqu'à ce qu'ils tombent sur un obstacle qui leur barrait le chemin. Eddie entraîna Drake dans un couloir, puis ils sortirent sur un balcon.

– Voici l'un des postes d'observation préférés de la Division. Ils y placent souvent deux hommes. Regardez un peu.

– Je comprends pourquoi, répondit Drake qui embrassait toute la cité du regard, frappé par l'étendue urbaine.

Drake vit le grand bâtiment coiffé d'un dôme dont lui avait parlé Will. Il ressemblait vraiment à la cathédrale Saint-Paul, alors même qu'on l'avait construit des siècles avant son avatar surfacien.

– Vous permettez ? demanda Eddie, et Drake se retira pour laisser la place au Styx, qui scruta les avenues en contrebas.

Après avoir vérifié qu'il n'y avait vraiment personne, ils rebroussèrent chemin, descendirent les escaliers et se retrouvèrent à nouveau à l'extérieur du bâtiment. Eddie conduisit Drake dans un passage souterrain inondé.

– Faites attention ici, dit-il en sortant sa lanterne styx.

Drake ne lui demanda pas pourquoi, mais il alluma sa torche et la maintint contre le canon de sa carabine. Il aurait préféré porter l'une de ses lentilles à amplification lumineuse, mais c'était trop peu commode sous son masque à gaz. Ils avaient parcouru plusieurs centaines de mètres, lorsqu'une créature fonça droit sur eux en éclaboussant tout sur son passage. Eddie réagit à la vitesse de la lumière, effectua un bond en arrière et écrasa du talon la chose qui continuait à avancer sur eux.

Elle explosa en une masse gélatineuse, comme s'il venait d'écrabouiller une limace de la taille d'un potiron. Une déchirure dans son épaisse peau noire laissait entrevoir ses organes internes, desquels s'écoulait un liquide sombre et violet qui se mêlait à l'eau stagnante.

– Waouh ! C'était quoi ce truc, bon sang ? s'écria Drake.

Eddie retourna la créature de la pointe de sa botte, pour lui montrer sa féroce denture.

– Les Scientifiques pensent qu'il s'agit d'une sorte de champignon unique en son genre, qui a évolué au cœur de la cité. Il est carnivore et capable de se déplacer.

– M'en parlez pas, souffla Drake. Y a-t-il d'autres choses que je devrais savoir ? Des champignons volants, par exemple ?

– Non, ils ne volent pas, répondit Eddie d'un ton neutre, comme si Drake venait de lui poser une vraie question.

Ils reprirent leur progression et arrivèrent enfin au pied du mur d'enceinte où Drake marqua l'arrêt.

– Je crois que cet endroit fera l'affaire tout aussi bien qu'un autre. Il est temps de voir si mon détonateur radiocommandé fonctionne comme prévu.

Drake défit une bourse qu'il portait à la ceinture et en extirpa une petite boîte dont il déploya l'antenne. Il souleva le boîtier qui protégeait le tableau de bord, et appuya sur un bouton. Une diode verte s'alluma.

– Il est armé. À vous l'honneur, dit-il en le tendant à Eddie. Comme vous vous en doutez, il faut appuyer sur le gros bouton rouge.

Eddie s'exécuta en tenant l'appareil devant lui.

Une série d'explosions étouffées, accompagnées d'éclairs lumineux, retentirent sur tout le périmètre de la caverne. Des nuages vaporeux s'élevèrent de chacune des bombes aérosols, un instant éclairés par le rougeoiement des charges explosives avant de disparaître rapidement.

– Pas très impressionnant, commenta Drake en se tournant vers Eddie. On n'en a pas vraiment pour son argent, pas vrai ?

– Du moment que ça marche, répondit Eddie. Il est temps d'évacuer les lieux. Si jamais des soldats de la Division se trouvent dans les parages, ils voudront savoir qui est responsable de ça.

– Tu m'étonnes, répondit Drake.

Ils s'empressèrent alors de filer, franchissant une arche dans le mur d'enceinte pour rejoindre les étendues de boue, et ensuite la paroi où se trouvait la corde.

Lorsqu'ils arrivèrent à hauteur des tombes rectangulaires, un coup de feu retentit.

– Contact ! hurla Drake.

La balle était passée entre les deux hommes et s'était fichée dans le panneau de mica d'un tombeau qui se fissurait à vue d'œil et finit par se briser, révélant la forme noire et putréfiée qui gisait à l'intérieur.

Drake et Eddie se jetèrent à plat ventre, roulèrent sur le sol dans des directions opposées pour se mettre à couvert derrière les tombeaux.

– D'où ça venait ? demanda aussitôt Drake.

– Face à la cité, une patrouille de quatre hommes à deux heures, répondit Eddie sans la moindre émotion avant de s'interrompre brutalement.

Eddie ne les voyait nulle part dans la visée de la lunette à amplification lumineuse de sa carabine. Il prit un instant pour essuyer les verres de son masque. Il n'avait pas affaire à des amateurs, et il avait besoin de mobiliser tous ses sens. Le seul problème était que la capuche de sa combinaison NBC réduisait son acuité auditive et il prit donc le risque de l'abaisser. Son masque à gaz le protégerait des pathogènes transportés par voie aérienne.

Drake dressa l'oreille, aux aguets. Les secondes lui semblaient durer des heures, tandis qu'il s'efforçait de distinguer le moindre détail, mais il n'entendait que le vent et le bruit régulier de l'eau qui gouttait tout autour de lui.

Quand, tout à coup, il entendit quelque chose.

À peine audible, le bruit d'une inspiration. Il se tourna juste à temps pour voir un énorme Limier qui se jetait sur lui. La sinistre lueur verte qui baignait les lieux se reflétait dans les yeux en amande de la bête.

Manquant de perdre l'équilibre en glissant sur les herbes gluantes alors qu'il reculait d'un pas, Drake tira en positionnant son arme à hauteur de sa hanche. La fléchette tranquillisante atteignit le chien au flanc, qui s'arrêta en dérapant, puis se mit à patauger. Cependant, la drogue n'avait manifestement pas encore agi. L'animal avait été tout simplement surpris de recevoir une fléchette. Drake comprit alors qu'il n'était pas tiré d'affaire, lorsqu'il vit le Limier éternuer et secouer la tête tel un taureau dans l'arène. Ce dernier se tourna et s'élança vers Drake dans un nouvel assaut.

Après avoir couru sur quelques mètres, le chien de l'enfer, qui pesait plusieurs centaines de kilos, bondit dans les airs et se jeta sur Drake. Mais l'homme était prêt, cette fois-ci. Il décocha une fléchette qui le frappa à l'œil. Le tranquillisant sembla plus efficace cette fois-ci, car le corps du Limier devint aussitôt flasque, mais il n'avait pas perdu son élan pour autant. Telle une quille frappée par une boule de bowling, Drake se retrouva plaqué contre le sol saturé d'eau, le souffle coupé par le choc.

Drake n'était pas blessé, mais il resta allongé sur le sol, cherchant à s'abriter derrière la tombe couverte de végétation la plus proche.

– Un Limier de moins, souffla-t-il dans son micro après avoir repris son souffle.

Malgré le silencieux qu'il avait installé sur le canon de sa carabine, elle avait néanmoins émis un son semblable à celui d'un ballon crevé au moment du tir, ce qui préoccupait Drake. Les soldats styx avaient peut-être repéré sa position, du coup. Il fallait qu'il se déplace, et vite. Il jeta un coup d'œil de l'autre côté du tombeau. La voie semblait libre et il s'avança à découvert, songeant à quel point ils avaient été chanceux. La patrouille de la Division n'avait pas eu le temps de leur tendre une embuscade et la situation était encore fluide.

Drake scruta ses environs immédiats à l'aide de sa lunette et perçut un bref mouvement à moins de quinze mètres de là, comme si une ombre venait de passer. Il vérifia rapidement le traceur qu'il portait au poignet, car il ne voulait pas mettre Eddie au tapis par accident. Il ne se trouvait pas dans cette zone.

– Je crois que j'ai une cible. À sept heures, face à la ville. Il est derrière nous. Ils essaient de nous couper la route vers la sortie.

Drake garda les yeux rivés sur l'endroit où il avait perçu un mouvement.

Plusieurs secondes s'écoulèrent.

Drake réagit instantanément dès que le soldat styx sortit à découvert de derrière un tombeau. Il toucha au bras l'homme, qui arracha aussitôt la fléchette, effectua quelques pas vacillants et s'effondra enfin sur le sol. Drake le rejoignit, et d'un coup de pied envoya valdinguer sa carabine au loin.

Le soldat portait un long manteau. Drake reconnut immédiatement le camouflage gris-vert typique de la Division. Il portait de grosses lunettes de protection de forme arrondie, et un masque à gaz styx lui couvrait le bas du visage.

– Tu vas nous faire un gros dodo pour un bon moment, murmura Drake en lui tirant une autre fléchette dans la jambe à bout portant.

Il ne voulait pas courir le risque qu'un soldat n'ait pas reçu une dose complète de tranquillisant.

– Un soldat de la Division au tapis, indiqua Drake dans son micro, tout en se demandant pourquoi il n'avait pas encore reçu de nouvelles d'Eddie.

Drake se mit à courir à croupetons vers la paroi par laquelle ils étaient descendus dans la caverne et où il espérait retrouver la corde. Tout dépendait de ça.

– Je vérifie la zone comprise entre six et neuf heures, informa-t-il Eddie.

Il jeta un coup d'œil à son traceur et fut surpris de voir que le signal d'Eddie se trouvait juste à côté du sien.

– Je me suis occupé des autres, dit Eddie en surgissant à ses côtés, puis il déposa trois des longues carabines styx à ses pieds.

– Mais le...

Eddie n'eut pas le temps de terminer sa phrase car un autre coup de feu retentit soudain.

– Ça venait d'en haut, commenta Eddie en scrutant les parties supérieures de la caverne.

Mais il ne s'attarda pas plus longtemps, car ils virent simultanément une silhouette à moins de vingt mètres de là. L'homme les attendait en embuscade non loin du point où était suspendue la corde. Il porta la main à son épaule avant de tomber à genoux, et il s'effondra enfin, face contre terre.

– C'est un Limiteur. Surveillez mes arrières, dit Eddie tandis qu'ils se rapprochaient du corps étendu sur le sol.

Lorsque Eddie le retourna, Drake put constater qu'il avait raison. L'homme ne portait pas le même manteau que les soldats de la Division. Le motif camouflage comportait des rectangles d'un marron différent. Il avait du sang sur le torse qui provenait d'une blessure à l'épaule.

– On lui a tiré dessus à balles réelles. Ce n'est pas l'œuvre d'une fléchette tranquillisante, constata Eddie. Et en plus, je connais cet homme. C'est un officier limiteur. En général, ils n'accompagnent pas les patrouilles de la Division, dit-il en adressant un bref regard à Drake.

– Mais vous, si, répondit Drake.

Mais Eddie n'écoutait pas. Il palpait la carotide du soldat pour vérifier son pouls.

– Il est encore en vie, dit-il en pointant sa carabine vers l'ouverture où était attachée la corde. Mais qui se trouve là-haut ?

Avant qu'Eddie n'ait eu le temps de réagir, Drake lui avait déjà passé le bras autour du cou et l'étranglait.

Eddie se débattit, s'efforçant de le frapper au visage d'un coup de coude.

– Sûrement pas ! rugit Drake en lui comprimant la trachée tout en lui tordant le cou au point de lui rompre les cervicales, si bien que le Styx pouvait à peine respirer.

– Tu peux pas te défendre. Laisse tomber ta carabine ou je te tue, lui dit Drake d'un ton qui ne laissait planer aucun doute sur sa détermination. Mets les mains en l'air, et bien en vue.

Eddie obtempéra. Il savait qu'il n'avait guère le choix.

– Pourquoi ? Qu'est-ce qui se passe ? souffla-t-il.

– Tu as commis deux erreurs. La première, c'est que personne, et j'ai bien dit personne, ne savait que Fiona était enceinte, lui murmura Drake au creux de l'oreille. Il était trop tôt pour qu'elle le dise à quiconque. Comment se fait-il donc que tu sois au courant ? Je t'aurais accordé le bénéfice du doute, car tu pouvais l'avoir appris via ton réseau de surveillance surfacien, mais tu as laissé échapper quelque chose d'autre. Tu as fait référence à mon copain de fac en l'appelant « Lukey ».

Eddie tenta de dire quelque chose, mais Drake resserra son étreinte.

– Non, tais-toi et écoute ! tonna Drake. Fiona était la seule à l'appeler Lukey. C'était le petit surnom qu'elle lui avait donné. Je ne le savais que parce que je les avais entendus par hasard, une ou deux fois dans leur chambre. Mais toi, tu le savais parce qu'elle l'a dit sous la torture, n'est-ce pas ? Lorsqu'on l'interrogeait. Ce qui veut dire que tu étais là quand elle a été soumise à la Lumière noire et qu'elle est morte d'une hémorragie interne, poursuivit froidement Drake à mi-voix, submergé par la colère. Or, ce type de surnom n'est pas vraiment le genre de petite chose triviale dont vous, les Styx, discutez entre vous.

Drake poussa un soupir et se tut pendant un instant, comme s'il essayait de reprendre le contrôle de lui-même.

– Marrant, vraiment. Dire que je pensais avoir trouvé quelqu'un en qui je pouvais avoir confiance, même si tu avais été mon ennemi auparavant.

Eddie gémit, tandis que Drake augmenta la pression sur sa trachée.

– Je croyais avoir trouvé quelqu'un avec qui je pouvais travailler. Un ami.

Eddie sombra dans l'inconscience, et Drake l'allongea sur le sol.

Drake se redressa, décrocha l'émetteur radio attaché à sa ceinture et modifia la fréquence.

– Chester, tu m'entends ?

– Oui, confirma Chester depuis l'ouverture située au-dessus de sa tête.

Il observait Drake dans sa lunette. Le jeune garçon était manifestement choqué après avoir tiré sur le Limiteur, et il parlait si vite que c'est à peine si Drake parvenait à le comprendre.

– J'ai bien fait ? Ce Limiteur s'apprêtait à vous tirer dessus. Je ne pouvais pas le laisser faire. Et qu'est-ce qui s'est passé avec Eddie ? J'ai vu ce que vous lui avez fait.

– Calme-toi. Tu as très bien fait. Tout va bien, répondit Drake, en vérifiant l'heure. Il faut qu'on passe par le Labyrinthe et qu'on rejoigne la Caverne Sud avant le lever du jour. Je veux arriver dans la Colonie pendant que tout le monde est encore endormi.

À l'aide de sa lunette, Drake localisa la tête de Chester, penché au-dessus de la végétation qui se jetait dans le vide.

– Envoie-moi d'abord les armes, dit-il, et ensuite les sacs à dos. Vas-y doucement, quoi qu'il arrive.

– Ouais, ça marche, répondit Chester en jetant un coup d'œil aux sacs à dos chargés qu'il avait posés sur le sol à côté de lui.

Chester avait dû effectuer deux allers-retours entre la cave surfacienne et cet endroit, car il n'aurait jamais pu les transporter tous les deux en un seul voyage tant ils étaient lourds.

Drake observa Eddie, étalé sur le sol à ses pieds.

– Je dois ramollir… je te laisse la vie sauve, marmonna-t-il en lui décochant une fléchette dans le bras. De toute façon, tu ne m'aurais jamais laissé mener à bien la suite de mon plan, dit-il à l'homme qui gisait, inconscient.

Chester raconta à Drake comment sa mère était sortie de l'hôtel, tandis qu'ils contournaient la Cité éternelle. Drake lui assura qu'il avait eu raison de dire à son père de les attendre à l'entrepôt, mais il ne pouvait guère le rassurer, pour le moment, quant au sort peu enviable de Mme Rawls. Il s'en occuperait dès leur retour en Surface. Drake ne tenait pas à parler de ce qui s'était passé avec Eddie, si ce n'est qu'il constituait un obstacle à la seconde phase de l'opération. Il fallait donc le « rayer de l'équation », selon ses propres termes.

– Je suis ravi qu'on ne soit pas passés par là. Cet endroit me fiche la chair de poule, dit Chester alors qu'ils s'attardaient sur la berge boueuse située aux marges de la caverne.

Ils se trouvaient sur un promontoire d'où Chester pouvait voir l'intérieur de la Cité éternelle par-delà les murs d'enceinte. Il frissonna à nouveau, poussant un cri censé imiter celui des fantômes. Les habitants étaient depuis longtemps disparus, mais il émanait une telle aura menaçante de ces bâtiments imposants qu'il se sentait vraiment mal à l'aise. Chester songea soudain que la situation de sa mère l'avait tant préoccupé qu'il n'avait guère réfléchi à la sienne. Drake refusait de lui dire ce qu'il comptait faire dans la Colonie, mais c'était forcément dangereux. Chester ne savait même pas s'il survivrait à cette journée, ni s'il reverrait son père.

– Allez, mon gars ! Reviens sur terre ! À quoi rêves-tu encore ? lui demanda Drake d'une voix grésillante dans son oreillette. Je te parle.

– Désolé, dit Chester qui se tourna pour voir Drake posté à l'entrée d'une grotte.

– Par ici, monsieur ! lui dit Drake en l'invitant à entrer à la manière d'un bateleur. Vous allez connaître l'un des labyrinthes les plus complexes du monde !

– Vraiment ? demanda Chester en déglutissant, puis il se précipita vers lui. Mais comment savez-vous quel chemin suivre ?

– Ton pote, Will... Il m'a donné le schéma que lui avait dessiné son oncle Tam. Je l'ai combiné avec plusieurs cartes de Limiteurs fort utiles, que j'ai prélevées dans la cave d'Eddie, et voilà le travail, dit Drake en plaçant un objet sous les yeux de Chester avec force effets de manche. La pointe de la technologie !

Chester aperçut la faible lueur qui émanait de l'écran de l'iPod.

– Quoi ? On va regarder des clips vidéo, maintenant ? dit-il en gloussant, visiblement de meilleure humeur.

– Non, pas avant d'avoir terminé tout ça. Tu vois, une boussole ne nous servirait à rien dans le Labyrinthe, à cause des dépôts de fer, et il est évidemment hors de question d'utiliser un GPS. J'ai dû faire preuve d'un peu de créativité. J'ai rassemblé toutes les cartes sur cet appareil et je les ai reliées à un podomètre. Je reçois même des instructions vocales dans mon oreillette. On ne devrait avoir aucun problème à passer de l'autre côté, mais il va falloir filer à la vitesse de l'éclair. T'as emporté tes baskets, j'espère.

– Oh, super ! grogna Chester en plaisantant. Je savais bien que ça n'allait pas être facile, ajouta-t-il en ajustant son sac à dos.

Ils foncèrent à toute allure et traversèrent des galeries de pierres couleur cerise, virant tant de fois que Chester en avait le tournis. Pour ne rien arranger, le sol sablonneux qui crissait sous leurs pas était légèrement incliné, et ils grimpèrent ainsi des heures durant.

– Tiens bon ! ordonna Drake qui venait de remarquer que le jeune garçon commençait à faiblir. Bien, tu peux ôter ce masque à gaz. On doit être assez loin maintenant pour que ce soit sans danger.

Chester n'en était pas vraiment convaincu, car il se souvenait encore de la maladie de Will, mais Drake ne sembla pas hésiter une seule seconde à arracher son masque. Chester l'imita et s'aperçut qu'il avait les cheveux trempés de sueur.

– Bois un peu ou tu vas bientôt avoir des crampes, lui conseilla Drake.

– Tu parles d'un entraînement de rugby, soupira Chester en prenant la gourde qui était accrochée à sa ceinture avant d'avaler plusieurs gorgées d'eau.

Drake s'arrêta à nouveau au bout d'une heure, même si leur course était désormais plus aisée, car ils pouvaient respirer normalement.

– C'est une porte ? On est arrivés ? demanda Chester en s'affalant sur le sol, le souffle court et totalement épuisé, contrairement à Drake qui était à peine essoufflé.

– Presque, mais cette porte est scellée, dit-il en ôtant son sac à dos.

Il en extirpa ce que Chester prit pour un chapelet de saucisses, la vue manifestement troublée.

– C'est quoi ? De la nourriture ? demanda Chester.

– Pas vraiment, répondit Drake en posant le dispositif sur son torse. Un collier d'explosifs. Directionnels, pour en maximiser l'impact tout en réduisant le bruit de l'explosion au minimum.

Drake le plaça au pied de la porte, formant un vague carré, puis il se releva.

– Il est temps de reculer, dit-il à Chester, je vais exploser les saucisses.

– Je sais de qui Elliott tient cette manie de toujours tout faire sauter, ironisa Chester.

Ils partirent se mettre à couvert derrière un angle de la galerie et Drake se servit d'un détonateur radiocommandé. Un bruit sourd retentit alors, bien moins fort qu'une explosion classique, suivi par l'écho de la porte en fer qui venait de s'abattre sur la pierre.

– On y est, dit Drake. En joue, si jamais quelqu'un a entendu ça.

Ils franchirent le passage encore fumant et entrèrent dans une galerie qui conduisait directement à une grotte circulaire.

– Beurk ! C'est quoi cette odeur ? dit Chester en grimaçant.

Le sol était couvert de paille et Drake lui indiqua plusieurs appentis en tôle peu élevés desquels provenaient des grognements.

– La porcherie de la Colonie.

Ils avaient traversé la moitié de la grotte, lorsqu'un porcelet tout maigrichon émergea d'une touffe de paille et se mit à pousser des cris plaintifs en voyant Chester, puis il fila se réfugier sous l'un des appentis. Il avait dû avoir la frousse de sa vie, mais son cri strident avait fait bondir Chester.

– La ferme ! lança-t-il avec colère avant de poser le pied dans un gros tas de fumier qui rendit un son de succion déplaisant sous sa semelle. Dégueu, marmonna-t-il tandis que Drake enjambait une clôture.

Chester le suivit, puis ils traversèrent une petite galerie qui débouchait sur un passage beaucoup plus vaste.

– C'est l'accès principal. Ils ont dû vous faire passer par là, lorsqu'ils vous ont emmenés, Will et toi, depuis le Quartier. Tu vois les ornières creusées dans la roche, là-bas ? Elles sont dues aux carrioles qui circulent ici depuis des siècles. C'est bizarre, quand on y songe, non ?

Chester regarda fixement les deux sillons parallèles qui s'enfonçaient profondément dans le lit de roche.

– Le Portail à tête de mort se trouve un peu plus haut, l'informa Drake en pointant sur sa droite.

Chester n'écoutait pas. Tout à coup, la puanteur de l'air maintes fois recyclé lui frappa les narines. C'était l'essence même des milliers de gens qui vivaient dans la Colonie.

– Je n'aurais jamais cru devoir sentir à nouveau cette odeur. Je préfère encore le caca de cochon, et de loin, marmonna-t-il.

Chester fut pris d'un tremblement incontrôlable qui lui traversa le corps tout entier. Il ne connaissait que trop bien la puanteur du Quartier où il avait passé des mois, prisonnier du Cachot. Elle était associée à la plus sinistre et la plus triste période de sa vie. Tout allait alors si mal qu'il s'était préparé à mourir.

Mais il n'avait jamais perdu espoir en ce qui concernait Will. Il avait prié et prié encore pour qu'il vienne à sa rescousse et, par quelque miracle, son ami était enfin apparu pour l'arracher à sa prison. Le destin s'était montré cruel envers Chester, car les Styx l'avaient à nouveau capturé et l'avaient ramené de force au Cachot. Tous ses espoirs avaient été une fois de plus anéantis. C'était presque pire que de n'avoir jamais eu la possibilité de s'enfuir. Tout cela s'était passé peu de temps auparavant, mais il était parvenu à l'oublier, du moins jusque-là.

– Tout va bien ? lui demanda Drake qui venait de remarquer le silence du jeune garçon.

– Ouais, j'imagine, répondit Chester. On peut en finir et rentrer directement chez nous ?

– C'est bien l'idée, répondit Drake. Prochain arrêt, les Centrales d'aération.

Chapitre Vingt-neuf

Maintenant que Mme Burrows n'était plus dans la maison, Eliza et sa mère remettaient les meubles à la place où ils se trouvaient avant l'arrivée de cette invitée inopportune. Eliza avait réussi à traîner le lit jusqu'au premier étage, à grand renfort de soupirs et de grognements, mais elle avait fini par abandonner à mi-chemin. Il était décidément trop lourd et elle n'était pas assez forte. Quant à sa mère, on ne pouvait s'attendre à ce qu'elle lui donne un coup de main, surtout au vu de l'état de son « pauv' palpitant », comme elle se plaisait à le rappeler à sa fille. L'absence de son frère commençait à sérieusement agacer Eliza. Il aurait en effet pu les aider.

– Tu sais où il est parti, n'est-ce pas ? rugit-elle en se faufilant entre la rampe et le lit.

Elle était désormais coincée au bas de l'escalier.

– L'a dit qu'il filait s'en jeter une p'tite à la taverne, répondit sa mère en fronçant les sourcils.

– Ha ! C'est peu probable. Il n'emmène jamais Colly avec lui quand il va chez Tabards, lui dit Eliza.

– Ben dis-moi donc, dans ce cas, où c'est qu'il est parti ? demanda la vieille dame, qui avait suivi Eliza dans le salon.

– Pas difficile à deviner. Il est parti faire ses adieux éplorés à sa cinglée. T'as pas remarqué qu'il portait encore son uniforme, quand il a filé ? Depuis quand il va à la taverne en uniforme ?

– Dieu du ciel ! dit la veille dame. Ça n'en finira donc jamais, cette folie qu'il a attrapée ?

– Ça finira sous peu, grogna Eliza d'un ton déplaisant en plaçant une table d'appoint au coin de la pièce.

Puis, s'essuyant le front, elle regarda le buffet.

– Je crois qu'on peut se charger de ça toutes les deux, non ? Il suffit de le pousser sur quelques mètres le long du mur, et puis on pourra remettre le tapis là où il était avant.

Elles prirent place de part et d'autre du buffet.

– Décolle-le d'abord du mur. Il ne faut pas érafler le papier peint, dit Eliza. Un, deux, trois…

Elles firent glisser le buffet dont les pieds crissèrent sur le parquet. Elles entendirent soudain le bruit d'un objet s'abattant sur le sol. Eliza crut d'abord que l'un des pieds du meuble branlant avait cédé.

– Mon Dieu, mon pied ! hurla la vieille dame d'une voix stridente.

Eliza se précipita vers sa mère, qui sautillait sur place. Le buffet était intact, mais elle aperçut la bêche brillante de Will sur le sol. Elle se pencha pour la ramasser et jeta un coup d'œil à la marque de fabrique.

– M'a l'air surfacienne, dit-elle en secouant la tête, stupéfaite. Qu'est-ce que ça fiche là, bon sang ? Elle devait être coincée entre le mur et le buffet.

– Aïe ! Mon pied, mon pied ! aboyait encore la vieille dame qui continuait à sautiller sur place.

– Mais comment est-ce que cette bêche est arrivée là ? s'exclama Eliza, bien plus préoccupée par l'objet que par la douleur de sa mère. Peut-être que mon débile de frère a voulu nous la cacher pour une obscure raison ?

– J'en sais rien, moi, comment ce truc est arrivé là ! T'occupe donc pas de cette fichue pelle ! Mon pied, bon Dieu, il saigne ! s'écria la vieille dame indignée.

– Inutile de blasphémer ! la gronda Eliza. De toute façon, c'est pas une pelle… elle a le bord tranchant, dit-elle en montrant la lame à sa mère. Elle a le bord tranchant, c'est donc une bêche, ça sert à creuser.

– Je me fiche pas mal de son fichu nom, espèce de grosse vache stupide, grommela sa mère en rejoignant la cuisine tantôt clopinant, tantôt sautillant, mais sans jamais cesser de jurer comme un charretier.

– C'est là-haut qu'on va, murmura Drake en se plaquant contre la paroi de la galerie. La principale salle de contrôle des Stations de ventilation.

Chester tendit le cou pour voir les marches en fer forgé rivées à la paroi, semblables à un ancien escalier de secours. Il leva les yeux et vit, cinquante mètres plus haut, des nuages compacts et cendrés qui flottaient sous le plafond de la caverne et dont les ondulations grises lui faisaient penser à une sorte de mer inversée. Les volutes de fumée léchaient des structures en forme d'entonnoirs, encastrées dans le plafond de la caverne et à l'intérieur desquelles tournaient les pales des ventilateurs.

– Ce sont donc les ventilateurs ?

Drake aquiesca.

– Tu entends ce bourdonnement sourd ? lui demanda-t-il. Ils fonctionnent comme des systèmes d'extraction de fumée géants. C'est l'un des endroits par où s'évacue l'air confiné de la Caverne Sud, que l'on rejette à la Surface via des conduits camouflés.

– C'est donc pour ça qu'on a toute cette sale fumée en Surface ? C'est injuste, décréta Chester en fronçant les sourcils. Je croyais qu'Eddie était totalement contre la pollution ? Vous vous souvenez de tous ces trucs qu'il m'a dits ?

– Oublie ça, il cherchait à te manipuler. Ne crois jamais ce qu'un Col d'albâtre te raconte, répondit Drake. Chut ! dit-il soudain en levant la main. Réglés comme une horloge. La relève tombe à l'heure pile, murmura-t-il. Reste caché. Il ne faut pas qu'il te voie.

Plaqué contre la paroi à côté de Drake, Chester aperçut un homme courtaud qui s'approchait d'eux sans les voir. Il se dirigea vers l'escalier, qu'il commença à gravir pour rejoindre la salle de contrôle.

– On y va ? demanda Chester.

– Non, pas encore, répondit Drake.

Chester vit alors un autre homme qui descendait les marches. Il s'attarda au départ de l'escalier pour allumer une longue pipe, puis se remit en route.

– Bien, son collègue vient de prendre le relais. On peut y aller, annonça Drake.

Il se précipita vers l'escalier avec Chester à sa suite, et se mit à gravir les marches quatre à quatre, son pistolet à la main.

– Il y a toujours quelqu'un dans la salle de contrôle, dit-il en s'arrêtant devant la porte située tout en haut des marches. Le Colon n'est peut-être pas seul. Ouvre l'œil !

La vieille porte en fer n'était pas verrouillée. Drake l'ouvrit doucement et ils se glissèrent à l'intérieur d'une longue galerie, dotée d'une rangée de fenêtres aux huisseries de bois. On aurait dit un wagon de train datant d'une époque révolue, même si c'était bien plus large et bien plus long que n'importe quelle voiture surfacienne. Sur l'autre paroi courait un fantastique enchevêtrement de tuyaux archaïques en cuivre parfaitement poli. Fixés sur des panneaux de chêne noir, ils comportaient non seulement des leviers et autres valves, mais aussi des cadrans et des jauges qui cliquetaient et vibraient à l'unisson.

Le bruit que Chester avait entendu en contrebas était bien plus fort ici. Il s'agissait d'un battement sourd qui résonnait dans son crâne. Il avait l'impression d'être dans le ventre de quelque bête gigantesque, comme dans *Jonas et la baleine,* son histoire préférée dans la Bible, à la différence près qu'il se trouvait dans les poumons du monstre.

Drake avançait lentement dans la galerie, quand ils tombèrent soudain sur un Colon caché dans une alcôve au milieu des tuyaux.

L'homme imposant poussa un cri de surprise et bondit de son siège en envoyant valdinguer le jeu de cartes à jouer qu'il tenait à la main. Il avait des cheveux blancs hirsutes et portait une salopette gris-noir avec un foulard rouge noué autour du cou. Il cria encore en s'emparant d'une clé si énorme qu'elle en était comique.

– Désolé, lui dit Drake en lui décochant une fléchette tranquillisante.

Le Colon s'affala sur la table, qui s'effondra sous son poids considérable. Drake le retourna pour s'assurer qu'il n'avait pas été blessé dans sa chute. La fléchette était restée fichée dans son torse massif.

– Un Colon, murmura Chester avec une moue de dégoût. J'espérais vraiment ne jamais revoir un de ces cinglés.

– Cet homme n'est pas ton ennemi, lui dit Drake qui avait remarqué la manière dont Chester agrippait sa carabine. Il fait juste son travail.

– Ouais, comme ce sale type au Cachot, gronda Chester. On l'appelait « le second », et lui aussi faisait juste son travail ?

Drake extirpa un bout de papier de la poche intérieure de sa veste, le déplia et le tendit à Chester qui fixait toujours l'homme inconscient.

– C'est important. J'ai besoin que tu te concentres, ordonna Drake. Regarde ce dessin.

– Oui, et alors, qu'est-ce qu'il a, ce dessin ? demanda Chester en relâchant son emprise sur la carabine.

Il vit alors un panneau couvert de cinq grosses jauges d'où partaient de multiples tuyaux qui filaient vers le sol.

– Ça sert à mesurer la pression de l'air rejeté dans la caverne, indiqua Drake en se tournant vers la paroi tapissée de tuyaux. On va partir chacun d'une extrémité jusqu'à ce qu'on l'ait trouvé.

Chester appela Drake, il ne lui avait fallu que quelques minutes pour localiser la jauge en question.

– Bien, c'est ça. Enlève ton sac à dos et pose-le ici, dit-il en indiquant un endroit situé juste à côté du panneau.

Drake ouvrit alors le sac et en extirpa deux objets protégés par des étuis semblant avoir été découpés dans une couverture.

– Est-ce que ce sont des cylindres de gaz ? demanda Chester.

Drake acquiesça en vissant des tuyaux en plastique transparent sur les valves de chacun des cylindres qui devaient mesurer environ trente centimètres de longueur. Il les disposa sous le panneau, puis marqua un arrêt. Une idée venait de lui traverser l'esprit.

– Tu devrais les avoir sur toi… juste au cas où… dit-il en sortant deux petits tubes verts de sa cartouchière.

– Atro… atrop… s'efforça de déchiffrer Chester sur les étiquettes, mais il n'avait aucune idée de ce que cette inscription pouvait bien signifier.

– Ce sont des doses d'atropine injectable. Si jamais les choses tournaient mal et que tu te trouvais exposé au gaz contenu dans ces cylindres, arrache le capuchon de ces seringues hypodermiques et plante-toi l'aiguille dans la cuisse. Le composé à base d'atropine contrera les effets du gaz neurotoxique.

– Un gaz neurotoxique ? répéta Chester en jetant des coups d'œil inquiets aux cylindres. Je transportais du gaz neurotoxique sur mon dos ?

– Ouais, sous une pression monstrueuse, qui plus est, répondit Drake en voyant l'expression horrifiée de Chester. Mais il y avait bien plus dangereux dans l'autre sac à dos que tu as transporté jusqu'à la Cité éternelle. Il contient assez de plastique pour vaporiser tous les atomes de ton corps. Si jamais ça explose, il ne restera plus rien à enterrer, ajouta-t-il avec un sourire ironique.

Chester se contenta de secouer la tête, tandis que Drake extirpait du sac à dos une boîte dont il souleva le couvercle. Elle contenait des colliers de serrage que Drake se mit à accrocher aux tuyaux situés sous le panneau.

– Je coupe les conduites d'aération, maintenant. Surveille cette porte au cas où quelqu'un déciderait de pointer le bout de son nez, dit Drake d'une voix sourde tout en poursuivant son travail sous le panneau.

Il lui fallut plusieurs minutes pour s'assurer que les colliers étaient bien en place, puis il y inséra les tuyaux transparents des cylindres.

– Il est temps de remettre nos masques à gaz, Chester, dit-il en émergeant de sous le panneau. Il ne faut les ôter sous aucun prétexte.

Une fois qu'ils eurent ajusté leurs masques, Drake ouvrit les valves des cylindres de gaz neurotoxique, qui émirent un petit sifflement, alors que le bourdonnement des machines continuait sans relâche.

– C'est tout ? demanda Chester qui s'attendait à quelque chose de plus spectaculaire.

– Ouais, c'est tout, confirma Drake. J'envoie le gaz neurotoxique directement dans la réserve d'air de la Caverne Sud. Il va se diffuser partout, à l'exception de la Citadelle styx et de la Garnison, qui possèdent leurs propres réserves. Quelques molécules de cette substance par mètre cube d'air suffiront. En plus, ce gaz est inodore et personne ne pourra le détecter.

– Mais quel effet aura-t-il sur les Colons ? demanda Chester. Est-ce que c'est nocif ?

– Non, rien de grave, si ce n'est des nausées dans quelques cas. En moins d'une demi-heure, les Colons vont se réveiller avec des symptômes semblables à ceux de la grippe, avec les yeux qui pleurent et le nez qui coule sans cesse, et ce durant toute la journée. L'idée est la suivante : ils ne verront pas grand-chose et ne seront certainement pas en état d'arrêter deux Surfaciens qui s'immisceront dans leur manoir. Et si jamais on rencontre qui que ce soit, on ne tirera que des fléchettes tranquillisantes, ajouta-t-il en vérifiant son pistolet. Nous ne sommes pas ici pour faire du mal aux Colons, dit-il en enfilant son sac à dos. Bien, Chester, on y va, mon vieux, et que la fête commence !

– Qu'est-ce que tu fiches ici à une heure pareille ? demanda le garde assis dans la guérite en se relevant d'un coup.

Il lança un coup d'œil suspicieux à l'officier en second, puis remarqua Colly à ses côtés.

– Ah, je comprends. T'as sorti ta chasseresse et tu t'es un peu trop éloigné de chez toi. T'es perdu, c'est ça ?

Les larges épaules du garde furent secouées d'un rire presque silencieux. L'idée que quelqu'un qui avait passé toute sa vie dans ces cavernes souterraines puisse s'égarer l'amusait beaucoup, même si la présence de l'officier le préoccupait.

– Je me suis promené un moment, c'est vrai, admit ce dernier en palpant les quelques poils blancs qui lui poussaient au menton. J'ai un service à te demander, mon vieil ami, dit-il d'une voix douce en évitant le regard du garde, comme s'il avait honte de ce qu'il s'apprêtait à faire.

– Quoi donc ?

L'officier en second leva la tête en direction des Laboratoires qui se trouvaient derrière le portail en fer. Il s'agissait de deux bâtiments rectangulaires à deux étages, construits dans un granit gris sale et reliés par une passerelle. Ils étaient presque identiques, à l'exception du gros conduit de cheminée en briques rouges qui émergeait du bâtiment de droite, à savoir le bloc Sud, pour remonter ensuite le long de la paroi de la caverne. On aurait dit une varice se détachant sur la roche lisse, et l'on racontait qu'il servait à évacuer les fumées de l'incinérateur du sous-sol vers la Surface. C'est là que les Scientifiques brûlaient le fruit des expériences qui avaient mal tourné.

Mais aussi des gens.

Selon la rumeur qui courait dans la Colonie, ils pratiquaient leurs fameuses expériences sur des individus qu'ils incinéraient ensuite.

Ces bruits n'étaient pas si fantaisistes, car les Scientifiques se livraient à des manipulations génétiques et des tests eugéniques au bloc Sud. Ces expériences portaient plus particulièrement sur le contrôle des naissances styx et la modification de leur génome en vue de l'amélioration de leur race.

– J'ai besoin que tu me laisses passer, risqua l'officier en second en regardant enfin le garde dans les yeux. J'ai besoin de me rendre au bloc Nord.

– Te laisser passer ? Te laisser passer ? Mais pourquoi veux-tu que je risque ma place et ma vie en t'autorisant à entrer ? demanda le garde en soufflant.

– Parce que je détiens ceci, dit l'officier en déboutonnant une poche de sa tunique pour en sortir un mandat. Pour autant que tu le saches, je suis en mission officielle, et si jamais il y avait un retour du bâton, c'est moi qui porterais le chapeau.

– Bien, dans ce cas… j'imagine que je pourrais… songea le garde avant de secouer la tête. Écoute, ne crois pas que je sois en train de te juger, mais je sais pourquoi tu veux entrer. J'ai vu la Surfacienne qu'on transportait à l'intérieur, ajouta-t-il en sortant de sa guérite pour s'avancer vers l'officier. Mais laisse-moi juste te dire ceci, poursuivit-il en posant la main sur le bras de son ami. Maeve et moi, on parlait de toi ce week-end. Je sais que tu as vu et entendu pas de mal de choses dans le cadre du boulot, mais il ne faut pas que ça t'affecte. Tu as encore le temps de te trouver une femme, une femme gentille et *sous-terrienne*, et puis de t'installer… d'avoir des enfants. Tu en as besoin… quelqu'un de bien pour compenser tout ce qu'il y a de mauvais. Tu ne devrais pas passer ta vie comme ça, à t'apitoyer sur des causes perdues en pleurant sur le sort de Surfaciennes à demi mortes.

– Merci, répondit l'officier en second en tapotant la main de son ami, puis il retira son bras et remit son mandat dans sa poche. Si jamais quelqu'un te pose des questions, réponds-lui que je suis venu récupérer des vêtements pour ma sœur. Et peut-être que je devrais laisser notre bonne vieille chatte bottée ici, avec toi.

– Tu ferais mieux, en effet. Il est tard et il n'y a personne au bloc Nord en ce moment, mais si jamais quelqu'un tombait sur une chasseresse errante, il la flanquerait sans doute sur une table de dissection et lui ouvrirait les entrailles, juste pour rire. C'est tout ce que font ces satanés Scientifiques, ici.

Cette dernière remarque sembla mettre l'officier mal à l'aise.

– Est-ce que tout va bien ? lui demanda le garde.

– Avec le temps, ça ira... peut-être, répondit l'officier en second en se dirigeant vers le bâtiment sinistre.

Une fois à l'intérieur, il emprunta l'escalier qui menait au deuxième étage. Il était venu bien des fois au bloc Nord lorsqu'on lui avait confié la tâche d'y escorter des Surfaciens dont la plupart avaient été enlevés par les Styx. En général, on les enfermait au Cachot pendant quelques semaines, on les y ramollissait en les soumettant à la Lumière noire, pour qu'ils soient mieux « disposés » (selon les termes des Styx) à partager leur savoir au bénéfice de la Colonie. L'officier en second transportait souvent des hommes de science surfaciens dont les Styx voulaient exploiter le domaine d'expertise, mais il s'agissait le plus souvent d'un voyage à sens unique. On les laissait rarement, voire jamais repartir en Surface.

L'officier en second avança dans le grand couloir en jetant des coups d'œil à travers les hublots aménagés dans les portes. Il semblait n'y avoir personne dans les pièces situées sur sa droite, où l'on enfermait généralement les Surfaciens pendant que les scientifiques travaillaient à des projets styx. Depuis que le fils de Mme Burrows et son frère cadet s'étaient enfuis, les Styx avaient bouclé la Colonie. Il n'y avait guère plus d'échanges avec la Surface depuis six mois. Pas à sa connaissance, tout au moins.

Il arriva enfin à l'endroit où il pensait qu'on avait transporté Mme Burrows : il s'agissait des blocs opératoires, tout au bout du bâtiment. Il souleva la poignée de la porte menant à la première salle et découvrit Mme Burrows allongée sur une table au centre de la pièce. Il s'approcha d'elle en martelant le carrelage blanc de ses bottes.

On lui avait inséré de multiples tuyaux dans les bras. L'officier en second souffla lorsqu'il vit son crâne rasé et marqué de pointillés destinés à indiquer le tracé des incisions.

– Je suis tellement navré, murmura-t-il en lui touchant le visage.

Il ne pouvait absolument rien faire pour cette femme. Il l'avait connue si peu de temps, et pourtant elle l'avait beaucoup marqué.

Chapitre Trente

Entraînés par la pente, Drake et Chester foncèrent vers la plaine où se dressaient les premiers bâtiments. Ils ne firent aucun effort pour se cacher en traversant les rues désertes bordées de maisons en rangs serrés. Chester n'avait jamais songé au fait que la Colonie ne vivait pas à la même heure que Londres. Il devait être huit ou neuf heures du matin en Surface, alors que la Caverne Sud en était encore aux petites heures de la matinée.

Chester regardait les drôles de réverbères alignés, poteaux en fer coiffés d'un globe lumineux de la taille d'un ballon de foot enserré dans des griffes de métal.

– Vous savez… j'apercevais toutes ces lumières depuis le Quartier, et puis certains bâtiments… mais je n'avais jamais vu la Colonie auparavant, expliqua Chester en courant. Ils m'ont mis une cagoule… quand ils m'ont emmené… à la gare des mineurs, souffla-t-il.

– Ils n'ont pas pris la peine de me bander les yeux, répondit Drake. Sans doute parce qu'ils avaient obtenu ce qu'ils voulaient de moi. J'étais donc un homme mort.

Chester voyait défiler à présent les maisons mitoyennes en pierre, tandis qu'ils continuaient leur course. De construction assez rudimentaire, elles étaient néanmoins bien bâties. Chester ressentait la même impression que dans les plus anciens quartiers de Londres, comme si chaque surface, chaque brique et chaque élément de maçonnerie avait été conçu pour résister aux ravages du temps. On avait pris soin de tous ces matériaux qu'on avait réparés et récurés durant des siècles et des siècles, des générations avaient vécu dans ces maisons. Tout un peuple qui n'avait jamais connu la chaleur du soleil.

– On dirait un rêve étrange, dit-il à Drake.

À cet instant précis, un homme qui poussait une charrette à deux roues tourna au coin de la rue et s'engagea dans leur direction. Il était coiffé d'une casquette plate et vêtu de l'une de ces vestes cirées que portaient les Colons. Il ne remarqua pas immédiatement Drake et Chester car il avait la tête baissée et éternuait fortement.

– Le gaz neurotoxique commence à lui irriter les muqueuses nasales, observa Drake.

L'homme releva la tête en s'essuyant les yeux. Il avait manifestement réussi à voir Drake et Chester qui filaient vers lui, affublés de leurs masques à gaz et armés jusqu'aux dents. Il resta bouche bée, mais alors qu'il s'apprêtait à crier, Drake lui décocha une fléchette tranquillisante et ne s'arrêta même pas pour vérifier son état.

– C'est trop cool, dit Chester. C'est comme dans un jeu vidéo où on dégomme les méchants. Vous me laissez le suivant ? S'il vous plaît ! supplia-t-il.

Son sac à dos pesait nettement moins lourd maintenant qu'il ne transportait plus les cylindres de gaz et Chester, qui avait trouvé un nouvel élan, n'avait pas de mal à suivre l'allure de Drake.

– Pas de problème. Fais-toi plaisir.

Chester n'eut pas à attendre très longtemps.

Deux hommes coiffés de chapeaux melon et vêtus de tabliers bleu sombre émergèrent d'un passage devant eux en se frottant les yeux : ils avançaient à l'aveuglette et trébuchaient à chaque pas.

Ils ne virent pas le coup venir, lorsque Chester leur décocha successivement une fléchette à chacun.

– Bien joué, le complimenta Drake.

Chester gloussa en regardant les Colons s'effondrer l'un sur l'autre sur la chaussée.

– À ce compte-là, c'est moi qui vais détenir le meilleur score, déclara-t-il en faisant virevolter son pistolet comme un cow-boy dans un western. Oui, moi et moi seul.

– La jeune génération m'inquiète vraiment parfois, marmonna Drake dans sa barbe.

Ils entrèrent furtivement dans la chambre en posant à peine le pied sur l'épaisse moquette, puis se postèrent tout autour du lit. On avait fermé les volets pour masquer le jour permanent qui régnait à l'extérieur, et la pièce était plongée dans le noir complet. Un couple était allongé dans le grand lit et l'homme ronflait doucement.

Une vive lumière s'alluma.

La femme se réveilla aussitôt. Un Limiteur l'attrapa et lui plaqua la main sur la bouche pour l'empêcher de faire le moindre bruit.

– Il doit avoir la conscience tranquille… regardez-le un peu, il dort comme un bébé, murmura Rebecca en désignant le chancelier.

– Un bébé qu'on aurait beaucoup gâté, dit sa sœur en observant la chambre richement meublée. On se croirait dans un palace.

– Certainement, répondit Rebecca en palpant les draps de soie qui recouvraient le corpulent chancelier. Mais qu'est-ce qu'il a sur le visage ? Un masque oculaire ? Ça sent le fruit… La mangue, dit-elle en le reniflant.

– Non ! Pas un masque oculaire à la mangue ! Notre gros chancelier préserve sa jeunesse ! dit Rebecca bis qui peinait à contenir un ricanement.

– L'heure a sonné, et le réveil sera brutal, décréta Rebecca qui tira sur le masque autant que l'élastique le permettait, puis le relâcha d'un coup.

Le masque produisit un léger claquement en retombant sur les yeux du chancelier, qui poussa un cri et se redressa aussitôt sur son séant.

– *Gott im Himmel* ! cria-t-il en l'ôtant, plissant les yeux à cause de la lumière crue.

Il distingua alors les jumelles styx qui se tenaient à côté du lit, observant son pyjama de satin jaune citron d'un air amusé. Il avait un K brodé sur la poitrine.

– *Was machen*… Qu'est-ce que vous faites ici ? demanda-t-il en se tournant vers sa femme qui était toujours immobilisée par un Limiteur, puis il fixa à nouveau les jumelles, le souffle lourd de colère et de peur. Vous avez perdu l'esprit ? Qu'est-ce que vous faites chez moi ? Comment osez-vous ?

– Nous avons décidé de vous aider et vous nous aiderez en retour, vous et votre nation perdue. Ce nouveau jeu s'appelle « Coopération ».

Le chancelier essuya un peu du jus de mangue qu'il avait sous l'œil.

– Sortez de ma chambre ! Et dites à votre soldat de… *nicht berühren*… ne pas toucher à ma femme ! Je ne vous aiderai pas ! Jamais !

– Oh, mais bien sûr que si, répliqua calmement Rebecca bis, puis d'un geste de la main, elle ordonna à un Limiteur de s'avancer.

Le soldat s'exécuta et déposa une grosse valise au pied du lit. Il ouvrit les cliquets avant d'en soulever le couvercle.

– Qu'est-ce que c'est ? demanda le chancelier en regardant la boîte vert-de-gris sur laquelle figuraient des cadrans. Qu'est-ce que vous faites ? demanda-t-il d'une voix de plus en plus paniquée.

Pendant ce temps, le Limiteur redressait la branche flexible située à l'arrière de la boîte, qui se terminait par une ampoule d'un violet sombre protégée par un abat-jour.

– C'est une lampe à Lumière noire. C'est notre dernier modèle, portable et beaucoup plus puissant, répondit Rebecca d'un ton enlevé, comme si elle faisait l'article d'un nouveau produit sur une chaîne de téléachat. Si vous vous détendez, ce sera plus facile… ajouta-t-elle d'une voix glaciale. Ça fera des merveilles pour votre teint de bébé.

– Mais si vous essayez de résister, vous êtes mort, intervint Rebecca bis. Nous n'avons pas vraiment besoin de vous. Nous vous gardons juste parce que vous nous amusez.

– Quelle que soit cette chose, vous n'allez pas vous en servir sur moi ! hurla le chancelier en glissant à reculons sur ses draps brillants, jusqu'à se retrouver acculé contre la tête de lit en satin violet clouté. Et d'abord, comment êtes-vous entrés chez moi ? Comment avez-vous su où… ?

– Ah, mais grâce à nos meilleurs amis, le capitaine Franz et ses hommes, répondit Rebecca bis en claquant des doigts.

Le capitaine et trois autres soldats néo-germains entrèrent alors dans la pièce.

– À dire vrai, l'un de vos régiments s'est déjà rangé à nos côtés, et le reste de votre armée ne devrait pas tarder à suivre.

– *Was machen Sie da* ? beugla le chancelier en direction du capitaine Franz.

Le jeune soldat resta silencieux et s'en remit à Rebecca bis.

– Il ne répond plus à vos ordres, dit Rebecca bis. Il a déjà vu la Lumière.

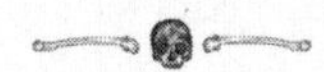

Drake et Chester ne tardèrent pas à apercevoir les Laboratoires. Drake s'arrêta devant deux bâtiments situés de l'autre côté de la rue pour inspecter la zone. Chester ne savait toujours pas ce qu'ils faisaient là, car Drake avait refusé de le lui dire, au cas où ils seraient capturés par les Styx, mais le sac à dos rempli d'explosifs constituait un assez bon indice.

– Le garde de nuit est encore de service, murmura Drake en indiquant le Colon devant sa cabine.

Le gaz neurotoxique avait commencé à faire effet et l'homme toussait et crachotait. Il tirait néanmoins résolument sur un cigarillo, comme si la fumée allait alléger ses symptômes.

– C'est contraire à la procédure. Il est en service et il a pourtant un chasseur à ses côtés, dit Drake en regardant le garde tapoter la tête de Colly.

– Il ressemble énormément à Bartleby, répondit Chester dans un murmure.

Le garde sortit alors un mouchoir et se tamponna les yeux, avant de jeter un coup d'œil en direction du bloc Nord.

– Va pour le pire, dit Drake en sortant à découvert avec Chester à sa suite. Dégomme-le, tu veux ?

Le garde ne les vit qu'au dernier moment. Il cracha son cigarillo et leva la main, pris de panique, ne sachant trop que faire face à ces deux créatures étrangement vêtues et armées de pistolets et de carabines.

Chester avait peut-être voulu faire l'intéressant, ou peut-être avait-il tout simplement raté son tir, toujours est-il que la fléchette vint se planter pile au centre de la paume du garde, qui s'effondra comme un arbre qu'on vient d'abattre.

– Ne fais pas trop le malin, l'avertit Drake. Vise le tronc, sinon tu risques de manquer ta cible.

– D'accord, désolé.

Ils ralentirent à la hauteur de Colly, qui n'avait pas bougé de là où elle était assise. Elle inclina la tête en les observant avec curiosité.

– Joli chaton, commenta Chester.

– Garde tes distances. Ces animaux sont parfois ombrageux, c'est peut-être son maître que tu viens de mettre au tapis.

Colly, qui semblait subir les effets du gaz, essayait de frotter ses yeux immenses. Elle avait les naseaux écumants.

– Celui-ci est plus petit que Bartleby, commenta Chester en contournant largement l'animal. Et plus joli aussi.

– C'est parce que c'est une femelle, expliqua Drake.

– Une femelle ? Comment le savez-vous ? demanda Chester en jetant un coup d'œil en arrière tandis qu'ils s'approchaient des marches du bloc Nord.

– Chester, répondit Drake, comme s'il était exaspéré. Les chasseurs n'ont pas un seul poil. On voit *tout* ! Tu n'as vraiment pas remarqué qu'il lui manquait une ou deux choses ?

– Hum... non... En fait... marmonna Chester avec embarras, et ils entrèrent dans le bâtiment avant de tourner à gauche.

Ils filèrent le long d'un petit couloir, franchirent deux portes battantes et entrèrent dans une grande salle aux murs carrelés de blanc et dont le sol en lino avait été si bien ciré qu'il ressemblait à un plan d'eau noir. La pièce était très bien éclairée par l'équivalent tubulaire des globes lumineux. Il y en avait plusieurs rangées accrochées au plafond. Le long du mur se dressaient des cabines vitrées où l'on voyait un banc, deux chaises et des rangées de boîtes de Pétri et de tubes à essai.

– Des chambres d'isolement, indiqua Drake qui avait remarqué l'intérêt de Chester. Tu vois les extracteurs d'air au plafond ? C'est là qu'ils manipulent les agents infectieux et préparent leurs cultures. Et voici les chambres froides où ils conservent tous leurs spécimens, ajouta-t-il en se tournant vers le mur du fond.

Une légère brume s'échappait de trois imposantes portes en acier.

– Qu'est-ce qui se passe dans cet endroit ? demanda Chester.

– C'est le laboratoire principal où ils manipulent les agents pathogènes. Il y en a un plus petit juste au-dessus de nous, mais c'est ici qu'ils s'occupent des virus et autres bactéries pour les transformer en armes biologiques, comme le Dominion.

Drake avait déposé son sac à dos sur un banc. Il en extirpa une série de paquets de la taille d'un Bottin, enroulés dans un ruban adhésif noir. Ils comportaient tous un petit clavier sur lequel il se mit à composer une suite de chiffres.

– J'enclenche les retardateurs, expliqua Drake.

Lorsqu'il eut terminé, Drake emporta trois autres charges dans la chambre froide la plus proche. Un nuage de brume glaciale l'enveloppa lorsqu'il entra dans la pièce où il déposa une charge sur le sol couvert de givre, puis il ressortit en claquant la porte derrière lui.

– Chester, rends-toi utile, tu veux ? Mets une charge à chaque coin de la pièce, dit-il avant de passer à la chambre froide suivante.

Une fois tous les explosifs en place, Drake et Chester repartirent vers l'entrée principale.

– Bien, il nous reste vingt minutes avant que cet endroit ne soit réduit en cendres. Monte la garde pendant que je dépose quelques charges ici, ordonna Drake, indiquant une porte à battant menant à l'autre bout du bâtiment. Après ça, on inspectera rapidement l'étage, et emballez, c'est pesé, on file de là !

– Cool ! répondit Chester.

L'officier en second avait rapproché un tabouret pour s'asseoir aux côtés de Mme Burrows. Ne sachant que faire, il joignit les mains et se mit à prier. Il ne pouvait rien faire d'autre de toute façon. Le *Livre des catastrophes* traitait principalement de vengeance et de rétribution, ce qui n'offrait guère d'inspiration pour ce qui était de la pitié et de la compassion. Cependant, comme la plupart des Colons, il connaissait la majeure partie du livre par cœur. Il parvint donc à se remémorer quelques passages et se mit à les réciter en marmonnant avec l'espoir que sa prière ferait une différence. Il s'efforçait en vain de retenir ses larmes en songeant à l'injustice flagrante qui touchait Mme Burrows.

Au bout d'un temps, il se mit à tousser et ses yeux s'enflammèrent. Il savait que son angoisse ne pouvait en être la cause. Ce devait donc être l'un des produits chimiques qu'employaient les

Scientifiques. Il décida de rester un peu plus longtemps malgré tout, et il reprit sa prière.

– Je me charge de l'aile gauche, indiqua Drake d'un geste lorsqu'ils arrivèrent en haut de l'escalier. Occupe-toi de l'autre côté. Au fait, Chester, si jamais tu tombais sur un crâne d'œuf vêtu d'une blouse rouge, n'hésite pas à tirer à balles réelles. Ce sont des Scientifiques, ajouta-t-il en marquant un temps d'arrêt.

– Vraiment… mais est-ce que ce ne sont pas aussi des Colons ? demanda Chester en lui lançant un regard interrogateur. Et comment se fait-il que vous connaissiez si bien le plan de ce bâtiment ?

Chester vit les yeux de Drake se rétrécir derrière son masque à gaz. Il était manifestement furieux.

– Vous étiez prisonnier ici, se reprit le jeune garçon qui venait de se rappeler ce que Drake leur avait dit dans les Profondeurs. Les Scientifiques vous ont forcé à travailler pour eux ici.

Drake garda le silence un instant, puis acquiesca.

– Et si jamais tu découvrais quelque pauvre type dans les pièces situées sur ta droite, avertis-moi. C'est là que les Styx torturent les Surfaciens jusqu'à ce qu'ils acceptent de travailler sur leurs armes de destruction ciblée. J'ai passé une année entière dans l'une de ces petites salles miteuses.

– On va donc libérer tous ceux qui y sont prisonniers avant l'explosion du bâtiment.

– T'as tout compris, conclut Drake en s'éloignant.

Chester franchit les portes battantes et découvrit que les salles dont lui avait parlé Drake n'étaient pas verrouillées. Il les inspecta néanmoins rapidement pour s'assurer qu'il n'y avait vraiment personne à l'intérieur. Comme elles ne contenaient rien d'autre que du matériel de laboratoire, il poursuivit son chemin le long du couloir.

C'est alors qu'il entendit une voix.

Pendant une seconde, il hésita à aller chercher Drake, mais finit par décider de vérifier par lui-même.

Après avoir armé son pistolet à fléchettes, il se faufila dans une pièce située au fond du couloir d'où semblait provenir cette voix. Il entrouvrit à peine la lourde porte de métal et jeta un coup d'œil à l'intérieur, et c'est alors qu'il découvrit une scène singulière.

Il s'agissait manifestement d'une salle d'opération. Au centre de la pièce gisait une femme sur une table d'examen. Chester pensa d'abord qu'elle était morte jusqu'à ce qu'il remarque toutes les poches de plasma suspendues à côté d'elle et reliées aux tuyaux qu'on lui avait plantés dans les bras.

Des souvenirs malheureux lui revinrent à l'esprit. Cette scène lui rappelait la visite qu'il avait rendue à sa sœur, alors en soins intensifs après l'accident de voiture. C'était la dernière fois qu'il l'avait vue. Il ne s'attarda donc pas sur la femme, mais s'intéressa plutôt à l'homme à la stature imposante, assis sur un tabouret d'aluminium à ses côtés. Il avait les coudes posés sur la table et se tenait la tête entre les mains. Il était vêtu d'un uniforme bleu sombre et Chester lui trouva un air vaguement familier sans trop savoir pourquoi.

L'homme, qui n'était manifestement pas styx, s'essuyait sans cesse les yeux. Ses épaules tremblaient. Chester n'aurait su dire si c'était l'effet du gaz neurotoxique ou bien si le Colon bouleversé était en train de pleurer. En tout cas, il semblait sangloter. Il reniflait et poussait de temps à autres des petits grognements inintelligibles.

L'homme recommença à parler, mais Chester ne parvenait pas à entendre distinctement ses paroles. Il semblait en prière. On aurait dit qu'il récitait quelque passage de la Bible.

Chester agrippa son pistolet à fléchettes. D'après la description de Drake, ce n'était pas un Scientifique. Ni lui ni la personne étendue sur la table ne méritaient de périr dans l'explosion.

Chester ouvrit la porte sans cesser de pointer son pistolet sur l'homme, puis il se glissa dans la pièce. Le Colon devait l'avoir entendu, car il se tourna à demi. Il avait le visage rouge et semblait bien avoir pleuré.

C'est à ce moment précis que Chester le reconnut.

– Toi ? souffla Chester.

L'officier en second se releva en un instant en renversant le tabouret qui s'abattit sur le sol avec fracas.

– Toi ! beugla-t-il à son tour. Je connais cette fichue voix !

Il se jeta sur le jeune garçon qui réussit à décocher une fléchette, mais dans le feu de l'action elle manqua sa cible et termina sa course dans la vitre d'une armoire en métal, juste derrière l'officier en second. Le Colon s'avançait avec l'agressivité d'un taureau qui s'apprête à charger.

L'homme ne laissa pas à Chester l'occasion de tirer une deuxième fois. Il se rua sur lui et le renversa, envoyant valdinguer son pistolet au loin. Il l'avait plaqué au sol avec une telle force que Chester crut bien que sa cage thoracique allait céder sous son poids.

Alors qu'ils se débattaient sur le sol, l'officier en second tenta de saisir Chester à la gorge et lui arracha son masque à gaz. Pour la première fois, Chester découvrit les effets du gaz neurotoxique.

– Je vais te tuer, espèce d'ord… *tchoum !* bafouilla Chester en éternuant.

Il ne plaisantait pas. Il ne pouvait atteindre ses carabines ni son arme de poing avec le Colon sur lui, mais il réussit à dégainer le couteau accroché à sa ceinture. Il n'avait aucun scrupule à blesser cet homme qui avait été le complice de son terrible calvaire, durant tous ces mois passés au Cachot, du moins c'est ce qu'il croyait.

Ils luttaient avec force jurons et autres cris. Chester s'apprêtait à le frapper aux côtes, lorsque la voix d'une femme les interrompit soudain :

– Arrêtez ça ! Tous les deux ! ordonna Mme Burrows en se redressant sur la table.

Drake, qui avait entendu le vacarme, fonçait aussi vite que possible. Il venait de dépasser l'escalier central et de pénétrer dans l'aile du bâtiment où se trouvait Chester, lorsqu'il vit un homme abaisser la poignée d'une grande porte en acier inoxydable.

C'était bien la dernière personne qu'il s'attendait à rencontrer au milieu du couloir.

– Eddie ? demanda Drake en s'arrêtant dans sa course.

Ses bottes produisirent un son strident en dérapant sur le sol trop ciré.

Le Styx se tenait calmement face à Drake. Il était encore vêtu de sa combinaison NBC et portait une carabine styx en bandoulière ; il n'avait pas d'autre arme à la main. Drake remarqua qu'il ne portait pas de masque et semblait pourtant ne ressentir aucun des effets du gaz neurotoxique.

N'en croyant sans doute pas ses yeux, Drake ôta son masque et mit l'homme en joue. Il le menaçait d'un Beretta chargé de balles réelles.

– Je ne ferais pas ça, si j'étais vous, Drake, conseilla Eddie en voyant qu'il avait retiré son masque.

– Le gaz ? demanda Drake. Pourquoi n'êtes-vous pas… ?

– Vous n'êtes pas le seul à avoir accès à de l'atropine, l'interrompit Eddie.

– Mais… mais qu'est-ce que vous faites ici ?

– J'avais envie de voir comment vous vous en sortiez, dit Eddie d'un ton nonchalant. Je sais que vous pensez que ce qui est arrivé à Fiona justifie la fin de notre alliance, mais vous m'avez trahi. Et je ne suis pas du genre à tendre l'autre joue.

– Vous me semblez bien confiant, répondit Drake dont les yeux commençaient à s'enflammer sous l'effet du gaz neurotoxique, pour quelqu'un qui se trouve à la merci d'un pistolet.

Sans abaisser son arme, Drake fouilla dans sa poche et en extirpa une seringue d'atropine. Il en ôta le capuchon d'un coup de pouce avant de se la planter dans la cuisse.

– Et vous avez manifestement pris quelque chose pour contrer les effets de mon tranquillisant, au cas où j'utiliserais l'une de mes fléchettes contre vous.

Eddie acquiesça.

Drake battit des paupières. Il avait les yeux embués de larmes, mais l'atropine commençait déjà à contrecarrer les effets du gaz neurotoxique.

– Mais vous ne risquez pas de vous relever si je vous tire dessus à balles réelles, ajouta-t-il.

– Vous n'en ferez rien, rétorqua Eddie en secouant la tête.

Drake pressa légèrement sur la détente.

– Vraiment ? Vous me barrez la route et il ne nous reste pas très longtemps avant que le rez-de-chaussée de ce bâtiment ne s'effondre sous nos pieds. Je n'ai pas l'intention d'attendre jusque-là.

Chester et l'officier en second cessèrent aussitôt de se battre.

– Madame B. ?… demanda Chester, qui regardait la femme chauve les yeux écarquillés, tandis que cette dernière arrachait les tuyaux qu'on lui avait insérés dans les bras.

Elle avait pivoté sur la table pour changer de position et balançait désormais les jambes dans le vide.

– C'est vraiment vous, madame Burrows ?

– Célia ? souffla l'officier en second qui n'avait pas relâché son emprise sur le cou de Chester. Vous parlez… Vous êtes guérie ! Comment est-ce possible ? C'est un miracle. C'est l'action bénéfique du *Livre des catastrophes,* c'est ça !

Mme Burrows semblait parfaitement calme et détachée du monde, enveloppée dans son drap gris.

– C'est peut-être un miracle, mais votre *Livre des catastrophes* n'y est pour rien. À dire vrai, j'ai récupéré il y a un bout de temps déjà, grâce aux soins que vous m'avez apportés. Vous m'avez maintenue en vie.

– Vraiment ? C'est moi qui… bafouilla l'officier en second qui ne comprenait plus rien.

– Oui, et je savais que je n'en avais plus pour très longtemps quand on m'a transportée ici. Je m'apprêtais à m'enfuir lorsque vous êtes entré, dit-elle avant de s'interrompre tout à coup. Un Styx ! déclara-t-elle en renversant la tête en arrière en prenant une longue inspiration pour humer l'air ambiant.

– Qu'est-ce que vous voulez dire ? répondit aussitôt Chester en se tournant vers la porte. Où ça ?

– Il est très près, mais je ne peux pas être plus précise. Ce qu'il y a dans l'air perturbe mon odorat.

Elle se tourna vers le jeune garçon sans le voir et balaya lentement l'air d'un geste de la main comme si elle percevait quelque chose que ni Chester ni l'officier en second ne pouvaient voir.

– Est-ce que tu sais ce que c'est ? demanda-t-elle à Chester. Ça fait à peine quelques heures que ça flotte dans l'air.

Chester jeta un coup d'œil à l'officier en second, ne sachant pas vraiment s'il devait dire quoi que ce soit devant lui, puis il décida que de toute façon cela ne ferait aucune différence à ce stade.

– Du gaz neurotoxique. Nous l'avons diffusé dans le système de ventilation de la Colonie.

– Si je le laissais faire, votre fameux gaz me mettrait les muqueuses nasales et oculaires en compote, dit Mme Burrows.

– Vous faites quoi ? tonna l'officier en second qui venait de comprendre les implications de ce que venait de révéler Chester.

– Tout ce bâtiment est piégé et ne va pas tarder à exploser, ajouta Chester avec délectation. On ferait mieux de sortir d'ici aussi vite que possible, ou ce sera le feu d'artifice.

L'officier en second se mit à souffler de rage.

– Et dégage de là, espèce de gros tas ! cracha Chester, qui prit soudain conscience du poids de son opposant.

– Tu n'allais pas te servir de ça contre moi, n'est-ce pas, chenapan ? dit l'officier en second en voyant le couteau que Chester tenait encore à la main.

– Tu ferais mieux de croire que… lança Chester dans un nouvel accès de colère.

– Le Styx est ici, déclara Mme Burrows.

C'est à ce moment précis que la porte se referma d'un coup. Eddie venait de la verrouiller de l'extérieur.

– Ne m'obligez pas à vous faire du mal, Eddie. Si vous essayez de m'arrêter, je vous abattrai et vous laisserai mourir ici, dit Drake.

Eddie décroisa les bras en voyant que Drake s'apprêtait à tirer, le doigt posé sur la détente.

Le Styx marmonna quelque chose dans sa barbe.

– Qu'est-ce que c'était que ça ? demanda Drake en avançant vers lui.

Cette fois-ci, Eddie articula distinctement quelques mots dans la langue des Styx.

Drake s'immobilisa, comme pris d'un spasme soudain. Le coup partit, mais Eddie, qui s'attendait à ce qu'il fasse feu, esquiva adroitement la balle d'un pas sur le côté.

Raide comme un clou, Drake vacilla, puis il bascula vers l'avant, mais Eddie se précipita pour le rattraper à temps.

– Vous m'entendez toujours, n'est-ce pas ? Et vous savez pourquoi vous êtes paralysé, n'est-ce pas, Drake ? lui demanda Eddie. Je vous ai fait subir quelques séances de Lumière noire de mon propre cru, alors que vous étiez encore notre hôte ici-bas. J'ai programmé quelques schémas comportementaux dans votre esprit, me disant qu'ils pourraient toujours m'être utiles un jour.

Eddie détacha le pistolet des doigts de Drake et le jeta dans le couloir, puis il le fit s'asseoir sur le sol, la tête inclinée vers le bas mais les yeux ouverts.

– Vous voyez, j'anticipe mes coups longtemps à l'avance. Maintenant que cela n'a plus d'importance, je peux vous dire que je suis responsable des décès précoces de Tam et du père de Sarah Jérôme.

J'ai détecté chez le frère et la sœur une propension à semer le trouble. Je voulais qu'ils deviennent des rebelles, tout comme les autres lièvres que j'avais relâchés pour qu'ils arrachent la population de la Colonie à sa torpeur, dit-il en opinant. Vous voyez, nous, les Styx, nous nous sommes installés trop confortablement dans notre fief souterrain. Il fallait que quelque chose nous réveille et nous incite à nous tourner vers l'extérieur, vers la Surface, pour accomplir la tâche qui est la nôtre, comme le stipule le Livre.

On martelait à la porte. Eddie jeta un coup d'œil indifférent à Chester et à l'officier en second qui se poussaient du coude pour l'observer à travers le hublot, puis il détourna le regard.

Eddie haussa les épaules en contemplant la silhouette de Drake qui gisait à terre.

– Je suis le premier à admettre que j'ai mal calculé l'issue de toute cette affaire. Oui, j'en ai sous-estimé les conséquences. Cela a contribué à galvaniser la famille styx dirigeante qui est alors entrée en action, mais elle a opté pour l'extrémisme, et ce n'était pas la bonne voie, soupira-t-il. Je me suis trompé.

Eddie recula de quelques pas, comme s'il s'apprêtait à partir, puis il s'arrêta un instant. Sans regarder Drake, il posa la main sur sa tête.

– Une fois que cette famille mal inspirée, ces jumelles que vous nommez Rebecca, et leur grand-père, le vieux Styx, apparaîtront sous leur jour véritable... que des gens comme vous et Will Burrows, un simple adolescent, les auront vaincus, ils perdront le pouvoir et je reviendrai à la Colonie pour prendre la barre. Je suis patient. Je suis prêt à attendre ce jour fatidique. À un de ces quatre, Drake, dit-il en plongeant les mains dans ses poches, et il s'en alla à grands pas vers la cage d'escalier.

Chester s'était rué sur la porte à l'instant même où Eddie l'avait refermée et il s'efforçait maintenant de l'ouvrir.

– On est enfermés ! Où est Drake ? Cette saleté de bâtiment va exploser dans quelques min...

Il se tut tout à coup en apercevant quelque chose de l'autre côté du hublot.

– Quoi ! s'écria-t-il en essuyant les larmes qui lui brouillaient la vue. Oh non, encore lui ! dit-il en voyant Eddie dans le couloir. Madame Burrows, vous aviez raison. C'est un Styx !

L'officier en second, qui avait ôté sa tunique pour la poser sur les épaules de Mme Burrows, venait de rejoindre Chester. Il repéra Eddie de l'autre côté de la porte et se mit à tambouriner contre le métal pour attirer son attention.

– Ha ! Vous êtes cuits, les cornichons, dit-il à Chester. Les Styx vont s'occuper de toi et de ton ami. Ils vont me sortir d'ici.

– *Niet* ! répondit Chester en poussant du coude l'officier en second pour regarder Eddie. C'était notre Styx *à nous*. Il n'est plus dans votre camp.

– Il est passé dans le vôtre ? demanda le Colon avec surprise.

Chester secoua la tête.

– Eh bien, de quel côté est-il alors, bon sang ? poursuivit le Colon de plus en plus perdu.

– Honnêtement, j'en sais rien, admit Chester.

Ils n'entendaient pas l'échange de Drake et Eddie, mais Chester sentit sa gorge se contracter une première fois lorsqu'il vit Drake se figer comme une statue et tirer au hasard, puis une deuxième lorsque Eddie lui arracha son arme, puis l'assit sur le sol, hors de vue.

– La Lumière noire… ils l'ont soumis à la Lumière noire, murmura-t-il. On est dans le pétrin jusqu'au cou. Les charges vont exploser dans quelques minutes tout au plus !

– Mais… dit l'officier en second en pointant Eddie du doigt.

– Non, écoutez-moi ! Il n'est pas disposé à nous aider. Pas après ce qu'on lui a fait, gronda Chester. On est bel et bien coincés !

– Il va falloir qu'on trouve une solution nous-mêmes, dans ce cas, dit Mme Burrows en se levant.

La tunique de l'officier lui faisait presque office de manteau.

Chester et le Colon travaillaient de conserve en s'efforçant d'ouvrir la porte, mais elle était bien trop solide. Chester toussait autant que le Colon et il avait les yeux tellement irrités qu'il pouvait à peine voir autour de lui.

– On pourrait toujours le briser, suggéra Chester en tapant dans le hublot.

Il savait que ce n'était pas gagné, car le hublot mesurait moins de dix centimètres de diamètre. Qui plus est, il était situé trop haut pour qu'ils puissent atteindre la poignée de l'autre côté de la porte, mais cela valait toujours la peine d'essayer.

– Bouge de là, lui dit l'officier en second.

Chester recula. L'officier en second s'empara du tabouret en aluminium pour en frapper le hublot, mais le tabouret se brisa en morceaux après plusieurs tentatives, sans même laisser une éraflure sur le verre du hublot.

– Regardez ce qu'on a là-dedans, dit Chester en fouillant dans son sac à dos. Je n'ai pas d'explosifs, mais... si... ça pourrait faire l'affaire, s'exclama-t-il en attrapant l'une de ses deux carabines qui gisaient sur le sol. Gardez la tête baissée. Je vais tirer à balles réelles !

Il arma sa carabine, et s'efforça de viser le hublot, mais il avait la vue beaucoup trop trouble.

– Ça ne va pas du tout, marmonna-t-il.

C'est alors qu'il se souvint des seringues d'atropine que lui avait données Drake. Il s'empressa de les extirper de sa poche et en lança une à l'officier en second.

– Ça vous aidera à recouvrer la vue. Faites comme moi ! dit-il au Colon, puis il posa sa carabine au sol, ôta le capuchon de la seringue et se la planta dans la cuisse.

Chester ramassa son arme et se releva.

– Waouh ! J'ai le tournis maintenant, dit-il.

Après avoir pris quelques inspirations, Chester retrouva ses esprits, visa le hublot et tira. Une détonation assourdissante retentit dans la pièce, mais la balle n'avait causé que très peu de dégâts. Seule une petite fissure était apparue à la bordure du hublot.

– C'est du verre renforcé, bon sang ! jura Chester avant de tirer deux coups successifs, et le verre finit par céder.

L'officier en second se précipita sur la porte et élimina les derniers bris de verre avec l'un des pieds du tabouret.

– Le Styx n'est plus là, remarqua-t-il, puis il passa la main à travers l'ouverture du hublot. La poignée... j'arrive pas à l'atteindre... trop loin... grogna-t-il.

– Laissez-moi essayer. Je suis moins gros, dit Chester en l'écartant.

Mais il n'y arrivait pas davantage. Même en passant toute la longueur de son bras à travers le hublot, il restait encore une vingtaine de centimètres à parcourir. Qui plus est, il lui aurait fallu empoigner fermement la barre pour pouvoir la faire basculer dans l'autre sens. Tandis que l'officier en second mettait les armoires à sac pour voir s'il ne trouvait pas un instrument qui leur permettrait d'atteindre la poignée, Chester essayait de réveiller Drake à cor et à cri, même s'il ne voyait que ses pieds à travers le hublot. Il hurlait encore lorsque Mme Burrows se rangea à ses côtés.

– Je ne sais pas ce que lui a fait Eddie… il l'a peut-être tué, dit Chester au désespoir.

– Non, je ne sens pas l'odeur du sang, dit Mme Burrows après une profonde inspiration.

– Oh, non ! Vous êtes aveugle ! s'exclama Chester qui venait de comprendre. Ces sales types vous ont ôté la vue !

– Dis-moi juste ce que tu vois dehors, lui demanda-t-elle.

Chester s'exécuta. L'officier en second revint alors muni d'un tuyau en caoutchouc chirurgical qu'il tendit à Chester. Ce dernier tira dessus, puis il secoua la tête.

– Ça ne fera pas l'affaire ! cria-t-il.

– Du calme, Chester, lui dit Mme Burrows. Une chose après l'autre. Il faut d'abord remettre Drake sur pied. Comment procédons-nous ?

L'officier en second revint vers eux, muni cette fois d'une longue paire de forceps en métal.

– Beaucoup trop court ! On ne l'atteindra jamais, lui dit Chester en se tournant à nouveau vers Mme Burrows. Eh bien, mon père était sous l'emprise de la Lumière noire, et Drake a réussi à le libérer en le traumatisant… il le frappait et…

– Oui, c'est ça… sers-toi de la douleur pour le ramener à la conscience, l'interrompit Mme Burrows. Ça pourrait marcher.

– Mais comment ? Dois-je lui tirer dessus ? Lui décocher une fléchette tranquillisante ? demanda Chester d'une seule traite. Mais en quoi est-ce que ça pourrait l'aider ?

Mme Burrows se tourna vers l'officier en second qui fouillait encore dans les armoires dont il déversait le contenu sur le sol.

– Colly ! dit-elle. Votre chasseresse n'est pas loin, n'est-ce pas ? demanda-t-elle.

L'officier en second cessa aussitôt de s'affairer pour lui répondre.

– Je l'ai laissée dehors avec un ami. Mais comment saviez-vous que… ?

Mme Burrows ne lui laissa pas le temps de terminer sa phrase. Elle se mit deux doigts dans la bouche et émit un sifflement strident à travers le hublot.

– Ça ne servira à rien. Colly est une demoiselle fort désobéissante, grogna l'officier en second, mais quelques secondes plus tard, ils l'entendirent miauler de l'autre côté de la porte.

– Colly ! Gentille fille ! lui dit Mme Burrows. Écoute-moi bien, maintenant. Tu vois cet homme, là-bas ? Je veux que tu le mordes.

Chester n'avait aucune idée de ce qui se passait dans le couloir, car Mme Burrows lui bouchait la vue. Mais il entendit un autre miaulement dont l'intonation ressemblait à une question.

– Oui, c'est ça, je te dis de le mordre. Vas-y, pressa Mme Burrows.

Dans le couloir, Colly tourna plusieurs fois autour de Drake. Il n'était pas dans sa nature de faire du mal à un humain et ce qu'on lui demandait la mettait vraiment mal à l'aise. Au ton de Mme Burrows, elle avait toutefois compris que c'était quelque chose de vital. La chasseresse finit par s'approcher de Drake et le mordilla légèrement au niveau de la cuisse, juste au-dessus du genou.

– Non, plus fort, mords-le plus fort ! hurla Mme Burrows après avoir humé l'air.

– Mon Dieu ! Je crois que nous n'avons plus beaucoup de temps devant nous, dit Chester. On ne va pas s'en sortir.

Il croisa le regard de l'officier en second et songea alors à l'ironie du sort qui voulait qu'il travaillât de conserve avec celui-là même qu'il cherchait à tuer quelques minutes plus tôt. À présent, ils allaient périr l'un comme l'autre si l'idée de Mme Burrows ne marchait pas.

– Allez, vas-y ! *Mords-le !* hurla-t-elle.

Tête baissée, Colly retourna vers Drake en agitant la queue, puis elle referma ses mâchoires sur son mollet et le mordit un bon coup.

– *Plus fort !* s'époumona Mme Burrows.

Sans lâcher prise, Colly se mit à secouer la tête comme si elle tenait un gros rat dans sa gueule.

Drake rugit tout à coup en relevant la tête. Colly en fut si surprise qu'elle se mit à pédaler sur le sol ciré, faute de pouvoir déguerpir assez vite.

– Chester ! hurla Drake en se relevant d'un pas mal assuré, puis il se rua sur la porte verrouillée.

Il fit basculer la barre dans l'autre sens pour ouvrir la porte et vit Mme Burrows, Chester et le Colon tous arborer une mine réjouie.

– C'est pas le moment de se faire des politesses, dit-il en jetant un coup d'œil sur sa montre. On a environ une minute pour dégager les lieux.

Sans hésiter une seule seconde, le Colon attrapa Mme Burrows et la jeta sur son épaule.

Drake lui adressa un signe de la tête. Il ne savait pas à quoi s'attendre en voyant le Colon, mais il savait au moins que cet homme ne lui poserait aucun problème.

– Prends ton kit… et n'oublie pas ton masque à gaz, aboya-t-il à l'attention de Chester en voyant son sac à dos et ses carabines sur le sol.

Ils foncèrent dans le couloir, dévalèrent l'escalier et sortirent enfin du bâtiment. Parvenus devant la guérite du garde, l'officier en second vit son ami étalé sur le sol.

– Je me charge de Célia, lui dit Drake. Occupez-vous de lui, il est trop lourd pour moi.

Le Colon s'exécuta, et ils traversèrent la rue. Ils descendaient le long de la rue la plus proche, lorsque la première charge explosa, suivie d'une série de détonations successives semblables aux pétards de la nuit de Guy Fawkes[1]. Les explosions retentirent dans toute la caverne et ils sentirent le souffle les pousser en avant. Ils s'arrêtèrent pour voir s'effondrer le bâtiment dans un nuage de poussière, au moment où résonna le bruit de la dernière explosion.

L'officier en second, qui avait déposé son ami sur le sol, s'avança vers Drake, puis le mit en garde.

– Si je faisais mon travail, je serais en droit de vous arrêter.

Chester s'attendait à cette scène et se tenait paré, son pistolet à fléchettes tranquillisantes caché derrière son dos.

– Mais si la fuite de deux Surfaciens peut assurer la sécurité de Célia, ainsi soit-il, poursuivit l'officier en second.

– Pourquoi ne venez-vous pas avec nous ? demanda Mme Burrows. Il n'y a rien qui vous retienne.

1. Chaque année, on tire des feux d'artifice et on allume des feux de joie un peu partout en Angleterre, pour commémorer l'échec du complot fomenté contre le roi protestant Jacques Ier par un groupe de catholiques mené par Guy Fawkes, le 5 novembre 1605 *(N.d.T.)*.

– Il y a ma mère et ma sœur, dit-il en haussant les épaules. Je ne pourrais pas les abandonner. Il faudra juste que j'invente quelque chose pour les Styx, histoire de me couvrir, ajouta-t-il en observant la fumée qui s'élevait des restes des Laboratoires.

– Il faut déguerpir, dit Drake qui scrutait les rues alentour d'un air soucieux. On aurait dû être loin d'ici au moment où les charges ont explosé. Les Styx doivent déjà être sur nos traces.

– Oh, mon Dieu, marmonna Chester.

Mme Burrows ne semblait pas très inquiète pour sa part.

– Merci de m'avoir sauvée, dit Mme Burrows à l'officier en second en se penchant pour l'embrasser. Vous êtes un homme bon, vraiment.

L'officier en second porta la main à sa joue, là où elle l'avait embrassé. Chester aurait juré qu'il rougissait.

– Ouais, après tout, peut-être que t'es pas si mauvais… pour une tête de lard, lança Chester au Colon, tandis que Drake et Mme Burrows s'éloignaient déjà.

– Hors de ma vue, Surfacien ! répliqua le Colon avec un sourire en feignant de frapper le garçon. Mais où est donc passée cette fichue chasseresse ? J'espère juste qu'elle n'a pas été blessée dans l'explosion, ajouta-t-il d'un air grave, et il se mit à la rechercher.

Mme Burrows ne voulut pas qu'on l'aide. Elle n'avait aucun mal à garder l'allure alors qu'ils filaient tous trois à travers les rues en direction des Stations de ventilation.

En dépit des craintes de Drake, il n'y avait pas beaucoup de Styx dehors, et l'odorat de Mme Burrows leur permettait de les éviter aisément.

– Pas par là, dit-elle. Avec tout ce gaz dans l'air, je ne suis pas aussi précise que je voudrais, mais je crois qu'il y a des Styx là-bas.

Drake jeta un coup d'œil à l'angle de la rue et se retira vivement en adressant un signe de la tête à Chester.

– Comment faites-vous ça ? demanda Drake à Mme Burrows tandis qu'ils faisaient demi-tour.

– Les Lumières noires m'ont affectée. Je crois qu'elles ont modifié la structure de mon cerveau, dit-elle en riant. Je suis peut-être aveugle, mais je n'avais pas l'intention de regarder à nouveau la télé, de toute façon.

L'heure n'était plus à la conversation. Ils venaient de s'engager dans une avenue où circulait une foule de gens endormis, semblable à un troupeau égaré. Chester trouvait la scène presque amusante. Tous ces hommes coiffés de bonnets et de chemises de nuit ridicules, et puis ces femmes en robes de chambre fleuries… On aurait dit qu'une soirée déguisée placée sous le signe du sommeil venait de dérailler. Les multiples explosions les avaient manifestement réveillés. Comment auraient-ils pu les ignorer au cœur de cette caverne gigantesque ?

Drake et Chester n'eurent pas besoin d'employer de fléchettes tranquillisantes, car le gaz avait tant affecté les Colons que ces derniers ne constituaient plus aucune menace. Drake en profita pour voler une paire de chaussons à une femme plutôt gironde qui se mit à pousser des cris stridents, et ce n'est qu'au moment où il les remit à Mme Burrows, quelques mètres plus loin, que Chester s'aperçut qu'elle marchait pieds nus depuis le début.

Ils durent effectuer un autre détour lorsque Mme Burrows les avertit encore de la présence des Styx. Puis, en moins de temps qu'il ne faut pour le dire, ils se retrouvèrent à nouveau sur l'artère aux ornières creusées par le passage des carrioles, et ne tardèrent pas à traverser le passage où se trouvait la porcherie.

– Si on m'avait dit qu'un jour je serais ravi de sentir à nouveau l'odeur du fumier de cochon !… dit Chester.

Drake sortit son iPod à l'entrée du Labyrinthe. Mme Burrows s'accrocha au sac à dos de Chester pour maintenir sa trajectoire, mais Drake remarqua au bout d'une heure de marche qu'elle traînait des pieds. Le calvaire qu'elle avait vécu dans la Colonie devait commencer à l'user.

– On devrait faire une pause, dit-il.

Ils s'assirent sur le sable rouge et sortirent leurs gourdes pour se désaltérer.

– Parlez-moi de Will. Parlez-moi de mon fils, demanda soudain Mme Burrows.

Drake adressa un regard à Chester pour l'inciter à répondre.

– Hum… il allait bien… pas de problème… lorsqu'il… hum… est parti. Vous comprenez, il est parti à la recherche du Dr Burrows, au plus profond des entrailles de la Terre, expliqua Chester qui estimait que le moment était mal choisi pour lui révéler qu'ils avaient plongé tête la première dans un gouffre colossal surnommé « Jeanne la fumeuse ».

Il ne savait pas s'il avait survécu à leur chute. Chester ne s'était jamais retrouvé dans pareille situation auparavant, à devoir informer quelqu'un du décès de son mari ou de son enfant.

Mme Burrows ne semblait pas convaincue par sa réponse. Elle tourna ses yeux sans vie vers Chester et ses narines frémirent imperceptiblement.

– Tu ne me racontes pas tout, n'est-ce pas ? demanda-t-elle d'une voix douce.

– On pourrait peut-être faire ça plus tard, intervint Drake. Nous sommes un peu pressés…

Chester remarqua que Drake avait l'air soucieux et il lui adressa un petit signe en haussant des épaules.

– Ça pourrait se corser, dit enfin Drake avec une grimace tout en jouant avec son masque à gaz.

Après toute cette excitation, Chester se sentait totalement vidé et il voulait juste remonter à la Surface.

– Qu'est-ce que vous voulez dire ? demanda-t-il avant de remarquer ce que Drake tenait à la main. Les masques à gaz ! On n'en a pas assez pour traverser la Cité éternelle !

– Non, ce n'est pas ça. J'en ai un autre dans mon sac à dos, répondit Drake d'une voix étouffée. C'est Eddie. Il était prêt à nous laisser tous mourir là-bas, et si, comme je le soupçonne, il est reparti en Surf…

– L'entrepôt ! s'écria Chester en se relevant d'un bond. Mon père ! Il est là-bas ! Si Eddie l'attrape le premier…

– Oui, c'est pour ça qu'on ferait mieux de chausser nos patins ! répondit Drake.

– S'il s'agit de moi, dit Mme Burrows, je ne vous retiens pas. J'attends que quelqu'un nous rejoigne.

Chester et Drake se contentèrent de la regarder sans rien dire.

– Elle est là, mais vous l'avez effrayée, Drake, et elle garde ses distances, expliqua Mme Burrows, puis elle se tourna vers la galerie d'où ils venaient d'émerger. C'est bon, tu peux sortir maintenant.

– C'est marrant, mais voilà qui ne m'étonne pas ! soupira Drake avec un sourire.

Chester n'avait pas la moindre idée de ce dont ils parlaient.

– Eh bien, comment aurais-je pu l'abandonner derrière moi, dans cette maison avec ces deux femmes horribles ? Allons, Colly, viens donc te joindre à nous ! cria-t-elle.

La chatte, telle une panthère noire, sortit des ténèbres en observant prudemment Drake de ses yeux d'ambre.

– Exactement ce qui nous manquait… avant de ressortir du côté de Westminster ! s'exclama Drake en gloussant.

Chapitre Trente et un

Après avoir franchi d'un bond un autre large ravin, Will et Elliott atterrirent de l'autre côté en dérapant dans la vase. Elliott vacilla sur quelques mètres, puis regarda Will.

– Il y en a encore beaucoup d'autres ? demanda-t-elle au moment où Bartleby s'élançait au-dessus du vide.

Le chat, qui avait mal évalué la distance, faucha Will en atterrissant dans ses jambes.

– Aïe ! Attention, minou ! le réprimanda Will, mais le chat s'éloignait déjà au galop pour explorer cette nouvelle section.

– Alors ? Il y en a d'autres, ou pas ? demanda à nouveau Elliott en bougeant à peine les lèvres.

Will s'aperçut alors qu'elle venait une fois encore de toucher le fond. Les effets de la fatigue se manifestaient par vagues, et le plus souvent par un désintérêt complet pour tout ce qui vous entourait, mais il arrivait aussi parfois que l'on sombre au plus profond du désespoir. La moindre tâche semblait alors insurmontable, sans que la plus petite lueur ne pointe au bout du tunnel. Will soupçonnait Elliott d'en être arrivée là.

– Non, je crois que c'est le dernier grand saut, et heureusement qu'on est encore dans un environnement à faible gravité, dit-il en essayant d'être positif. Je ne sais pas comment on aurait pu passer, sinon.

– Je suis si fatiguée, répondit Elliott dans un bâillement, et puis j'ai tellement faim que je pourrais dévorer une vache des cavernes… voire deux.

– Ouais, moi aussi, mais je n'irais pas jusque-là. Attends qu'on soit arrivés à l'abri antiatomique. Il y a là-bas non seulement des lits propres et douillets, mais aussi des tonnes de nourriture, lui dit Will dont l'estomac gargouillait déjà à l'idée de déguster du corned-beef et des biscuits secs, ce qui, pour l'heure, lui semblait un festin miraculeux.

Ils atteignirent le bout de la fissure moins d'un kilomètre plus loin et s'engagèrent dans un étroit passage aux parois de pierres brutes. Will éteignit son traceur radar et le mit dans sa poche. Ils ne pouvaient plus s'égarer désormais, mais il trouvait étrange de ne plus entendre les clics qui ponctuaient parfois leur difficile progression, au rythme lent de leurs bottes qui tapaient et raclaient le sol.

Will et Elliott laissèrent s'écouler une heure sans rien dire.

– On n'est plus très loin, annonça-t-il enfin.

– Oh, d'accord, souffla-t-elle.

– Mouais. C'est vraiment à deux pas d'ici. T'as remarqué les inscriptions au-dessus de nous ? dit-il en cherchant à lui remonter le moral. Tu vois… on est presque arrivés à bon port, ajouta-t-il en levant son globe lumineux pour éclairer les parties les plus hautes de la galerie.

– Un triangle rouge, remarqua Elliott, qui s'était adossée contre la paroi et avait orienté sa lanterne vers le plafond.

– Il y en a tous les cinq cents mètres environ, dit Will en reprenant son chemin, mais à peine eut-il prononcé ces mots qu'ils résonnèrent dans sa tête comme si l'on venait de frapper un diapason.

Will continua à marcher machinalement avec Elliott à sa suite. Sans s'en rendre compte, il sifflotait entre ses dents d'un air distrait, tout comme son père quelques mois plus tôt. Le Dr Burrows avait été le premier à remarquer les symboles directionnels qu'il avait indiqués à Will.

– Il y en a tous les cinq cents mètres environ, répéta-t-il d'une voix à peine audible.

Il entendait son père dans sa tête aussi distinctement que s'il se tenait à ses côtés.

Will commença à ralentir le pas. Il se rappelait à présent que son père avait dû le persuader de poursuivre dans cette direction-là. À l'époque, Will était rongé par la culpabilité et se reprochait de n'avoir pas fait de plus grands efforts pour retrouver Chester et Elliott. Ils s'étaient en effet dispersés après l'explosion à côté du sous-marin. Il s'était alors montré têtu et s'était déchaîné contre le Dr Burrows, passant ses nerfs sur lui alors qu'il était en réalité furieux contre lui-même. Il était qui plus est complètement perdu.

Will s'arrêta brusquement, forçant Elliott à en faire de même.

– Qu'est-ce qui se passe ? demanda-t-elle.

– Je…

Will éclata soudain en sanglots. Incapable de retenir ses larmes, il pleurait si fort qu'il parvenait à peine à respirer.

– Papa, oh, papa, gémit-il en se détournant vivement d'Elliott pour se cacher contre la paroi.

Will avait visiblement honte d'avoir ainsi perdu la maîtrise de ses émotions face à Elliott.

Bartleby, qui était retourné sur ses pas pour voir pourquoi ses compagnons de voyage ne gardaient pas l'allure, regarda Will de ses grands yeux couleur de cuivre sans comprendre ce qui se passait. Il essaya d'attirer son attention en glissant son museau entre lui et la paroi, mais Will ne bougea pas d'un pouce. Bartleby s'assit sur son séant, inclina la tête sur le côté et se mit à pousser des miaulements graves comme pour compatir avec le jeune garçon qui sanglotait.

– Un imbécile, voilà ce que je suis, murmura Will.

– Non, lui dit Elliott d'une voix douce en l'enlaçant, puis elle posa sa tête sur son épaule.

– Je ne sais pas… pourquoi est-ce que… maintenant, dit-il, le souffle entrecoupé par les sanglots, sans pouvoir reprendre le contrôle de lui-même.

Ils restèrent ainsi enlacés pendant quelques instants.

– Quel bouffon, dit-il enfin, le souffle court.

– Ça va aller. Tu es triste, c'est tout, dit-elle en lui pressant légèrement le bras pour le réconforter. N'essaie pas de lutter. Tu te souviens de ce que j'avais dit à Cal sur l'île ? Les expériences les plus horribles nous rendent plus forts, et plus aptes à la survie.

– Mouais, marmonna Will.

– Ce n'est pas entièrement vrai, car les choses ne s'arrangent qu'avec le temps, admit-elle.

Will se calma et Elliott releva la tête. Elle s'apprêtait à l'embrasser sur la joue quand il se libéra de son étreinte et s'éloigna de la paroi.

Il n'avait pas remarqué ce qu'elle s'apprêtait à faire, et garda les yeux rivés sur ses pieds.

– J'étais si souvent en colère contre papa, dit-il d'une voix rauque et fatiguée. J'étais tellement sûr de moi ! J'étais persuadé d'avoir raison, bon sang ! *Vieillard débile*, voilà ce que je me disais. *Espèce de vieux schnock débile, qui ne comprend jamais rien et qui gâche toujours tout*, ajouta-t-il en s'essuyant le visage sur sa manche. J'étais horrible avec lui, et maintenant, je ne peux plus lui dire que c'est moi qui avais tort, ni à quel point je suis navré.

Will s'efforça de glousser en essuyant ses larmes avec le pouce, mais il n'avait pas l'air très enjoué.

– Oui, lui dire que j'avais *parfois* tort, moi aussi.

Il poussa un gros soupir, puis il fut pris d'un hoquet soudain, si sonore que Bartleby en dressa les oreilles.

– Tu veux un peu d'eau ? proposa Elliott. On peut rester ici un temps, si tu veux ?

– Non… ça va mieux. Merci, répondit Will en s'avançant dans la galerie, reniflant de temps à autre en songeant à son père.

– On y est ! lança Will à Elliott en se ruant hors de la brèche, si bien qu'il faillit s'étaler sur le quai de béton.

Tenant son globe lumineux devant lui, il s'apprêtait à virer à droite lorsque Bartleby lui coupa la route à la vitesse d'un boulet de canon.

– Noooooon ! cria Will, mais il était déjà trop tard.

Bartleby franchit la limite du quai et tomba dans l'eau avec fracas.

Elliott rejoignit Will et ils regardèrent le chasseur pédaler dans l'eau pour se rapprocher du bord, les oreilles plaquées sur son crâne, s'efforçant de maintenir son gros museau hors de l'eau.

– Je ne me doutais pas qu'il savait nager, et il a l'air d'aimer vraiment ça. En fait, c'est pas un vrai chat, n'est-ce pas ? dit Will.

Le jeune garçon aida l'animal à se hisser sur le quai, puis Bartleby s'ébroua, éclaboussant Will et Elliott au passage. Elliott dirigea le faisceau de sa lanterne sur l'eau claire du lagon, puis éclaira la paroi de la caverne située sur leur gauche.

– C'est donc ça ?

– Tu n'en as pas vu la moitié. Il faut qu'on allume les projecteurs, lui répondit Will en s'essuyant les mains sur sa veste. Viens, c'est par ici.

Ils longèrent le quai, escaladèrent un tas de gravats, puis tournèrent à gauche et atteignirent en un rien de temps le bâtiment bas aux fenêtres poussiéreuses.

– Elle est déjà ouverte ! s'exclama Will en s'approchant de la lourde porte gris-bleu.

– Y a quelqu'un dedans ? demanda Elliott en armant aussitôt sa carabine.

Will empoigna le mécanisme de fermeture circulaire et tira la porte de quelques centimètres.

– Cette porte était fermée lorsqu'on est partis, dit-il en fronçant les sourcils, puis il se tourna vers Elliott. Je suis sûr qu'elle était verrouillée. Papa m'avait dit de vérifier qu'elle était bien fermée.

Elliott s'accroupit, le doigt sur la détente.

– Non, je ne crois pas qu'il y ait de quoi s'inquiéter. Il n'y a pas de Styx ici, lui dit Will. Mais ça veut dire… du moins, j'imagine… que Chester est revenu ici avec Martha. Il va bien ! s'écria-t-il avec un grand sourire, puis il secoua la tête. Tu sais, avec tout le reste, je n'ai pas beaucoup pensé à lui ces derniers temps. Je me suis juste dit qu'il devait être revenu en Surface avec cette cinglée, et qu'il est toujours quelque part là-haut.

Mais Elliott n'était pas aussi détendue que lui. Elle observait Bartleby qui semblait prêt à bondir.

– Le chasseur a repéré quelque chose. Baisse le ton, murmura-t-elle à Will. Et ouvre la porte, tu veux ?

Will s'exécuta. Elliott vérifia l'intérieur de la pièce à l'aide de sa lunette, puis ils entrèrent tous les deux. Will se précipita sur le tableau de commande.

– C'est le tableau de commande principal qui contrôle l'éclairage. J'allume ? Est-ce que c'est une bonne idée ? demanda-t-il à Elliott qui acquiesça en retour.

– Je n'aime pas la façon dont se comporte Bartleby, dit-elle à voix basse en regardant le chat qui s'avançait avec méfiance.

Will, qui se rappelait que son père avait enclenché le premier interrupteur en vain, poussa le suivant et abaissa la manette. Un éclair bleu illumina la pièce au moment du contact électrique, puis les lampes accrochées aux cloisons s'embrasèrent d'un coup.

– Ah ! J'avais oublié que la lumière était si vive, s'exclama Will qui parvint malgré tout à abaisser les interrupteurs correspondant à l'éclairage extérieur du port.

– Papa m'a dit que des turbines immergées dans le fleuve assurent l'alimentation électrique de cet endroit.

– Attention, souffla Elliott en indiquant le coin de la pièce d'un signe de la tête.

– On l'a laissée ouverte, remarqua Will en s'avançant vers la porte blindée d'un mètre d'épaisseur.

– Attends, murmura Elliott. Ça a l'air mouillé.

Will fouilla la pièce du regard et vit une petite chose crasseuse sur le sol. Il y avait des marques grises sur le béton tout autour.

Bartleby s'avançait pas à pas, mais Will ne comprenait pas ce qui le rendait si nerveux.

– On n'a rien laissé traîner là, papa et moi, indiqua Will. Mais ce n'est qu'un chiffon sale, non ?

Will sonda l'objet du bout renforcé de sa botte, tandis qu'Elliott gardait la porte blindée dans son collimateur.

– Oui, c'est un chiffon ! déclara Will avant de l'écarter d'un coup de pied en s'esclaffant. Non, attention, c'est dangereux… très dangereux ! poursuivit-il, tout juste capable d'articuler. Regarde un peu. C'est pas un chiffon, mais un sous-vêtement tout crasseux ! Chester a dû le déposer là !

Elliott se rangea à ses côtés et vit qu'il s'agissait indubitablement d'un slip sale et élimé.

Ils s'engagèrent ensuite tous les trois dans le couloir derrière la porte blindée. La pièce était éclairée par une série de néons qui couraient au plafond situé à quinze mètres du sol environ. Will jeta un coup d'œil à la cabine de l'opérateur radio pour s'assurer qu'elle était toujours là, car il comptait bien s'en servir par la suite.

– Tu vas adorer ça, dit-il en indiquant la cabine suivante sans baisser la voix. C'est l'armurerie. C'est…

– Bartleby continue à tourner en rond, et puis il y a une drôle d'odeur, répondit Elliott d'un ton sec.

– Du détergent, c'est tout, rétorqua Will en reniflant à plusieurs reprises. C'est probablement ça, ajouta-t-il en s'essuyant le pied sur une trace humide qui courait sur le lino du couloir. Chester ou bien Martha ont dû traîner quelque chose sur le sol.

Mais Elliott avait raison. Bartleby se comportait toujours bizarrement à mesure qu'ils avançaient, même si Will l'attribuait à ce nouvel environnement empli d'odeurs inconnues.

Au bout du couloir, ils trouvèrent des rations de nourriture réduites en pièces.

– « Laisse toujours l'endroit comme tu aurais souhaité le trouver », dit Will d'un ton désapprobateur en citant la maxime du Dr Burrows.

– C'est de ton père ? demanda Elliott qui avait compris que cette phrase n'était pas de son cru.

– En effet, confirma Will, mais ça m'étonnerait que Martha et Chester aient mis une telle pagaille.

– Il y a autre chose, murmura Elliott en tordant le nez. Une odeur qui…

– Non, c'est bon, insista Will. Tu t'inquiètes trop. J'arrête pas de te le dire, personne ne viendrait ici. On est trop loin de la Colonie ou des Profondeurs, à des kilomètres de tout.

– Mais tu ne crois pas que les Cols d'albâtre se sont un tout petit peu intéressés à la façon dont le Doc et toi êtes revenus à Highfield ? Et si jamais Chester ou Martha se sont fait attraper et ont été soumis à la Lumière noire ? Ils leur auront tout dit, ils auront parlé de cet endroit. Et ta mère ? Et si jamais les Styx l'avaient fait parler ?

– Non, pas ma mère. Drake s'est assuré qu'on ne lui en disait pas trop, mon père et moi, et qu'on ne parlait pas de l'endroit où le fleuve remontait sous le terrain d'aviation, mais t'as sans doute raison, conclut Will.

Ils entrèrent dans la zone principale remplie de lits superposés. Elle faisait la taille d'un terrain de football. Il y avait d'autres pièces encore aux extrémités de la zone. On avait laissé les lumières allumées, mais il n'y avait personne.

– Qu'est-ce que je te disais ? dit Will à Elliott. Il n'y a personne à la maison. Personne. Allez, viens avec moi.

Will traversa la zone en courant entre les lits superposés, mais Elliott le suivit prudemment, la carabine encore en joue.

Lorsqu'elle le rattrapa à l'autre bout de la salle, il lui indiqua une porte bleu ciel qui comportait un numéro.

– Là, c'est les douches, l'informa-t-il. Et voilà ce qu'on attendait ! s'exclama-t-il devant la porte suivante. La cuisine est ici !

Il ouvrit la porte d'un coup et entra.

La pièce tout entière semblait en mouvement, puis la scène se figea soudain.

Des centaines de petits yeux étaient rivés sur lui.

Des moustaches se mirent à vibrer.

Et c'est alors qu'une énorme horde de rats se précipita sur lui.

– Mon Dieu ! gémit Will alors qu'ils couraient vers la porte.

Coincé devant l'entrée, il s'agrippa au chambranle, ferma les yeux, et se prépara à affronter le torrent de vermine qui se déversait tout autour de lui et se faufilait entre ses jambes.

Un coup de feu retentit. Elliott venait d'abattre un rat, puis un autre, mais ce n'était rien comparé à Bartleby, qui s'amusait comme un fou. On aurait cru voir une tornade alors qu'il attrapait les rats les uns après les autres entre ses crocs. Il ne les achevait pas d'un coup de dents, mais les saisissait par la peau du cou et leur brisait les vertèbres en les jetant à terre.

– Mon Dieuuuu ! hurla Will en reculant d'un pas vacillant.

Ce n'est qu'alors qu'il ouvrit les yeux et vit le carnage à ses pieds. Le sol était jonché de rats morts et sanguinolents, mais il n'y avait pas la moindre trace de Bartleby.

– Tu aurais dû voir ta tête ! s'exclama Elliott, pliée en deux de rire.

– Dégoûtant ! souffla Will que la scène n'amusait pas du tout.

– Ce ne sont que des rats… et on a de quoi manger maintenant, parvint à articuler Elliott entre deux crises de fou rire.

Will était très calme lorsqu'il retourna à la cuisine et découvrit le chaos que les rats avaient laissé derrière eux. Des rations déchiquetées, des sachets de thé éventrés. Les rats avaient planté leurs crocs dans tout ce qu'ils avaient trouvé. Il vit alors un bidon en plastique rempli de détergent qui gisait sur le sol. Ils avaient réussi à le renverser, alors qu'il était posé sur l'égouttoir à côté de l'évier. Voilà qui expliquait qu'il y en ait des traînées un peu partout.

Il se tourna alors vers les étagères où étaient entreposées les conserves.

– Au moins, ils n'auront pas eu mon corned-beef, dit Will pour se consoler, mais il n'avait plus guère d'appétit à présent.

– Enlève ton équipement et mets-le dans la malle avec tes armes, dit Drake à Chester. On viendra les rechercher plus tard.

Mme Burrows et Colly attendaient dans la cave pendant que Chester se débarrassait de son sac à dos et de sa cartouchière.

– On n'aura pas besoin d'armes quand on arrivera à l'entrepôt ? demanda-t-il en observant son revolver dont il n'avait pas vraiment envie de se séparer.

– Tu sais que c'est l'heure du déjeuner, là-haut. Il y aura des gens partout, et des agents de police. Il faut éviter de se faire attraper avec quoi que ce soit d'incriminant sur nous. C'est un risque inutile, répondit Drake, et puis j'ai du matériel dans ma Range Rover, pas loin de chez Eddie. On fera un premier arrêt là-bas.

– D'accord, acquiesça Chester.

Drake trancha un bout de corde dont il fit une laisse de fortune pour la chatte. Colly semblait moins effrayée lorsqu'il la lui noua autour du cou et en tendit l'extrémité à Mme Burrows.

– Pour sauver les apparences, dit-il.

Il referma la malle et abaissa les cliquets, puis la dissimula sous deux cartons de vieux livres.

– Il est temps de filer, déclara-t-il enfin.

Drake gravit les marches qui menaient au bout de la cave, mais comme il s'y attendait, la porte était verrouillée.

– Ça risque de faire un peu de bruit, mais ça devrait aller, dit-il.

Il recula de plusieurs marches, puis décocha un coup de talon ciblé dans la serrure, ce qui fracassa la porte. Il entra, suivi par Mme Burrows et la chasseresse. Chester fermait la marche.

Lorsqu'ils sortirent du bâtiment, ils virent que l'endroit était en effet bondé. Il y avait dehors une trentaine d'élèves de l'école voisine, et certains tapaient dans un ballon sur la partie engazonnée au centre de la place pendant que d'autres étaient assis en petits groupes. Qui plus est, Chester aperçut, en dépit de la luminosité du jour qui l'éblouissait, quelques touristes munis d'appareils photo et deux hommes âgés en soutane. Il prit une grande inspiration et franchit l'espace qui le séparait de Drake et de Mme Burrows.

Le silence s'abattit sur la place à mesure que les gens les remarquaient, puis il y eut des murmures d'étonnement. Les jeunes garçons avaient délaissé leur ballon et perdu tout intérêt pour leur partie de foot. Tous les yeux étaient rivés sur cet étrange petit groupe qui longeait la place. Si Chester et Drake, affublés de leurs costumes NBC verts et maculés de boue, ne suffisaient pas à attirer l'attention, la femme chauve au crâne orné de pointillés qui les accompagnait, vêtue d'une tunique bleue et de chaussons rubis ne manquait pas d'éveiller la curiosité. Colly, aussi chauve que Mme Burrows et de la taille d'un danois, était le clou du spectacle. Elle reniflait les badauds fascinés d'un air inquisiteur.

Alors qu'ils s'approchaient de la sortie, le gardien les dévisagea avec une hostilité mêlée de curiosité. Ce n'était pas le même homme que celui que Drake avait croisé deux fois déjà, mais il était tout aussi dévoué à sa tâche que son collègue. Il attendait en tapant du pied que ce trio suspect et leur animal domestique arrivent à sa hauteur.

– Bonjour, dit-il sèchement à Drake en rivant ses pieds au sol comme s'il s'attendait à une confrontation.

– Belle journée en effet, répondit Drake avec entrain, les yeux mi-clos et le visage tourné vers le ciel. Au cas où vous vous poseriez la question, nous sommes une troupe de performeurs… ajouta-t-il sans lui laisser le temps de parler.

– Ah, des artistes, dit le gardien qui venait de rabaisser le niveau d'alerte qu'il s'était lui-même fixé, puis il acquiesça d'un air entendu, comme si cette explication lui suffisait.

Ils continuèrent donc leur chemin dans la ruelle et émergèrent sur l'avenue. Drake héla un taxi, mais la foule était encore plus nombreuse que sur la place et ils ne faisaient qu'attirer un peu plus l'attention. Deux jeunes punks japonais coiffés d'immenses crêtes bleu électrique s'avancèrent vers Mme Burrows.

– T'as un look essentiel, ma sœur, lui dit le garçon en l'admirant sans réserve.

– Trop coooooool, ma chérie, s'écria sa copine.

– Merci, dit Mme Burrows.

Elle n'avait cessé de parler à Colly pour la calmer dans ce nouvel environnement. Le brouhaha formé par tous ces gens assemblés auquel s'ajoutait le vacarme de l'intense circulation sur Victoria

Street perturbait la chasseresse. Elle regardait de tous côtés, comme si elle cherchait à embrasser la scène d'un seul regard.

– Trop bien, le chat, dit le punk à sa copine en pointant Colly du doigt avec émerveillement.

La chasseresse le renifla d'un air curieux.

– Ouais ! C'est Doraemon... comme dans le manga ! s'exclama la punkette qui se mit à sautiller sur place en tapant dans ses mains.

– Ouais, Doraemon, le chat magique, mais en vrai ! répondit le punk qui prit aussitôt une photo de la chasseresse tout en poursuivant un échange animé en japonais avec sa petite amie, puis ils finirent par s'en aller.

Colly était perdue, et Mme Burrows ne semblait pas au mieux de sa forme. Elle parut soulagée, lorsqu'elle s'affala sur le siège arrière du taxi que Drake venait d'arrêter.

– Tout va bien, madame Burrows ? lui demanda Chester.

– Surcharge sensorielle, répondit-elle, puis elle demanda que l'on remonte la vitre.

Lorsqu'ils s'arrêtèrent à un feu, le chauffeur de taxi regarda Colly par-dessus son épaule.

– C'est vraiment un chien d'aveugle ? Jamais vu de chien pareil, dit-il en observant la chatte roulée en boule sur le plancher.

– Bien sûr. Bon, on est pressés. Si vous pouviez appuyer sur le champignon, merci, lui répondit Drake.

Lorsqu'ils arrivèrent à hauteur de la Range Rover, Drake donna de l'argent à Chester pour régler la course, puis il aida Mme Burrows et Colly à sortir et les fit aussitôt monter dans sa voiture.

– Vous ne voulez pas que je vous accompagne ? proposa Mme Burrows. Je peux vous aider.

– Célia, vous avez l'air épuisée, et je crois qu'on pourra s'en sortir sans votre système de détection à distance, ce coup-ci. Si je connais bien Eddie, il se sera envolé du nid, répondit Drake en ouvrant le coffre pour y prendre un sac. Tiens, prends un Beretta, dit-il à Chester en lui tendant un pistolet avant d'en fourrer un autre dans sa ceinture.

Sans rien dire, Chester et Drake traversèrent plusieurs rues. Arrivés à l'entrepôt, ils se mirent à longer les murs pour échapper aux caméras de surveillance.

– Attention aux recoins obscurs, lui dit Drake en déverrouillant la porte, qu'il entrouvrit à peine pour vérifier qu'elle n'était pas piégée.

Ils se faufilèrent ensuite à l'intérieur, pistolets à la main.

– S'il est ici, il nous aura repérés grâce à la surveillance vidéo, murmura Drake en guise d'avertissement. Il saura qu'on est là.

Ils s'accordèrent trente secondes pour s'habituer à la pénombre dans le corps principal de l'entrepôt, puis Drake monta le premier l'escalier qui menait à l'appartement, sans cesser de scruter les différentes machines en contrebas au cas où Eddie s'y tiendrait caché.

Ils trouvèrent la porte de l'appartement grande ouverte.

– Tout doux, murmura Drake en franchissant le seuil.

Ils remarquèrent d'abord le ciment brut : on avait retiré le tapis de l'entrée, puis, à mesure qu'ils s'avancèrent en pointant leur Beretta devant eux, ils découvrirent que le tapis de la pièce principale manquait aussi.

– Il a mis les bouts et il a tout emporté, dit Drake à voix basse.

La pièce était une coquille vide. La table sur laquelle était auparavant posée la scène de bataille de Waterloo, les moniteurs de vidéosurveillance, les meubles et même le papier peint avaient disparu.

Mais quelque chose gisait sur le sol nu, au centre de la pièce.

– Papa ! s'écria Chester en voyant la forme ligotée qui bougeait. C'est papa !

Chester se précipita pour lui ôter son bâillon.

– Chester ! bafouilla M. Rawls. Je ne sais pas ce qui s'est passé ! Je me suis réveillé comme ça.

– Ne t'en fais pas, papa, dit Chester en examinant son père pour s'assurer qu'il n'était pas blessé à mesure qu'il dénouait ses liens.

– Il va bien. Eddie ne lui a fait aucun mal, lança Chester à Drake qui était parti à l'extrémité de la pièce pour inspecter les chambres.

– Non, rien. Il ne reste rien, dit-il en haussant les sourcils, et je dois admettre que c'est sacrément impressionnant, en si peu de temps.

– Mais comment a-t-il fait ? demanda Chester en aidant son père à se relever après avoir ôté les derniers liens qui lui enserraient les chevilles.

– Peut-être qu'il avait une troupe de petites mains, des elfes, pour tout déménager, qui sait ? gloussa Drake. Je suis soulagé que Jeff ne soit pas blessé.

– Mais attends un peu, dit Chester qui venait de remarquer le bout de papier dans la poche de poitrine de M. Rawls.

– « Un geste de bonne volonté pour l'avenir. Ton ami », lut Drake à voix haute après avoir déplié la note.

– On dirait que c'est pour toi, Drake. Il s'attendait donc à ce que tu t'échappes de la Colonie ? demanda Chester en fronçant les sourcils.

– Peut-être qu'il n'est pas aussi radical que je ne l'imaginais. Après tout, il était prêt à laisser mourir ce Colon policier avec nous dans l'explosion, mais il a cru bon d'épargner Jeff.

– Policier ? Explosion ? Mais qu'est-ce que vous avez fait, bon sang ? demanda M. Rawls en les regardant alternativement l'un et l'autre.

– Emmène-le à la voiture, Chester. Tu le brieferas là-bas, suggéra Drake. Je vais tous vous déposer quelque part, et je reviendrai ensuite à l'hôtel pour voir si ta mère est passée. Mais il faut d'abord que je voie quelque chose, dit-il après un instant de réflexion.

Drake quitta l'appartement et descendit l'escalier. Alors qu'il traversait l'entrepôt, il repéra sur le sol quelque chose qu'il poussa du pied. Il s'agissait d'un matériau gris qui formait un boudin assez semblable à du porridge rance. Les motos avaient disparu, mais il se souvint qu'Eddie et lui les avaient laissées à Westminster.

Il vit que l'échafaudage drapé sous d'épaisses bâches en plastique était toujours au coin de l'entrepôt. Drake ne prit pas la peine d'appuyer sur le bouton rouge sur le tableau de commande pour désarmer les explosifs. Il savait déjà ce qu'il trouverait là-bas.

Drake écarta les pans de plastique et vit que la porte de métal encastrée dans le sol avait disparu. Trois ou quatre marches de l'escalier étaient encore visibles, mais l'ouverture était entièrement remplie de boue. Il s'agissait de la même substance que celle qu'il avait repérée sur le sol de l'usine. Drake chercha jusqu'à ce qu'il trouve un bout de bois qu'il planta dans la pâte, puis l'extirpa pour palper le matériau qui était resté collé au bout.

– Du ciment à prise rapide, dit-il, puis il jeta un coup d'œil à l'ouverture condamnée. Tu en as donc rempli la cave… malin. Tu t'es assuré que personne n'y remettrait plus les pieds… mais je parie que tu as emporté tout le matériel styx, hein, Eddie ?

Cinquième Partie

Retrouvailles

Chapitre Trente-deux

Will montrait le quai à Elliott quand ils tombèrent sur Bartleby, qui s'était installé sur la jetée de béton, l'une de ses dernières proies entre les pattes. Il mâchonnait bruyamment, mais Will n'aurait su dire s'il s'agissait de la tête ou de la queue du rat, vu l'état de la carcasse sanguinolente. Comme n'importe quel chat, le chasseur était tellement absorbé par son festin qu'il ne prit pas la peine de lever la tête pour jeter un coup d'œil à Elliott, qui s'avançait sur la jetée et regardait les bateaux coulés au fond du fleuve.

Will observait d'un air absent l'autre extrémité du lagon où la vieille barge avait dérivé, lorsqu'il remarqua enfin ce qui retenait l'attention d'Elliott.

– La chaloupe ! Quel idiot ! dit-il en se frappant le front. Pourquoi n'y ai-je pas pensé plus tôt ? s'exclama-t-il encore avant de se précipiter vers le quai pour rejoindre le bâtiment où se trouvait le générateur. Oui, elle a disparu ! Chester a pris la chaloupe et le moteur hors-bord qu'on avait laissés là, papa et moi, dit-il en parcourant le bâtiment du regard.

– Il est remonté en Surface, c'est sûr, mais nous, on fait quoi au juste ? demanda Elliott qui venait de le rejoindre.

– Je peux sans doute remettre un autre moteur hors-bord en état, et puis il y a des litres de carburant dans les réservoirs, mais le problème… dit Will en se grattant le menton, le problème, c'est la chaloupe, conclut-il en regardant le bâtiment peu élevé qui servait de hangar à bateaux. Il n'y en a plus.

– Plus de bateaux ?

– En fait, si, il en reste quelques-uns, mais la fibre de verre de la coque est franchement pas terrible. J'ai déjà examiné toutes les embarcations, car si j'avais laissé faire mon père, je ne serais plus là pour en parler.

– Bon, mais tu es toujours vivant, et il semblerait qu'on soit coincés ici. On est complètement bloqués, dit Elliott d'une voix lugubre avant de reprendre sa route le long du quai.

Est-ce une si mauvaise chose, après tout ? songea Will, qui avait remarqué l'attitude d'Elliott. Elle marchait d'un air abattu, sans grand intérêt pour ce qui l'entourait. *Peut-être qu'elle déteste l'idée de se retrouver ici avec moi. Peut-être qu'elle veut juste la compagnie de Chester ? Et peut-être que je suis complètement débile. Faut pas que je m'en fasse autant. Pourquoi est-ce que je m'en ferais autant, d'ailleurs ?* se demanda-t-il en haussant légèrement les épaules.

– Mais je ne m'en fiche pas du tout en fait, dit-il à voix haute en rouvrant les yeux.

Elliott sembla ralentir à cet instant même et Will se demandait si elle l'avait entendu. Il espérait bien que non. Elle était bien assez loin sur le quai pour que le bruit du fleuve souterrain ait couvert le son de sa voix. Du moins l'espérait-il.

Rougissant, il pivota sur ses talons et fila vers l'abri antiatomique, puis se précipita dans la cabine de l'opérateur radio.

Le noir, pas le rouge, se dit-il en se rappelant ce qu'il avait dit à Chester à propos du téléphone mural qui, par miracle, fonctionnait encore.

Will songea à la dernière fois qu'il avait vu son ami, juste avant qu'il ne saute lui-même dans le gouffre de Jeanne la fumeuse à la suite de son père, sans savoir ce qui les attendait.

Will avait l'impression que c'était il y a des siècles alors que cela s'était produit à peine quelques mois plus tôt. Il leur était arrivé tant de choses ! Will était désormais orphelin de père : il avait encore perdu quelqu'un d'essentiel à sa vie, et sa mère avait très probablement péri, elle aussi. Tant de gens étaient morts. À ce rythme, il serait bientôt le seul survivant, orphelin solitaire et sans ami, fuyant sans cesse les Styx – s'il parvenait à leur échapper, du moins.

Will se laissa choir sur une chaise en toile et se remémora l'épisode où le Dr Burrows lui avait fait une surprise en lui apportant des biscuits secs et du thé beaucoup trop sucré dans une timbale en fer-blanc.

Il était tellement heureux, à l'époque. Le Dr Burrows était certes prêt à tout sacrifier, y compris sa relation avec son fils et sa femme, pour satisfaire sa quête de savoir obstinée, mais il avait un côté affectueux, sans doute enfoui au plus profond de lui, comme une précieuse relique qu'on aurait enterrée, mais dont Will voyait parfois affleurer les contours.

– Papa, pauvre vieux papa, marmonna tristement Will en regardant rougeoyer les valves de l'ancienne radio qu'il venait d'allumer.

Il ne savait pas si c'était nécessaire pour faire fonctionner le téléphone, mais plus par superstition qu'autre chose, il se disait que cela ne saurait nuire de toute façon. Une minute plus tard, les valves émirent une lueur rose orangé. Will se leva de sa chaise et attrapa le combiné noir. Il composa le numéro d'urgence de Drake sans réfléchir. Pendant son accès de fièvre, Elliott n'avait cessé de répéter cette série de chiffres, restée gravée dans sa mémoire pour l'éternité.

Sans savoir si Drake était encore en vie, ni même si quelqu'un d'autre relèverait les messages, Will en laissa plusieurs à son attention sur le serveur. Essayant de rester concis, il lui dit qu'ils avaient atteint l'abri, Elliott et lui, et qu'ils n'avaient aucun moyen de remonter en Surface. Tout comme la dernière fois, il n'entendit que du bruit blanc et quelques grésillements, mais rien qui confirmât que l'appel avait bien été reçu.

En dépit de ce que lui avaient dit les jumelles styx au sommet de la pyramide, Will essaya le portable de sa mère. Incapable de déterminer s'il était encore en service, il lui laissa néanmoins un bref message.

– Appels passés, annonça-t-il après avoir reposé le combiné.

Tout cela n'était peut-être qu'une perte de temps, mais on ne pouvait pas dire qu'il ait eu grand choix. Ils pouvaient évidemment redescendre le long de la fissure inclinée, mais ils se retrouveraient alors à nouveau sur le territoire des Lumineux. Et que feraient-ils ensuite ? Décideraient-il de rejoindre la cabane de Martha pour y manger de l'araignée-singe jusqu'à la fin de leurs jours ?

– Je devrais peut-être essayer de construire un bateau, songea Will à voix haute.

Après tout, cette idée n'était pas si tirée par les cheveux que ça. Il y avait assez de matériaux dans le coin, et même un atelier d'usinage complet dans l'une des dépendances situées sur le quai.

– Ouais, peut-être bien construire un bateau, décida Will.

Il sortit de la cabine de l'opérateur radio et remarqua qu'il avait laissée ouverte la porte blindée à l'entrée. Après l'épisode des rats, il ne voulait prendre aucun risque et il s'empressa de la refermer.

Il se rendit dans le dortoir principal et découvrit au milieu des lits superposés la table où son père avait rassemblé tous les documents et les papiers qu'il avait pu trouver. Le plan détaillé de l'abri anti-atomique et de la zone alentour était encore ouvert là où l'avait laissé le Dr Burrows, avec une pile de manuels d'outillage ainsi qu'un livre de poche tout corné, intitulé *Destination Zebra, station polaire*, dont la couverture semblait tout droit sortie d'un film et sur laquelle on voyait un sous-marin émerger de la banquise.

– Au moins le sous-marin qu'on a découvert était bien réel, marmonna Will en examinant le livre de plus près pour mieux voir les hommes en parkas affectant une pose héroïque tout autour du kiosque, leurs armes à la main.

Ils semblaient pleins d'assurance. Dans un soupir, Will jeta le livre sur la table. Il ne savait plus ce qu'était un véritable héros, et il n'avait certainement pas besoin de lire les aventures de personnages imaginaires.

Will s'affaira ensuite dans la cuisine, ce qui n'était pourtant pas dans son tempérament, lui qui ne participait jamais au nettoyage de la maison à Highfield. Muni d'une paire de gants dénichée dans les magasins du quartier maître, il balaya tous les paquets et autres ordures déchiquetés par les rats et les jeta dans une poubelle qu'il traîna ensuite jusqu'au générateur.

Il inspecta ce qui restait dans la cuisine et vit que les rats avaient envahi presque toutes les caisses empilées contre le mur pour en dévorer le contenu. Il en restait néanmoins quelques-unes, sur le dessus de la pile, qui étaient restées intactes. Pour son plus grand plaisir, elles recelaient bon nombre de biscuits secs emballés dans du papier d'aluminium vert, mais aussi des boîtes de rations comportant une barre chocolatée chacune. La plupart étaient couvertes d'une couche de poudre blanche et n'étaient donc pas comestibles, mais en fouinant dans les boîtes, Will en dénichait parfois une dont l'odeur et le goût lui semblaient normaux. Quant aux morceaux d'ananas au sirop dont Will s'était délecté lors de sa dernière visite, ils avaient échappé aux rats affamés, protégés par leurs boîtes de conserve.

– Comme plat principal, j'ai donc du corned-beef et des biscuits, et en dessert du chocolat et de l'ananas en morceaux. La vie n'est pas si dure, soupira-t-il en s'efforçant d'y croire.

Il soupesa l'une des boîtes de corned-beef rectangulaires, puis vérifia que les joints ne comportaient aucune trace de rouille, mais à dire vrai, il avait la tête ailleurs. Il tendait l'oreille et se demandait si Elliott allait encore tarder à le rejoindre dans l'abri.

Était-elle aussi mécontente qu'elle le paraissait, à se retrouver ainsi coincée en sa compagnie ?

À peine Drake eut-il tourné la clé de contact que Chester, assis à l'arrière de la Range Rover aux côtés de Mme Burrows, sombra dans un profond sommeil. Il était complètement vidé. Mme Burrows avait les yeux fermés, mais elle était encore éveillée. Elle avait le bras posé sur le haut de la banquette et caressait Colly qui était allongée dans le coffre et ronronnait si fort qu'elle couvrait le bruit du moteur.

Ils étaient en route vers le centre de Londres, lorsque M. Rawls, assis sur le siège du passager, s'exprima enfin :

– Quelles chances ma femme a-t-elle de s'en sortir ? Dites-moi franchement, Drake.

– OK, Jeff, mais ce sera pénible à entendre, lui répondit Drake en changeant de vitesse. Aux yeux des Styx, elle n'a qu'une valeur stratégique mineure, du fait de ses liens avec Chester, et du coup avec le reste d'entre nous. J'imagine donc qu'elle est chez vous en ce moment, comme un appât accroché au bout d'un hameçon.

– Vraiment ? dit M. Rawls dans un élan d'optimisme.

– Mais ne vous réjouissez pas trop vite. Nous sommes devant une alternative. Soit j'essaie de l'en extraire à nouveau, mais si jamais je me plante et qu'ils m'attrapent, je vous mettrai tous en danger. Non seulement vous aurez perdu Emily, mais vous et votre fils tomberiez à nouveau entre leurs mains.

– Bien, et quelle est l'autre option ? demanda M. Rawls platement.

Ils s'arrêtèrent à un croisement et un petit fox-terrier se mit à aboyer sur le trottoir. Drake jeta un coup d'œil dans son rétroviseur.

– La chatte ! s'exclama-t-il.

Tel un diable à ressort, Colly avait émergé du coffre et fixait le chien de ses yeux perçants en poussant des grognements, les crocs luisant sous ses babines retroussées.

– Planquez-moi cette chasseresse ! Hors de ma vue ! ordonna Drake.

– Du calme, ma fille, lui dit Mme Burrows.

La chatte obéit aussitôt et se rallongea par terre.

– Vous parliez d'une autre possibilité, pressa M. Rawls.

– Oui, j'ai fait tout ce que j'ai pu pour déprogrammer votre femme, mais elle est manifestement très sensible à la Lumière noire. Elle pourrait servir aux Styx à l'avenir, comme l'un de leurs « drones » ou une « cellule dormante », comme vous voudrez. Je crois qu'ils la garderont en vie pour le moment, mais je ne peux rien vous garantir.

– Vous croyez donc qu'il faut la laisser vivre sa vie. Il n'y a vraiment personne d'autre qui puisse nous aider à la récupérer… ou à faire quelque chose contre les Styx ?

– Non, je le crains, à moins qu'il n'y ait un autre groupe autonome dont je n'aie pas entendu parler, ce qui est possible. Mais si l'on y réfléchit bien, et qu'ils sont à peu près bons, je ne les trouverai pas de toute façon.

– En effet, acquiesça M. Rawls qui fixait désormais Drake. Vous n'allez donc même pas essayer de ramener Emily, n'est-ce pas, à cause des risques ?

– Écoutez, je n'ai pas dit que c'était hors de question. Je filerai directement à Highfield après vous avoir déposés. Je vais jeter un coup d'œil, sans trop m'approcher de la maison, mais il faut que je vous dise, Jeff… je crois qu'il vaut mieux laisser filer un temps, une quinzaine de jours au moins.

– Oui, je comprends votre raisonnement. La vie et la mort sont désormais les freins et contrepoids de ma nouvelle existence, ajouta-t-il calmement. Comment pouvez-vous vivre ainsi, Drake ?

– Parce qu'il y a très longtemps, les Styx ne m'en ont pas laissé le choix.

Au milieu d'une propriété anonyme, Drake se gara devant une rangée de box privatifs. Ils descendirent tous de la Range Rover, et Drake les fit entrer dans l'un des garages dont il avait à peine soulevé le rideau de fer. Le box était rempli de cartons de matériel desquels Drake sortit deux chaises pliantes, un lit de camp et quelques sacs de couchage. Après leur avoir dit de ne sortir sous aucun prétexte, il ferma et verrouilla la porte derrière lui, puis repartit au volant de sa voiture.

Il laissa la Range Rover en bordure du quartier de Highfield et fit le reste du chemin à pied en empruntant systématiquement les rues secondaires. Il enfila une paire de lunettes de soleil lorsqu'il s'engagea enfin dans la grand-rue. Il jeta un coup d'œil au musée où travaillait jadis le Dr Burrows, mais poursuivit son chemin. Apercevant l'ancienne boutique de primeurs des frères Clarke de l'autre côté de la rue, Drake ralentit l'allure. On l'avait transformée en café. Il s'agissait d'une petite entreprise locale au décor peu onéreux qui n'appartenait pas à l'une des principales chaînes. Il s'autoproclamait curieusement « Café du village », proposant « un accès Internet à prix cassés » à en croire les pancartes scotchées à l'intérieur de la vitrine.

Drake pivota, ôta ses lunettes, entra dans la librairie-papeterie et fit semblant de feuilleter quelques magazines.

Le marchand de journaux lançait des regards furtifs à Drake tout en examinant une liste posée sur le comptoir devant lui, puis, à mesure qu'il se concentrait sur sa tâche, il se mit à chantonner.

– *Dem bones, dem bones, gonna walk around*[1].

Drake se posta devant le présentoir central où étaient disposés des articles de papeterie et des jouets bon marché. Tout en faisant

1. *Dem Bones, Dry Bones* est un *negro spiritual,* chanson d'inspiration religieuse écrite par James Weldon Johnson (1871-1938). Les paroles ci-dessus signifient : « Ces os, ces os vont se mettre à marcher [...] reliés à l'os de la cuisse... » *(N.d.T.)*.

mine d'examiner une enveloppe matelassée, il palpa le rebord d'une étagère pour y récupérer une note collée juste en dessous.

– *Connected to the thigh bone...*

Le marchand de journaux cessa soudain de chanter.

– Vous avez besoin d'un renseignement, peut-être ? demanda-t-il. Vous cherchez quelque chose en particulier ?

– Merci, j'ai trouvé ce que je voulais. Voilà, lui répondit Drake en lui tendant l'enveloppe matelassée.

Une fois à l'extérieur de la boutique, Drake remit ses lunettes de soleil, hésita un instant, puis traversa la rue pour rejoindre le café où il commanda un cappuccino et régla une demi-heure d'accès Internet. Il n'avait aucune intention de poursuivre plus avant. C'était inutile.

– Il est de retour, dit M. Rawls en entendant la clé dans la serrure.

Drake releva le store du garage, puis le referma aussitôt derrière lui.

Il transportait deux sacs et il en donna un à Mme Burrows.

– Voici des vêtements neufs pour vous, Célia. Vous n'aurez pas besoin de continuer à vous promener avec cette tunique d'officier sur le dos. Vous y trouverez aussi un chapeau. Ce sera plus discret ainsi.

– Vous l'avez vue ? pressa Chester.

Drake tendit l'autre sac à M. Rawls qui s'était relevé et le regardait avec impatience.

– Du café et des douceurs, dit Drake.

– Alors, est-ce que ma mère était là-bas ? demanda encore Chester.

– Elle est de retour chez vous, mais je n'ai pas pu m'approcher, répondit-il en acquiesçant d'un air sinistre. Tout prouve qu'ils la surveillent. Je suis désolé, mais je ne vais rien tenter pour le moment. C'est trop dangereux pour nous tous.

Drake attendit qu'ils aient digéré cette information avant de reprendre.

– Mais j'ai aussi de bonnes nouvelles à vous annoncer. Will et Elliott vont bien. Ils sont revenus de... d'un autre monde au centre de la planète, dit-il en fronçant les sourcils.

– Quoi ? marmonna M. Rawls.

– C'est ce qu'a dit Will dans les messages que je viens d'écouter. Ils sont bloqués dans l'abri antiatomique souterrain, sans aucun moyen de transport pour remonter le fleuve.

– Will ! Elliott ! C'est trop génial ! s'exclama Chester, aux anges, malgré ce que venait de lui dire Drake à propos de sa mère.

– Dieu merci, souffla Mme Burrows qui s'assit tout à coup, comme si c'en était trop pour elle. Et mon mari ? demanda-t-elle calmement.

– Il y avait deux messages, mais le son était de piètre qualité. J'ai pu en manquer une partie, mais il me semble que Will n'a pas mentionné le Doc. Je sais juste que Bartleby est avec eux.

Mme Burrows acquiesça.

– Bien, vous boirez vos cafés en chemin. On part dans le Norfolk, dit Drake en tapant dans ses mains.

Lorsqu'ils sortirent du garage, quelle ne fut pas leur surprise en découvrant un minibus cabossé à la place de la Range Rover.

– Vous avez fait un échange avec votre ami garagiste ? demanda Chester. C'est pas vraiment votre style, rassurez-moi ?

– Je t'en laisse seul juge, répondit Drake en songeant à l'endroit où il s'apprêtait à les conduire.

A une vingtaine de kilomètres du terrain d'aviation désaffecté dans le Norfolk, Drake quitta soudain la route principale pour s'engager dans un champ boueux et dénudé, en bordure duquel stationnait une série de caravanes et de mobile homes bigarrés et rafistolés avec de la toile de tente. Il y avait même quelques tipis de fortune entre les véhicules. Des chiens et des ribambelles d'enfants en haillons couraient autour d'un grand feu qui brûlait au centre du champ.

– Un feu de joie, dit M. Rawls. Pourquoi nous sommes-nous arrêtés ici ?

– Ce n'est pas un feu de joie. Ils viennent d'incendier une voiture, observa Chester que la scène mettait mal à l'aise.

– Vous restez ici pendant que je me rends à l'abri antiatomique souterrain, dit Drake. Je suis sûr que vous ne vous attendiez pas à ça, mais il me faudra deux jours tout au plus pour effectuer l'aller-retour, et je ne peux tout de même pas vous loger tous dans une petite auberge de campagne, n'est-ce pas ? Sûrement pas avec la chasseresse.

– Hum, non, je vous accompagne, dit Chester en regardant les mobile homes avec une moue dégoûtée. Vous aurez besoin d'aide pour piloter la chaloupe, et puis je connais le chemin. Je l'ai déjà fait. Je suis l'homme de la situation, ajouta-t-il.

– Je n'ai pas besoin d'aide et ta présence n'arrangera rien, car je ne sais pas combien de passagers je vais devoir ramener, en sus des bidons d'essence supplémentaires. Même s'il n'y a que Will et Elliott à bord, il ne restera pas beaucoup de place, n'est-ce pas ?

– J'imagine que vous avez raison, concéda Chester.

– Garde l'esprit ouvert, Chester, lui dit Drake en le fixant d'un air résolu. Ce n'est pas parce qu'ils ont choisi un autre mode de vie et que personne n'en veut à côté de chez lui que ces gens sont forcément mauvais. J'ai déjà traité avec eux par le passé, et ils ne m'ont jamais laissé tomber. Si j'arrive à négocier un prix pour qu'ils vous logent tous dans l'un de leurs mobiles homes, ils s'occuperont bien de vous. Je vous le garantis. Et puis vous serez en sécurité ici, ajouta Drake en scrutant la scène. Ils fuient la police comme la peste, ce qui non seulement représente un avantage en soi, mais signifie aussi qu'il est fort peu probable que les Styx les aient infiltrés. Pourquoi se donneraient-ils cette peine ? Les Cols d'albâtre n'ont rien à y gagner.

Chester acquiesça.

– Juste une chose, s'il te plaît, assure-toi bien que Colly ne s'approche pas de leurs chiens, ajouta encore Drake. Ils n'apprécieraient pas du tout qu'elle rétame l'un de leurs lévriers primés.

Malgré le bruit du vent, un cri retentit sur la pente qui menait au Pore où l'on avait dressé quelques tentes rudimentaires. Trois Limiteurs sortirent précipitamment de l'un de ces abris de fortune, mais ralentirent l'allure en s'approchant de leurs chevaux qui poussaient des hennissements nerveux. Postée devant leur mangeoire, une vache des cavernes, l'un de ces énormes insectes natifs des Profondeurs, était en train de se repaître d'avoine. Ce n'était qu'une jeune génisse, semblable à celle qu'avait apprivoisée le Dr Burrows, mais elle avait la taille d'une petite voiture familiale montée sur trois paires de pattes articulées. Elle avait plongé ses deux pattes antérieures dans les céréales, et faisait avidement claquer ses mandibules. La nourriture était rare sur ces terres constamment plongées dans le noir et elle n'allait pas perdre l'occasion de s'en mettre plein la lampe.

Le plus grand des trois Limiteurs mit sa carabine en joue et visa la grosse carapace arrondie en cherchant la tête à l'aide de sa lunette. Sans se soucier du danger, la vache des cavernes continuait à se nourrir frénétiquement, tandis que ses antennes en forme de baguettes chinoises vibraient si vite qu'elles en étaient à peine visibles.

– Laisse-la. Elle ne représente aucun danger pour les chevaux, lui dit l'un de ses camarades. On s'en occupera plus tard.

Les averses continues qui tombaient du plafond s'intensifièrent à mesure que le trio s'approchait du Pore, puis s'avança sur la plateforme en bois qui s'étendait sur une trentaine de mètres au-dessus du gouffre gigantesque. À l'extrémité de la plateforme, deux de leurs subordonnés scrutaient les ténèbres en contrebas à l'aide de puissants télescopes à amplification lumineuse.

– Vous nous avez appelés. Vous avez trouvé quelque chose ?

– Oui, nous avons vu un signal lumineux, répondit l'un des subordonnés.

– Vous êtes sûr ?

– Certain, répondit l'autre observateur sans décoller l'œil de son télescope. Nous attendons juste de voir s'il y en a un deuxième.

Plusieurs secondes s'écoulèrent avant que les deux guetteurs ne repèrent cet autre signal.

Les trois officiers limiteurs repartirent soulagés, même si leurs visages morbides n'en laissaient rien transparaître.

– Deux signaux. Cela signifie donc que quelqu'un est revenu d'en bas. Il faut que nous fassions remonter cette information jusqu'au sommet de la chaîne de commandement, dit le plus grand des trois Limiteurs. Tout de suite.

– Il nous faudra aussi d'autres montgolfières, car nous en avons déjà perdu quatre dans des accidents, remarqua un autre officier.

– Oui, et si nous devons récupérer nos hommes en suivant un système de relais entre les ballons, cela prendra trop de temps, suggéra le troisième officier. L'arrangement actuel est loin d'être idéal. J'ai horreur de dépendre d'une technologie aussi dépassée.

Les trois officiers scrutèrent les ténèbres impénétrables du gouffre en contrebas, appuyés sur la rambarde qui courait le long de la plateforme. Mais ils n'espéraient pas voir la montgolfière qui se trouvait à des milliers de kilomètres sous leurs pieds, ni les nombreux autres ballons qui se trouvaient encore plus bas et formaient une chaîne qui s'étirait tout le long du Pore sur des centaines de kilomètres.

– Il ne nous reste plus qu'à prier pour que l'un de nos hommes ait retrouvé le virus du Dominion, dit le grand Limiteur.

Ils partageaient tous cette inquiétude.

– T'es toujours pas prête ? demanda Will en gloussant.

Il attendait qu'Elliott sorte des magasins du quartier maître situés dans l'une des pièces qui entouraient la zone principale de l'abri antiatomique, véritable caverne d'Ali Baba recélant des trésors d'uniformes et autres équipements militaires.

Pendant plusieurs heures, Will s'était plongé dans la lecture d'un ouvrage sur les bateaux en fibre de verre. Après avoir terminé le chapitre sur la réparation des coques, il avait annoncé à Elliott qu'il pensait être en mesure de réparer la chaloupe la moins endommagée parmi celles qui étaient entreposées dans l'une des dépendances. À ces mots, le visage d'Elliott s'était illuminé. Elle lui avait suggéré de prendre une pause pour qu'il essaye des tenues accrochées dans les penderies des magasins.

Elliott n'avait toujours pas fait son entrée spectaculaire et Will ajustait à présent ses vêtements. Il avait commencé les essayages le premier et arborait désormais une tenue tropicale fauve clair si large qu'elle en était ridicule. Pour couronner le tout, il était coiffé d'un casque colonial.

– Tu trouves rien ? cria Will qui se demandait pourquoi les filles mettaient toujours autant de temps à s'habiller.

– Suis prête, répliqua-t-elle en franchissant le seuil d'un pas léger.

Elle avait noué une écharpe en treillis autour de son front à la manière d'un bandana, portait un short vert foncé, un débardeur de sport blanc et un blouson d'aviateur de l'US Air Force d'un cuir noir d'une souplesse incroyable. Seules ses bottes militaires, si grandes qu'elles entravaient sa marche, apportaient une petite touche comique à l'ensemble.

Après la vie saine qu'ils avaient menée dans le monde intérieur et tout le temps qu'elle avait passé dehors, Elliott était encore bronzée et elle avait une longue chevelure brillante. Aux yeux de Will, elle était tout simplement renversante dans cette tenue.

– Waouh ! souffla-t-il.

– Comment ça, « waouh » ? demanda-t-elle en riant, manquant de trébucher en effectuant deux pas maladroits. J'ai pas l'air comique, là-dedans ?

– Eh bien non, en fait. T'es géniale, dit-il.

Elliott n'essaya plus de marcher et lui adressa un sourire.

– Vous avez laissé la porte d'entrée grande ouverte ! lança soudain une voix masculine.

Ils virent alors la silhouette d'un homme se profiler derrière un lit superposé. Il était accompagné par Bartleby, qui remuait joyeusement la queue.

L'homme était trempé et laissait des flaques d'eau derrière lui.

– Drake ! hurla Elliott d'une voix stridente en se ruant sur lui, mais elle trébucha au dernier moment, si bien qu'elle lui rentra dedans.

– Ouh ! souffla Drake au moment de l'impact.

– Les jumelles avaient dit que... je croyais que t'étais mort, mais je n'arrivais pas à le croire, souffla-t-elle avec des larmes de soulagement dans la voix tout en le serrant contre elle.

– Eh bien, je ne suis pas encore mort, gloussa Drake qui tendit alors la main vers Will. C'est bien la première fois que vous avez si fière allure. Vous avez dû vous plaire dans cet endroit, dans ce « monde secret ».

Elliott relâcha son étreinte et Drake prit le garçon dans ses bras, puis il contempla sa tenue.

– Je ne suis pas vraiment convaincu par cet accoutrement, dit-il avec un grand sourire tout en secouant la tête. C'est pas vraiment ton style, pas vrai ? En revanche, ajouta-t-il en se tournant vers Elliott, j'adore ce blouson d'aviateur. J'espère qu'il y a ma taille. Mais parle-moi du Doc, Will. Est-ce qu'il...

– Il ne s'en est pas sorti, répondit brusquement Will. L'une des jumelles styx l'a abattu. Elle lui a tiré dans le dos.

– Bon sang ! s'exclama Drake en inclinant la tête un instant. J'avais deviné qu'il lui était arrivé quelque chose... d'après ton message. Tu vas me raconter ça devant une bonne tasse de thé. J'espère que vous en avez. J'ai besoin de quelque chose de chaud après cette longue descente du fleuve, dit-il en essuyant les gouttes qu'il avait sur le visage.

– On a des tonnes de rats fraîchement tués dans la chambre froide, si tu veux, proposa Elliott avec enthousiasme.

Drake hésita un instant au moment où il croisa le regard de Will.

– Non, il vaut peut-être mieux que je vous prépare quelque chose, intervint Will.

Il ôta son casque colonial, le jeta dans le magasin et se dirigea vers la cuisine.

Will et Elliott racontèrent à Drake l'enchaînement des événements dans le secteur de la pyramide.

– J'espère que j'ai bien fait, dit Elliott qui parlait de l'échange auquel elle avait été contrainte de procéder avec les jumelles à qui elle avait remis le virus du Dominion.

– On a le vaccin, ce qui veut dire que le virus ne leur servira à rien, répondit Drake. Vous avez bien fait, tous les deux. Bien, à mon tour, maintenant, annonça-t-il en prenant une grande inspiration avant de raconter à Elliott l'histoire de son père.

– Il essaie de renverser le régime ? Un Styx contre les Styx ? demanda-t-elle, stupéfaite.

– Oui, il joue en solo, répondit Drake.

Puis il leur raconta son expédition dans la Colonie avec Chester, et la manière dont ils avaient ramené Mme Burrows avec eux.

– Mais elle est aveugle ? s'étrangla presque Will en buvant son thé.

– Je crois qu'elle n'est plus du tout la même personne maintenant, répondit Drake. Je n'ai pas encore étudié ce dont elle était capable, mais on dirait qu'elle a reçu un don extraordinaire. Un nouveau sens très puissant. Écoutez, au lieu de rester assis là à bavarder, ajouta-t-il en voyant que Will s'apprêtait à lui poser d'autres questions encore, pourquoi est-ce que je ne vous ramènerais pas à la maison ? Tu pourras lui demander tout ça toi-même.

Will et Elliott acquiescèrent aussitôt.

– Mais depuis l'échec cuisant de notre opération dans le parc municipal de Highfield, je n'ai jamais trouvé le temps de venir voir ce qu'il y avait ici. Avant qu'on parte, je veux que vous me fassiez faire le tour du propriétaire, conclut Drake.

Une fois que Will et Elliott lui eurent montré le dortoir et les pièces adjacentes, ils le conduisirent à l'armurerie. Drake était comme un enfant dans une confiserie. Il choisit plusieurs armes qu'il emporta avec lui.

– Opérateur radio, lut Drake sur la porte de la cabine suivante lorsqu'ils revinrent dans le couloir. C'est forcément là que se trouvent tous les systèmes de communication, et la liaison téléphonique que tu as utilisée, n'est-ce pas ?

– Vous avez parfaitement raison, répondit Will en ouvrant la porte.

Drake inspecta la pièce, puis se figea soudain.

– Qu'est-ce que c'est que ça ? demanda-t-il brusquement.

– Qu'est-ce que c'est ? répéta Will, surpris de le voir dégainer son pistolet, et il s'avança pour voir de quoi il parlait.

Drake avait les yeux rivés sur le banc. Devant le principal poste de radio se dressait un soldat miniature, qui mesurait à peine un centimètre de haut.

– Tu avais remarqué qu'il était là ? demanda Drake d'une voix pressante.

– Non, répondit Will. Je ne sais pas du tout d'où ça sort.

– Et toi, Elliott ? T'as une idée ? demanda-t-il encore en se rapprochant du petit soldat.

– Non, aucune.

– Ne le touche pas ! cria Drake alors que Will s'apprêtait à s'en emparer.

Drake se pencha pour regarder sous le banc, et une fois satisfait, il inspecta la zone tout autour de la figurine.

– Pas de fils, pas de pièges, dit-il à mi-voix, puis il saisit précautionneusement le petit soldat pour l'examiner à la lumière.

Ce n'était pas un soldat moderne. Il appartenait à un ancien bataillon. Il était coiffé d'une sorte de chapeau d'amiral et arborait une épée de cavalerie à la ceinture. Il semblait écrire quelque chose sur une carte, ou peut-être un plan de bataille.

Mais le plus étrange était encore qu'on avait peint son long manteau et son pantalon de telle sorte qu'il semblait vêtu d'un treillis de Limiteur. La copie était parfaite. Le motif camouflage consistait en une série de taches rectangulaires alternativement marron clair et marron foncé.

Will fronça les sourcils sans comprendre. Il s'agissait certes d'une miniature, mais ce soldat n'en était pas moins menaçant.

– On dirait un Limiteur, mais...

– C'est le Duc de fer. La bataille de Waterloo le passionne, l'interrompit Drake. Voici le duc de Wellington, revu et corrigé par Eddie.

– C'est comme ça que vous appelez mon père ? demanda Elliott en prenant une inspiration rapide.

– Je ne comprends pas. Wellington était un Styx, alors ? demanda Will.

– Non, je ne crois pas, répondit Drake. Juste un tacticien de génie, et c'est pour cela qu'Eddie l'admire, et surtout pour la façon dont il a battu Napoléon à plate couture. Mais dis-moi, j'ai besoin de savoir quand tu es venu ici pour la dernière fois.

– Il y a plus de deux jours... lorsque je vous ai appelé, répondit Will qui s'efforçait de se souvenir. Mais, non... attendez... je suis revenu ici après ça.

– Quand, au juste ? C'est important.

– Il y a probablement dix ou douze heures de cela. Et je suis sûr et certain que ce soldat n'était pas là.

– Ça veut dire que mon père est venu ici pendant que nous dormions... et qu'il a déposé ce truc en catimini. Mais Bartleby ne l'aurait pas entendu ?

– C'est un Limiteur, non ? répondit Drake en lui donnant le petit soldat. Bien, vous deux, prenez une arme... dit-il avant de se reprendre. Elliott, j'ai besoin de savoir si tu es partante ou non. Ton père et moi, on n'est pas vraiment les meilleurs amis du monde, et si je le croise sur ma route, j'emploierai tous les moyens nécessaires. Si je tire, ce sera pour l'abattre.

– Pas de problème, on emploiera tous les moyens nécessaires. Il ne représente rien pour moi, répondit Elliott sans hésitation.

– Bien, dit Drake avec un sourire fugace mais le regard de glace. On va passer cet endroit au peigne fin, maintenant.

Ils commencèrent par vérifier s'il y avait un autre bateau caché sur le quai ou dans le port, car Eddie n'aurait pas pu descendre le fleuve sans embarcation. Mais ils ne trouvèrent pas d'autre vaisseau que la chaloupe dans laquelle Drake venait d'arriver. Ils inspectèrent à plusieurs reprises l'abri antiatomique, chacune des dépendances, et jusqu'au moindre recoin du port. Travaillant en équipe et armés jusqu'aux dents, ils mirent plusieurs heures à tout vérifier. Malgré son odorat particulièrement fin, Bartleby ne trouva rien non plus.

Lorsqu'ils retournèrent à l'abri antiatomique, Drake jetait des coups d'œil nerveux tout autour de lui.

– Ce n'est pas parce qu'on ne l'a pas trouvé qu'il n'est pas ici, dit-il. Je suggère qu'on fasse nos valises et qu'on file.

– Tu m'étonnes, répondirent Will et Elliott de conserve.

Chapitre Trente-trois

À l'un des étages supérieurs de la Citadelle, une longue file de soldats attendait devant la porte du vieux Styx qui les avait convoqués pour entendre leur rapport. Rien ne distinguait cette partie du bâtiment des autres étages de la Citadelle, mais c'était là qu'étaient orchestrées les principales opérations des Styx. Avec leurs murs blancs et nus, et leurs sols de pierre à peine éclairés par de rares globes lumineux, ces lieux avaient quelque chose de monacal.

Des cris furieux retentirent derrière la porte du maître, puis un jeune officier de la Division styx finit par sortir de la pièce. Son visage pâle était maculé du sang qui coulait d'une blessure reçue à la tempe, mais il continua à regarder droit devant lui en s'éloignant dans le couloir.

Le vieux Styx s'époumonait toujours, alors même qu'il était seul à présent.

– Je ne tolérerai pas un échec d'une telle ampleur, grondait-il.

C'est alors que retentit un sifflement aigu suivi par un bruit sourd dans les tuyaux de laiton qui couraient sur le mur derrière lui. Le vieux Styx bondit de sa chaise, ouvrit une trappe située dans l'un des tuyaux et en extirpa un cylindre en forme d'obus dont il dévissa le capuchon. Il en tira un rouleau de papier jauni qu'il s'empressa de dérouler.

Ce message des Scientifiques ne fit qu'accentuer sa rage.

– Non ! s'écria-t-il en envoyant valdinguer le cylindre dans la pièce, bien qu'il n'y eût personne pour recevoir le projectile sur le coin de la figure, cette fois-ci. Non ! hurla-t-il de plus belle en renversant sur le sol tout ce qui se trouvait sur son bureau. Non, non et non !

Son jeune assistant parut dans l'embrasure de la porte et s'éclaircit la voix pour annoncer sa présence, car le vieux Styx avait encore le dos tourné.

– Nous venons de perdre la moitié de nos laboratoires d'un seul coup… et voici que mes pires craintes se confirment. Cette ordure de Drake a également fumigé la Cité éternelle et détruit toute nouvelle source de virus. Pourquoi n'arrivons-nous pas à le trouver et à le tuer une bonne fois pour toutes ? Pourquoi ne m'apporte-t-on que des mauvaises nouvelles ?

– Je crois qu'on devrait pouvoir arranger ça, dit Rebecca bis en entrant dans la pièce en compagnie de sa jumelle.

Le vieux Styx pivota sur lui-même, mais il n'esquissa pas l'ombre d'un sourire de soulagement en voyant que ses deux petites-filles étaient toujours vivantes. Ses yeux brillaient d'impatience.

– Tu veux d'abord les bonnes nouvelles, ou tu préfères qu'on passe aux excellentes tout de suite ? demanda Rebecca en s'asseyant sur une chaise de l'autre côté du bureau. Commençons par les bonnes, dit-elle, comme si de rien n'était, en posant la fiole de Dominion sur le bureau.

– Et quelles sont ces excellentes nouvelles ? demanda le vieux Styx en acquiescant.

– Nous disposons d'une nouvelle armée. On les appelle les Néo-Germains. Nous les avons soumis plusieurs fois à la Lumière noire et ils sont prêts à être déployés, répondit Rebecca bis. Voici l'un d'eux. Je me suis chargée de sa préparation, ajouta-t-elle en claquant des doigts.

Le capitaine Franz entra dans la pièce et se mit au garde-à-vous.

– Nous en avons tout un tas dans le même genre, des milliers, à dire vrai. Et nous avons également pris le contrôle de leurs forces aériennes, de leur flotte, et de tout l'armement dont tu aurais pu rêver pour mener une guerre terrestre de grande ampleur. La plupart de ces armes sont dépassées mais fiables.

– Il faut juste qu'on trouve le moyen de tout transporter du centre de la planète jusqu'ici, intervint Rebecca. Il y a un autre monde au centre de la Terre, expliqua-t-elle.

Le vieux Styx acquiesça comme s'il savait déjà tout cela et que l'existence de ce monde intérieur n'avait rien de nouveau pour lui.

– Commençons par le commencement, dit-il en prenant une inspiration. Je vois bien le virus sur mon bureau, mais où est la seconde fiole ? Où est le vaccin ?

– J'ai une toute petite mauvaise nouvelle de rien du tout à t'annoncer, mais nous ne voulions pas tomber dans le cliché des bonnes et des mauvaises nouvelles, dit Rebecca avec une grimace en accompagnant son propos d'un geste de la main.

– Non, ajouta Rebecca bis en effectuant quelques pas dans la pièce avant de se tourner gracieusement vers le vieux Styx. La fiole de vaccin a prétendument été brisée et son contenu, perdu, mais en y repensant, nous nous sommes dit que Will ou Elliott avaient très bien pu l'avaler. Il est plus vraisemblable qu'il s'agisse d'Elliott, car elle n'était pas présente lorsque nous sommes arrivés sur les lieux.

– Nous n'en sommes pas entièrement sûres cependant, ajouta Rebecca, mais si cette sang-mêlé ou cet idiot l'ont bien en leur possession et qu'ils parviennent à le remettre à la bonne personne, Drake, par exemple, alors le…

– Nous savons précisément où Drake cherchera à l'apporter, et il faut donc dresser un plan à l'avance, l'interrompit le vieux Styx en invitant son jeune assistant à entrer dans la pièce d'un geste de la main.

– Oh, et puis nous avons éliminé le Dr Burrows, ce qui nous fait un cheveu de moins dans la soupe, ajouta Rebecca bis qui venait d'y songer.

– Bien, répondit le vieux Styx d'un air distant.

Il écrivit quelque chose sur un bout de papier qu'il tendit ensuite à son jeune assistant, lequel détala aussitôt.

– Reprenons depuis le début. Je veux tout savoir sur notre nouvelle armée, et n'omettez aucun détail.

Will, Drake, Elliott et Bartleby remontèrent le fleuve sans embûches. Will s'occupait du moteur hors-bord, tandis qu'Elliott pilotait la chaloupe à la proue, ce qui laissait à Drake l'occasion de se reposer un peu. À chaque arrêt à l'une des stations de ravitaillement, ils mangeaient un repas chaud et s'accordaient une ou deux heures de sommeil avant de repartir.

Ils arrivèrent à destination au bout d'une journée et demie et accostèrent le long du quai. Ils remontèrent ensuite sur le terrain d'aviation désaffecté.

À quinze heures, ils émergèrent du puits sous un ciel de plomb et Elliott effectua alors ses premiers pas sur la croûte terrestre. Après son séjour dans la jungle encore vierge du monde intérieur, elle ne semblait guère impressionnée par les bâtiments délabrés qu'elle apercevait en se protégeant les yeux.

– C'est donc là ton monde ? demanda-t-elle en levant les yeux vers le soleil voilé.

– Ouais, répondit Will. C'est bien ça.

Drake les conduisit en minibus jusqu'au campement des gens du voyage et se gara à côté de l'un des mobile homes. Ils sortirent tous du véhicule, à l'exception de Bartleby qui resta enfermé à l'intérieur, le nez collé à la vitre, lorgnant sur les nombreux chiens en liberté. Il avait la gueule écumante et poussait des gémissements.

Will et Elliott restèrent là sans savoir que faire. Drake se dirigeait vers la porte du mobile home, lorsqu'il remarqua que Will était resté en arrière.

– Ta mère est à l'intérieur, lui dit-il avant de frapper deux coups à la porte.

Will ne réagit pas. Elliott se rapprocha de lui. Elle était particulièrement mal à l'aise.

– Est-ce que ça ressemble à l'endroit où tu vivais auparavant ? demanda-t-elle à Will.

Elliott avait observé les villes et les villages qu'ils avaient traversés en venant et scrutait désormais le site en fronçant les sourcils. Un groupe de gens étaient assis tout autour d'un vrai feu de joie à côté de la carcasse d'une voiture incendiée. Will écoutait les bribes d'une ballade que chantait une femme, accompagnée par un guitariste.

– Non, rien à voir, répondit-il. Je vivais dans une grande ville. C'est très différent ici. Il y a trop de boue, ajouta-t-il en s'efforçant de rire.

Elliott acquiesça et se rapprocha encore d'un pas.

Will se mordit la lèvre. Interprétait-il correctement la situation ? Elliott semblait vouloir dire autre chose, ou peut-être attendait-elle qu'il lui dise quelque chose, comme il en avait d'ailleurs envie. Alors que se refermait ce court chapitre de leurs vies respectives, épisode qu'ils n'avaient partagé avec personne d'autre, Will avait le sentiment qu'il fallait en marquer la fin d'une manière ou d'une autre.

Mais il ne savait que dire, ni même comment s'y prendre. Il n'était pas encore en mesure de maîtriser la situation et le moment était mal choisi de toute façon, étant donné la présence de Drake.

Cet instant chargé d'émotions partagées, s'il ne l'avait pas rêvé, s'évanouit au moment où s'éleva une voix féminine à l'intérieur du mobile home. Drake s'apprêtait à ouvrir la porte, lorsque Elliott tourna tout à coup la tête et vit leur ami.

– Chester ! s'écria-t-elle avec une joie manifeste. C'est pas Chester, là-bas, à côté du feu ? Will, on... on se retrouve... hum... après, bafouilla-t-elle en s'éloignant à grandes enjambées.

– Oui, à tout à l'heure, répondit aussitôt Will.

– Par ici, Will, dit Drake en l'invitant à entrer.

Drake le laissa seul avec sa mère et referma la porte derrière lui.

Will avait du mal à voir dans la pénombre du mobile home. Tous les stores étaient tirés, et seuls quelques rayons de lumière filtraient à travers les interstices.

– Will. Je savais que c'était toi.

– Maman ! s'écria Will en se précipitant sur sa mère qui était assise sur une banquette rembourrée à côté de la vitre.

– Tu t'en es sorti, dit-elle en l'embrassant tandis que des larmes coulaient de ses yeux sans vie.

– On s'en est sortis tous les deux, répondit Will d'une voix étranglée. Drake m'a dit ce qu'ils t'ont fait, ajouta-t-il en regardant le visage de sa mère dans la pénombre.

– C'était un maigre prix à payer. Roger a connu un sort moins enviable, dit-elle en lui pressant les mains.

– Oh, maman, c'était atroce... il... Mais comment sais-tu ce qui est arrivé ? Comment sais-tu qu'il n'est pas revenu avec nous et qu'il n'est pas là, à attendre dehors ?

– Parce que je sais qui se trouve à l'extérieur, répondit-elle.

– Vraiment ? Mais comment ? demanda Will.

– Et j'ai également perçu la tristesse qui t'habite dès que tu es sorti du minibus, soupira-t-elle.

Drake revint à ce moment précis, tirant Bartleby par sa laisse. Toutes griffes dehors, le chasseur avait le regard fou. Dès que Drake lui ôta sa laisse, il se rua sur la porte et tenta de l'ouvrir avec force coups de tête.

– Les chiens le rendent fou. Mieux vaut que je le mette dans la chambre avec Colly, dit Drake.

– Non, pourquoi ne la laissez-vous pas plutôt venir ici ? suggéra Mme Burrows. Colly est restée enfermée beaucoup trop longtemps, et il faudra bien qu'elle fasse la connaissance de Bartleby, de toute façon.

Bartleby, qui avait flairé l'odeur de la chasseresse, gambadait tout autour du tapis élimé qu'il ne cessait de renifler.

Colly se précipita hors de la chambre dès que Drake en ouvrit la porte. Les deux chasseurs se jaugèrent un temps en se reniflant de loin, l'air inquisiteur, mais tout en gardant leurs distances. Puis ils se jetèrent l'un sur l'autre et se frottèrent le museau tandis que Bartleby griffait le tapis. Il montra soudain les crocs en poussant un grognement mécontent. Sans prévenir, Colly lui mordit le côté de la tête. Le chasseur laissa échapper un petit cri indigné mais, loin de lui rendre la pareille, il lui lécha affectueusement l'oreille.

– Elle lui montre juste qui commande, commenta Mme Burrows en gloussant.

– Je sais ce qu'il ressent, marmonna Will.

– Je vous laisse tranquilles pour que vous puissiez rattraper le temps perdu, dit Drake en quittant le mobile home.

Will finit par sortir dans le champ et se dirigea vers le feu. Chester et son père étaient assis sur une botte de foin et écoutaient un homme chanter, mais il n'y avait pas la moindre trace de Drake ni d'Elliott. Il l'avait probablement emmenée pour prélever quelques échantillons de sang. Drake avait dit qu'il voulait les apporter à bon nombre d'hôpitaux londoniens pour qu'ils puissent produire le vaccin au cas où les Styx décideraient de répandre le virus du Dominion.

– Bouh ! cria Will en s'approchant furtivement de son ami avant de lui mettre les mains autour du cou.

– Non ! hurla Chester, en faisant un bond.

Il avait l'air terrorisé.

– Toi ! dit-il en riant, lorsqu'il reconnut Will, le repoussant gentiment. Mieux vaut que tu sois prudent. On est un peu sur les nerfs dans le coin, ajouta-t-il à voix basse.

– Tout va bien ? lança l'un des gamins les plus imposants à Chester d'un air soucieux.

Will se rendit alors compte que le chanteur s'était tu. Plusieurs gitans, adultes et enfants, s'étaient levés et lui adressaient des regards peu amicaux.

– Oui, tout va bien, vraiment. Je connais ce bouffon, répondit Chester et il se tourna vers Will. Et je te présente mon père.

Même si ces présentations semblaient incroyablement formelles et déplacées, Will et M. Rawls se saluèrent d'une poignée de main.

– C'est super cool comme endroit. Je ne me suis pas senti aussi en sécurité depuis des mois, expliqua Chester en se penchant vers Will.

Le chanteur reprit sa chanson et Will se mit à scruter les gens assis tout autour du feu. Ils formaient une telle palette de personnages qu'il songea soudain à la bande de l'oncle Tam, rencontrée devant la taverne à la Colonie. Will ne savait pas ce qui avait ravivé ce souvenir. Peut-être était-ce la présence d'un homme qui ressemblait à Imago Freebone comme deux gouttes d'eau.

– Non mais regarde-nous un peu, assis autour d'un feu de camp gitan. Si seulement nos profs nous voyaient, dit Will avec un sourire tout en secouant la tête.

– Si seulement, oui, répondit Chester.

Ils éclatèrent de rire, ravis d'être enfin réunis.

Lorsque le temps fut venu de quitter le campement des gitans, Drake ouvrit la porte latérale du minibus. Il n'eut aucune difficulté à faire monter les chasseurs qui étaient désormais bien plus intéressés l'un par l'autre que par les chiens qui couraient dans le champ, mais Drake s'assura quand même qu'ils allaient bien tout au fond du véhicule. Colly sauta sur la banquette, ne laissant aucune place pour Bartleby qui se trouva relégué sur la vieille couverture que Drake avait jetée sur le plancher. À les voir s'étirer et prendre ainsi leurs aises, ils semblaient aux anges.

– Célia, asseyez-vous donc avec Jeff sur la banquette suivante, dit Drake qui s'avança pour guider Mme Burrows par le bras, mais elle se dégagea aussitôt.

– Je n'ai vraiment pas besoin d'aide, lui dit-elle d'une voix douce mais ferme. Pourquoi ne laissez-vous pas entrer les autres d'abord ?

– Très bien. Elliott, à ton tour dans ce cas, suggéra Drake.

Will attendait patiemment en bout de file en compagnie de Chester, mais à sa grande surprise, Chester se précipita pour s'asseoir à côté d'Elliott, et une fois à l'intérieur, il posa son sac à dos près de lui, si bien qu'il n'y avait plus du tout de place sur la banquette.

Mme Burrows et M. Rawls montèrent à leur tour à bord du véhicule et s'installèrent sur la banquette suivante.

– On dirait bien qu'on va être tous les deux devant, mon pote, dit Drake en jetant un bref coup d'œil à Will.

Drake démarra le minibus et ils partirent pour Londres. Les deux chasseurs s'endormirent rapidement, contrairement à Chester et Elliott qui se racontaient leurs histoires respectives. Même s'il réagissait chaque fois qu'ils lui adressaient la parole, Will commençait à se sentir exclu.

M. Rawls et Mme Burrows, quant à eux, ne disaient rien.

– On est en sécurité maintenant, Will. C'est tout ce qui compte, déclara soudain Mme Burrows en se penchant vers son fils pour lui presser le bras, comme si elle avait perçu son humeur maussade.

– Je commence à m'endormir. Faut que je me réveille, confia Drake à Will en abaissant un peu sa vitre, puis il alluma la radio assez rudimentaire.

Will se raidit soudain, et le plaisir qu'il ressentait en écoutant les chansons céda la place au dégoût.

– *You are my sunshine, my only sunshine*, roucoulait le chanteur.

– Ça vous dérange si je change de station ? demanda-t-il alors à Drake avec une moue.

Au départ de l'autoroute, Drake se gara sur le parking d'une station-service, puis se retourna pour s'adresser à ses compagnons de route.

– Bien, assez de bavardages. Je veux que vous preniez tous un peu de repos, et puis, j'ai bien peur que vous ne deviez enfiler ça.

Drake récupéra un sac posé aux pieds de Will duquel il extirpa des cagoules.

– C'est pour qu'on ne voie pas où vous nous emmenez ? demanda Will en examinant la cagoule que venait de lui donner Drake. Pourquoi ? Où est-ce que vous nous conduisez ?

– Difficile de passer inaperçus à Londres avec ces deux chasseurs, expliqua Drake, et on ne peut pas les enfermer toute la journée non plus. Par ailleurs, on est trop nombreux pour camper tous ensemble dans l'une de mes planques. Je me suis donc arrangé avec quelqu'un qui pourra tous nous loger, mais à la condition expresse que je ne lui fasse courir aucun danger.

– Donc, si on ne sait pas où on est, on ne pourra pas conduire les Styx jusqu'à eux si jamais ils nous soumettent à la Lumière noire.

– Seules les personnes directement concernées seront informées, intervint Chester.

Drake acquiesça.

– On part donc faire un voyage magique et mystérieux, comme dans la chanson des Beatles ? demanda Mme Burrows d'un ton espiègle en enfilant sa cagoule.

– Euh… Célia… attendez un peu. Pour vous, ça ne sert pas à grand-chose, n'est-ce pas ?

– Non, pas vraiment, admit-elle. Je pourrais rassembler quelques indices en chemin.

– C'est bien ce que je pensais, dit-il en sortant un petit tube de Vicks de la poche de son manteau. Je veux que vous vous frottiez un peu de décongestionnant sous le nez. Je ne connais pas l'acuité de votre sens olfactif, mais j'espère que ça suffira.

– Vous pensez décidément à tout, dit-elle.

Chapitre Trente-quatre

Drake roula pendant plusieurs heures, puis il quitta enfin l'artère principale et s'engagea sur une série de routes à une seule voie. Il n'y avait pas de panneaux indicateurs aux carrefours qu'il croisait, mais il connaissait si bien cet itinéraire qu'il n'en avait aucun besoin. Il finit par s'arrêter devant un portail métallique qui se dressait entre deux imposantes colonnes de pierre au sommet desquelles trônaient deux griffons érodés par les intempéries. Ils avaient l'air féroce, comme s'ils mettaient les voyageurs au défi d'entrer.

– Gog et Magog, leur dit Drake comme on salue deux vieux amis.

Puis il se retourna vers les passagers encagoulés de son minibus. Ils avaient dormi pendant la plus grande partie du trajet.

Le portail s'ouvrit et il s'engagea à l'intérieur de la propriété. Des pâturages onduleux couverts d'herbes sauvages s'étendaient tout autour de lui, parsemés çà et là de chênes tordus ou de bouleaux battus par les vents.

– Il est l'heure de se réveiller, les amis ! Enlevez vos cagoules, on est arrivés ! lança Drake une fois le portail hors de vue.

Ils commencèrent à émerger de leur sommeil et ôtèrent leurs cagoules tandis que Mme Burrows essuyait le décongestionnant qu'elle s'était badigeonné sous le nez.

– Il me faudra un bon moment pour me remettre de cette odeur, grommela-t-elle.

– On est à la campagne ! s'écria Will après s'être habitué à la luminosité.

Comme pour répondre à sa remarque, le soleil pointa derrière les nuages, baignant le paysage d'une douce lueur qui donnait une belle couleur dorée aux pâturages. Drake continua sa route, et arrivé en haut d'une forte pente, il se mit à accélérer, franchit une grille posée à même le sol pour empêcher le bétail de sortir de son enclos, et traversa un petit pont en dos d'âne sans jamais ralentir, si bien que le minibus décolla avant de retomber lourdement sur le sol.

– Je vais vomir ! dit Chester en riant alors que tous les passagers s'accrochaient pour ne pas se retrouver ballottés dans tous les sens.

– Hé, un lac ! s'exclama Will en voyant l'étendue d'eau qui se trouvait à gauche du chemin et dont les berges étaient couvertes de roseaux.

Sur une petite île au milieu du lac se dressait une pagode nichée au milieu d'un bosquet de sycomores. Ajoutée à cette scène, la fausse passerelle qui s'élevait non loin de l'île donnait l'impression qu'on avait voulu reproduire le motif des assiettes Wedgwood Willow.

Le minibus grimpa au sommet de la colline, et lorsqu'ils furent là-haut, se profila devant eux une magnifique maison de pierres claires.

– C'est là que nous allons loger ? demanda M. Rawls, formulant ce que tout le monde pensait tout bas. C'est grandiose.

– En effet, répondit Drake, penché sur le volant, tandis qu'il faisait le tour de la fontaine en pierre qui se trouvait au centre de l'allée circulaire.

Puis il freina brusquement, et le véhicule finit par s'arrêter en dérapant sur le gravier.

Ils descendirent tous en silence, émerveillés par la vue et ravis de pouvoir se dégourdir les jambes après tout ce temps passé sur la route. Lorsque Drake parvint enfin à les réveiller, les deux chasseurs ne se firent pas prier pour sortir et manquèrent même de le renverser en se ruant hors du véhicule pour rejoindre les pentes herbues. Ils filèrent à toute allure vers le lac en gambadant comme des poulains.

– Par ici, dit Drake en indiquant la maison d'un geste de la main.

Il gravit quatre à quatre les marches du perron et ne prit pas la peine de sonner, ouvrant grandes les portes comme s'il était propriétaire des lieux.

– Hou hou ! On est là ! lança-t-il en entrant et sa voix retentit dans l'entrée.

Sans savoir à quoi s'attendre, Will et les autres l'avaient suivi à l'intérieur et s'avançaient d'un pas hésitant sur le sol dallé de marbre noir et blanc, au centre duquel on avait fait figurer des armoiries.

Ils restèrent tous silencieux, contemplant les panneaux de bois sombre et l'immense escalier qui menait au premier étage. Un lustre des plus compliqués était suspendu juste au-dessus de leurs têtes. Le plafond était orné de moulures contournées et les murs, couverts de tableaux.

– Trop génial, murmura Will en regardant les deux armures identiques qui flanquaient la grande cheminée de marbre, les bras croisés sur le plastron, une masse ornée dans chaque main.

– Trop cool, on se croirait au château de Moulinsart ! s'exclama Chester. Mais qui habite donc ici ? Un seigneur ?

– Non, répondit Drake en secouant la tête, comme si ce que venait de suggérer Chester ne pouvait être plus loin de la vérité, puis il se posta devant une porte latérale. Voici les règles de la maison : le bureau est de l'autre côté de cette porte, ajouta-t-il en frappant si fort sur le bois avec la paume de la main que la porte en trembla sur ses gonds. Vous ne devez entrer dans cette pièce sous aucun prétexte, car vous pourriez y voir quelque chose qui vous permettrait d'identifier ce lieu. Compris ?

Il passa le groupe en revue, fixant chacun d'eux d'un œil sévère, jusqu'à ce qu'ils aient tous acquiescé.

– Vous pouvez circuler partout ailleurs dans la maison, mais ne vous éloignez pas du domaine, ou bien…

– Du domaine ? l'interrompit Will. Mais c'est grand comment ici, au juste ? demanda Will.

– Assez vaste, répondit Drake d'un air énigmatique. À dire vrai, il vaut mieux qu'aucun de vous ne perde de vue la maison. Il y a peut-être des occupants dans les maisons ouvrières qui se trouvent à un peu moins de deux kilomètres dans cette direction, dit-il en pointant du doigt le fond du hall d'entrée. S'ils sont dans le coin en ce moment, ils ne viendront pas nous déranger. Ils ne sont pas du genre à se laisser apercevoir.

– Ça a l'air mystérieux, tout ça, commenta M. Rawls.

Drake secoua la tête d'un air grave.

– Il vaut mieux ne pas les déranger, croyez-moi. Cependant, vous tomberez sans doute sur le vieux Wilkie, le jardinier, qui vit dans la loge du gardien. Il travaille pour le compte de la famille depuis des années, mais si vous bavardez avec lui, dites-lui juste que vous êtes les hôtes du propriétaire. Rien de plus, pas de nom, et surtout, rien de personnel. Autre chose. Ne vous approchez pas du téléphone de la maison, et ne vous servez en aucun cas de téléphones portables ou de tout autre matériel électronique. Je ne veux pas qu'on nous piste jusqu'ici. Où est-il passé ? demanda-t-il soudain après avoir effectué quelques pas dans le hall. Hou hou, on est là !

– Inutile de hurler, répondit un homme d'un ton grincheux. Je ne suis pas encore sourd, et je savais que vous étiez là. Je vous ai ouvert le portail, non ?

L'homme portait un gilet brun sous une veste en tweed, et son pantalon avait des empiècements de cuir aux genoux. Will n'arrivait pas à déterminer s'il avait la soixantaine ou plus, mais il avait une démarche alerte malgré sa canne. Il avait le visage anguleux, la barbe grise et fournie, le front dégarni, mais les cheveux étonnamment longs. Son regard était vif et ses yeux étincelèrent lorsqu'il s'approcha de Drake. Il s'arrêta devant lui et se mit à le dévisager, puis, avec ce qui ressemblait à un soupir d'exaspération, il commença à examiner le reste du groupe. À en juger par la façon dont il les jaugeait les uns après les autres, cet homme devait avoir beaucoup vécu, et rien au monde ne pouvait plus l'étonner. Il s'attarda sur Mme Burrows, qui était la seule à ne pas avoir croisé son regard.

Remarquant que Will ne cessait de regarder le portrait en pied d'un homme vêtu d'un uniforme militaire, accroché juste au-dessus de la cheminée, il rejoignit le jeune garçon.

– C'était mon père. Bel homme, n'est-ce pas ?

Will acquiesça. Il observait à présent le kilt écossais et le béret beige que portait l'homme du portrait. Plus surprenant encore, le paysage qui servait d'arrière-plan à ce tableau n'était pas, contrairement à la norme, une pièce obscure ou bien la campagne riante d'Angleterre, mais un désert brûlé par le soleil, avec une oasis entourée de palmiers.

– C'est une Land Rover ? demanda Will en indiquant le véhicule garé à côté de l'oasis.

– Oui, on les appelait les Panthères roses, bien avant la création du personnage de dessin animé. Elles étaient équipées pour effectuer des missions de reconnaissance au plus profond du désert. Mon père a contribué à l'élaboration des caractéristiques techniques de ces véhicules. C'était l'une des premières recrues de David Stirling, lorsqu'il a formé l'Ultime Régiment en 1941, à partir de son ancienne équipe du Commando numéro 8.

– L'Ultime Régiment ? demanda Will en fronçant les sourcils.

– Oui, et j'imagine qu'il est inutile que je t'explique ce que signifie ce poignard ailé sur le béret de mon vieux, pas vrai, mon gars ? dit-il en pointant le portrait de sa canne.

– Euh, les FAS ? répondit Will.

– Oui, c'est ça. Les Forces aériennes spéciales. C'était mon régiment aussi. On l'appelle « l'Ultime Régiment », car c'est le meilleur du monde.

Le vieil homme avait détourné les yeux du portrait et regardait dans le vide, en direction du magnifique pare-feu de la cheminée.

– Stirling amenait ses hommes ici pour les entraîner en secret, avant de les parachuter derrière les lignes ennemies où ils effectuaient des missions de sabotage, dit-il en gloussant. Pour accentuer le réalisme des exercices, tous les employés du domaine remplaçaient les soldats en carton-pâte. Vous verrez, ce vieux Wilkie, seul membre du personnel qui soit encore à mon service, parle encore remarquablement bien l'allemand. Mais, ajouta-t-il en s'éclaircissant la voix avec un grognement, car il venait de s'apercevoir qu'il parlait trop, j'imagine que vous avez tous besoin de manger et de boire quelque chose après votre voyage. Si vous voulez bien passer à la salle à manger, dit-il avec un moulinet inconsidéré de sa canne, je vais vous apporter du thé et des sandwichs.

– Tu t'occupes toujours toi-même de la cuisine et du blanchissage ? demanda Drake avec un grand sourire. Pourquoi tu n'engages pas une gouvernante ? Je ne sais…

– Foutaises ! aboya l'homme. Gaspillage, bon sang ! Quand viendra le jour où j'aurai besoin dans cette maison d'une vieille harpie qui m'empoisonnera avec du foin, j'espère bien que je mangerai les pissenlits par la racine depuis belle lurette, dit-il en se tournant vers Will et le reste du groupe. Au fait, vous pouvez m'appeler Parry, car c'est mon vrai nom, contrairement à d'autres… Mais qu'est-ce qui t'a pris, bon sang, de choisir un nom pareil ? conclut-il en haussant le sourcil, comme si une pensée absurde venait de lui traverser l'esprit.

En un éclair, le vieil homme se mit en garde à la manière d'un boxeur et lui décocha un grand coup de poing dans l'estomac. Will, Chester et Elliott s'avancèrent vers Drake au cas où il aurait besoin d'aide, mais ils s'immobilisèrent en voyant reculer son adversaire.

Drake, qui était presque plié en deux, tentait de reprendre son souffle. Mais à la surprise générale, il se redressa en éclatant de rire.

– Tu tapes comme une fillette, espèce de malabar gériatrique ! siffla Drake.

– Hé ! Fais attention à ce que tu dis ! s'exclama Elliott, ou je vais te montrer comment elles tapent, les fillettes !

– Oh, arrête, lui dit Drake encore hilare, en tendant la main comme pour parer son coup. Je vous prends tous les deux sans problème. Et qu'est-ce que j'ai fait pour mériter ça ? demanda-t-il en se tournant vers Parry.

– Ça, tonna l'homme, c'est parce que tu ne m'as pas envoyé une seule carte d'anniversaire en cinq ans, et que tu m'as appelé tout à coup hier pour me demander de l'aide, espèce de sale petit ingrat. Tu sais que quand j'ai cessé d'avoir de tes nouvelles, j'ai demandé à certains membres de mon ancienne équipe de retrouver ta trace ? Ils m'ont dit que tu avais complètement disparu, et que tu avais probablement été tué, conclut-il en examinant la main dont il s'était servi pour frapper Drake.

Drake avait retrouvé son souffle et ne semblait pas du tout offensé par ce coup de poing. Loin de là. Will ne l'avait jamais vu aussi heureux.

– Désolé. Entre ça et le reste, j'ai été pas mal occupé, répondit Drake. Je te le revaudrai, papa.

Chapitre Trente-cinq

– Le repas du dimanche ! s'exclama Chester en regardant son père de l'autre côté de la table. Je n'aurais jamais cru qu'on se retrouverait devant un tel festin.

– Je ne sais plus à quoi m'attendre, répondit M. Rawls d'un air abattu.

– Oui, et je vous invite à tous lever votre verre avec moi, intervint Drake après un instant de silence.

Drake se leva, prit son verre de vin et tout le monde l'imita.

– Nous portons un toast à tous ceux qui ne sont pas avec nous aujourd'hui... le Doc, Mme Rawls, Sarah Jérôme, Tam Macaulay, Cal, le Tanneur... à nos absents et très courageux amis.

Ils burent tous de conserve, puis se rassirent autour de la table.

– Chester, j'ai quelque chose pour toi, lui dit Drake, qui ramassa un paquet à côté de sa chaise avant de le tendre au jeune garçon.

– Qu'est-ce que c'est ? demanda Chester en l'ouvrant. Un skate, Drake ! Vous vous êtes souvenu que j'en voulais un pour Noël ! C'est génial !

– Tu pourras l'essayer sur les courts de tennis. Le revêtement n'est pas formidable, ça fait des années que personne n'y a joué, mais ça devrait aller pour faire du skate. Regarde au fond du sac... tu y trouveras des protections. Je ne veux pas que tu te fasses mal.

Pendant que Will et Elliott admiraient le skate aux couleurs criardes, Drake jeta un coup d'œil à sa montre.

– Où est-il encore passé ? Cette vieille tête de mule n'a pas voulu que je l'aide à préparer le repas.

Dans la cuisine, Parry posa sa canne sur le côté du comptoir, enfila une paire de gants et ouvrit la porte du four. Il en tira un plateau sur lequel grésillaient deux rôtis de bœuf pour les examiner.

– Parfait, dit-il.

C'est alors que Bartleby et Colly surgirent tout à coup, s'emparant chacun d'un rôti avant de s'enfuir dans les champs par la porte de derrière, leurs trophées entre les crocs.

– Saletés de charognards ! hurla Parry en brandissant sa canne en direction des deux chasseurs. La prochaine fois, je vous tire dessus !

La tablée n'avait rien entendu depuis la salle à manger, car la cuisine se trouvait à plusieurs couloirs de là.

– Je vais voir ce qu'il fabrique, décida Drake. Il a probablement fait brûler notre repas.

– Je ne me donnerais pas cette peine, intervint Mme Burrows alors que Parry paraissait soudain dans l'embrasure de la porte, l'air furieux. Notre plat principal traverse actuellement le champ qui se trouve derrière la maison, et à vive allure qui plus est, dit-elle avant même que Parry n'ait eu le temps de s'exprimer.

– Comment faites-vous ça ? demanda le vieil homme. Comment avez-vous pu savoir ?

– SOS, répondit Mme Burrows en se tapotant l'aile du nez comme si elle lui confiait quelque secret fondamental.

– SOS ? répéta Parry qui se laissa alors choir sur sa chaise en tête de table, puis vida son verre de vin d'un trait.

– Sens olfactif superpuissant, répondit Mme Burrows en riant avant de se lever de table. Jeff, Drake, venez donc avec moi. Vous m'aiderez à préparer un autre repas.

– Hum… je peux dire quelque chose ? demanda Chester, et Mme Burrows se rassit sur son siège.

Drake acquiesça et Chester poursuivit.

– Eh bien, si ce que dit Mme Burrows à propos de son superpouvoir est vrai… voilà, ça m'a donné une idée. On est tous là à cause des Styx et on a fait des choses incroyables, n'est-ce pas ? dit-il en regardant Drake. On a éradiqué la source de ces virus et détruit leurs laboratoires.

Chester regarda alors tour à tour Will et Elliot.

– Et on a aussi mis la main sur le vaccin contre le virus du Dominion. On est donc plutôt bons… on forme une équipe spéciale qui, une fois réunie, peut très bien combattre les Styx, non ? Comme ces équipes de superhéros justiciers qu'on trouve dans les bandes dessinées et les films. Et on est même tellement bons qu'on devrait avoir un nom. Un peu comme les X-Men ou les Quatre Fantastiques.

– Joli discours, le félicita Drake.

– Et tu pensais à quoi ? lui demanda Mme Burrows. Quelque chose comme l'Alliance rebelle, mais avec un peu plus de punch ?

– Les Ados ninjas mutants de la Surface ? lança Will.

– Ou les Sept de Drake ? gloussa M. Rawls après avoir compté les convives.

– Vous savez quoi ? leur dit Drake en levant les yeux au ciel, occupez-vous donc de trouver un nom pendant que je dévalise la cuisine.

Mme Rawls s'installa pour regarder les nouvelles du soir. Elle venait de terminer une longue conversation téléphonique avec sa sœur. C'était l'un de ces appels typiques d'un membre de la famille qui s'inquiète pour vous, n'a strictement rien à vous dire mais vous tient malgré tout au téléphone pendant des heures. Pire encore, sa sœur menaçait de lui rendre une visite pour s'occuper d'elle.

La sœur de Mme Rawls n'aimait pas l'idée qu'elle soit toute seule chez elle depuis que son mari, Jeff, avait pris la décision de partir faire un long voyage à l'étranger.

Mme Rawls n'était pas ravie de devoir mentir à sa propre famille, ni à quiconque d'ailleurs, mais il fallait bien admettre que lorsqu'elle avait expliqué ainsi l'absence de son mari, personne n'avait semblé terriblement surpris. Ils savaient tous ce qu'ils avaient enduré depuis la disparition de Chester et tous ces gens compatissants marmonnaient invariablement les mêmes paroles réconfortantes : « Il a probablement juste besoin de passer un peu de temps tout seul », ou encore « Il ne va pas tarder à revenir, vous verrez ».

Mme Rawls savait qu'il en allait tout autrement. Bien qu'elle ne sût pas où se trouvaient son mari et son fils, elle était à peu près sûre qu'ils n'étaient pas partis à l'étranger.

Elle se renfonça dans son siège en s'efforçant de se concentrer sur la télévision, mais elle avait l'esprit ailleurs.

Elle avait dit à Drake qu'elle ne pouvait pas rester là sans rien faire pendant que son fils, et plus récemment son mari, effectuaient leur part du travail dans le combat qu'il menait contre les Styx. Drake lui avait remis un téléphone portable dont son mari n'avait pas connaissance et elle l'avait appelé longuement pour lui parler de son engagement. Elle devenait folle à force de rester dans cet hôtel et Drake avait fini par capituler. Il lui avait trouvé quelque chose à faire.

Le plan était le suivant : elle devait se comporter comme si elle était encore sous l'emprise de la Lumière noire et se contenter de repartir chez elle à Highfield. Elle lui rapporterait chaque contact qu'elle aurait avec les Styx ou leurs agents en se servant d'une cachette où elle déposerait ses messages. Elle devait donc lui laisser des notes chez le marchand de journaux chaque matin, lorsqu'elle irait y chercher son quotidien.

Ce plan n'était bien entendu pas infaillible.

Les Styx pouvaient tout aussi bien la faire « disparaître », comme disait Drake, ou encore décider de lui infliger une petite piqûre de rappel à la Lumière noire afin de s'assurer qu'elle était bien sous son emprise.

Mais si les Styx pensaient qu'elle était encore programmée et qu'elle pouvait leur servir, soit pour les conduire jusqu'à Chester, et de là jusqu'à Drake, soit pour lui confier quelque rôle stratégique, elle représentait une source de renseignements inestimable qu'il était très difficile d'obtenir contre les Styx.

Les nouvelles télévisées touchaient à leur fin et le bulletin météo commença lorsque Mme Rawls entendit un bruit derrière elle. Quelqu'un se déplaçait sur son tapis.

Son sang ne fit qu'un tour.

Mon heure est-elle venue ? songea-t-elle. Elle ne pouvait pas voir qui se trouvait là car elle avait le dos tourné à la porte. Malgré une furieuse envie de se retourner, elle ne broncha pas et s'efforça de rester calme. Il fallait qu'elle se comporte comme si elle était encore sous l'emprise de la Lumière noire.

Elle entendit alors une voix au creux de son oreille. Une voix grave et voilée. L'homme avait une pointe d'accent, sans doute celui des faubourgs de Londres.

– Nous voulons que vous fassiez quelque ch… gronda-t-il.

Mais il n'eut pas le temps de terminer sa phrase. Elle entendit le bruit sourd d'un corps qui s'abat sur le sol.

Elle se tourna et vit s'effondrer un homme imposant dont les lunettes noires valdinguèrent au moment de l'impact. Il était vêtu d'un manteau d'aspect cireux et coiffé d'une casquette plate sur la tête. Il transportait une boîte qui gisait désormais à côté de lui.

Juste à son côté se tenait un autre homme, de corpulence beaucoup plus fine, semblable à la description des Styx que lui avait faite Drake, mais il avait une veste de sport et un pantalon de flanelle. Malgré son visage d'une maigreur cadavérique et son regard intense, l'impression qui se dégageait de lui n'était pas celle d'un tueur venu de cette ville souterraine dont on lui avait parlé.

– Madame Rawls… Emily, dit-il en lui tendant la main, ce qui semblait quelque peu curieux étant donné qu'il venait juste d'assommer un homme dans son salon.

– Oui, répondit-elle en lui serrant la main.

L'homme s'assit alors sur le bras du canapé, juste à côté d'elle.

– Drake m'envoie. Je ne sais pas si vous vous souvenez de moi, mais je l'ai accompagné ici même auparavant.

Mme Rawls fronça les sourcils.

– Lorsque M. Rawls et vous-même n'aviez pas pu reconnaître Chester à cause de la Lumière noire. Au fait, êtes-vous complètement libérée de son emprise ?

Il n'attendit pas sa réponse et se mit à prononcer quelques mots dans une langue étrange et gutturale à laquelle Mme Rawls ne comprenait rien. Elle réagit en haussant légèrement les épaules.

– On dirait bien que oui, conclut l'homme en se relevant. Il faut que vous veniez avec moi maintenant. Le plan de Drake a échoué. C'est un Colon qu'on a envoyé pour vous activer, dit-il en jetant un coup d'œil à la forme qui gisait à terre.

– Pour m'activer ? répéta Mme Rawls en se levant, les yeux rivés sur l'homme toujours inconscient. Mais pourquoi ? Et qu'est-ce qu'il y a là-dedans ? demanda-t-elle en indiquant une boîte grise d'une vingtaine de centimètres carrés.

– Je ne sais pas ce qu'ils s'apprêtaient à vous faire faire, mais la boîte contient probablement quelque chose de dangereux. Sans doute pas une arme biologique, mais il pourrait s'agir d'une bombe, dit-il en la ramassant pour la caler sous son bras. Quoi qu'il en soit, vous ne pouvez pas rester ici, c'est trop dangereux. Il faut que vous me suiviez, madame Rawls.

– Oui, euh, monsieur… dit-elle en plissant le front.

Elle se demandait comment il convenait de s'adresser à cet homme qui était entré chez elle pour la sauver.

– Toutes mes excuses. Je me présente, Edward James Green, lui dit l'homme, mais tout le monde m'appelle Eddie.

Chapitre Trente-six

Will, Chester et Elliott se trouvaient au bord du lac lorsque Will entendit quelqu'un l'appeler.

– Je crois que Drake veut te voir, lui dit Elliott qui l'avait aperçu gesticulant en haut de la colline.

Will rejoignit Drake sur la terrasse de la maison, meublée d'une table et de quelques chaises.

– Vous venez tout juste de rentrer ? demanda Will.

Drake acquiesça.

Il lui arrivait de partir pendant deux ou trois jours sans dire à personne ce qu'il tramait. Voyant le fourre-tout qu'il avait sur l'épaule, Will pensa qu'il lui avait rapporté un cadeau, puisqu'il avait offert un skateboard à Chester.

– C'est pour moi ? demanda Will avec impatience en pointant le sac du doigt.

Mais Drake ne répondit pas. Will, voyant que l'homme hésitait, ce qui ne lui ressemblait pas, comprit que ce n'était pas le cas.

– Qu'est-ce qui ne va pas ? demanda-t-il d'une voix inquiète.

Drake ne répondit toujours pas, mais il déposa le fourre-tout sur la table, en ouvrit la fermeture Éclair et plongea la main dedans.

– Je ne sais pas vraiment comment te dire ça, Will, lui dit Drake en sortant un sac en plastique blanc qu'il garda à la main. Asseyons-nous, tu veux bien ?

Will tira l'une des chaises de sous la table et s'exécuta.

– Tu m'avais demandé d'apporter le journal de ton père au British Museum. Tu voulais le remettre à des personnes qualifiées qui pourraient comprendre ce qu'il contenait, quelqu'un qui pourrait présenter au monde les incroyables découvertes de ton père.

– Oui, murmura Will qui n'aimait pas du tout la tournure que prenait cette conversation.

– Il faut que je te dise... le gros problème, c'est qu'il n'y a aucune preuve physique pour étayer ce qui est consigné dans le journal. De toute façon, tu n'aurais pas pu rapporter des spécimens ou des artefacts avec toi.

Will était sur le point d'exploser. Il voulait savoir ce qui était arrivé.

– Drake, dites-moi. Je me fiche pas mal que les nouvelles soient mauvaises. Je suis prêt à les entendre, dit-il en jetant un coup d'œil au sac en plastique blanc. Qu'est-ce qu'il y a là-dedans ?

– Laisse-moi terminer d'abord, s'il te plaît, répondit Drake en levant la main.

– D'accord, dit Will en grimaçant.

– Plusieurs spécialistes de la période antique rattachés à différents départements du musée ont examiné le journal de ton père qui a fini par arriver sur le bureau d'un certain Pr White, de l'université de Londres.

– Pr White, marmonna Will à plusieurs reprises avant de bondir de sa chaise. Je connais ce nom ! s'exclama-t-il. Non ! C'est le sale type qui s'est attribué la découverte de la villa romaine que papa avait trouvée à Highfield. Il l'a volée à mon père. Non, pas lui !

– Assieds-toi, Will, dit Drake avec fermeté. Je n'ai pas encore fini.

Will avait le visage rouge de colère et soufflait d'indignation. Il reprit néanmoins place sur sa chaise.

– Il se trouve que le Pr White a plutôt aimé ce qu'il a lu, et il a donc soumis le journal à un ou deux étudiants, lesquels ont décidé d'écrire un livre.

– Quel genre de livre ? demanda Will.

Drake ouvrit le sac en plastique.

– C'est leur premier roman. Tu sais mieux que quiconque que ce qui reste du premier journal du Doc se trouve probablement encore dans la cabane de Martha, là où tu as laissé ces pages. Au début du second journal, celui que tu as rapporté avec toi, le Doc a tenté de donner un compte rendu quotidien des événements qui ont conduit à la découverte de la Colonie, et du reste de vos aventures. Quoi qu'il en soit, ces deux étudiants ont été tellement inspirés par la lecture du journal qu'ils en ont fait une histoire.

– Ils ont fait quoi ? demanda Will, à peine capable de s'exprimer tant il était énervé. C'est donc un ouvrage universitaire ?

– Hum… pas vraiment, répondit Drake en tirant le livre hors du sac pour le donner à Will.

– *La Taupe de Highfield*, lut Will en examinant la couverture. *La Taupe de Highfield* ? répéta-t-il à plusieurs reprises, puis il examina le dos de l'ouvrage.

– Tu vois… c'est un livre pour la jeunesse, lui dit Drake. Ils ont écrit un roman d'aventures à partir du journal de ton père, pour les plus jeunes lecteurs.

Chester et Elliott étaient encore au bord du lac, mais ils entendirent le cri strident de Will au sommet de la colline :

– Nooooon !

Épilogue

La voix de Parry retentit dans la maison. Il voulait voir tout le monde, et cela semblait urgent.

– Y a le feu, ou quoi ? dit Will en croisant Chester dans le couloir qui menait aux chambres.

– Sais pas, dit Chester en haussant les épaules, et c'est alors qu'il remarqua le nouveau livre que tenait son ami à la main. Tu le lis vraiment ! Tu me le prêteras ensuite ? C'est bien ? demanda-t-il.

Will se contenta de faire une grimace.

– Ça ressemble à un rêve étrange. Je te le prêterai sans problème dès que j'aurai terminé.

Elliott se rua hors de sa chambre au moment où les deux garçons atteignirent l'escalier. Elle portait une robe de chambre et elle avait une serviette enroulée autour de la tête. Après des années passées à vivre dans un confort des plus rudimentaires, elle avait décrété que la salle de bains était son endroit préféré. Comme n'importe quelle adolescente, elle s'y enfermait des heures durant, pour se délasser dans son bain ou se coiffer devant la glace.

Lorsqu'ils entrèrent dans le salon, ils virent Drake et Parry devant la télévision, fascinés par ce qu'ils étaient en train de regarder. Chester scruta le hall d'entrée pour voir si son père venait les rejoindre, mais il demeurait invisible. C'est à ce moment-là que Mme Burrows se rua dans la pièce.

– C'est quoi, tout ce vacarme ? demanda-t-elle en s'arrêtant à côté de son fils.

– L'un des contacts de mon père qui travaille pour les services de sécurité vient de lui envoyer une info. Il se passe quelque chose à Londres, répondit Drake en augmentant le volume avec la télécommande. Quelque chose d'important.

– … parmi ces initiatives, on a donné l'ordre de fermer immédiatement les trois départements hospitaliers chargés du traitement des maladies infectieuses et de transférer immédiatement le personnel-clé dans une « superunité » à l'hôpital de University College, expliquait le présentateur. Cet ordre vient du Premier ministre lui-même, d'après nos sources proches du gouvernement.

Le Premier ministre apparut alors à l'écran, filmé à l'occasion d'une conférence de presse :

– En ces temps de crise économique, nous sommes tous conscients de l'urgence et de la nécessité de réduire les dépenses publiques, dit-il. Nous avons examiné en détail le budget de la santé, et nous avons identifié un certain nombre de secteurs dans nos hôpitaux qui bénéficieront d'une plus grande centralisation et d'une gestion plus rationnelle. Cette mesure donnera l'occasion à notre pays de faire des économies substantielles, sans pour autant renoncer à l'exigence qui est la nôtre quant à la qualité des soins et des traitements apportés aux patients et que nous nous sommes engagés à maintenir.

Le présentateur reprit ses explications, tandis que l'on voyait à l'écran le Premier ministre, le visage tiré, qui montait dans sa voiture avec chauffeur :

– L'annonce officielle de la fermeture d'installations aussi cruciales a pris tout le monde par surprise, y compris les parlementaires rattachés au ministère de la Santé. L'Association des médecins britanniques a protesté de manière officielle contre l'absence de consultation préalable à la décision du gouvernement de fermer, entre autres, les départements spécialisés dans le traitement des maladies infectieuses… et la rapidité avec laquelle ces fermetures ont été engagées, dit-il tandis que défilaient des scènes où l'on voyait des hommes transportant des récipients scellés hors d'un bâtiment hospitalier pour les charger dans un camion.

– Je n'arrive pas à y croire : c'est l'hôpital Saint-Edmund ! s'exclama Drake.

Des images montrant l'entrée de deux autres hôpitaux apparurent alors à l'écran.

– Eh bien, qui l'eût cru ? Voici Saint-Thomas, et puis l'hôpital de Londres. Quelle coïncidence ! ajouta-t-il en se tournant vers Elliott et les garçons. Pourquoi, alors qu'on redoute une grave épidémie, le gouvernement prendrait-il la décision d'entraver les capacités du pays à y faire face ? Pourquoi donc ferait-il ça ?

– Mais qu'est-ce que ça signifie au juste ? demanda Chester.

– Cela veut dire que les Styx y sont pour quelque chose, répondit Will.

– Forcément, acquiesça Drake. Cela ne peut pas être une simple coïncidence. Cette mesure touche précisément les trois hôpitaux auxquels j'ai fourni des échantillons du sang d'Elliott pour qu'ils les conservent dans leur banque de vaccins. Les Styx passent à l'attaque et récupèrent le vaccin du Dominion. Vous allez voir, je suis sûr que ces échantillons vont mystérieusement disparaître en chemin vers la nouvelle « superunité ».

– Mais nous avons toujours notre propre échantillon ici, n'est-ce pas ? dit Will en tapotant Elliott sur l'épaule.

– Ce qui fait de toi une personne très importante, une VIP en somme, ajouta Chester en regardant Elliott vêtue de sa robe de chambre.

– Mais c'était pas déjà le cas ? rétorqua Elliott d'une voix plaintive.

Drake ne les écoutait pas tandis qu'il évaluait les conséquences de l'événement.

– Bien sûr, les Styx auront le champ libre une fois nos installations surfaciennes paralysées. Je parie qu'ils nous réservent encore quelques surprises, d'autres maladies graves, car c'est exactement ce qu'ils nous font subir depuis des siècles.

– Mais si le Premier ministre a vraiment appuyé cette décision… croyez-vous qu'il ait été soumis à la Lumière noire, lui aussi ? demanda Mme Burrows, mais sa question resta sans réponse, car Parry agita soudain sa canne devant le téléviseur.

– Voilà ! annonça-t-il lorsque le reportage sur les hôpitaux fut soudain interrompu et qu'apparut en haut de l'écran « Flash special ».

– Vous voulez dire que vous ne nous avez pas fait venir pour entendre ce truc à propos des hôpitaux ? demanda Will en fronçant les sourcils.

– On vient de l'apprendre en même temps que vous, répondit Drake en secouant la tête.

– Taisez-vous ! aboya Parry. Ça commence.

Will et Chester échangèrent des regards stupéfaits, puis se tournèrent vers l'écran. L'image se brouilla une fraction de seconde avant que n'apparaisse la journaliste. Elle n'était manifestement pas dans un studio et couvrait l'événement via un système de diffusion monté à la hâte.

La journaliste se trouvait dans une rue bordée de hauts bâtiments vitrés tandis que des gens apeurés couraient derrière elle. Il s'agissait pour la plupart d'employés de bureau, mais il y avait aussi une poignée de policiers armés. Elle semblait troublée et n'avait pas préparé son texte.

– Je suis… je me trouve dans la City à Londres, au cœur du quartier financier, et à moins de cinq cents mètres d'ici, il semblerait qu'il y ait eu une fusillade à la Banque d'Angleterre. On vient de me dire que nous avons obtenu une vidéo filmée par un membre du public avec son téléphone portable, ajouta-t-elle après avoir parlé avec quelqu'un hors du champ de la caméra.

On diffusa alors des images tremblantes et de piètre qualité : on voyait une rue bloquée par des voitures de police derrière lesquelles les agents s'abritaient des tirs d'armes automatiques.

La caméra balaya ensuite la scène qui se situait derrière les véhicules, au carrefour habituellement bondé en plein centre de la City, là où se trouvaient les locaux de la Banque d'Angleterre, dans un bâtiment connu sous le nom de Royal Mint. Tout à coup, il y eut une énorme explosion qui souffla toutes les vitres du bâtiment. D'autres coups de feu suivrent. La journaliste reprit la parole et commenta le reste de la vidéo sur laquelle on voyait des nuages de fumée dans la rue déserte.

– Ce film, tourné il y a moins de vingt minutes, semble montrer une attaque contre la Banque d'Angleterre perpétrée par un gang d'hommes armés, dit-elle avant de réapparaître à l'écran. On rapporte également que des rixes ont démarré dans plusieurs autres endroits de la City, et que…

Une autre explosion retentit et la journaliste s'accroupit pour se protéger, puis l'écran se couvrit de neige avant de perdre toute image. Une seconde plus tard, le présentateur revint à l'antenne.

– Il semblerait que nous ayons perdu notre liaison avec notre car régie. J'espère que Jenny n'est pas blessée, dit-il en fronçant les sourcils, puis il s'éclaircit la voix et fit mine d'examiner ses papiers, le temps de se reprendre. Donc, pour les téléspectateurs qui viennent de nous rejoindre, nous recevons actuellement de nombreux témoignages indiquant des attaques armées contre la Banque d'Angleterre et plusieurs autres lieux, ainsi qu'au moins deux grosses explosions. On vient de m'informer qu'au moment de l'attaque se déroulait une réunion entre le gouverneur de la Banque d'Angleterre et son comité consultatif... dit-il en portant la main à son oreillette. On s'attend à ce qu'il y ait de nombreuses victimes, dont le gouverneur lui-même. Ces informations n'ont cependant pas encore été confirmées.

– C'est donc le début de la guerre, dit Drake en secouant la tête. Les Styx tentent de déstabiliser le pays en attaquant ses principales institutions basées dans la City, dit-il calmement. Voilà qui devrait nous plonger dans une sacrée récession, comme on n'en a encore jamais vu.

– Nous avons quelques agrandissements d'images de vidéosurveillance que nous ont transmises les forces de police, poursuivit le présentateur. On y voit les occupants de deux véhicules qui sont entrés séparément dans la City juste avant les incidents. La police demande à tous ceux qui détiendraient des informations sur ces hommes de...

– Le colonel Bismarck ! s'écria Elliott. Will, regarde, c'est le colonel !

Will s'avança et regarda fixement les images légèrement floues de deux visages derrière le pare-brise d'un véhicule. L'un des hommes ne lui disait rien du tout, même si, avec ses cheveux clairs et sa mâchoire carrée, il aurait très bien pu s'agir d'un soldat néo-germain. En revanche, l'autre homme lui était familier. Plus âgé que le premier, il avait une moustache caractéristique.

– Ça pourrait être lui, dit Will, mais l'image n'est pas très nette et je ne l'ai pas beaucoup regardé après la mort de papa.

– C'est lui, insista Elliott. Je le reconnais.

– Ils se servent donc maintenant des soldats du monde intérieur pour faire le sale boulot, suggéra Mme Burrows.

– Ce qui signifie qu'ils disposent désormais de toute la machine de guerre néo-germaine, dit Drake. Toute leur armée, bon sang !

– Et les jumelles sont sans doute de retour en ville, ajouta Will d'un air sinistre.

L'image suivante les réduisit soudain au silence : ils étaient tous sous le choc.

– Drake ! C'est toi ! souffla Elliott.

Drake recula d'un pas.

– On pense que cet individu, dit le présentateur, est derrière le groupe qui a lancé ces attaques, et la police est allée jusqu'à dire qu'il était le cerveau de l'organisation. Il se fait appeler Drake et l'on pense qu'il est toujours dans le pays. Les forces de police régionales viennent de lancer une chasse à l'homme.

– Manœuvre classique. Il fallait s'y attendre, dit Parry d'un ton bourru. Les Styx entravent ta liberté de mouvement.

– J'imagine que je n'irai plus faire les courses à partir de maintenant, acquiesça Drake.

M. Rawls, l'œil trouble, choisit cet instant pour faire son entrée. Il réprima un bâillement, comme s'il venait de se réveiller après un petit somme.

– Vous avez mis le cricket ? demanda-t-il en se grattant la tête. Quel est le dernier score ?

– Je ne sais pas, papa, répondit Chester, mais on dirait que les Styx mènent le jeu.

Remerciements

Je remercie…

Le grand Barry Cunningham qui a lancé, édité et publié ce livre. Il n'y a certes pas de magie dans ces histoires, mais elle opère bien dans le monde réel, et ce, grâce à notre prestidigitateur.

L'équipe de Chicken House : Rachel Hickman, Elinor Bagenal, Imogen Cooper, Mary Byrne, C.J. Skuse et Steve Wells, pour leur magnifique travail de mise en pages sur les différents ouvrages.

Mon agent et amie Catherine Pellegrino, de Rogers, Coleridge & White.

Simon Wilkie, Karen Everitt, Craig Tuner et Charles Landau, sans qui rien de tout cela n'aurait été possible.

Sophie, George et Frankie, pour m'avoir supporté.

Et enfin Hanif, qui m'a dit que rien ne devrait jamais être facile. Il avait raison. Rien n'est jamais facile.

« *The Secret Sits* », *Robert Frost : Selected Poems*, Robert Frost, 1942 ; *I Betray My Friends*, Orchestral Manoeuvres in the Dark, Andy McCluskey et Paul Humphries, 1980, dans *Navigations: The OMD B-Sides Compilation, 2001* ; *Le Livre des catastrophes allemand* extrait du volume VI de *Folk Traditions of Old Germany*, de Johann Beuys et Andras Warhola (Lehmbruck & Ernst, 1909).

Dépôt légal : avril 2010
N° d'imprimeur :
ISBN : 978-2-7499-1203-5
LAF 1236

Achevé d'imprimer au Canada
sur les presses de Imprimerie Lebonfon Inc.